l'alternative du diable

Frederick Forsyth

l'alternative du diable

roman traduit de l'anglais par Guy Casaril

FRANCE-AMÉRIQUE

Édition originale anglaise :
THE DEVIL'S ALTERNATIVE
Hutchison Publishing Group Lt., Londres
Copyright © Ahiara International Corporation S. A., 1979

Traduction française :
Copyright © Éditions Albin Michel, 1979
22, rue Huyghens, 75014 Paris.

Édité et distribué par les
Éditions France-Amérique
170 Benjamin Hudon, Montréal H4N 1H8
Tél.: (514) 331-8507

ISBN: 2-89001-035-X

A Frederick Stuart, qui ne sait pas encore.

Le visage du président des États-Unis exprima une horreur de plus en plus intense.

— C'est épouvantable, dit-il, quand il eut terminé la lecture du mémorandum. Je n'ai pas le choix. Ou plutôt, quel que soit le choix que je fasse, des hommes vont mourir.

L'homme des Services secrets britanniques lui adressa un regard dénué de sympathie. Il savait depuis longtemps que, par principe, les hommes politiques ne soulèvent guère d'objection à la mort de quelques hommes, pourvu que nul ne sache publiquement qu'ils en sont responsables.

— Cela s'est déjà produit, monsieur le Président, dit-il d'un ton ferme. Et cela se reproduira certainement à l'avenir. A la Firme, nous appelons ça : l'Alternative du Diable.

Prologue

Si un marin italien du nom de Mario n'avait pas eu de bons yeux, le naufragé serait mort avant le coucher du soleil. Au moment où on l'avait repéré, il avait déjà sombré dans l'inconscience. Son corps était presque nu et les parties exposées au soleil étaient constellées de brûlures au second degré. Partout ailleurs, sa peau immergée dans l'eau de mer était molle et blanche entre les morsures du sel, comme les membres d'une oie en train de pourrir.

Mario Curcio était à la fois le coq et le steward du *Garibaldi*, brave vieux rafiot rouillé venant de Brindisi, qui s'époumonait en direction de l'est, vers le cap Ince et, au-delà, le port de Trébizonde sur la côte nord de la Turquie, presque au fond de la mer Noire. Il devait y charger une cargaison d'amandes d'Anatolie.

Pourquoi Mario décida-t-il ce matin-là — on approchait de la fin du mois d'avril 1982 — de vider son baquet d'épluchures de patates par-dessus le bastingage au lieu de les jeter dans le puits à ordures de la poupe? Il n'aurait su le dire, et personne ne lui demanda jamais de se justifier. Peut-être pour prendre une bouffée d'air de la mer Noire et rompre avec la monotonie de sa cambuse exiguë, baignée d'une chaleur moite... Toujours est-il qu'il monta sur le pont, s'avança à pas lents jusqu'au bastingage de tribord et lança ses ordures dans un océan indifférent et calme. Il se détourna et s'apprêta à redescendre à ses devoirs. Après deux ou trois pas, il s'arrêta, fronça les sourcils, fit demi-tour et revint vers le bastingage, intrigué, hésitant.

Le bateau se dirigeait est-nord-est, pour contourner le cap Ince, de sorte que lorsque Mario protégea ses yeux de la main et fixa l'horizon par le travers arrière, le soleil de midi lui tomba presque en plein visage. Mais il était sûr d'avoir vu quelque chose au loin, dans la houle bleu-vert, entre le bateau et la côte de Turquie, distante de vingt milles vers le sud. N'apercevant plus rien, il courut sur

11

l'arrière-pont, monta par l'échelle extérieure jusqu'aux abords de la passerelle et regarda de nouveau l'horizon. Et il *le* vit, très nettement, pendant une demi-seconde, entre deux collines mouvantes d'eau. Il se tourna vers la porte béante derrière lui, qui donnait dans la timonerie.

— *Capitano!* cria-t-il.

Le capitaine Vittorio Ingrao fut assez difficile à convaincre, car Mario n'était qu'un simple gamin ; mais il était assez marin pour savoir que s'il y avait vraiment un homme à la mer, son devoir lui commandait de virer de bord et d'y regarder de plus près ; or son radar lui révélait effectivement un écho. Le capitaine mit une demi-heure pour amener son bateau à l'endroit désigné par Mario. Et, à son tour, il *le* vit.

L'embarcation avait à peine douze mètres de long et n'était pas très large : un canot léger, qui pouvait avoir servi de youyou à un bateau. A l'avant du maître couple, il n'y avait qu'une traverse, avec un trou pour fixer un mât. Mais, ou bien il n'y avait jamais eu de mât, ou bien, mal assujetti, il était passé par-dessus bord. Le capitaine Ingrao mit le *Garibaldi* en panne et se pencha par-dessus le bastingage latéral de la passerelle. Le bateau oscillait sous la houle tandis que Mario et le bosco, Paolo Longhi, mettaient à la mer le canot de sauvetage à moteur pour amener l'embarcation le long du plat-bord. Étant en surplomb, Ingrao put voir l'intérieur de l'embarcation dès qu'on l'eut remorquée plus près.

L'homme de la barque gisait sur le dos, dans une dizaine de centimètres d'eau de mer. Il était décharné, émacié, mal rasé. Il avait perdu conscience, sa tête tombait sur le côté, il respirait par à-coups. Quand on le monta à bord, il gémit chaque fois que les mains des marins effleurèrent ses épaules et sa poitrine à vif.

Il y avait sur le *Garibaldi* une cabine de secours toujours vide, qui servait d'infirmerie de bord. C'est là que l'on conduisit le naufragé. Mario, à sa demande, fut libéré d'un certain nombre de corvées pour s'occuper de l'homme, qu'il en vint bientôt à considérer comme sa propriété personnelle — exactement comme un enfant s'occupe avec un soin particulier du petit chien qu'il a sauvé de la mort. Pour soulager un peu la douleur, Longhi, le bosco, fit à l'homme une piqûre de morphine provenant de la trousse de premiers secours, puis, aidé de Mario, il s'occupa des brûlures du soleil.

Étant calabrais tous les deux, ils en savaient long sur les coups de soleil et ils préparèrent le meilleur onguent du monde. Mario apporta de sa cambuse un mélange composé par moitié de jus de citron frais et de vinaigre de vin, un morceau de toile fine de coton, arraché à sa taie d'oreiller, et un saladier de glaçons. Il imbiba le tissu avec sa mixture, en enveloppa une douzaine de glaçons, et, avec ce tampon, pressa doucement les endroits les plus brûlés, où les rayons ultra-violets avaient mordu la chair presque jusqu'aux os. Le liquide glacé chassa la chaleur des chairs écorchées. Toujours inconscient, l'homme frissonna.

— Vaut mieux attraper la fièvre que mourir de coups de soleil, mon vieux, lui dit Mario en italien.

L'homme ne pouvait pas entendre, et s'il avait entendu, il n'aurait pas compris.

Longhi rejoignit son patron sur l'arrière-pont où l'embarcation avait été halée.

— Quelque chose ? demanda-t-il.

Le capitaine Ingrao secoua la tête.

— Rien sur l'homme non plus. Pas de montre, pas de plaque portant son nom. Des sous-vêtements bon marché sans étiquette. Et sa barbe a bien une dizaine de jours.

— Ici, pas davantage, dit Ingrao. Pas de mât, pas de voile, pas d'avirons. Rien à manger et pas de réserve d'eau. Pas de nom sur le bateau non plus. Mais il a peut-être été gratté.

— Un touriste, entraîné en haute mer à partir d'une plage ou d'un port de plaisance ? demanda Longhi.

Ingrao haussa les épaules.

— Ou alors, le survivant d'un petit caboteur, dit-il. Nous serons à Trébizonde dans deux jours. Les autorités turques résoudront ce problème quand le type parlera. En attendant, reprenons le cap. Oh, il va falloir câbler à notre agent là-bas pour lui dire ce qui s'est passé. Et on aura besoin d'une ambulance quand on arrivera à quai.

Deux jours plus tard, le naufragé, encore dans un demi-coma et incapable de parler, reposait entre des draps blancs dans une chambre du petit hôpital municipal de Trébizonde.

Mario le marin avait accompagné « son » naufragé dans l'ambulance depuis les quais jusqu'à l'hôpital, avec l'agent du bateau et l'officier de santé du port qui avait absolument tenu à vérifier que l'homme inconscient n'avait pas de maladies contagieuses. Après avoir attendu une heure à son chevet, Mario avait fait ses adieux à son ami inconscient, puis était retourné au *Garibaldi* pour préparer le déjeuner de l'équipage.

Cela, c'était la veille, et le vieux baquet italien avait pris le large dans la soirée...

Maintenant, un autre homme se tenait près du lit, accompagné par un officier de police et le docteur en blouse blanche. Tous les trois étaient turcs, mais le petit homme rond en costume civil parlait un anglais acceptable.

— Il s'en sortira, dit le docteur, mais il est encore très mal. Insolation, brûlures au second degré : il a pris un rude coup, et on dirait bien qu'il n'a rien mangé depuis dix jours. Faiblesse générale.

— Qu'est-ce que c'est ? demanda le civil en montrant les tubes reliés aux deux bras de l'homme.

— Un goutte-à-goutte salin, et du glucose concentré pour combattre le choc, dit le docteur. Les marins lui ont probablement sauvé la vie en éliminant l'ardeur des brûlures, mais nous lui avons fait un bain de calomine pour activer le processus de guérison. Maintenant, c'est entre lui et Allah...

Umit Erdal, associé de la compagnie de commerce maritime Erdal et Sermit, était sous-agent de la Lloyds pour le port de Trébizonde, et l'agent du *Garibaldi* s'était déchargé sur lui, non sans reconnaissance, du problème du naufragé. Les paupières du malade tressaillirent sur le visage barbu, couleur de noisette. M. Erdal s'éclaircit la gorge, se pencha au-dessus du lit et essaya son meilleur anglais.

— Quel... est... votre... nom ? dit-il lentement et distinctement.

L'homme gémit et secoua plusieurs fois la tête de gauche à droite. L'homme de la Lloyds pencha sa tête plus près pour mieux entendre.

— *Zradjenyi*, murmura le malade, *zradjenyi*.

Erdal se redressa.

— Il n'est pas turc, dit-il d'un ton définitif, mais on dirait qu'il s'appelle Zradzhenyi. De quel pays peut bien venir un nom comme ça ?

Ses deux compagnons haussèrent les épaules.

— Je vais informer la Lloyds à Londres, dit Erdal. Peut-être sont-ils au courant d'un bâtiment porté disparu dans la mer Noire.

La bible quotidienne de la fraternité de la marine marchande du monde entier n'est autre que la *Lloyds List*, publiée du lundi au samedi et contenant des éditoriaux, des articles de fond et des nouvelles sur un seul sujet : la navigation maritime. Son compagnon d'écurie, le *Lloyds Shipping Index*, énumère les mouvements des trente mille vaisseaux marchands en activité dans le monde : nom

14

du bâtiment, propriétaire, pavillon, année de construction, tonnage, dernier passage signalé et destination.

Ces deux organes sont publiés dans le complexe de la Lloyds, Sheepen Place, à Colchester dans le comté d'Essex — en Grande-Bretagne. C'était dans ces bureaux qu'Umit Erdal télexait les mouvements des bateaux entrant et sortant du port de Trébizonde. Il se borna à ajouter quelques lignes supplémentaires à l'intention du service de Renseignements maritimes de la Lloyds, situé dans le même immeuble.

Ce service vérifia ses dossier de pertes en mer et confirma qu'on n'avait aucun rapport récent faisant état de navires manquants, coulés ou simplement retardés dans la mer Noire. Puis, il transmit le paragraphe à la rédaction de la *List*. Là, un rédacteur en fit un entrefilet de style « Nouvelles Brèves » pour la première page, en citant le nom prétendu du naufragé. L'entrefilet parut le lendemain matin.

La plupart des personnes qui lurent la *Lloyds List* en cette fin du mois d'avril, sautèrent purement et simplement le paragraphe consacré au naufragé non identifié de Trébizonde.

Mais l'entrefilet attira — et retint — l'attention d'un cadre supérieur travaillant pour une maison d'affrètement établie dans une petite rue de Londres, Crutched Friars, au cœur même de la City — le kilomètre carré financier et commercial de la capitale britannique. Ses collègues le connaissaient sous le nom d'Andrew Drake.

Après avoir bien assimilé le contenu du paragraphe, Drake quitta son bureau pour consulter dans la salle de conférences de la société une grande carte murale du monde où étaient portés les vents dominants et les principaux courants marins. En mer Noire, au cours du printemps et de l'été, les vents viennent surtout du nord, et les courants tournent dans ce petit océan, en sens inverse des aiguilles d'une montre. A partir de la côte méridionale de l'Ukraine, au nord-ouest de la mer Noire, ils descendent le long des côtes de Roumanie et de Bulgarie puis dévient plein est, parallèlement aux routes maritimes allant d'Istanbul vers le cap Ince.

Drake fit quelques calculs sur son bloc. Une petite embarcation partie des marais du delta du Dniestr, juste au sud d'Odessa, pourrait dériver à une allure de quatre à cinq nœuds avec vent arrière et courant favorable, droit au sud le long de la Roumanie et de la Bulgarie, vers les côtes turques. Mais au bout de trois jours, elle aurait tendance à être déportée vers l'est, et, s'écartant du Bosphore, elle serait entraînée vers le fond de la mer Noire.

La section « Temps et Navigation » de la *Lloyds List* confirma qu'il y avait eu du gros temps neuf jours plus tôt dans les parages. Le genre de gros temps (pensa Drake) qui peut retourner une barque légère entre les mains d'un marin d'occasion, et lui faire perdre son mât et tout ce qu'elle contenait. Même s'il parvenait à remonter dans la barque, l'homme serait alors à la merci du soleil et du vent.

Deux heures plus tard, Andrew Drake demanda une semaine de congé, que la société lui devait. On la lui accorda, mais uniquement à partir du lundi suivant, 3 mai.

Ce fut pour Drake une semaine très calme. Il prit dans une agence du quartier son billet aller et retour Londres-Istanbul, mais décida de ne prendre le billet de correspondance Istanbul-Trébizonde qu'à Istanbul, où il paierait en espèces. On lui confirma qu'ayant un passeport britannique, il n'avait pas besoin de visa en Turquie. En fin de journée, il se fit faire au centre médical des *British Airways*, gare Victoria, la vaccination antivariolique exigée.

Il était cependant impatient : après des années d'attente, il avait peut-être découvert enfin l'homme qu'il cherchait. A la différence des trois hommes qui se trouvaient au chevet du naufragé deux jours plus tôt, il savait, lui, de quel pays le mot *zradjenyi* provenait. Il savait aussi que ce n'était pas le nom de l'homme. L'homme sur le lit avait murmuré le mot « trahi » dans sa langue maternelle. Et cette langue, c'était l'ukrainien. Ce qui signifiait peut-être que l'homme était un résistant ukrainien en fuite.

Or Andrew Drake, malgré son nom anglicisé, était un Ukrainien lui aussi. Et un fanatique.

A son arrivée à Trébizonde, le premier appel de Drake fut pour le bureau de M. Erdal, dont il avait obtenu le nom par un ami travaillant à la Lloyds. (Partant en vacances sur la côte turque et ne parlant pas un mot de turc, il pouvait avoir besoin d'assistance.) En voyant la lettre d'introduction que Drake lui présenta, Umit Erdal ne s'inquiéta pas de savoir pourquoi son visiteur voulait rendre visite au naufragé de l'hôpital local. Il écrivit une lettre personnelle à l'administrateur de l'hôpital et, peu après l'heure du déjeuner, Drake fut introduit dans la petite chambre à un lit où l'homme reposait.

L'agent de la Lloyds lui avait appris que l'homme avait déjà repris conscience mais qu'il dormait la plupart du temps, et que dans ses périodes de veille, il n'avait jusqu'ici absolument rien dit. Lorsque Drake entra dans la chambre, le malade était allongé sur le dos, les yeux clos. Drake prit une chaise et s'assit à son chevet. Pendant un long moment, il fixa le visage défait de l'homme. Au bout de quelques minutes, les paupières de l'homme battirent, s'ouvrirent à demi et se refermèrent. Avait-il vu le visiteur qui le fixait ainsi ? Drake l'ignorait, mais il savait que l'homme était au bord de l'état de veille. Il se pencha en avant et prononça distinctement à l'oreille du malade :

— *Schtche ne vmerla Ukraïna.*

Ces mots signifient littéralement : « L'Ukraine n'est pas morte », mais il faudrait en réalité les traduire par « L'Ukraine continue de vivre ». Ce sont les premières paroles de l'hymne national ukrainien, interdit par les Maîtres russes, et tout Ukrainien conscient de son appartenance nationale les reconnaîtrait aussitôt.

Les yeux du malade clignèrent puis s'ouvrirent. Il fixa Drake avec intensité. Au bout de quelques secondes, il demanda, en ukrainien :

— Qui êtes-vous ?

— Un Ukrainien, comme vous, dit Drake.

Les yeux de l'autre homme se voilèrent de soupçon.

— Sale traître ! dit-il.

Drake secoua la tête.

— Non, dit-il d'une voix calme. Je suis de nationalité britannique, je suis né et j'ai été élevé en Angleterre, je suis le fils d'un père ukrainien et d'une mère anglaise. Mais dans mon cœur, je suis aussi ukrainien que vous.

L'homme dans le lit ne détacha pas les yeux du plafond.

— Je peux vous montrer mon passeport, délivré à Londres, mais cela ne prouverait rien. Un *Chekisti* pourrait vous en montrer un, s'il le désirait, pour vous induire en erreur.

Drake avait utilisé le terme d'argot qui désigne les membres de la police secrète du K.G.B.

— Mais vous n'êtes plus en Ukraine, poursuivit-il, et il n'y a pas de *Chekisti*. Vous n'avez pas été drossé sur les côtes de Crimée, ou de Russie du Sud, ou de Géorgie. Vous n'avez pas touché terre en Roumanie ou en Bulgarie non plus. Vous avez été recueilli par un bateau italien et il vous a déposé ici, à Trébizonde. Vous êtes en Turquie. Vous êtes à l'Ouest. Vous avez réussi.

Les yeux de l'homme se tournèrent vers le visage de Drake : ils étaient vifs, lucides, ils avaient envie de croire.

— Pouvez-vous vous lever ? demanda Drake.

— Je ne sais pas, répondit l'homme.

Drake fit un signe de tête vers la fenêtre, de l'autre côté de la petite chambre : on entendait en bas la rumeur de la rue.

— Le K.G.B. peut déguiser le personnel d'un hôpital en Turcs, mais il ne s'amusera pas à métamorphoser toute une ville pour un homme qu'on peut torturer jusqu'à ce qu'il avoue, si on en a envie. Pouvez-vous aller à la fenêtre ?...

Drake le prit sous les aisselles et le naufragé ne put retenir une grimace de douleur au moment où le bras de Drake frotta contre ses épaules. Il s'accrocha au montant de fer du lit puis tendit la main vers l'appui de la fenêtre. Il posa son front contre la vitre fraîche.

— Les voitures sont des Austin et des Morris importées d'Angleterre, dit Drake. Des Peugeot de France et des Volkswagen d'Allemagne de l'Ouest. Sur les enseignes les mots sont écrits en turc. Cette publicité, c'est pour Coca-Cola.

L'homme posa le dos de sa main contre sa bouche et se mit à mordiller ses jointures. Ses paupières battirent très vite.

— J'ai réussi, dit-il.

— Oui. Par miracle, vous avez réussi.

— Je m'appelle Miroslav Kaminsky, dit le naufragé lorsqu'il eut regagné le lit. Je viens de Ternopol. J'étais le chef d'un groupe de sept résistants ukrainiens.

Pendant l'heure qui suivit, Drake apprit toute l'histoire. Kaminsky et ses six compagnons, tous de la région de Ternopol — ancien foyer du nationalisme ukrainien, où quelques tisons étaient encore ardents — avaient décidé de riposter au programme de « russification » à outrance de leur pays, qui s'était intensifié au cours des années soixante pour devenir, en ce début des années quatre-vingt, une espèce de « solution finale » dans tous les domaines de la pensée nationale ukrainienne : art, poésie, littérature, langue, coutumes. En six mois d'activité, ils avaient tué deux secrétaires subalternes du Parti — des Russes imposés à Ternopol par Moscou — et un agent du K.G.B. en civil.

Puis ils avaient été trahis.

Quel qu'il fût, celui qui avait trahi était mort dans le déluge de feu déversé par les troupes spéciales du K.G.B., aux uniformes verts, qui avaient cerné la ferme où le groupe s'était réuni pour préparer son opération suivante. Seul Kaminsky s'était enfui, courant comme une bête à travers les fourrés, se cachant la journée dans les granges et les bois, se déplaçant la nuit, dirigeant ses pas vers le sud, vers la côte, avec la vague intention de se glisser sur un bateau de l'Ouest.

A Odessa, il n'avait pas pu s'approcher des docks. Il vivait de pommes de terre et de navets arrachés dans les champs, et il avait cherché refuge dans les terres marécageuses de l'estuaire du Dniestr, au sud-ouest d'Odessa, vers la frontière roumaine. Enfin, une nuit, dans un petit hameau de pêcheurs près d'un bras du fleuve, il avait volé une barque avec un mât amovible et une voile latine. Jamais il n'avait mis les pieds dans un voilier auparavant, et il ne connaissait rien de la mer. Il parvint à installer la voile et le gouvernail puis, se bornant à tenir la barre ferme et à prier, il laissa la barque courir vent arrière, vers le sud d'après les étoiles et le soleil.

Par pur hasard, il avait évité les vedettes qui patrouillent dans les eaux territoriales de l'Union soviétique, ainsi que les flottilles de pêche. La minuscule coque de bois qui le portait avait glissé sous les balayages des radars côtiers, puis avait échappé à leur rayon d'action. Ensuite, il s'était perdu, quelque part entre la Roumanie et la Crimée, toujours cap au sud, mais loin des routes maritimes les plus proches — dont d'ailleurs il ignorait l'existence. La tempête l'avait pris au dépourvu. Incapable d'amener sa voile à temps, il avait chaviré, et tout au long de la nuit, il avait usé ses dernières forces à s'accrocher à la coque renversée. Au matin, il avait pu retourner la barque, et il s'était glissé à l'intérieur. Ses vêtements, qu'il avait ôtés la veille pour se rafraîchir dans la brise du soir, avaient disparu. Disparues aussi les quelques pommes de terre crues qu'il lui restait, la bouteille de limonade pleine d'eau douce, la voile et le gouvernail. Les douleurs commencèrent peu après le lever du soleil lorsque la chaleur de la journée s'accrut. L'oubli total survint le troisième jour après la tempête. Lorsqu'il reprit conscience, il était dans un lit : il supporta la douleur des brûlures en silence et il écouta les voix, qu'il crut bulgares. Pendant six jours, il avait gardé les yeux fermés et la bouche close.

Andrew Drake l'écouta le cœur battant. Il avait trouvé l'homme qu'il attendait depuis des années.

— Je vais aller voir le consul de Suisse à Istanbul pour essayer de vous obtenir des papiers provisoires par l'entremise de la Croix-Rouge, dit-il lorsque Kaminsky montra des signes de fatigue. Si je réussis, je pourrai probablement vous ramener en Angleterre, au moins avec un visa provisoire. Ensuite, nous pourrons demander l'asile politique. Je reviendrai d'ici quelques jours.

Près de la porte, il s'arrêta.

— Vous ne pouvez pas revenir là-bas, bien sûr, dit-il à Kaminsky. Mais avec votre aide, moi, je le pourrai. Et c'est ce que je désire. C'est ce que j'ai toujours désiré.

Andrew Drake fut retardé à Istanbul beaucoup plus de temps que prévu, et il ne put repartir que le 16 mai à Trébizonde avec les papiers de Kaminsky. Il avait téléphoné à Londres pour prolonger son congé, ce qui lui avait valu une algarade du fondé de pouvoir de sa société. Mais cela en valait la peine : grâce à Kaminsky, il était sûr de pouvoir réaliser l'unique ambition dévorante de sa vie.

L'empire des Soviets — comme autrefois celui des tsars — malgré son apparence extérieure monolithique possède deux talons d'Achille. Le premier est l'alimentation de ses deux cent cinquante millions d'habitants. Le second est ce que l'on appelle, par euphémisme, « la question des nationalités ». Dans les quatorze républiques gouvernées par la République de Russie, il existe plusieurs vingtaines d'ethnies non russes identifiables, dont la plus importante, par le nombre et par sa conscience nationale, est la nation ukrainienne. En 1982, l'État grand-russien ne comptait que cent vingt millions d'habitants sur deux cent cinquante ; le second État de l'Union, par sa population et par sa richesse, était l'Ukraine, avec soixante-dix millions d'habitants. Et pour cette raison même, sous le Politburo comme sous les tsars, l'Ukraine avait toujours fait l'objet d'une attention spéciale — et d'une politique de russification particulièrement implacable. Mais il y avait à cela une seconde raison, qui tenait à son histoire.

L'Ukraine a toujours été divisée en deux parties, et c'est ce qui a provoqué sa perte : l'Ukraine occidentale et l'Ukraine orientale. L'Ukraine occidentale s'étend à partir de Kiev vers l'ouest, jusqu'à la frontière polonaise. La partie orientale, soumise aux tsars pendant des siècles, a subi davantage l'influence russe. Au cours des mêmes siècles l'Ukraine occidentale faisait partie de l'ancien empire austro-hongrois. Son orientation spirituelle et culturelle était, et demeure, plus occidentale que le reste de l'Union, hormis peut-être les trois États baltes qui sont trop petits pour résister de façon efficace. Les Ukrainiens lisent et écrivent avec l'alphabet latin et non en caractères cyrilliques ; ils sont en grande majorité catholiques uniates et non chrétiens orthodoxes russes. Leur langue, leur poésie, leur littérature, leur art et leurs traditions sont antérieurs à l'essor des conquérants russes venus du nord.

En 1918, lorsque l'Autriche-Hongrie fut démantelée, les Ukrainiens de l'Ouest tentèrent désespérément de fonder une république autonome sur les ruines de l'empire ; à la différence des Tchèques, des Slovaques et des Magyars, ils échouèrent et furent annexés en 1919 par la Pologne, dont ils constituèrent la province de Galicie. Lorsque Hitler pénétra en Pologne occidentale en 1939, Staline fit de même du côté oriental et l'Armée rouge s'empara de la Galicie. En 1941, les Allemands arrivèrent à leur tour. Il s'ensuivit un mélange détonant d'espoirs, de craintes et d'allégeances contradictoires. Certains espérèrent obtenir des concessions de Moscou s'ils combattaient les Allemands ; d'autres pensèrent à tort que l'Ukraine libre passait par la défaite de Moscou et s'engagèrent dans la Division Ukraine de la Wehrmacht, pour combattre l'Armée rouge sous l'uniforme allemand. D'autres enfin, comme le père de Kaminsky, prirent le maquis dans les Carpates et combattirent d'abord un envahisseur, puis le second, et de nouveau le premier. Tous perdirent : c'est Staline qui gagna, et il repoussa les limites de son empire vers l'ouest, jusqu'au Bug qui marque la nouvelle frontière de la Pologne. L'Ukraine occidentale dut se soumettre aux nouveaux tsars — le Politburo — mais les vieux rêves avaient la vie dure. Et mise à part une brève éclaircie vers la fin du règne de Khrouchtchev, le programme d'écrasement définitif des Ukrainiens n'avait cessé de s'intensifier.

Stéphane Drach, étudiant de Rovno, s'était engagé dans la Division Ukraine. Il avait eu beaucoup de chance : il avait survécu à la guerre, et en 1945 les Anglais l'avaient fait prisonnier en Autriche. Envoyé comme travailleur agricole dans une ferme du Norfolk, il aurait dû être rapatrié en 1946 lorsque les ministères des Affaires étrangères anglais et américain s'entendirent pour livrer à la merci de Staline les deux millions de « victimes de Yalta ». Le N.K.V.D. l'aurait exécuté. Mais, de nouveau, il avait eu de la chance. Derrière un tas de foin du comté de Norfolk, il avait culbuté une fille des champs et elle attendait un bébé. La solution, c'était évidemment le mariage, et six mois plus tard, on l'exempta de rapatriement pour raison de famille et on lui permit de rester. Dispensé des travaux agricoles, il profita des connaissances acquises pendant la guerre comme opérateur radio pour ouvrir un petit atelier de réparations à Bradford, capitale des trente mille Ukrainiens résidant en Grande-

Bretagne. Le premier enfant mourut en bas âge ; un second fils, pré-nommé Andriy, naquit en 1950.

Andriy apprit l'ukrainien sur les genoux de son père. L'ukrainien, et bien d'autres choses. Il entendit célébrer la terre paternelle, les vastes paysages des Carpates et de la Ruthénie, et il s'imprégna de l'aversion de son père pour les Russes. Mais le père mourut dans un accident de la route lorsque l'enfant avait douze ans ; sa mère, lasse des interminables soirées que passait son mari avec ses compa-gnons d'exil devant la cheminée du salon, à ressasser le passé dans une langue qu'elle n'avait jamais pu comprendre, anglicisa leur nom en Drake, et le prénom d'Andriy en Andrew. Et ce fut sous le nom d'Andrew Drake que l'enfant alla au lycée et à l'université ; ce fut sous le nom d'Andrew Drake qu'il obtint son premier passe-port.

La résurgence de l'Ukraine en lui survint à l'université vers la fin de son adolescence. Il y avait d'autres Ukrainiens et il se remit à parler couramment la langue de son père. C'était la fin des années soixante, et en Ukraine la brève renaissance de la littérature et de la poésie ukrainiennes venait de briller et de s'éteindre : la plupart de ses personnalités marquantes purgeaient des peines de travaux for-cés dans les camps du Goulag. Il vécut tous ces événements à fleur de peau, pleinement conscient de ce qui était arrivé aux écrivains de sa langue. Au début des années soixante-dix, il avait lu tout ce qui lui était tombé entre les mains, notamment les classiques de Taras Chevtchenko et des écrivains de l'époque de Lénine — mais que Sta-line avait supprimés, liquidés. Surtout, il avait lu les textes des Hommes de Soixante, ainsi nommés parce que leur épanouissement datait des trop brèves années précédant la décision de Brejnev d'écraser, une fois de plus, l'orgueil national que leurs textes exal-taient. Il avait lu Osdachy, Chornovil, Moroz et Dzyouba, et il avait souffert avec eux. Puis, quand il avait eu entre les mains les poèmes et le journal secret de Pavel Symonenko, le jeune porte-flambeau, mort du cancer à vingt-huit ans, qu'idolâtraient tous les étudiants ukrainiens à l'intérieur de l'U.R.S.S., son cœur s'était brisé pour un pays qu'il n'avait même pas vu de ses yeux.

Et son amour pour le pays de son père mort s'accompagna bien-tôt d'une aversion tout aussi fanatique pour ceux qu'il considérait comme ses persécuteurs ; il dévora d'un œil avide tous les pam-phlets clandestins que les mouvements de résistance de l'intérieur faisaient passer secrètement à l'Ouest ; il lut le *Courrier de l'Ukraine* qui racontait le sort des centaines d'inconnus, misérables et oubliés

— qui ne bénéficiaient pas de la publicité accordée aux grands procès de Moscou contre Daniel, Siniavski, Orlov, ou Chtcharanski. Et à chaque nouvelle horreur sa haine se développait, jusqu'au moment où pour Andrew Drake, autrefois Andriy Drach, la personnification de tout le mal existant dans le monde en vint à s'appeler simplement : K.G.B.

Il avait assez le sens des réalités pour ne pas tomber dans le nationalisme grossier des exilés plus âgés. Leurs distinctions subtiles entre Ukrainiens de l'Ouest et Ukrainiens de l'Est ne l'intéressaient pas. Il rejetait également leur antisémitisme inculqué de l'extérieur, et il considérait les œuvres de Gluzman, à la fois sioniste et nationaliste ukrainien, comme le message d'un compatriote. Il observa les communautés ukrainiennes exilées en Grande-Bretagne et en Europe continentale, et il y reconnut quatre tendances : les « nationalistes d'expression » pour qui parler et écrire la langue de leurs pères suffisait amplement ; les « nationalistes de conversation », qui parleraient jusqu'au Jugement dernier mais ne feraient jamais rien ; les « barbouilleurs de slogans », qui irritaient les citoyens de leur pays d'adoption tout en évitant soigneusement de toucher au monstre soviétique ; et enfin les « activistes » qui organisaient des manifestations avant les voyages officiels de dignitaires de Moscou : ceux-là étaient photographiés et fichés par la *Special Branch*, et jouissaient parfois d'une publicité éphémère.

Drach ne s'intéressa ni aux uns ni aux autres. Il resta silencieux, marcha droit et se tint à l'écart. Il descendit à Londres et trouva une place dans un bureau. Nombreux sont ceux qui, parallèlement à leur emploi modeste, sont animés par une passion secrète, inconnue de tous leurs collègues mais qui absorbe toutes leurs économies, leurs moments de liberté et leurs vacances annuelles. Drake était un homme de ce genre. Sans bruit, il rassembla un petit groupe d'hommes qui voyaient les choses exactement comme lui ; il les repéra, les rencontra, se lia d'amitié avec eux, prononça avec eux un serment solennel, et leur demanda de prendre patience. Car Andriy Drach avait un rêve secret et, comme l'a dit T. E. Lawrence, il était dangereux parce qu' « il rêvait avec les yeux ouverts ». Son rêve, c'était de pouvoir un jour frapper contre les hommes de Moscou un coup unique et gigantesque capable de les ébranler comme ils ne l'avaient jamais été. Il percerait les murailles de leur puissance, et il les frapperait au cœur de la forteresse.

Oui, son rêve était un rêve éveillé, et sa découverte de Kaminsky constituait une étape de plus vers son accomplissement.

C'était un homme déterminé et plein d'ardeur qui avait repris l'avion d'Istanbul à Trébizonde.

Miroslav Kaminsky adressa à Drake un regard indécis.

— Je ne sais pas, Andriy, dit-il. Je ne sais pas. Malgré tout ce que tu as fait pour moi, je ne sais pas si je peux te faire confiance à ce point. Je regrette, mais c'est comme ça qu'il m'a fallu vivre toute ma vie.

— Écoute, Miroslav, tu pourrais me voir tous les jours pendant vingt ans sans savoir plus de choses à mon sujet que tu n'en sais déjà. Tout ce que je t'ai dit sur moi est la vérité. Puisque tu ne peux pas rentrer en Ukraine, laisse-moi y aller à ta place. Mais il faut que j'aie des contacts là-bas. Si tu connais quelqu'un, n'importe qui...

Et au bout du compte, Kaminsky accepta.

— Il y a deux hommes, dit-il enfin. Ils n'ont pas été repérés quand mon groupe a été détruit, et presque personne n'était au courant. Je ne les avais rencontrés que deux ou trois mois plus tôt.

— Mais ce sont des Ukrainiens, et des résistants ? demanda Drake d'une voix impatiente.

— Oui, ce sont des Ukrainiens. Mais ce n'est pas leur motivation de base. Leur peuple a souffert lui aussi. Leurs pères, comme le mien, sont restés dix ans dans des camps de travail, mais pour une raison différente. Ils sont juifs.

— Mais est-ce qu'ils détestent Moscou ? insista Drake. Est-ce qu'ils sont prêts à frapper contre le Kremlin ?

— Oui, ils haïssent Moscou, répondit Kaminsky. Autant que toi ou moi. Je crois qu'ils sont inspirés par quelque chose qui porte le nom de Ligue de Défense juive. Ils en entendent parler à la radio. Je crois que leur philosophie, comme la nôtre, c'est que le moment est venu de répondre aux coups ; de ne plus permettre aux persécutions de nous abattre.

— Il faut que j'entre en contact avec eux.

Le lendemain matin, Drake repartit pour Londres avec les noms et les adresses de deux jeunes résistants juifs de Lvov. Deux semaines plus tard il s'était inscrit pour un voyage organisé d'*Intourist*. Début juillet, il visiterait Kiev, Ternopol et Lvov. Il quitta son emploi et retira de sa banque, en argent liquide, les économies de toute sa vie.

A l'insu de tous, Andrew Drake, alias Andriy Drach, partait en guerre — sa guerre personnelle — contre le Kremlin.

1

Un soleil doux, tiède, brillait sur Washington en ce milieu de mai : premiers flâneurs en bras de chemise dans les rues et premières roses rouges somptueuses dans le jardin que dominent les fenêtres à la française du Bureau Ovale de la Maison Blanche. Les fenêtres étaient ouvertes et les parfums frais de l'herbe et des fleurs flottaient dans le sanctuaire privé du souverain le plus puissant du monde. Mais les quatre hommes présents s'intéressaient à d'autres plantes, qui poussaient dans un pays lointain et étranger.

Le président William Matthews était assis à l'endroit où tous les présidents américains se sont toujours assis, le dos tourné vers le mur sud de la pièce, derrière un vaste bureau ancien, en face de la cheminée de marbre, de ligne classique, qui occupe le centre du mur nord. Son fauteuil (à la différence du fauteuil de la plupart de ses prédécesseurs qui avaient choisi des sièges personnalisés, faits sur mesures) était un simple fauteuil tournant de série comme en ont la plupart des P.-D.G. du monde. Car « Bill » Matthews — il tenait à ce que ses affiches publicitaires le désignent par son diminutif — avait toujours, au cours de ses campagnes électorales successives et couronnées de succès, mis en évidence ses goûts ordinaires, « à la bonne franquette », en matière de vêtements, de nourriture et de confort. Le fauteuil, donc, qui pouvait être vu par les dizaines de notables qu'il se plaisait à accueillir personnellement dans le Bureau Ovale, n'avait rien de luxueux. Le beau bureau ancien, faisait-il remarquer volontiers, était un héritage du passé et il faisait partie des traditions précieuses de la Maison Blanche. Et tout le monde prenait sa simplicité pour argent comptant.

Mais il y a une limite à tout, et Bill Matthews savait très bien la déterminer. Lorsqu'il était en conférence avec ses conseillers, le « Salut Bill » avec lequel le plus humble de ses électeurs pouvait s'adresser à lui n'était plus de mise. Finis également les intonations de voix bon enfant, et le sourire de commis voyageur ébouriffé qui avait, à l'origine, poussé les électeurs naïfs à envoyer à la Maison-Blanche un homme qu'ils prenaient pour leur voisin de palier. Bill Matthews n'était le voisin de palier de personne, et ses conseillers le savaient. C'était un chef.

Assis dans des fauteuils droits en face du président, se trouvaient les trois hommes qui avaient demandé ce matin-là une audience privée. Le plus proche de Bill Matthews sur le plan personnel, était le président du Conseil de la Sécurité nationale, son conseiller sur tous les problèmes de sécurité, et son confident en matière de politique étrangère. Dans l'aile droite de la Maison Blanche, et dans l'immeuble des services exécutifs, on l'appelait tantôt « Doc » et tantôt « ce foutu Polak ». Oui, Stanislas Poklewski était parfois objet de haine, mais on ne le sous-estimait jamais.

Comme il était étrange que ces deux hommes se soient rapprochés : le blond, blanc, anglo-saxon et protestant des États du Sud, et le brun, catholique romain, taciturne et dévot, qui avait quitté sa ville natale de Cracovie pendant sa jeune enfance. Mais Bill Matthews comprenait mal la psychologie tortueuse des Européens en général et des Slaves en particulier, et cette faiblesse était largement compensée par son conseiller, véritable machine à calculer éduquée par les jésuites. Le président le consultait en toutes circonstances. Et Poklewski avait deux autres bonnes raisons de lui plaire : il était férocement loyal et n'avait d'autre ambition politique que de rester l'ombre de Bill Matthews. La confiance du président n'était pourtant pas sans réserve : il lui fallait toujours contrebalancer l'aversion soupçonneuse du docteur à l'égard de Moscou par les opinions plus nuancées de son ministre des Affaires étrangères, d'origine bostonienne.

Le ministre n'assistait pas ce matin-là à la réunion provoquée par Poklewski. Les deux autres hommes assis devant le bureau étaient Robert Benson, le directeur de la *Central Intelligence Agency* (C.I.A.), et Carl Taylor.

On a souvent écrit que la *National Security Agency* (N.S.A.) est l'organisme responsable de tout l'espionnage électronique des États-Unis. C'est une idée répandue, mais erronée. La N.S.A. est responsable des opérations de surveillance et d'espionnage électroniques effectuées en dehors des États-Unis dans tous les domaines relatifs aux écoutes ; c'est la N.A.S.A. qui s'occupe des écoutes téléphoniques, de l'espionnage radio et surtout c'est elle qui capte dans l'éther les milliards de mots qui sont diffusés chaque jour dans plusieurs centaines de dialectes et de langues, c'est elle qui les enregistre, qui les décode, qui les traduit, et qui les analyse. Mais la N.S.A. n'a rien à voir avec les satellites-espions. La surveillance *visuelle* du globe, au moyen de caméras montées sur des avions et surtout sur des satellites, a toujours fait partie du domaine réservé du Bureau national de reconnaissance, placé sous la responsabilité conjointe de l'armée de l'air américaine et de la C.I.A. Carl Taylor était le directeur de ce *National Reconnaissance Office* (N.R.O.) — c'était un général à deux étoiles du service de Renseignement de l'armée de l'air.

Le Président feuilleta la pile de photographies à haute définition posées sur son bureau, puis les rendit à Taylor qui se leva pour les prendre et les rangea dans son porte-documents.

— Parfait, messieurs, commença Matthews d'une voix lente. Vous m'avez démontré que dans une petite partie de l'Union soviétique, peut-être même uniquement dans les quelques hectares qui se trouvent sur ces photos, la récolte de blé va être anormale. Qu'est-ce que cela prouve ?

Poklewski se tourna vers Taylor et lui fit un signe de tête. Taylor s'éclaircit la gorge.

— Monsieur le Président, j'ai pris la liberté d'organiser une projection de ce que nous transmet l'un de nos satellites Condor. Voulez-vous regarder ?

Matthews acquiesça. Taylor se dirigea aussitôt vers l'une des consoles de télévision placées dans le mur courbe de l'ouest, au-dessous des bibliothèques que l'on avait modifiées pour recevoir les appareils. Lorsque des délégations civiles pénétraient dans la pièce, la nouvelle rangée d'écrans vidéo était dissimulée par des portes coulissantes de teck. Taylor alluma l'appareil situé à l'extrême gauche et revint vers le bureau du Président. Il décrocha l'un des six téléphones, composa un numéro et dit simplement :

— Envoyez.

Les satellites Condor suivaient des orbites plus éloignées de la terre que celles de tous les autres engins spatiaux, mais ils possédaient des caméras si perfectionnées qu'elles pouvaient montrer en gros plan l'ongle d'un homme situé à plus de trois cents kilomètres de distance, à travers le brouillard, la pluie, la grêle, la neige, les nuages et la nuit. Les Condor étaient les derniers en date et les meilleurs.

Au cours des années soixante-dix, la surveillance photographique, malgré ses qualités, était une opération lente, surtout parce qu'il fallait éjecter du satellite, à des positions très précises, chaque magasin de film exposé, contrôler sa chute libre sur la terre dans une capsule de protection, le retrouver à l'aide d'engins de repérage sonores (blips), l'envoyer par avion aux laboratoires centraux du N.R.O., le développer et le projeter. C'était uniquement au moment où le satellite était sur un segment d'orbite permettant d'établir une liaison directe avec les États-Unis ou l'une des stations de poursuite contrôlées par les Américains, que pouvaient avoir lieu des émissions vidéo en direct. Mais lorsque le satellite survolait l'Union soviétique, la courbure de la Terre faisait écran à la réception directe, et les observateurs devaient attendre qu'il ait fait le tour.

Puis, au cours de l'été 1978, les savants avaient résolu le problème avec le Jeu des Paraboles. Leurs ordinateurs avaient calculé un réseau d'orbites d'une complexité infinie, et une demi-douzaine de caméras spatiales se promenaient autour de la surface du globe avec comme principal résultat que, si la Maison Blanche voulait regarder avec les yeux de n'importe quel espion du ciel, il lui suffisait d'envoyer un signal d'émission. Le satellite se mettait à émettre ce qu'il voyait, et lançait les images, sur un arc de parabole peu accentué, à un autre satellite qui servait de relais. Le second « oiseau » renvoyait l'image à un troisième et ainsi de suite, exactement comme les joueurs de basket-ball se renvoient la balle du bout des doigts sans interrompre leur course. Lorsque les images réclamées parvenaient au satellite se trouvant au-dessus des États-Unis, on les dirigeait vers le quartier général du N.R.O., et de là, par faisceau hertzien, au Bureau Ovale.

Les satellites se déplaçaient à plus de soixante mille kilomètres à l'heure ; sur le globe, les heures s'égrenaient, les saisons se succédaient. Pour la moindre variation, les calculs étaient astronomiques, mais les ordinateurs les effectuaient. Depuis 1980, le président des États-Unis pouvait voir vingt-quatre heures sur vingt-quatre le moindre centimètre carré de la surface du globe, en appuyant simplement sur un bouton d'émission en direct. Parfois cela l'agaçait. Mais cela n'agaçait jamais Poklewski : son éducation catholique l'avait habitué à ce que toutes les pensées et tous les actes privés soient révélés au confessionnal. Les satellites Condor étaient comme un confessionnal à l'échelle de la planète, avec lui-même dans le rôle du prêtre (n'avait-il pas failli le devenir ?).

Lorsque l'écran s'alluma, le général Taylor déplia une carte de l'Union soviétique sur le bureau du Président et lui montra le site du doigt.

— Ce que vous voyez en ce moment, monsieur le Président, vient de Condor 5, qui est en orbite entre Saratov et Perm, et qui se dirige vers le nord-est à travers les Terres vierges et le pays de la Terre noire.

Matthews leva les yeux vers l'écran. De vastes étendues de terre se déroulaient lentement du haut en bas de l'écran : une bande d'une trentaine de kilomètres de large. La terre paraissait nue, comme en automne après la moisson. Taylor murmura quelques instructions au téléphone. Quelques secondes plus tard l'image se resserra, pour ne former qu'une bande d'à peine huit kilomètres. Vers la gauche de l'écran, passa un petit groupe de chaumières, des isbas de bois sans doute, perdues sur l'immensité de la steppe. La ligne d'une route entra dans l'image, demeura au centre pendant un bref instant puis glissa hors champ. Taylor murmura de nouveau dans l'appareil : l'image se resserra pour former une bande d'une centaine de mètres. La définition était meilleure. Un homme, conduisant un cheval à travers la vaste étendue de la steppe, entra dans l'image puis en sortit.

— Ralenti, demanda Taylor au téléphone.

Sous la caméra le sol défila moins vite. Dans l'espace, le satellite Condor était toujours sur orbite à la même altitude et à la même vitesse. C'était au laboratoire du N.R.O. que l'on grossissait et que l'on ralentissait les images. Le cadre se resserra et se ralentit de plus en plus. Contre le tronc d'un arbre solitaire un paysan russe déboutonna lentement sa braguette. Le président Matthews n'était pas un homme féru de technique et il ne cessait jamais de s'émerveiller. Il était là, se dit-il, bien au chaud dans son bureau, par un beau matin du début de l'été, à Washington, et il regardait un homme en train d'uriner quelque part à l'ombre des monts Oural. Le paysan disparut lentement vers le bas de l'écran. L'image qui se rapprochait maintenant était celle d'un champ de blé de plusieurs centaines d'hectares.

— Image fixe, demanda Taylor au téléphone.

Lentement, l'image cessa de bouger et se figea.

— Gros plan, dit Taylor.

L'image grossit jusqu'à ce que l'écran entier soit occupé par une vingtaine de tiges de jeune blé. Chacune d'elles paraissait chétive, souffreteuse, sans vitalité. Matthews en avait vu du même genre au cours de son enfance, cinquante ans plus tôt, pendant les grandes sécheresses du Middle West.

— Stan ? dit le Président.

Poklewski, qui avait provoqué la réunion et la projection, choisit ses mots avec soin.

— Monsieur le Président, l'objectif que s'est fixé l'Union soviétique cette année en matière de céréales, est de deux cent quarante millions de tonnes. Cette production totale devait se répartir ainsi : cent vingt millions de tonnes de blé, soixante millions d'orge, quatorze d'avoine, quatorze de maïs, douze de seigle et pour les vingt millions qui restent : riz, millet, sarrasin et diverses légumineuses. Mais ce qui domine, c'est le blé et l'orge.

Il se leva et fit le tour du bureau, vers l'endroit où la carte de l'Union soviétique était toujours étalée. Taylor éteignit le récepteur vidéo et regagna son siège.

— Environ quarante pour cent de la récolte annuelle de céréales de l'Union soviétique, soit cent millions de tonnes, proviennent d'ici, en Ukraine, et de la région du Kouban au sud de la République de Russie, poursuivit Poklewski en indiquant ces zones sur la carte. Et il s'agit exclusivement de blé d'hiver, semé en septembre et octobre. En novembre, quand viennent les premières chutes de neige, le blé a germé et forme déjà de jeunes tiges. Les neiges recouvrent ces tiges et les protègent des fortes gelées de décembre et de janvier.

Poklewski se détourna et s'éloigna du bureau vers les fenêtres courbes allant du plancher au plafond, qui se trouvent derrière le fauteuil présidentiel. Il ne pouvait s'empêcher de marcher de long en large lorsqu'il parlait.

De la Pennsylvania Avenue, personne ne peut apercevoir le Bureau Ovale, dissimulé par l'arrière du petit bâtiment de l'aile ouest, mais comme la partie supérieure de ces hautes fenêtres du bureau, orientées vers le sud, peuvent être aperçues du monument de Washington à un kilomètre de là, on les a équipées de vitres blindées de quinze centimètres d'épaisseur, teintées en vert, au cas où un tireur d'élite s'embusquerait près du monument avec un fusil à longue portée. Lorsque Poklewski s'approcha des fenêtres, la lumière couleur d'aigue-marine accusa, sembla-t-il, la pâleur de son visage.

Il fit demi-tour juste au moment où Matthews s'apprêtait à faire tourner son fauteuil pour ne pas le perdre de vue.

— En décembre dernier, au début du mois, toute l'Ukraine et le Kouban ont connu un redoux exceptionnel. Il y en avait déjà eu à pareille époque, mais jamais aussi chauds. Une énorme vague d'air tiède, venue du sud, a balayé la mer Noire et est remontée au nord-est, vers l'Ukraine et le Kouban. Cela a duré une semaine et les premières neiges, d'une quinzaine de centimètres d'épaisseur, ont aussitôt fondu. Les jeunes plants de blé et d'orge sont restés exposés à l'air. Dix jours plus tard, comme par un fait exprès, nouvelle entorse au climat habituel : toute la zone a été frappée par des gelées exceptionnelles, de l'ordre de quinze et même vingt degrés au-dessous de zéro.

— Ce qui a fait énormément de mal au blé, dit le Président.

— Monsieur le Président, intervint Robert Benson de la C.I.A., nos meilleurs experts agricoles ont estimé qu'avec beaucoup de chance, les Soviétiques pourraient peut-être sauver cinquante pour cent de cette récolte de l'Ukraine et du Kouban. Le mal a été énorme, irréparable.

— C'est ce que vous venez de me montrer ? demanda Matthews.

— Non, monsieur le Président, dit Poklewski, ce que nous venons de vous montrer, c'est l'objet de cette réunion : les autres soixante pour cent des céréales soviétiques, cent quarante millions de tonnes. Elles proviennent d'immenses champs des Terres vierges mises en culture pour la première fois par Khrouchtchev au début des années soixante, et du pays de la Terre noire, au pied de l'Oural. Une petite fraction vient de Sibérie, de l'autre côté des montagnes. Voilà ce que nous vous avons montré.

— Et que se passe-t-il là-bas ? demanda Matthews.

— Quelque chose d'étrange, monsieur le Président. Quelque chose d'anormal a atteint les blés soviétiques. Les soixante pour cent en question sont des céréales de printemps, semées en mars et avril, après le dégel. Le blé devrait être en ce moment très vert et en pleine croissance. Or il lève de façon chétive, irrégulière, sporadique, comme s'il avait été frappé par une espèce de lèpre.

— Les intempéries ? demanda Matthews.

— Non. Ils ont eu un hiver et un printemps humides dans la région, mais rien de bien sérieux. Et depuis que le soleil a fait son apparition, le temps est parfait : chaud et sec.

— Quelle est l'étendue de cette... lèpre ?

Benson prit de nouveau la parole :

— Nous ne le savons pas, monsieur le Président. Nous n'avons guère qu'une cinquantaine de films sur ce problème. Nous nous occupons en priorité des concentrations militaires, des mouvements de troupes, des nouvelles bases de lancement de fusées, des usines d'armes. Mais ce que nous avons recueilli indique que le phénomène doit être assez largement répandu.

— Qu'attendez-vous de moi ?

— Ce que nous aimerions, reprit Poklewski, c'est votre feu vert pour approfondir un peu la question et découvrir son importance exacte pour les Soviétiques. Il faudrait envoyer des gens sur place — des délégations d'hommes d'affaires. Et supprimer certaines opérations de surveillance par satellites, qui sont moins capitales. Nous estimons que l'Amérique a un intérêt vital à découvrir exactement quelle situation Moscou va être obligé d'affronter.

Matthews réfléchit et regarda sa montre. Dans dix minutes il avait rendez-vous avec un groupe d'écologistes venus le saluer et lui remettre une médaille de plus. Et avant le déjeuner, il fallait qu'il reçoive le ministre de la Justice à propos de la nouvelle législation du travail. Il se leva.

— Très bien, messieurs, vous avez mon accord. Allez de l'avant, je crois effectivement que nous devons savoir à quoi nous en tenir. Mais je veux une réponse dans moins de trente jours.

Dix jours plus tard, le général Carl Taylor était assis dans le bureau qu'occupait, au septième étage de l'immeuble de la C.I.A. à Langley, le D.C.I. *(Director of Central Intelligence)* Robert Benson. Il avait les yeux fixés sur son propre rapport, agrafé à une liasse de photographies posées sur la petite table à café devant lui.

— C'est tout de même drôle, Bob, dit-il. Je ne parviens pas à comprendre.

Benson se détourna des larges fenêtres panoramiques — tout un mur du bureau du D.C.I. — qui donnent au nord-est sur la campagne boisée, en direction de l'invisible Potomac. Comme ses prédécesseurs il adorait cette vue, surtout à la fin du printemps et au début de l'été, lorsque les feuillages forment tout un éventail de verts délicats. Il reprit sa place sur le canapé bas, en face de Taylor.

— Mes experts en céréales n'y comprennent rien non plus, Carl. Et je ne veux pas m'adresser au ministère de l'Agriculture. Quoi qu'il puisse se passer en Russie, la publicité est la dernière des choses dont nous ayons besoin. Et si je mets des personnes extérieures sur le coup, ce sera dans la presse en moins de huit jours. Qu'est-ce que tu en as tiré ?

— Les photos démontrent que la maladie, la lèpre ou quoi que ce soit, n'est pas générale, dit Taylor. Le phénomène n'est même pas régional. C'est vraiment un casse-tête. Si la cause était climatique, on pourrait l'expliquer par des accidents météorologiques. Or il ne s'est rien passé. Si c'était une simple maladie épidémique de la plante, cela se répandrait sur une région entière. De même, s'il s'agissait d'une affection parasitaire. Mais non. On dirait que cela se produit au hasard. Il y a des champs de blé en pleine santé, vigoureux, poussant normalement, juste à côté de certaines zones lépreuses. Les reconnaissances de Condor ne montrent pas la moindre répartition logique. Et toi ?

Benson hocha la tête.

— Parfaitement illogique, je suis bien d'accord. Nous avons envoyé quelques hommes sur le terrain, mais ils n'ont pas encore rendu compte. La presse soviétique n'a rien dit. Mes spécialistes en agronomie ont examiné tes photos dans tous les sens. Tout ce qu'ils ont pu en tirer, c'est que la maladie vient de la semence ou du sol. Mais ils ne comprennent pas, eux non plus, le caractère absolument irrégulier de la répartition. Cela ne correspond à aucun phénomène connu. Mais l'important, c'est que je dois présenter au Président une évaluation de la récolte totale probable de céréales en Union soviétique pour cette campagne. Et ça ne peut pas attendre.

— Je n'ai pas la possibilité de photographier un à un tous les épis de blé et d'orge de l'Union soviétique, Bob, répondit Taylor. Même avec Condor. Il faudrait des mois. Peux-tu augmenter le temps de surveillance ?

— Absolument pas, répliqua Benson. J'ai besoin de renseignements sur les mouvements de troupes le long de la frontière chinoise, et sur le conflit qui menace d'éclater entre la Turquie et l'Iran. Et il faut que je surveille en permanence le dispositif de l'Armée rouge en Allemagne de l'Est et les sites de lancement des nouvelles fusées SS 20, derrière l'Oural.

— Je ne pourrai te donner qu'un pourcentage estimé sur ce que nous avons photographié à ce jour, et extrapoler pour l'ensemble de l'Union soviétique.

— Il y a intérêt à ce que ton chiffre soit juste, dit Benson. Je ne veux pas recommencer comme en 1977.

Taylor pinça les lèvres à ce souvenir, bien qu'à l'époque il ne fût pas directeur du N.R.O. En 1977, l'énorme machine des services de renseignement américains avaient été complètement « menée en bateau » par un bluff gigantesque des Russes. Tout au long de l'été, tous les experts de la C.I.A. et du ministère de l'Agriculture avaient déclaré au président des États-Unis que la récolte soviétique de céréales serait de l'ordre de deux cent quinze millions de tonnes. Aux délégués agricoles en visite en Russie, on avait montré des champs de blé resplendissants de santé. En fait, c'était l'exception.

Les analystes des photos de reconnaissance s'étaient lourdement trompés. Et à l'automne, Leonid Brejnev avait paisiblement annoncé que la récolte soviétique serait uniquement de cent quatre-vingt-quatorze millions de tonnes.

Le prix du blé américain disponible pour l'exportation avait aussitôt monté en flèche, car l'on était certain que les Russes seraient, de toute façon, contraints à acheter près de vingt millions de tonnes pour « faire la soudure ». Trop tard. Au cours de l'été, par l'entremise de sociétés de paille installées en France, Moscou avait déjà acheté à terme assez de blé pour couvrir son déficit — et à l'ancien prix, au plus bas. Ils avaient même fait louer des cargos de vrac sec par des hommes de paille, mais ces bateaux présumés à destination de l'Europe avaient en réalité déchargé leur manne dans les ports soviétiques. A Langley l'affaire était connue sous le nom de l' « Arnaque ».

Carl Taylor se leva.

— D'accord, Bob. Je vais aller prendre quelques photos de famille !...

— Carl !

La voix du D.C.I. arrêta Taylor près de la porte.

— Les belles images ne suffiront pas. Je veux que le 1er juillet les Condor reprennent leurs reconnaissances militaires. Donne-moi les meilleures estimations que tu auras à la fin du mois. Et... euh... reste du côté de la prudence. Si jamais tes gars repèrent quoi que ce soit susceptible d'expliquer le phénomène, reviens en arrière et reprends tout de zéro. Il faut tout de même qu'on sache à quoi s'en tenir avec cette récolte de blé russe.

Les satellites Condor du président Matthews pouvaient voir beaucoup de choses en Union soviétique mais certainement pas Harold Lessing, l'un des trois premiers secrétaires de la section commerciale de l'ambassade de Grande-Bretagne à Moscou. C'était probablement aussi bien, car ce matin-là, dans son bureau, il n'offrait guère un spectacle édifiant. Il était pâle comme un linceul et il se sentait au plus mal.

Dans la capitale soviétique, le siège officiel de l'ambassade britannique est une belle demeure d'avant la Révolution dont la façade exposée au nord, quai Maurice-Thorez, donne directement sur le mur sud du Kremlin, de l'autre côté de la Moskova. Elle appartenait jadis à un riche négociant en sucre de l'époque impériale, et les

Anglais l'avaient achetée pour une bouchée de pain au lendemain de la Révolution. Depuis lors, le gouvernement soviétique avait tenté maintes fois de déloger les Britanniques. Staline détestait l'endroit : chaque matin à son lever, il fallait qu'il subisse la vue, sous les fenêtres de ses appartements privés, du drapeau anglais flottant dans la brise de l'autre côté du fleuve. Et cela le mettait en rage.

Mais la section commerciale n'a pas le bonheur d'être hébergée dans cette demeure élégante, couleur crème et or. Elle se trouve dans un ensemble gris d'immeubles de bureaux construits après la guerre avec des matériaux de pacotille, à trois kilomètres du Kremlin sur la perspective Koutouzov, presque en face de l'hôtel de l'Ukraine et de sa silhouette de stuc en forme de gâteau de noces. Le même grand ensemble, gardé à son unique entrée par plusieurs agents de la milice, comprend toute une série d'appartements tristes, et notamment les logements de fonction d'une bonne vingtaine d'ambassades étrangères. On l'appelle le Korpus Diplomatik.

Le bureau de Harold Lessing était au dernier étage de l'immeuble de la section commerciale. Lorsqu'en ce matin de mai, vers dix heures trente, il s'évanouit soudain, le bruit du téléphone qu'il entraîna dans sa chute alerta aussitôt sa secrétaire dans le bureau voisin. Sans perdre son calme, elle appela aussitôt le conseiller commercial, qui demanda à deux jeunes attachés d'aider Lessing à quitter l'immeuble et à gagner, de l'autre côté du parking, son appartement au sixième étage du Korpus 6, à cent mètres de là. Lessing avait repris conscience, mais tenait mal sur ses jambes.

Aussitôt après son départ, le conseiller téléphona à l'ambassade, quai Maurice-Thorez, informa le directeur de la chancellerie, et demanda que l'on fasse venir le médecin de l'ambassade. A midi, après avoir examiné Lessing dans son lit, le docteur vint rendre compte au conseiller commercial. A sa vive surprise, le conseiller lui coupa la parole et lui demanda de l'accompagner à l'ambassade pour informer en même temps le directeur de la chancellerie. Le docteur, un généraliste anglais tout à fait ordinaire, attaché à l'ambassade par un contrat de trois ans avec rang de premier secrétaire, ne comprit les raisons de cette décision que plus tard. Le directeur de la chancellerie les conduisit dans une pièce spéciale de l'ambassade, à l'abri de toute écoute électronique — ce qui n'était absolument pas le cas à la section commerciale.

— C'est un ulcère perforé, dit le médecin aux deux diplomates. Il en souffrait certainement depuis des semaines, ou même des mois. Mais il a dû croire qu'il s'agissait d'acidités. Il a mis ça sur le compte de la tension professionnelle et il a ingurgité des tonnes de tablettes contre les aigreurs. C'est vraiment stupide, il aurait mieux fait de venir me voir.

— Faudra-t-il l'hospitaliser ? demanda le directeur de la chancellerie, les yeux fixés au plafond.

— Évidemment, répondit le docteur. Je pense pouvoir lui obtenir un lit dans quelques heures. Le personnel médical soviétique est très fort pour ce genre de maladie.

Il y eut un bref silence ; les deux diplomates échangèrent un regard. Le conseiller commercial secoua négativement la tête. Les deux hommes avaient eu la même pensée. Parce qu'il ne pouvait pas en être autrement, ils étaient tous les deux au courant de la véritable fonction de Lessing à l'ambassade. Le docteur ne l'était pas. Le conseiller laissa la parole au chef de la chancellerie.

— Ce ne sera pas possible, dit-il à mi-voix. Pas dans le cas de Lessing. Il faudra le mettre dans l'avion d'Helsinki cet après-midi. Êtes-vous certain qu'il supportera le voyage ?

— Mais je vous assure que..., commença le docteur.

Puis il s'arrêta. Il venait de comprendre pourquoi il lui avait fallu faire trois kilomètres en voiture pour avoir cette conversation. Lessing devait être le chef des opérations du *Secret Intelligence Service* (S.I.S.) à Moscou.

— Oh oui..., reprit-il. Très bien. Il est assez secoué et il a peut-être perdu un demi-litre de sang, mais je lui ai donné cent milligrammes de Pethidine pour calmer la douleur. Je peux lui faire une autre injection à trois heures cet après-midi. Si on le conduit en voiture à l'aéroport et si on l'accompagne tout le long du trajet, oui, il peut gagner Helsinki. Mais il faudra l'hospitaliser dès son arrivée. Je préférerais l'accompagner moi-même, je serais plus tranquille. Je pourrai rentrer demain.

Le chef de la chancellerie se leva.

— Magnifique, dit-il. Accordez-vous donc deux jours. Et ma femme a une liste de petites choses dont elle manque en ce moment. Si vous étiez assez aimable... Oui ? Merci beaucoup, vraiment. Je vais m'occuper de tout.

Depuis des années, on peut lire régulièrement dans les journaux, les revues et les livres, que le quartier général des services secrets de la Grande-Bretagne, le *Secret Intelligence Service* ou M15, se trouve dans un immeuble de bureaux du quartier de Lambeth à

Londres. Cette tradition amuse beaucoup le personnel de la « Firme », car l'adresse de Lambeth n'est qu'une façade, une légende soigneusement entretenue.

De la même manière, on garde une autre façade à Beaconsfield House, dans Curzon Street, censée abriter aujourd'hui encore le quartier général des services de contre-espionnage, M15. Cela a l'avantage d'induire en erreur les indésirables et les curieux. En fait les infatigables chasseurs d'espions du Royaume-Uni n'habitent plus derrière le Playboy Club depuis des années.

La véritable demeure du service secret le plus secret du monde est un immeuble ultra-moderne d'acier et de béton, attribué par le ministère de l'Environnement, situé à un jet de pierre de l'une des principales gares de la capitale desservant le sud du pays. Le S.I.S. s'y est installé au début des années soixante-dix.

C'est tout en haut de cet immeuble, dans sa suite aux verres teintés donnant sur la tour de Big Ben et sur le Parlement, de l'autre côté de la Tamise, que le directeur général du S.I.S. apprit la nouvelle de la maladie de Lessing. Il finissait de déjeuner. L'appel lui parvint sur l'un des téléphones intérieurs : le directeur du personnel venait de recevoir le message, décodé au sous-sol dans la salle du chiffre. Il écouta avec la plus grande attention.

— Pendant combien de temps sera-t-il indisponible ? demanda-t-il enfin.

— Plusieurs mois au moins. Deux semaines d'hôpital à Helsinki et quand il rentrera, quelques semaines encore. Et probablement une longue convalescence.

— Dommage, murmura le directeur général, songeur. Il va falloir le remplacer sans tarder.

Il se souvenait que Lessing contrôlait deux agents russes, de niveau subalterne, appartenant l'un à l'Armée rouge et l'autre au ministère des Affaires étrangères soviétique. Rien de bien sensationnel, mais tout de même utile.

— Rappelez-moi lorsque Lessing sera en sécurité à Helsinki, dit-il enfin. Et préparez-moi une petite liste des remplaçants possibles. Pour la fermeture ce soir, je vous prie.

Sir Nigel Irvine était le troisième professionnel de l'espionnage nommé directeur général du S.I.S. — la « Firme » comme on l'appelle couramment dans les milieux du renseignement.

La C.I.A. américaine, organisme beaucoup plus important, avait été fondée par des professionnels comme Allen Dulles, et c'étaient des professionnels qui l'avaient dirigée pendant ses années les plus prestigieuses. Mais certains abus de pouvoir, associés à sa manie de toucher à tout, l'avaient finalement livrée, au début des années soixante-dix, aux mains d'un « amateur », l'amiral Stanfield Turner. Quelle ironie de voir qu'exactement à la même époque, le gouvernement britannique avait fait exactement l'inverse : rompant avec la tradition, il avait enfin placé à la tête de la Firme un vrai professionnel et non un diplomate chevronné du Foreign Office.

Le risque avait porté ses fruits. La Firme avait connu une longue période de pénitence après les affaires Burgess, McLean et Philby, et sir Nigel Irvine était bien décidé à ce que la tradition de placer des professionnels à la tête de la Firme se poursuive après lui. Et pour cette raison, il luttait avec le même acharnement que ses prédécesseurs immédiats contre toute velléité de son personnel à faire cavalier seul.

— Le S.I.S. est un service public, pas un numéro de trapèze, disait-il toujours aux nouveaux venus en stage de formation à Beaconsfield. Nous ne sommes pas ici pour recevoir des applaudissements.

Il faisait déjà sombre lorsque les trois dossiers parvinrent sur le bureau de Nigel Irvine, mais il voulait en finir avec cette sélection, et il était prêt à rester le temps qu'il faudrait. Il passa une heure à éplucher les dossiers, mais le choix paraissait assez évident. Il téléphona enfin au chef du personnel, qui était encore dans l'immeuble, de venir le rejoindre. Sa secrétaire le fit entrer deux minutes plus tard.

Sir Nigel lui versa un *whisky and soda*. Son verre était encore presque plein. Il ne voyait aucune raison de se priver des bonnes choses de la vie, et son bureau était toujours bien approvisionné — peut-être pour compenser l'horreur des combats de 1944 et 1945, et les hôtels miteux de Vienne à la fin des années quarante lorsqu'il n'était encore qu'un jeune agent de la Firme soudoyant le personnel russe de la zone d'occupation soviétique de l'Autriche. Deux de ses recrues de l'époque — restées « dormantes » pendant des années — étaient encore utilisées, et il en était très fier.

Bien que l'immeuble abritant le S.I.S. fût un ensemble moderne d'acier, de béton et de chrome, le bureau de son directeur général, à l'étage supérieur, était décoré dans un style plus classique et plus élégant. Le papier peint café au lait était très reposant, et d'un mur à l'autre courait une moquette « orange brûlé ». Le bureau, le grand fauteuil derrière, les deux sièges devant, et la banquette Chesterfield de cuir noir capitonné, étaient des antiquités authentiques.

Dans la réserve d'œuvres d'art du ministère de l'Environnement, à laquelle ont accès pour la décoration de leurs bureaux les mandarins de la Fonction publique de Grande-Bretagne, sir Nigel avait raflé un Dufy, un Vlaminck et un Bruegel (ce dernier d'une authenticité douteuse). Il avait jeté son dévolu sur un Fragonard, minuscule mais adorable, mais malheureusement un gros bonnet des Finances était passé avant lui.

A la différence des bureaux des Affaires étrangères et du Commonwealth, dont les murs sont tapissés de toiles représentant les anciens ministres célèbres, comme Canning et Grey, la Firme avait toujours évité les portraits de famille. D'ailleurs, imagine-t-on des hommes aussi effacés et fuyants que les maîtres espions successifs de l'Angleterre, prenant plaisir à voir leur effigie accrochée aux murs ? Les portraits de la reine en tenue de cérémonie n'étaient pas non plus en faveur — alors que la Maison Blanche et Langley sont envahis par les photos dédicacées du dernier président.

— L'engagement de chacun au service de la reine et du pays n'a pas besoin d'être affiché dans cet immeuble, avait-on dit à un visiteur qui s'en étonnait (il venait de la C.I.A. à Langley) et de toute façon, toute personne qui aurait besoin qu'on le lui rappelle cesserait aussitôt de travailler ici.

Sir Nigel, qui fixait les lumières du West End de l'autre côté de l'eau, se détourna de la fenêtre.

— On dirait que Munro est le plus qualifié, qu'en pensez-vous ? demanda-t-il.

— C'est ce que je crois, répondit le chef du personnel.

— Comment est-il ? J'ai lu le dossier, je le connais vaguement. Mais donnez-moi votre opinion personnelle.

— Il est secret.

— Bien.

— Un peu « personnel », je dirais.

— Zut.

— Il y a la question de la langue, dit le chef du personnel. Les deux autres parlent un bon russe, tout à fait valable. Mais Munro peut passer pour un Russe. En temps normal, il s'en garde bien. Il leur parle un russe moyen avec un accent assez fort. Mais quand il laisse tomber le masque, il est vraiment impeccable. Juste ce qu'il faut. Pour prendre en main Malart et Mésange dans un délai aussi bref, un homme parlant un russe de premier ordre constitue un atout important.

Malart et Mésange étaient les noms de code des deux agents subalternes recrutés et contrôlés par Lessing. Les Russes exploités par la Firme en Union soviétique portaient tous des noms d'oiseaux, par ordre alphabétique en fonction de leur date de recrutement. Les deux M n'étaient pas des recrues récentes. On en était déjà à la lettre R.

— Très bien, dit sir Nigel d'un ton bourru. D'accord pour Munro. Où est-il en ce moment ?

— A la base d'entraînement de Beaconsfield. Il enseigne la pratique.

— Faites-le venir ici demain après-midi. Comme il n'est pas marié, il pourra sûrement partir très vite. Inutile de traînasser. Demain matin, j'obtiendrai du Foreign Office qu'il soit nommé en remplacement de Lessing à la section commerciale.

Beaconsfield, chef-lieu du comté du même nom dans le Buckinghamshire (d'un accès très facile à partir du centre de Londres), abritait il y a bien des années les résidences de campagne des grandes familles riches et influentes de la capitale. Mais depuis le début des années soixante-dix, la plupart de ces manoirs accueillaient des séminaires, des conférences, des cours spécialisés de gestion et de marketing à l'intention des P.-D.G., voire des sectes religieuses faisant retraite. L'une de ces élégantes demeures hébergeait l'école de russe des services généraux et ne s'en cachait pas. Une autre, plus petite, abritait le centre d'entraînement du S.I.S., et avait réussi jusque-là à s'en cacher.

Le cours de « pratique » d'Adam Munro avait du succès, ne serait-ce que parce qu'il rompait la monotonie pénible des classes de chiffrage et de déchiffrage. Munro intéressait ses élèves, et il le savait.

— Très bien, dit Munro ce matin-là (c'était la dernière semaine du mois). Et maintenant, quelques pépins et la méthode pour s'en sortir.

La classe fit silence, attentive. Les procédures de routine étaient une chose ; mais pouvoir renifler un parfum d'opération réelle avait infiniment plus d'intérêt.

— Vous devez prendre livraison d'un paquet remis par un contact, dit Munro. Mais vous êtes filé par les zozos du coin. Vous avez une couverture diplomatique en cas d'arrestation, mais votre contact n'en a pas. C'est un homme en plein dans le froid, un type du coin. Il doit venir au rendez-vous et vous ne pouvez pas l'arrêter. Il sait que s'il traîne trop longtemps, il risque d'attirer l'attention. Donc il attendra dix minutes. Que faites-vous ?

— Je sème les types qui me filent, suggéra quelqu'un.

Munro secoua la tête.

— Non. Pour deux raisons. Numéro un, vous jouez le rôle d'un diplomate innocent, pas d'un prestidigitateur. Semez la filature et vous révélez que vous êtes un agent entraîné. Numéro deux, vous n'êtes pas sûr de réussir. Si c'est le K.G.B. et s'ils utilisent le dessus du panier, vous ne réussirez sûrement pas, à moins de vous escamoter dans l'ambassade. Une autre idée ?

— Il faut laisser tomber, dit un autre élève. Ne pas se montrer. La sécurité d'un collaborateur sans protection doit passer avant tout.

— D'accord, dit Munro. Mais ça laisse votre bonhomme avec un paquet qu'il ne peut pas conserver éternellement. Et sans instructions pour une autre rencontre.

Il s'arrêta pendant plusieurs secondes.

— A moins que ?..., ajouta-t-il.

— Il y a une seconde procédure de rencontre prévue en cas de difficultés, suggéra un troisième étudiant.

— Bien, dit Munro. Lorsque vous l'avez vu, seul, au bon vieux temps où l'on ne vous surveillait pas encore, vous lui avez indiqué toute une série de procédures de secours au cas où vous ne vous présenteriez pas. Donc, il attend dix minutes, vous ne venez pas, il s'en va gentiment et innocemment au second lieu de rendez-vous. Comment s'appelle cette procédure ?

— Le point de chute ? risqua le brillant espoir qui avait voulu semer les suiveurs.

— Le *premier* point de chute, corrigea Munro. Nous ferons tout ceci dans les rues de Londres d'ici quelques mois, alors enfoncez-vous bien ça dans la tête.

Ils se penchèrent tous sur leurs cahiers de notes.

— D'accord, poursuivit Munro, vous avez un second lieu de rendez-vous dans la ville, mais vous êtes toujours suivi. Vous n'avez guère avancé. Que va-t-il se passer au premier point de chute ?

Silence général. Munro leur accorda trente secondes.

— Vous ne pouvez pas recevoir la livraison à cet endroit-là, leur dit-il. D'après les instructions que vous avez données à votre contact, le second lieu est toujours un endroit où il peut vous voir, sans pour autant que vous vous approchiez de lui. Vous vérifiez qu'il vous observe, depuis une terrasse, depuis un café, mais toujours loin de vous, et ensuite, vous lui faites un signal. N'importe quoi : vous vous grattez l'oreille, vous vous mouchez, vous laissez tomber un journal. Qu'est-ce que cela signifie pour le contact ?

— Que vous le convoquez au troisième lieu de rendez-vous selon les procédures déterminées auparavant entre vous, répondit Brillant Espoir.

— Exactement. Mais vous êtes *toujours* filé. Où va se passer la troisième rencontre ? Quel genre d'endroit ?

Cette fois, aucune réponse.

— Dans n'importe quel bâtiment — un bar, un club, un restaurant ou tout ce que vous voudrez — ayant une façade close, de sorte qu'une fois la porte fermée personne ne puisse voir l'intérieur du rez-de-chaussée à travers une fenêtre vitrée donnant sur la rue. Et pourquoi avez-vous choisi pour la remise du paquet un endroit de ce genre ?

On frappa un coup bref : le directeur des études passa la tête dans la salle et appela Munro d'un geste.

— On vient de vous convoquer, lui dit le directeur dans le corridor. Le Maître veut vous voir. Dans son bureau à trois heures. Vous partirez à l'heure du déjeuner. Bailey fera vos cours cet après-midi.

A son retour dans sa classe, Munro était assez intrigué. « Le Maître » était le surnom mi-affectueux, mi-respectueux que portaient successivement tous les directeurs généraux de la Firme.

Un élève avait trouvé une réponse à sa question.

— Cela vous permet d'aller jusqu'à la table du contact, et de prendre le paquet sans être vu.

Munro secoua la tête.

— Pas exactement. Quand vous quittez l'endroit, l'Opposition qui vous file peut laisser un homme à la traîne pour interroger les serveurs. Si vous vous approchez de votre homme, le visage du contact pourra être observé, et donc identifié, au moins par son signalement. Non. Une autre idée ?

— On utilise une boîte aux lettres à l'intérieur du restaurant, proposa Brillant Espoir.

Nouvelle dénégation de Munro.

— Vous n'aurez pas le temps. Vos suiveurs vont pénétrer dans les lieux quelques secondes après vous. Peut-être qu'à l'arrivée du contact — selon vos instructions, il doit être là avant vous — le W.C. prévu n'était pas libre. Peut-être la table prévue était-elle occupée.

Cela fait trop d'inconnues, trop d'impondérables. Non, pour cette troisième rencontre, nous utiliserons la technique du " croisement rapide ". Notez-le. Voici comment cela se passe.

« Au premier point de chute, votre contact a vu votre signal, il sait que vous êtes sous surveillance. A partir de ce moment-là, il applique la procédure prévue. Il synchronise sa montre à la seconde près avec la première horloge publique fiable, ou mieux encore, avec l'horloge parlante, qu'il appelle au téléphone. Vous faites, vous aussi, à un autre endroit, la même chose.

« A l'heure convenue, il doit déjà se trouver dans le bar, ou l'endroit convenu, quel qu'il soit. A la même heure, vous approchez de la porte, à la seconde près. Si vous êtes en avance, ralentissez, en resserrant vos lacets de souliers, en vous arrêtant devant une vitrine, n'importe quoi. Ne consultez pas votre montre de façon ostensible.

« A la seconde prévue, vous entrez dans le bar et la porte se referme derrière vous. A la même seconde le contact est debout, sa note payée, et il s'avance vers la porte. Il va se passer au maximum cinq secondes avant que la porte ne s'ouvre de nouveau et que les zozos de l'Opposition ne fassent leur entrée. Vous " croisez rapidement " votre contact à quelques mètres de la porte, en vous assurant qu'elle est bien fermée pour vous dissimuler aux regards. Au passage, vous donnez le paquet ou vous le recevez. Aussitôt, vous vous dirigez vers une table vide ou vers un tabouret du bar. L'Opposition entrera dans deux secondes. Ils croiseront le contact qui s'éloigne et disparaît. Plus tard, le personnel du bar confirmera que vous n'avez parlé à personne, que vous n'avez contacté personne. Vous ne vous êtes arrêté à la table de personne, et personne ne s'est arrêté à la vôtre. Vous avez le paquet dans une poche intérieure, vous finissez votre verre et vous rentrez à l'ambassade. L'Opposition signalera que vous n'avez contacté personne pendant votre promenade.

« C'est la technique du " croisement rapide "... et ça, c'est la sonnerie du déjeuner. D'accord, on débarrasse le plancher... »

En milieu d'après-midi, Adam Munro était déjà enfermé dans la bibliothèque secrète, au sous-sol du Q.G. de la Firme, plongé dans une masse de dossiers jaune chamois. Il n'avait que cinq jours pour étudier et mémoriser suffisamment d'éléments d'information pour remplacer Harold Lessing dans son rôle de « résident officiel » de la Firme à Moscou.

Le 31 mai, il s'envola de Londres vers Moscou pour occuper son nouveau poste.

Munro passa la première semaine à s'installer. Pour tout le personnel de l'ambassade, hormis quelques rares personnes bien informées, il n'était qu'un diplomate professionnel remplaçant Harold Lessing au pied levé. L'ambassadeur, le chef de la chancellerie, le directeur du chiffre et le conseiller commercial étaient les seuls à connaître ses véritables attributions. Son âge relativement avancé par rapport à sa fonction (quarante-six ans pour un premier secrétaire de la section commerciale), s'expliquait par une entrée tardive dans le corps diplomatique.

Le conseiller commercial le rassura sur son travail officiel : les dossiers qu'on lui confierait seraient aussi peu embarrassants que possible. L'ambassadeur le reçut quelques instants, de façon très guindée, dans son bureau personnel, et il prit un verre avec le chef de la chancellerie. Il fit la connaissance de la plupart du personnel, et se laissa entraîner dans toute une cascade de réceptions diplomatiques, pour rencontrer la plupart des autres diplomates des ambassades occidentales. Il eut également une conférence en tête à tête, très professionnelle celle-là, avec son homologue de l'ambassade américaine. Les « affaires », comme le lui confirma l'homme de la C.I.A., étaient plutôt calmes.

Tout membre du personnel de l'ambassade britannique à Moscou qui n'aurait pas parlé russe se serait fait remarquer de tous comme une tache de vin rouge sur un smoking blanc. Mais Munro, devant ses collègues comme avec les personnages officiels soviétiques qu'on lui présentait, ne pratiquait qu'un russe scolaire, avec un accent appuyé. Au cours d'une réception, deux fonctionnaires russes des Affaires étrangères avaient échangé quelques phrases rapides en russe parlé à deux mètres de lui. Il les avait comprises parfaitement et comme le sujet avait un certain intérêt, il avait aussitôt transmis à Londres.

Dix jours après son arrivée, assis, tout seul, sur un banc de jardin dans l'immense Exposition soviétique des réalisations économiques dans la banlieue nord de la capitale russe, il attendait l'instant de son premier contact avec l'agent de l'Armée rouge qu'il avait hérité de Lessing.

Né en 1936, Munro était le fils d'un médecin d'Édimbourg. Son enfance pendant les années de guerre avait été banale, une enfance de la classe moyenne, heureuse et sans problèmes. Il avait fréquenté une école de la ville jusqu'à l'âge de treize ans, puis avait passé les cinq années suivantes au Fettes Colleges, un des meilleurs établissements secondaires d'Écosse. C'était au cours de son séjour à Fettes que l'un de ses professeurs avait décelé chez lui une oreille exceptionnellement douée pour les langues étrangères.

En 1954, le service militaire était encore obligatoire, et Munro avait devancé l'appel. Après ses classes, il avait réussi à se faire affecter à l'ancien régiment de son père, le *First Gordon Highlanders*. Muté à Chypre, il avait participé aux opérations contre les partisans de l'E.O.K.A. dans les monts Traudos, à la fin de l'été de la même année.

Assis sur son banc, dans un parc de Moscou, il revoyait encore la fameuse ferme : ils avaient passé la moitié de la nuit à ramper dans le maquis pour encercler l'endroit, en suivant les indications d'un mouchard. Quand vint l'aurore, Munro était seul, au bas d'une forte pente derrière la maison perchée sur la colline. Le gros du détachement attaqua la ferme par la façade juste au lever du jour, en gravissant la pente plus douce avec le soleil dans le dos.

Il entendit, au-dessus de lui, venant de l'autre côté de la butte, le crépitement des mitraillettes Sten dans le matin calme. A la lueur des premiers rayons du soleil, il aperçut deux silhouettes qui se glissaient par les fenêtres de derrière dans l'ombre, jusqu'au moment où, dévalant la pente, elles sortirent de l'abri offert par la maison. Accroupi derrière le tronc d'un olivier mort, dans l'ombre protectrice du bosquet, il les vit se diriger droit sur lui, jambes écartées pour conserver leur équilibre sur l'argile. Ils déboulaient vers lui, et l'un d'eux tenait à la main droite quelque chose qui ressemblait à un petit bâton sombre. Même s'il avait crié (s'était-il dit plus tard), ils n'auraient pas pu ralentir leur élan... Mais sur le moment il ne s'était rien dit du tout. Il avait réagi comme on le lui avait appris à l'entraînement : il s'était levé lorsque les deux hommes étaient parvenus à vingt mètres de lui et il avait lâché deux brèves rafales — mortelles.

La violence des impacts les souleva, l'un après l'autre, bloqua leur élan, et les projeta sur l'argile au pied de la pente. Une volute bleutée de fumée de cordite s'éleva doucement du canon de sa Sten... Il s'avança pour les regarder. Il avait peur de se trouver mal, ou bien de vomir. Mais non, il ne se passa rien, sinon une curiosité morbide. Il regarda les visages. C'étaient des gosses, plus jeunes que lui-même. Et il n'avait que dix-huit ans.

Son sergent traversait l'oliveraie, en brisant tout sur son passage.
— Bien joué, petit! lui cria-t-il. Tu les as eus.
Munro baissa les yeux vers les cadavres des deux gosses, qui ne

se marieraient jamais, qui n'auraient jamais d'enfants, qui ne danseraient plus le *bouzouki* et ne connaîtraient plus la chaleur du soleil et du vin. L'un d'eux serrait encore entre ses doigts le petit bâton noir. C'était une saucisse. Il en avait encore une bouchée entre les lèvres. Il était en train de prendre son petit déjeuner. Munro se tourna vers le sergent.

— Je ne suis pas à vous ! cria-t-il. Je ne vous appartiens pas, bordel ! Je ne suis à personne ! Je n'appartiens qu'à moi-même !

Le sergent mit cet accès de rage sur le compte de l'émotion — c'était la première fois que Munro donnait la mort — et préféra ne pas le signaler. Ce fut peut-être une erreur. Car les autorités ne s'aperçurent pas qu'Adam Munro n'était pas complètement, à cent pour cent, docile et soumis. Et qu'il ne le serait plus jamais.

Six mois plus tard, on lui donna à entendre qu'il ferait un bon officier, et on le pressa de porter sa durée d'engagement à trois ans, pour pouvoir accéder au peloton des élèves officiers de réserve. Fatigué de Chypre, c'est ce qu'il fit. On le réaffecta en Angleterre à l'*Officer Cadet Training Unit* d'Eaton Hall. Trois mois plus tard, il obtenait sa première « ficelle » : il était sous-lieutenant.

Sur les formulaires qu'il avait remplis à Eaton Hall, il avait mentionné qu'il parlait couramment le français et l'allemand. On lui fit passer des tests de routine dans ces deux langues et l'on constata qu'il ne s'était pas vanté. Peu après sa promotion, on lui suggéra de se faire inscrire aux cours de russe des Services interarmes, qui se trouvaient à l'époque dans un camp baptisé La Petite Russie, à Bodmin, en Cornouailles. N'ayant le choix qu'entre cela et la vie de garnison dans une caserne d'Ecosse, il accepta d'emblée. Six mois plus tard, non seulement il parlait russe couramment mais il pouvait pratiquement se faire passer pour un Russe.

En 1957, malgré des pressions considérables exercées par son régiment pour qu'il « rempile », il quitta l'armée. Il avait décidé d'être correspondant de presse à l'étranger. A Chypre, il s'était lié d'amitié avec plusieurs journalistes et il croyait que ce travail lui plairait davantage qu'un emploi de bureau. A vingt et un ans, il entra comme reporter débutant au *Scotsman* publié dans sa ville natale d'Édimbourg, et deux ans plus tard il descendit à Londres travailler chez Reuter, l'agence de presse internationale dont le quartier général est 85, Fleet Street. Au cours de l'été 1960, une fois de plus, sa pratique des langues devait le tirer d'affaire : à l'âge de vingt-quatre ans, on l'affecta au bureau de Reuter à Berlin-Ouest, comme adjoint du directeur, le regretté Alfred Kluchs.

C'était l'été d'avant la construction du Mur. Trois mois après son arrivée il rencontrait Valentina, la seule femme (il s'en rendait compte maintenant plus que jamais) qu'il ait réellement aimée dans sa vie... Un homme s'assit à son côté et toussa. Munro chassa aussitôt ses rêveries. Quinze jours plus tôt il enseignait les règles de l'art aux blancs-becs (se dit-il) et aujourd'hui, il oubliait le premier principe de base : ne jamais distraire son attention avant un rendez-vous.

Le Russe le regardait sans comprendre, mais Munro portait la cravate à pois qu'il fallait. Lentement, sans quitter Munro des yeux, le Russe porta une cigarette à ses lèvres. Eculé, mais ça marche toujours ; Munro sortit son briquet et présenta la flamme au bout de la cigarette.

— Ronald s'est évanoui dans son bureau il y a quinze jours, dit-il doucement. Un ulcère, je crois. Je suis Michael. On m'a demandé de prendre sa suite. A propos, peut-être pourrez-vous m'aider : est-il exact que la tour d'Oskantino T.V. est le bâtiment le plus élevé de Moscou ?

L'officier russe en civil souffla sa fumée et se détendit. L'inconnu avait répété exactement les mots fixés par Lessing, qu'il connaissait sous le nom de Ronald.

— Oui, répliqua-t-il, elle a cinq cent quarante mètres de haut.

Il tenait un journal plié. Il le posa entre eux sur le banc. L'imperméable de Munro glissa de ses genoux et tomba par terre. Il le ramassa, le replia et le posa sur le journal. Les deux hommes restèrent une dizaine de minutes sans se regarder, tandis que le Russe achevait sa cigarette. Finalement il se leva et écrasa son mégot par terre, ce qui l'obligea à se pencher en avant, tout près de l'Anglais.

— Dans deux semaines, murmura Munro. La toilette des hommes sous l'escalier G au nouveau cirque d'État. Pendant le numéro du clown Popov. Le spectacle commence à sept heures et demie.

Le Russe se releva et continua sa promenade. Très calme, Munro surveilla les environs pendant une dizaine de minutes. Personne ne parut témoigner un intérêt particulier. Il ramassa d'un même geste son imperméable, le journal et l'enveloppe jaune qu'il dissimulait, puis il rentra par le métro jusqu'à la perspective Koutouzov. L'enveloppe contenait une liste mise à jour des affectations des officiers de l'Armée rouge.

47

2

Au moment où Adam Munro prenait sa correspondance à la station Place de la Révolution — le matin du 10 juin à onze heures — une dizaine de limousines Zil noires, astiquées à miroir, pénétraient dans l'enceinte du Kremlin par la porte Borovitsky, à trente mètres au-dessus de sa tête, et à quatre cents mètres en direction du sud-est. Le Politburo allait tenir une réunion qui risquait de modifier le cours de l'histoire.

Le Kremlin est un ensemble de bâtiments en forme de triangle, dont le sommet principal, dominé par la tour Sobakine, est orienté plein nord. De toutes parts il est protégé par une muraille de plus de quinze mètres, flanquée de dix-huit tours, percée de quatre portes.

Les deux tiers de ce triangle, vers le sud, constituent la partie touristique. C'est là que les groupes dociles de visiteurs font la queue pour admirer les cathédrales et les palais des tsars depuis longtemps défunts. Dans la partie médiane se trouve une étendue nue de macadam, patrouillée par des gardes, qui marque la frontière invisible que les touristes ne doivent pas franchir. Mais le cortège des limousines carrossées à la main franchit ce matin-là l'espace découvert et se dirigea vers les trois bâtiments de la partie nord du Kremlin.

Le plus petit à l'est, est le théâtre du Kremlin. A demi dissimulé derrière le théâtre, se trouve le bâtiment du Conseil des ministres, que l'on pourrait considérer comme le siège du pouvoir puisque c'est là que les ministres se réunissent. Mais en U.R.S.S. le véritable pouvoir n'appartient pas à ce Conseil. Il est l'apanage du Politburo, groupe minuscule et exclusif qui constitue l'instance exécutive suprême du Comité central du Parti communiste d'Union soviétique.

Le troisième bâtiment, plus important que les autres, se trouve le long de la façade ouest, juste derrière les créneaux de l'enceinte, et il domine les jardins Alexandrov. C'est un long rectangle étroit se déroulant vers le nord. La partie sud est l'ancien Arsenal, aujourd'hui transformé en musée de l'armement antique. Mais aussitôt après l'Arsenal, tous les passages intérieurs sont murés. Pour parvenir dans le reste du bâtiment, il faut passer par l'extérieur et franchir la haute grille de fer forgé qui s'étend entre le bâtiment des ministres et l'Arsenal. Ce matin-là, les limousines franchirent les grilles de fer forgé et allèrent se ranger près de l'entrée nord du bâtiment secret.

Le nord de l'Arsenal est un rectangle creux ; à l'intérieur, une cour étroite orientée du nord au sud divise le bâtiment en deux blocs plus étroits encore, occupés par des appartements et des bureaux. Il y a quatre étages, dont un mansardé. Au milieu du bâtiment intérieur, vers l'est, au troisième étage, donnant uniquement sur la cour et protégée de tout regard indiscret, se trouve la salle où tous les jeudis matin le Politburo se réunit pour exercer le pouvoir suprême sur deux cent cinquante millions de citoyens soviétiques, et sur des vingtaines de millions d'autres, qui se figurent être en dehors des frontières de l'empire russe.

Car il s'agit d'un empire. Bien qu'en théorie la République russe ne soit que l'une des quinze républiques constituant l'Union soviétique, dans les faits, la Russie des tsars — ancienne ou moderne — gouverne d'une main de fer les quatorze républiques non russes.

Pour exercer son pouvoir, la Russie utilise trois armes dont elle ne saurait se passer : l'Armée rouge, dont dépendent depuis toujours la marine et l'armée de l'air ; le Comité de sécurité de l'État, ou K.G.B., qui comprend 100 000 agents civils, 300 000 hommes sous l'uniforme et 600 000 mouchards ; et la Section des organisations du Parti, dépendant du Secrétariat général du Comité central, qui contrôle les cadres du Parti dans tous les lieux où l'on travaille, où l'on pense, où l'on réside, où l'on étudie et où l'on s'amuse, depuis l'océan Arctique jusqu'aux montagnes de Perse, et depuis les marches de Brunswick jusqu'aux rivages de la mer du Japon. Et ce n'est là que la fraction interne de l'empire.

La salle du bâtiment de l'Arsenal, dans laquelle le Politburo se réunit, mesure environ seize mètres de long sur huit mètres de large, ce qui est très modeste par rapport au volume de pouvoir qui y est concentré. Elle est décorée de marbre, dans un style surchargé très en faveur auprès des gros bonnets du Parti, mais ce que l'on remarque avant tout, c'est une longue table recouverte d'un tapis de feutre vert. Cette table a la forme d'un T.

Ce matin-là, 10 juin 1982, la séance revêtait un caractère tout à fait exceptionnel, car les membres du Politburo n'avaient reçu aucun ordre du jour : une simple convocation. Et les hommes qui prenaient leurs places autour de la table — avec ce sens collectif aigu du danger qui leur avait permis d'accéder au sommet — flairaient que quelque chose d'important se préparait.

Assis dans son fauteuil habituel au centre de la petite barre du T, se trouvait leur chef, Maxime Roudine. Apparemment, sa supériorité tenait à son titre de président de l'U.R.S.S. Mais en Russie, rien — si ce n'est le temps — n'est ce qu'il paraît être. Son pouvoir réel provenait de ses fonctions de secrétaire général du parti communiste de l'Union soviétique. C'était à ce titre qu'il était à la fois président du Comité central et président du Politburo.

Agé de soixante et onze ans, c'était un homme au caractère rugueux, secret et extrêmement rusé. S'il n'en avait pas été ainsi, jamais il n'aurait occupé le fauteuil où s'étaient assis avant lui Staline (qui convoquait d'ailleurs très rarement le Politburo), Malenkov, Khrouchtchev et Brejnev. A sa droite et à sa gauche se tenaient quatre secrétaires de son état-major personnel, des hommes fidèles à sa personne avant toute chose. Derrière lui, dans les deux angles du mur nord de la pièce, se trouvaient des petites tables. Assis à l'une d'elles, deux sténographes, un homme et une femme, notaient le moindre mot prononcé. Près de l'autre table, pour plus de sûreté, deux hommes se penchaient sur les bobines d'un magnétophone. Il y avait un second magnétophone pour les changements de bobine.

Le Politburo comportait treize membres, et les douze autres prirent place, six de chaque côté, devant la longue barre du T. Sur la table, des blocs-notes, des carafes d'eau, des cendriers. Au bas bout de la table se trouvait un fauteuil isolé. Les membres du Politburo se comptèrent pour s'assurer que personne ne manquait. Car le siège vide était le Fauteuil Pénal : jamais il n'était occupé, sauf par un homme qui ne franchirait plus jamais le seuil de cette pièce, par un homme contraint à écouter sa propre condamnation par ses anciens collègues, par un homme exposé à la disgrâce, à la ruine et, autrefois, il n'y a pas si longtemps, à la mort devant le Mur Noir de la Loubianka. Selon la coutume, on veillait à ce que le condamné soit en retard, et à son entrée il trouvait tous les sièges occupés. Seul le Fauteuil Pénal était libre. Alors, il savait. Mais ce matin-là, le Fauteuil Pénal resterait vide : tout le monde était arrivé.

Roudine se pencha en arrière et observa les Douze à travers ses paupières mi-closes. La fumée de son éternelle cigarette errait devant son visage. Il préférait encore les « papyros » russes à l'ancienne mode, moitié tabac, et moitié tube de carton mince (qu'il écrasait deux fois entre le pouce et l'index pour filtrer la fumée). Ses secrétaires avaient reçu l'ordre de les lui faire passer l'une après l'autre — et ses médecins, celui de « la boucler ».

A sa gauche, sur la grande barre du T, se trouvait Vassili Pétrov, âgé de quarante-neuf ans, son protégé personnel, très jeune pour le poste qu'il occupait à la tête de la Section des organisations du Parti (du Secrétariat général du Comité central). Roudine pouvait compter sur lui dans la période délicate qui s'annonçait. A côté de Pétrov, se tenait le ministre des Affaires étrangères, Dimitri Rykov, un vétéran du Politburo, qui se rangerait automatiquement de son côté parce qu'il n'avait aucune autre possibilité. Après lui, Youri Ivanenko, mince et vigoureux pour ses cinquante-trois ans, vêtu d'un complet élégant, coupé à Londres, aussi voyant qu'un panaris sur une main manucurée, semblait éclabousser par son snobisme tous ces hommes pour qui les mœurs de l'Occident étaient systématiquement haïssables. Nommé à la tête du K.G.B. par Roudine en personne, Ivanenko serait de son côté lui aussi, tout simplement parce que l'opposition viendrait d'une faction qui détestait Ivanenko et voulait sa perte.

De l'autre côté de la table, se tenait Ephraïm Vichnaïev, très jeune lui aussi pour les fonctions qu'il occupait, comme d'ailleurs la moitié du Politburo de l'après-Brejnev. A cinquante-cinq ans, c'était le théoricien du Parti, un homme sec, ascétique, excessivement critique, le fléau des dissidents et des déviationnistes, le chien de garde de l'orthodoxie marxiste-léniniste. Sa haine pathologique de l'Ouest capitaliste le consumait. L'opposition viendrait de là, Roudine le savait. A ses côtés siégeait le maréchal Nicolas Kérensky, âgé de soixante-trois ans, ministre de la Défense et chef de l'Armée rouge. Il se tournerait du côté où les intérêts de l'Armée rouge lui paraîtraient le mieux défendus.

Restaient les sept autres, dont Komarov, responsable de l'Agriculture, le visage blême parce qu'il était, avec Roudine et Ivanenko, le seul à connaître les grandes lignes de ce qui allait se passer. Le chef du K.G.B. ne laissait transparaître aucune émotion. Les autres ne savaient rien.

« Tout » commença lorsque, d'un geste, Roudine demanda aux gardes prétoriens du Kremlin, debout près de la porte du fond, de faire entrer la personne qui attendait à l'extérieur, dans la crainte et le tremblement.

— Camarades, murmura Roudine d'une voix enrouée, permettez-

51

moi de vous présenter le professeur Ivan Ivanovitch Yakovlev.

L'homme s'avança peureusement vers le bout de la table et demeura debout, serrant son rapport entre ses mains moites.

— Le professeur est le meilleur agronome spécialiste des céréales du ministère de l'Agriculture. Il est membre de l'Académie des sciences. Il a un rapport à soumettre à votre attention. Je vous en prie, professeur.

Roudine, qui avait lu le rapport quelques jours plus tôt dans le calme de son bureau, se pencha en arrière et fixa le plafond au-dessus de la tête de l'homme. Ivanenko alluma d'un geste précis une cigarette occidentale « king size ». Komarov se passa la main sur le front puis baissa les yeux sur ses ongles. Le professeur s'éclaircit la gorge.

— Camarades..., commença-t-il d'une voix hésitante.

Personne n'ayant contesté qu'ils fussent tous camarades, le savant prit une respiration profonde, vissa son regard sur ses papiers et se lança la tête la première dans son rapport.

— En fin décembre et en janvier dernier, nos satellites de prévisions météorologiques à long terme nous ont permis de prévoir un hiver et un avant-printemps exceptionnellement humides. En conséquence, et en accord avec les pratiques scientifiques habituelles, le ministère de l'Agriculture a décidé que nos semences de céréales de printemps devraient subir un traitement prophylactique destiné à combattre les maladies cryptogamiques que provoquerait selon toute probabilité l'humidité excessive. Ce genre d'opérations avait été couronné de succès à maintes reprises dans le passé.

« Le produit choisi pour le traitement était un composé à double effet : un fongicide à base de mercure organique destiné à prévenir les attaques cryptogamiques contre les semences pendant la germination, et un insecticide protégeant parallèlement la plante contre les oiseaux, qui porte le nom de lindane. A la suite des pertes que les gelées malencontreuses avaient fait subir aux céréales d'hiver, la commission scientifique du ministère avait décidé que l'U.R.S.S. devrait récolter au moins cent quarante millions de tonnes de blé de printemps, ce qui supposait l'ensemencement de six millions et quart de tonnes de grain.

Tous les yeux étaient fixés sur lui, la tension générale s'accrut. Les membres du Politburo pouvaient sentir le danger à une lieue. Seul Komarov, unique responsable de l'Agriculture, contemplait la table. C'était son calvaire. Plusieurs regards se glissèrent de son côté, à l'affût du sang. Le professeur avala sa salive et poursuivit.

— A un taux de cinquante-six grammes de composé au mercure organique par tonne de semences, il fallait prévoir trois cent cinquante tonnes de produit. Il n'existait en stock que soixante-dix tonnes. On ordonna aussitôt à l'usine de Koubitchev qui fabrique ce produit, de lancer la production des deux cent quatre-vingts tonnes nécessaires.

— Il n'existe qu'une seule usine de ce genre ? demanda Pétrov.

— Oui, camarade, les tonnages utilisés ne justifient pas la construction d'autres installations. Le complexe de Koubitchev est un vaste ensemble d'industries chimiques qui produit de nombreux insecticides, désherbants, fertilisants, etc. La production des deux cent quatre-vingts tonnes ne devait pas prendre plus de quarante heures.

— Continuez, ordonna Roudine.

— Par suite d'une erreur administrative, les équipements subissaient à ce moment-là leur révision générale annuelle ; or le temps pressait, car il fallait encore distribuer le produit aux cent sept stations de traitement des semences, disséminées dans tout le pays, puis traiter les grains et enfin remettre les semences aux milliers de fermes d'État et de fermes collectives, en temps voulu pour les semailles. C'est pourquoi, afin de précipiter les choses, on envoya de Moscou un jeune fonctionnaire dynamique, cadre du Parti. Il semble qu'il ait ordonné aux travailleurs effectuant la révision de terminer ce qu'ils avaient en train, de remettre les équipements en état de marche, et de commencer aussitôt la production.

— Il n'a pas réussi à livrer le produit à temps ? demanda d'une voix âpre le maréchal Kérensky.

— Si, camarade maréchal, l'usine s'est remise en marche, bien que les ingénieurs d'entretien n'aient pas tout à fait terminé leur révision. Mais quelque chose a mal fonctionné. Un clapet de trémie. Le lindane est un agent chimique très puissant, et le dosage du lindane dans le composé au mercure doit être très précis.

« Le clapet de la trémie du lindane, dont le voyant indiquait qu'il était ouvert à trente pour cent, était en réalité complètement ouvert. Les deux cent quatre-vingts tonnes de produit ont été mal dosées. »

— Et les contrôles de qualité ? demanda l'un des membres du Politburo qui avait passé son enfance dans une ferme.

Le professeur avala de nouveau sa salive et souhaita soudain être exilé sans explication au fin fond de la Sibérie plutôt que de subir cette torture une minute de plus.

— Ce fut un malheureux concours de circonstances et d'erreurs, avoua-t-il. L'ingénieur chimiste responsable des analyses et du contrôle de qualité était en vacances à Sotchi pendant la période de révision des équipements. On le convoqua par câble. Mais en raison d'un brouillard persistant sur la région de Koubitchev, il fut détourné sur un autre aéroport et termina son voyage par le train. Lorsqu'il arriva, la production était achevée.

— Le produit n'a pas été vérifié ? demanda Pétrov, incrédule.

Le professeur parut plus malade que jamais.

— Le chimiste insistait pour faire le contrôle de qualité, mais le jeune fonctionnaire de Moscou voulait que l'ensemble de la production soit envoyé au plus vite. Au cours de la discussion qui suivit, on parvint à un compromis. Le chimiste voulait contrôler un sac toutes les dix tonnes, vingt-huit en tout. Le fonctionnaire ne lui permit de contrôler qu'un seul sac. Et c'est là que la troisième erreur s'est produite.

« Les nouveaux sacs avaient été entreposés avec la réserve de soixante-dix tonnes datant de l'an dernier. Dans l'entrepôt, l'un des manutentionnaires reçut l'ordre d'envoyer un seul sac au laboratoire d'essais. Il en prit donc un au hasard et c'était l'un des anciens sacs. Les essais révélèrent que le produit était conforme aux normes, et l'ensemble de la production quitta l'usine. »

Il se tut. Son rapport était achevé. Il n'avait rien d'autre à dire. Il aurait pu essayer d'expliquer que pour produire une catastrophe de ce genre il avait fallu la conjonction improbable de trois erreurs : une panne mécanique, une erreur de jugement entre deux hommes en colère, et la négligence d'un magasinier. Mais ce n'était pas son affaire, et il n'avait nullement l'intention de présenter des excuses bancales pour d'autres hommes. Le silence dans la pièce avait un parfum de mort.

Vichnaïev intervint, avec une clarté glaciale.

— Quel est exactement l'effet d'un excès de lindane dans ce composé à base de mercure ? demanda-t-il.

— Camarade, le lindane a un effet toxique sur la germination de la semence dans le sol, et il compromet la levée. Si le blé parvient à pousser malgré tout, il lève de façon irrégulière, il reste chétif et il est tacheté de brun. Les pousses touchées ne produisent pratiquement pas de grain.

— Et dans quelle mesure les semailles de printemps ont-elles été touchées ? demanda Vichnaïev d'un ton sec.

— Dans la proportion des quatre cinquièmes, camarade. Les soixante-dix tonnes de réserve ont eu exactement l'effet souhaité.

Mais les deux cent quatre-vingts tonnes de nouveau produit ont toutes été endommagées par le clapet de trémie défectueux.

— Et tout le produit toxique a été mêlé au blé ensemencé ?

— Oui, camarade.

Deux minutes plus tard, le professeur était renvoyé à ses études, et oublié. Vichnaïev se tourna vers Komarov.

— Pardonnez mon ignorance, camarade, mais vous deviez certainement être déjà au courant de cette affaire. Qu'est-il arrivé au fonctionnaire responsable de cette... bavure ?

(Il utilisa une expression russe vulgaire qui désigne un tas de crotte de chien sur le trottoir).

Ivanenko intervint.

— Il est entre nos mains, dit-il. Ainsi que l'ingénieur chimiste qui a failli à ses fonctions, le magasinier qui est simplement d'une intelligence exceptionnellement peu développée, et les ingénieurs responsables de la révision générale qui prétendent avoir exigé et obtenu des instructions écrites pour interrompre leur travail avant de l'avoir achevé.

— Ce fonctionnaire, demanda Vichnaïev, a-t-il parlé ?

Ivanenko songea pendant un instant à l'homme brisé dans les cellules du sous-sol de la Loubianka.

— Longuement, dit-il.

— C'est un saboteur ? Un agent fasciste ?

— Non, dit Ivanenko dans un soupir. Un idiot, c'est tout. Un apparatchik ambitieux qui voulait faire du zèle en renchérissant sur les ordres qu'il avait reçus. Vous pouvez me croire sur ce point. Nous savons par le menu tout ce qui s'est passé dans le crâne de cet homme.

— Une dernière question dans ce cas, simplement pour que nous puissions tous évaluer l'ampleur de cette affaire.

Vichnaïev se tourna de nouveau vers le malheureux Komarov.

— Nous savons déjà que nous n'aurons que cinquante millions de tonnes de blé d'hiver, au lieu des cent millions escomptés. Combien allons-nous avoir de blé de printemps à la prochaine moisson ?

Komarov lança un regard à Roudine, qui lui répondit d'un signe de tête imperceptible.

— Sur l'objectif prévu de cent quarante millions de tonnes de blé et d'autres céréales de printemps, nous ne pouvons espérer raisonnablement que cinquante millions de tonnes, dit-il d'une voix calme.

Tout le monde demeura stupéfait.

— Cela signifie, entre les deux variétés, une production totale de cent millions de tonnes, murmura Petrov. Un déficit de cent quarante millions de tonnes. Nous aurions pu « avaler » un déficit de cinquante ou même soixante-dix millions de tonnes. Nous l'avons déjà fait, en nous restreignant, et en achetant à l'étranger tout ce que nous pouvions. Mais ça...

Roudine mit fin à la réunion.

— Nous avons devant nous un problème aussi énorme que tous ceux que nous avons dû affronter dans le passé, impérialismes chinois et américain compris. Je propose que nous ajournions ces débats et que nous cherchions des solutions chacun de notre côté. Il va sans dire que cette nouvelle ne doit pas transpirer en dehors de cette pièce. Notre prochaine réunion dans une semaine.

Les trois hommes et les quatre collaborateurs assis à la table de conférence se levèrent. Pétrov se tourna vers Ivanenko, impassible.

— Ce n'est plus un problème de restrictions, murmura-t-il. C'est un problème de famine.

Et les membres du Politburo soviétique redescendirent vers leurs limousines Zil que leurs chauffeurs n'en finissaient pas d'astiquer. Ils savaient tous maintenant qu'un chétif professeur d'agronomie venait de placer une bombe à retardement sous l'une des deux superpuissances du monde.

Une semaine plus tard, assis à l'orchestre du Bolchoï, sur la perspective Karl-Marx, Adam Munro ne songeait pas à la guerre, mais à l'amour — et non à l'amour pour la secrétaire d'ambassade tout émue qui avait déployé tout son charme pour qu'il l'accompagne au spectacle.

Munro n'était pas un grand amateur de ballets, bien qu'il prétendît aimer la musique. En fait, la grâce des entrechats et des fouettés-battus (« toute la sauterie », comme il disait) le laissait parfaitement indifférent. Au second acte de *Giselle*, le clou de la soirée, ses pensées se mirent à vagabonder dans le passé, du côté de Berlin.

Cela avait été une belle aventure, un amour comme on n'en connaît qu'un dans sa vie. Il avait vingt-quatre ans, presque vingt-cinq. Elle en avait dix-neuf, et elle était brune, adorable. A cause de l'emploi qu'elle occupait, ils avaient dû vivre leur aventure dans le secret. Ils se rencontraient comme des voleurs, dans des rues sombres ; elle montait dans sa voiture et sans que personne ne les vît, il l'emmenait dans le petit appartement qu'il louait du côté occidental de Charlottenburg. Ils s'aimaient, ils parlaient, elle lui faisait des petits dîners, et ils s'aimaient encore.

Au début, le caractère clandestin de leur aventure (ils étaient comme deux époux adultères fuyant le monde et leurs conjoints respectifs) avait ajouté du piquant à leur amour. Mais quand vint l'été 1961 et que les parcs de Berlin resplendirent de feuilles et de fleurs, l'obligation de se cacher s'était mise à leur peser : les lacs vous donnaient envie de canoter, les plages de vous baigner... C'est à ce moment-là qu'il l'avait demandée en mariage, et elle avait presque dit « oui ». Elle aurait certainement accepté, mais il y avait eu le Mur. Il fut terminé le 14 août 1961, mais depuis une semaine tout le monde pouvait le voir s'élever.

C'est à ce moment-là qu'elle prit sa décision. Et qu'ils firent l'amour pour la dernière fois. Elle ne pouvait pas (lui dit-elle) abandonner ses parents au sort qui serait le leur si elle l'épousait : la disgrâce — son père perdrait son poste de confiance, sa mère l'appartement qu'elle adorait et qu'elle avait attendu si longtemps au cours des années noires. Elle ne pouvait pas anéantir tous les espoirs de son jeune frère d'avoir accès à une bonne éducation et à un avenir normal ; enfin, elle ne pouvait pas supporter la pensée de ne plus jamais revoir son pays natal qu'elle chérissait.

Et elle était partie. Tapi dans l'ombre, il l'avait vue se glisser à l'Est, à travers le dernier tronçon de Mur inachevé, silhouette triste, solitaire, au cœur brisé... et très, très belle.

Jamais il ne l'avait revue. Jamais il n'avait prononcé son nom devant quiconque. Mais il gardait son souvenir avec sa passion calme du secret, si caractéristique de ses origines écossaises. Jamais il n'avait laissé entendre à personne qu'il avait aimé et qu'il aimait encore une fille russe nommé Valentina qui était secrétaire-sténographe de la délégation soviétique à la Conférence des Quatre Grands de Berlin. Et cela, il le savait mieux que personne, c'était parfaitement contraire à toutes les règles.

Sans Valentina, Berlin avait perdu toute saveur. Un an après, Reuter le muta à Paris. Deux ans plus tard, de retour à Londres, il piaffait d'impatience dans les bureaux du siège, Fleet Street, lorsqu'un fonctionnaire civil qu'il avait rencontré à Berlin, un homme qui travaillait là-bas au quartier général britannique installé dans l'ancien stade olympique de Hitler, s'était donné beaucoup de mal pour le retrouver et renouer connaissance. Ils avaient dîné ensemble et un autre homme s'était joint à eux. L'ancien ami du stade olympique s'était excusé et avait filé quand on avait servi les cafés. Le nouveau venu était amical mais très réservé. Au second cognac, il était entré dans le vif du sujet.

— Certaines de mes relations au sein de la Firme, avait-il dit avec un manque d'assurance désarmant, se sont demandé si vous ne pourriez pas nous rendre un petit service.

C'était la première fois que Munro entendait parler de « la Firme ». Mais il n'allait pas tarder à connaître la terminologie. Pour les personnes travaillant dans le cadre de l'alliance des services de renseignement anglo-américains — une alliance étrange, circonspecte, certes, mais en définitive vitale — le S.I.S. a toujours porté le nom de « la Firme ». Pour ses employés, les agents du service de contre-espionnage, le MI5, sont « les collègues ». La C.I.A., à Langley (Virginie) est « la Compagnie » et ses agents sont « les Cousins ». En face, travaille « l'Opposition » dont le quartier général se trouve au numéro 2 de la place Dzerjinski, à Moscou, baptisée d'après le nom de Félix Dzerjinski, le chef de la police secrète de Lénine, fondateur de la vieille Tchéka. On appelle toujours ce bâtiment « le Centre », et les territoires à l'est du rideau de fer constituent « le Bloc ».

Le dîner dans le restaurant de Londres s'était passé en décembre 1964, et la proposition, confirmée plus tard dans un petit appartement de Chelsea, consistait à aller faire « une petite balade à l'intérieur du Bloc ». C'est ce qui se passa, au printemps 1965, à l'occasion d'une série de reportages sur la Foire de Leipzig, en Allemagne de l'Est. Et dans le genre « petite balade », on ne peut imaginer pire cochonnerie.

Il quitta Leipzig en voiture, à l'heure prévue pour pouvoir rencontrer son contact à Dresde, près de l'Albertinum Museum. Dans sa poche intérieure, le paquet lui semblait aussi épais que cinq bibles, et il avait l'impression que tout le monde le regardait. L'officier de l'armée est-allemande qui savait où les Russes avaient installé leurs fusées tactiques dans les collines de Saxe, arriva avec une demi-heure de retard, et Munro était sûr que deux agents de la Police du Peuple s'étaient mis à l'observer. L'échange des paquets s'était déroulé à la perfection, quelque part dans les bosquets du parc voisin. Puis il était revenu à sa voiture et avait pris la route du sud-ouest, vers le croisement de Gera et le poste frontière avec la Bavière. Dans la banlieue de Dresde, un chauffard du coin le heurta de plein fouet à l'avant gauche, bien que Munro ait eu la priorité. Il n'avait pas encore pris le temps de ranger le paquet dans la cachette, entre le siège arrière et le coffre ; il était toujours dans la poche intérieure de sa veste.

Au poste de police de l'endroit, il passa deux heures d'angoisse insupportable, l'estomac noué, redoutant à tout instant de s'entendre demander : « Videz vos poches, *mein Herr*, s'il vous plaît... » Ce qu'il avait sur les côtes pouvait facilement lui valoir vingt-cinq ans au camp de travail de Potma. Enfin, on l'autorisa à partir. Mais sa batterie était à plat et il fallut que quatre agents de la Police du Peuple poussent sa voiture pour la faire démarrer.

La roue avant gauche faisait un bruit d'enfer, un des roulements à billes du moyeu devait avoir sauté. Ne voudrait-il pas passer la nuit ici pour qu'on remette sa voiture en état ? Il répondit que son visa expirait à minuit — ce qui était la vérité — et il reprit la route. Il parvint au poste frontière de la Saale, entre Plauen en Allemagne de l'Est et Hof en Allemagne de l'Ouest, à minuit moins dix, après avoir roulé à trente kilomètres à l'heure pendant tout le trajet, déchirant le silence nocturne avec le grincement de sa roue avant. Lorsqu'il dépassa en pétaradant les sentinelles bavaroises, il était trempé de sueur.

Un an plus tard, il quitta Reuter. On lui suggéra de passer l'examen d'entrée dans la Fonction publique, comme candidat adulte. Il avait vingt-neuf ans.

Toute personne désirant entrer dans la Fonction publique britannique doit forcément passer ces examens. Au vu des résultats, les Finances, qui choisissent en premier, prennent le dessus du panier — ce qui permet à ce ministère de saborder l'économie britannique avec des références académiques impeccables. Viennent ensuite le ministère des Affaires étrangères et du Commonwealth, et avec ses résultats brillants, Munro n'eut aucun mal à entrer dans le corps diplomatique, couverture habituelle du personnel de la Firme.

Au cours des seize années suivantes, il s'était spécialisé : problèmes de renseignement économique et Union soviétique, mais il n'était jamais allé là-bas. On l'avait affecté en Turquie, en Autriche et au Mexique. En 1967, à trente et un ans passés, il s'était marié. Mais au lendemain de la lune de miel, son mariage était devenu peu à peu une union sans amour, une erreur à laquelle il avait mis un terme sans fracas six ans plus tard. Depuis lors, bien entendu, il avait eu des aventures, au vu et au su de la Firme, mais il était resté célibataire.

Jamais il n'avait parlé à la Firme de sa « grande aventure » avec Valentina. Si son existence, et surtout le fait qu'il l'ait dissimulée, parvenaient aux oreilles de ses supérieurs, il serait licencié sur-le-champ.

A son entrée en fonction, il avait dû, comme tout le monde, écrire un récit détaillé complet de sa vie, suivi par un examen oral conduit par un officier supérieur. Cet examen se répète tous les cinq ans de service. Font inévitablement partie des sujets évoqués toutes les relations affectives ou sociales avec des personnes de derrière le Rideau de fer — et de partout ailleurs.

La première fois qu'on l'avait interrogé, quelque chose s'était révolté en lui, exactement comme autrefois dans les olivettes de Chypre. Il savait qu'il était loyal, qu'on ne pourrait jamais l'influencer en se servant de Valentina, à supposer que l'Opposition fût au courant (et il était certain que l'Opposition ne savait rien). Si jamais l'on tentait de le faire chanter à ce sujet, il reconnaîtrait les faits et démissionnerait plutôt que de céder. Mais il ne voulait pas que d'autres hommes, sans parler des employés des archives, tripotent une des composantes les plus intimes de son moi. « Je n'appartiens à personne... » « Je ne suis qu'à moi-même... » Et il avait répondu « non », il avait contrevenu aux règles. Pris au piège de ce premier mensonge, il lui avait fallu s'y tenir. En seize ans, il l'avait répété trois fois. Rien ne s'était jamais produit à cause de ce mensonge, et rien ne se produirait jamais. Il en était certain. C'était un secret, mort et enterré. Et il en serait toujours ainsi.

S'il avait été moins perdu dans ses rêves, sans pour autant tomber sous le charme du ballet comme la jeune femme à ses côtés, il aurait pu remarquer un détail étrange. D'une baignoire privée du côté gauche de la salle, quelqu'un l'observait. Avant que les lumières ne se rallument pour l'entracte, la personne avait disparu.

Les treize hommes qui se réunirent au Kremlin le lendemain autour de la table en T du Politburo, étaient préoccupés et méfiants ; ils sentaient que le rapport du professeur d'agronomie pouvait déclencher une lutte de factions comme on n'en avait pas connu depuis la chute de Khrouchtchev.

Comme de coutume, Roudine les épiait à travers les volutes de fumée de sa cigarette. Pétrov, des Organismes du Parti, était à sa place habituelle, à sa gauche, avec Ivanenko du K.G.B. à ses côtés. Rykov, des Affaires étrangères, feuilletait son dossier ; Vichnaïev, le théoricien, et Kérensky, de l'Armée rouge, gardaient un silence de pierre. Roudine observa les sept autres et tenta de deviner de quel côté ils se rangeraient en cas de conflit.

Il y avait les trois non-Russes, Vitautas, le Balte de Vilna, en Lituanie ; Chavadzé, le Géorgien de Tiflis ; et Mukhamed, le Tadjik, un Oriental d'origine islamique. Leur présence à tous trois était un os donné à ronger aux minorités, mais en fait il leur avait fallu en payer le prix : chacun d'eux, Roudine le savait, était complètement russifié. Oui, le prix avait été très élevé, plus élevé que ce qu'aucun Grand-Russien aurait eu à payer. Tous les trois avaient été premiers secrétaires du Parti pour leurs Républiques, et deux d'entre eux l'étaient encore. Chacun d'eux avait patronné des programmes de répression énergique contre leurs compatriotes, et avaient écrasé les dissidents — nationalistes, poètes, écrivains, artistes — membres de l'intelligentsia et des classes ouvrières soupçonnés de ne pas accepter à cent pour cent la souveraineté exercée sur eux par la Grande Russie. Aucun d'eux ne pouvait revenir chez lui sans la protection de Moscou, et tous se rangeraient, le moment venu, avec la faction susceptible d'assurer leur survie — c'est-à-dire avec les vainqueurs. La perspective d'un conflit de factions ne souriait guère à Roudine, mais il ne pouvait la chasser de son esprit depuis qu'il avait lu pour la première fois, dans l'intimité de son bureau, le rapport du professeur Yakovlev.

Il en restait quatre autres, tous Russes. Komarov de l'Agriculture, encore extrêmement mal à l'aise ; Stépanov, le chef des syndicats ; Tchouchkine, responsable des liaisons avec les partis communistes étrangers ; et Pétryanov qui avait la responsabilité de l'économie et du Plan industriel.

— Camarades, commença Roudine lentement, vous avez tous étudié le rapport Yakovlev à loisir. Vous avez tous pris connaissance du rapport séparé du camarade Komarov, précisant qu'en septembre-octobre prochain, l'ensemble de notre production céréalière sera probablement inférieure de cent quarante millions de tonnes à nos objectifs. Étudions les problèmes dans l'ordre. L'Union soviétique peut-elle survivre pendant un an avec seulement cent millions de tonnes de céréales ?

La discussion dura une heure. Elle fut âpre, pleine d'acrimonie, mais tous tombèrent à peu près d'accord. Une disette de cet ordre conduirait à des privations comme on n'en avait jamais vu depuis la Seconde Guerre mondiale. Si l'État réquisitionnait le plus strict minimum nécessaire au pain des villes, il ne resterait presque rien dans les campagnes. Dès que les neiges recouvriraient les pâturages, le bétail se trouverait sans fourrage ni céréales, et les abattages sauvages qui se produiraient, décimeraient le cheptel vif de l'Union soviétique. Il faudrait une génération pour le reconstituer. Or laisser ne serait-ce qu'un minimum de céréales aux campagnes, c'était condamner les villes à mourir de faim.

Bientôt, Roudine coupa court à la discussion.

— Très bien. Si nous nous résolvons à accepter la famine, le manque de céréales et, par voix de conséquence, la disette de viande avec quelques mois de décalage, qu'en résultera-t-il sur le plan de la discipline civique ?

Pétrov rompit le silence qui suivit. Il reconnut qu'il existait déjà dans de vastes masses de la population, des courants souterrains de résistance, que trahissait une vague récente de petites révoltes et de démissions du Parti. Il avait été tenu au courant, au niveau du Comité central, par le million d'antennes que possède l'appareil du Parti. Dans l'éventualité d'une véritable famine, de nombreux cadres du Parti se rangeraient du côté du prolétariat.

Les non-Russes acquiescèrent. Dans leurs républiques, la mainmise du pouvoir central serait toujours probablement moins totale qu'au sein de la Russie proprement dite.

— Nous pouvons traire les six satellites européens, avança Pétryanov, sans se soucier de qualifier les pays d'Europe de l'Est de « camarades fraternels ».

— La Pologne et la Roumanie se soulèveraient tout de suite, répliqua Tchouchkine qui assurait la liaison avec les Partis frères. Et la Hongrie les imiterait probablement aussitôt.

— L'Armée rouge pourrait s'en occuper, lança le maréchal Kérensky.

— Pas trois en même temps. Plus maintenant, répondit Roudine.

— De toute façon, cela ne nous donnerait en tout que dix millions de tonnes, dit Komarov. C'est insuffisant.

— Camarade Stépanov ? demanda Roudine.

Le chef des syndicats contrôlés par l'État choisit ses mots avec soin.

— Au cas où il se produirait cet hiver et jusqu'à l'été prochain une véritable famine, dit-il les yeux fixés sur son crayon, il ne serait pas possible de garantir l'absence de désordres, peut-être sur une vaste échelle.

Ivanenko, silencieux, les yeux posés sur la cigarette occidentale à bout filtre qui fumait toute seule entre son pouce et son index, humait autre chose qu'un parfum de tabac. Ce n'était pas la première fois qu'il sentait l'odeur de la peur : au cours d'arrestations, dans les salles d'interrogatoire, dans les couloirs de son appareil... Et il la sentait en ce moment. Lui-même et les hommes qui l'entouraient étaient puissants, privilégiés, protégés. Mais il les connaissait tous très bien : il possédait leurs dossiers. Et lui, qui ne connaissait pas la peur car les âmes mortes sont au-delà de toute crainte, savait que tous redoutaient une chose davantage encore que la guerre : le moment où le prolétariat soviétique, longtemps accablé, patient, soumis comme un bœuf malgré les privations, prendrait soudain le mors aux dents...

Tous les regards se tournèrent vers lui. Les « désordres » publics et leur répression, c'était son domaine.

— Je pourrais venir à bout d'un Novotcherkassk, dit-il d'une voix neutre.

Autour de la table tout le monde retint son souffle.

— Je pourrais même venir à bout de dix et peut-être de vingt Novotcherkassk, ajouta-t-il. Mais toutes les ressources conjuguées du K.G.B. ne sauraient venir à bout de cinquante.

Le nom de Novotcherkassk, comme il l'avait prévu, semblait avoir fait jaillir le diable de sa boîte. Le 2 juin 1962, vingt ans plus tôt, presque jour pour jour, des émeutes d'ouvriers avaient explosé dans la grande ville industrielle de Novotcherkassk. Et deux décennies n'avaient pas suffi à en effacer le souvenir.

Tout avait commencé par une coïncidence stupide : un ministre augmenta le prix de la viande et du beurre juste au moment où un autre venait de réduire de trente pour cent les salaires des usines construisant les locomotives géantes N.E.V.Z. Au cours des émeutes qui suivirent, les ouvriers en colère exercèrent le pouvoir dans la ville pendant trois jours — phénomène inconnu jusque-là dans toute l'Union soviétique. Détail tout aussi exceptionnel, ils traînèrent dans la boue (au sens figuré) les dignitaires locaux du Parti, qu'ils emprisonnèrent dans leur quartier général, ils arrachèrent ses galons à un général russe, ils chargèrent les colonnes de soldats en armes, et ils éclaboussèrent de boue (au sens propre) les blindés de l'armée jusqu'à ce que tous les voyants soient obturés et que les tanks s'immobilisent.

La réaction de Moscou avait été extrêmement violente. La moindre liaison de Novotcherkassk avec l'extérieur, voies ferrées, routes, lignes téléphoniques, tout avait été coupé. Le vide avait été fait autour de la ville de façon qu'aucune nouvelle ne puisse filtrer au-dehors. Deux divisions de troupes spéciales du K.G.B. avaient été chargées d'en terminer avec l'affaire et de « nettoyer » les émeutiers. Il y eut quatre-vingt-six civils abattus dans les rues, et plus de trois cents blessés. Aucun d'eux ne rentra jamais chez lui, aucun ne fut enterré dans la ville. Non seulement les blessés, mais tous les membres des familles ayant eu un mort ou un blessé, femmes et enfants compris, furent déportés dans les camps du Goulag, de crainte qu'en réclamant leurs parents, ils ne perpétuent le souvenir de l'affaire. Tous les vestiges avaient été effacés, mais vingt ans plus tard, au Kremlin, tout le monde s'en souvenait encore.

Lorsque Ivanenko laissa tomber sa bombe, le silence se fit de nouveau autour de la table. Roudine intervint.

— Très bien, donc. La conclusion paraît inéluctable. Il va nous falloir importer davantage que nous ne l'avons jamais fait. Camarade Komarov, quel est le minimum qu'il nous faudrait acheter à l'étranger pour éviter une catastrophe ?

— Monsieur le Secrétaire général, répondit Komarov, si nous laissons aux campagnes le minimum le plus strict, et si nous distribuons jusqu'au dernier grain les trente millions de tonnes de nos réserves nationales, il nous faudra encore trouver cinquante-cinq millions de tonnes à l'extérieur. Cela correspond, en une année de récolte record, à l'ensemble des surplus des États-Unis et du Canada.

— Ils ne nous le vendront jamais ! s'écria Kérensky.

— Ce ne sont pas des idiots, camarade maréchal, répliqua Ivanenko d'une voix paisible. Leurs satellites Condor doivent déjà les avoir prévenus que notre blé de printemps se porte mal. Mais ils ne peuvent pas savoir de quoi il s'agit, ni quelle sera l'étendue des dégâts. Pas encore, mais à l'automne ils en auront une idée assez juste. Et ils sont rapaces, ils ont toujours envie de davantage d'argent. Je peux augmenter les normes de production des mines d'or de Sibérie et de Kolyma, retirer des forçats des camps de Mordovie pour les envoyer là-bas. Nous avons les moyens de payer pour un achat de cet ordre.

— Je suis d'accord avec vous sur un point, camarade Ivanenko, dit Roudine. Mais pas sur le second. Peut-être auront-ils le blé, peut-être aurons-nous l'or, mais il y a un risque, un petit risque : cette fois-ci, ils exigeront des concessions.

Au mot « concessions », chacun se raidit.

— Quel genre de concessions ? demanda le maréchal Kérensky d'un ton soupçonneux.

— On ne peut jamais le savoir avant de négocier, répondit Roudine, mais c'est une éventualité qu'il nous faut prendre en considération. Ils peuvent exiger des concessions dans le domaine militaire...

— Jamais ! cria Kérensky, debout, le visage en feu.

— Notre choix est pour ainsi dire bouché, répliqua Roudine. Nous savons tous, il me semble, qu'une famine grave à l'échelle du pays n'est pas acceptable. Il en résulterait pour l'Union soviétique, et donc pour l'essor du marxisme-léninisme dans le monde, un recul de dix ans, sinon davantage. Nous avons besoin de ces céréales ; il n'y a pas d'autre solution. Si les impérialistes nous arrachent des concessions sur le plan militaire, il nous faudra peut-être accepter un recul de deux ou trois ans ; mais uniquement dans la perspective de repartir de l'avant dès que la situation se sera rétablie.

Il y eut un murmure général d'assentiment. Roudine était sur le point de lever la séance. C'est à ce moment-là que Vichnaïev frappa. Il se leva lentement, avant même que les murmures ne se soient tus.

— Les questions qui se posent à nous sont très graves, camarades, commença-t-il avec une modération calculée. Les conséquences de nos décisions sont incalculables. J'estime qu'il est trop tôt pour parvenir à une conclusion irréversible. Je propose un ajournement à quinze jours, pour que nous puissions réfléchir à ce qui a été dit et suggéré.

Son tour de passe-passe fut couronné de succès. Il avait gagné du temps, comme Roudine l'avait craint en secret. L'assemblée accepta, par dix voix contre trois, de se séparer sans prendre de décision.

Youri Ivanenko était déjà au rez-de-chaussée, prêt à monter dans sa limousine, lorsqu'il sentit une main lui toucher le coude. Debout à son côté, dans un uniforme impeccable, se tenait un major de la Garde du Kremlin.

— Le camarade secrétaire général aimerait vous dire un mot dans ses appartements privés, camarade directeur, lui dit le major.

Et sans un mot de plus, il se dirigea vers un corridor qui longeait la façade du bâtiment à partir de l'entrée principale. Ivanenko le suivit. Tout en admirant la veste de gabardine légère, parfaitement coupée, le pantalon de fil feuille morte et les bottes étincelantes du major, Ivanenko songea tout à coup que si l'un des hommes du Politburo devait un jour s'asseoir sur le Fauteuil pénal, l'arrestation qui suivrait serait exécutée par ses propres troupes spéciales du K.G.B., les « gardes de frontière » : lisérés de casquettes et épaulettes vert clair, avec sur la visière, l'épée et le bouclier qui servent d'insigne au K.G.B.

Mais si lui, Ivanenko, seul entre tous, devait être arrêté, ce ne serait pas au K.G.B. que l'on confierait le travail, car on ne lui ferait pas plus confiance que trente ans plus tôt pour arrêter Lavrenti Béria. Non, la corvée serait accomplie par ces gardes d'élite du Kremlin, élégants et dédaigneux — les prétoriens entourant le siège du pouvoir suprême. Peut-être même par le major suffisant qui marchait en ce moment devant lui... Et il exécuterait l'ordre sans le moindre scrupule de conscience.

Ils parvinrent à un ascenseur privé, montèrent de nouveau au troisième étage, et Ivanenko fut introduit dans l'appartement privé de Maxime Roudine.

Staline vivait en reclus en plein cœur du Kremlin, mais Malenkov et Khrouchtchev avaient mis un terme à cette pratique. Ils avaient préféré s'installer, ainsi que la plupart de leurs intimes, dans de luxueux appartements d'un ensemble d'immeubles semblables à tous les autres (de l'extérieur), au bout de la perspective Koutouzov. Mais lorsque la femme de Roudine était morte, deux ans plus tôt, le secrétaire général était revenu s'installer au Kremlin.

L'appartement était relativement modeste pour un homme comptant parmi les plus puissants de ce monde : six pièces comprenant une cuisine aménagée, une salle de bains de marbre, un bureau privé, un salon, une salle à manger et une chambre. Roudine vivait seul, mangeait frugalement, et se passait de tous les luxes. Pour s'occuper de son intérieur, une simple femme de ménage entre deux âges et l'inévitable Micha, ancien soldat pataud mais qui se déplaçait sans bruit, qui se taisait toujours mais ne s'éloignait jamais. Lorsque Ivanenko pénétra dans le bureau sur un geste muet de Micha, Maxime Roudine et Vassili Pétrov étaient déjà là. D'un geste, Roudine lui indiqua une chaise, et commença sans préambule.

— Je vous ai demandé de venir ici l'un et l'autre parce que des difficultés se préparent. Nous en sommes tous conscients. Je suis vieux et je fume trop. Il y a deux semaines, je suis allé voir les morticoles à Kountsevo. Ils m'ont fait quelques tests. Et ils veulent maintenant que j'y retourne.

Pétrov adressa un regard vif à Ivanenko. Le chef du K.G.B. n'avait pas réagi : il était au courant de la visite du secrétaire général à la clinique ultra-réservée installée dans les forêts du sud-est de Moscou. L'un des médecins lui avait fait son rapport.

— La question de la succession est dans l'air, et nous le savons tous, continua Roudine. Nous savons tous également, ou nous devrions savoir, que Vichnaïev désire prendre le pouvoir.

Roudine se tourna vers Ivanenko.

— S'il l'obtient, Youri Alexandrovitch, et il est assez jeune pour cela, vous serez un homme fini. Jamais il n'a approuvé la nomination d'un professionnel comme vous à la tête du K.G.B. Il mettra un homme à lui à votre place : probablement Krivoï.

Ivanenko joignit ses mains et fixa Roudine. Trois ans plus tôt, Roudine avait rompu une longue tradition en Russie soviétique : jusque-là on avait toujours imposé à la tête du K.G.B. un homme du Parti, un politique de première grandeur. Chélépine, Sémitchastny, Andropov, étaient tous des hommes du Parti placés à la tête du K.G.B. de l'extérieur. Seul le professionnel Ivan Sérov avait presque réussi à parvenir au sommet après un raz de marée sanglant. Roudine avait choisi Ivanenko parmi les principaux adjoints d'Andropov et l'avait élevé à la direction générale.

Et ce n'était pas la seule entorse à la tradition. Ivanenko était jeune pour devenir le policier et le maître espion le plus puissant du monde. De plus, vingt ans plus tôt, il avait été en poste à Washington, ce qui suscitait toujours les soupçons des xénophobes du Politburo. Dans sa vie privée, il avait un faible pour l'élégance occidentale. Et il avait la réputation — bien que jamais personne n'ait osé en faire état — de nourrir certaines réserves personnelles à l'égard du Dogme. Et cela, pour Vichnaïev en tout cas, c'était impardonnable.

— S'il prend le pouvoir, maintenant ou plus tard, cela détruira également votre jeu, Vassili Alexéievitch, continua Roudine en se tournant vers Pétrov.

Dans l'intimité il appelait volontiers ses deux protégés par leurs prénom et patronyme ; mais jamais en réunion publique.

Pétrov acquiesça. Il comprenait parfaitement. Il avait travaillé avec Anatoly Krivoï à la section des Organisations du Parti du Secrétariat général du Comité central. Krivoï était plus âgé, et de rang plus élevé. Il s'attendait à être nommé à la tête de la section, mais quand le poste était devenu vacant, Roudine avait préféré Pétrov pour une fonction qui entraînait tôt ou tard la distinction suprême — un siège au sein du tout-puissant Politburo. Aigri, Krivoï s'était laissé faire la cour par Vichnaïev : il était maintenant chef de cabinet et bras droit du théoricien du Parti. Mais il avait toujours envie du fauteuil de Pétrov.

Ni Ivanenko ni Pétrov n'avaient oublié qu'en 1963, c'était le prédécesseur de Vichnaïev comme théoricien du Parti, Mikhaïl Sous-

lov, qui avait réuni la majorité responsable de la chute de
Khrouchtchev. Roudine laissa à ses paroles le temps de faire leur
chemin.

— Youri, dit-il à Ivanenko, vous savez que vous ne pourrez jamais
me succéder. Pas avec votre profil.

Ivanenko inclina la tête; il ne se faisait aucune illusion à ce sujet.

— Mais à tous les deux, Vassili et vous, reprit Roudine, vous pouvez maintenir ce pays dans la bonne voie. A condition de rester unis,
et derrière moi. L'an prochain, d'une manière ou de l'autre, je m'en
irai. Et quand je m'en irai, Vassili, ajouta-t-il en se tournant vers
Pétrov, je veux que vous soyez assis dans ce fauteuil.

Les deux protégés de Roudine observèrent un silence tendu.
Jamais aucun prédécesseur de Roudine n'avait songé à l'avenir de
cette façon. Staline était mort d'une crise cardiaque et avait été pié-
tiné par son propre Politburo alors qu'il s'apprêtait à le liquider du
premier au dernier. Béria avait tenté de prendre le pouvoir et avait
été arrêté et abattu par ses collègues épouvantés; Malenkov était
tombé en disgrâce, ainsi que Khrouchtchev par la suite; Brejnev
avait laissé tout le monde dans l'incertitude jusqu'à la dernière
minute.

Roudine se leva, la réunion touchait à sa fin.

— Un dernier point, dit-il. Vichnaïev a quelque chose en perspective. Il va essayer de me faire le coup de Souslov à l'occasion de
cette sale histoire de céréales. S'il réussit, nous sommes finis, et
peut-être la Russie avec nous. Parce que c'est un extrémiste. Inatta-
quable sur la théorie mais dangereux dans la mise en pratique. Il
faut que je sache ce qu'il fait, ce qu'il va manigancer, qui il essaiera
de rallier à lui. Découvrez-le pour moi. Vous avez deux semaines
devant vous.

Le quartier général du K.G.B. — le Centre — est un énorme
ensemble de bureaux en pierre de taille, qui occupe tout le côté
nord-est de la place Dzerjinsky, au bout de la perspective Karl-Marx.
Il s'agit en fait d'un cube creux dont la façade et les deux ailes sont
occupées par le K.G.B., tandis que le bâtiment arrière abrite le
centre d'interrogatoire et la prison : la Loubianka. La proximité de
ces deux institutions, que seule sépare la cour intérieure, permet
aux enquêteurs de poursuivre leurs interrogatoires dans les meilleures conditions.

Le bureau du directeur est au troisième étage, à gauche de

l'entrée principale. Mais il entre toujours en limousine — avec chauffeur et garde du corps — par la porte d'accès latérale. Son bureau est une vaste pièce élégante, aux murs revêtus de panneaux d'acajou, au parquet recouvert de luxueux tapis d'Orient. Sur l'un des murs, comme il se doit, un portrait de Lénine. Sur un autre, une photographie de Félix Dzerjinsky en personne. Par les quatre immenses fenêtres de verre blindé, encadrées de rideaux, qui donnent sur la place, on aperçoit une autre image du fondateur de la Tchéka, un bronze en pied de six mètres de haut au centre du square, dont les yeux morts fixent la perspective Karl-Marx jusqu'à la place de la Révolution.

Ivanenko détestait le décor lourd, pompeux, surchargé et tapissé de brocart des bureaux officiels soviétiques, mais qu'aurait-il pu y changer? Il aimait le bureau lui-même, hérité de son prédécesseur, Andropov. Il était immense, orné de sept téléphones. La ligne la plus importante était la Kremlevk qui le reliait directement au Kremlin et à Roudine. Ensuite venait la Vertuchka, vert K.G.B., qui lui permettait de communiquer avec les autres membres du Politburo et avec le Comité central. D'autres lignes le reliaient par faisceaux hertziens aux principaux représentants du K.G.B. dans toute l'Union soviétique et dans les satellites d'Europe de l'Est. D'autres lignes enfin lui assuraient des communications directes avec le ministère de la Guerre et sa branche de renseignement, le G.R.U. Toutes ces lignes passaient par des standards séparés. C'est par la ligne du G.R.U. qu'il reçut cet après-midi-là, trois jours avant la fin du mois de juin, l'appel qu'il attendait depuis dix jours.

Ce fut un appel bref, d'un homme qui se faisait appeler Arcady. Ivanenko donna l'ordre au standard de lui passer Arcady et il le prit aussitôt. La conversation ne se prolongea pas.

— Mieux vaut se rencontrer, dit Ivanenko d'un ton laconique. Pas maintenant, pas ici. Chez moi, ce soir.

Et il raccrocha.

La plupart des dirigeants soviétiques n'emportent jamais de travail chez eux. En fait, presque tous les Russes ont deux personnalités distinctes : ils mènent leur vie officielle et leur vie privée en évitant autant que possible toute interférence entre elles. Plus haut on monte et plus profonde est la césure. Exactement comme chez les caïds de la Mafia, à qui les chefs du Politburo ressemblent beaucoup, les épouses et les familles ne sont jamais impliquées dans les affaires, généralement assez peu honorables de la vie officielle. Elles n'assistent jamais aux conversations d'affaires.

Ivanenko était différent, et c'était la principale raison pour laquelle les apparatchiks du Politburo le détestaient. Pour la plus ancienne raison du monde, il n'avait ni femme ni famille. Et il ne vivait pas près des autres, qui se plaisaient à habiter porte à porte dans les appartements du quartier ouest de la perspective Koutouzov pendant la semaine, et dans des villas voisines, groupées du côté de Joukovka et d'Ousovo pendant les week-ends. Les membres de l'élite soviétique n'ont jamais aimé se trouver trop loin les uns des autres...

Peu après avoir été nommé à la tête du K.G.B., Youri Ivanenko avait découvert une belle demeure ancienne dans l'Arbat, vieux quartier résidentiel élégant du centre de Moscou qui avait, avant la Révolution, la faveur des riches négociants. En six mois, des équipes de maçons, de peintres et de décorateurs du K.G.B. l'avaient restaurée — exploit impossible en Russie soviétique, hormis pour un membre du Politburo.

Ayant redonné à la demeure son élégance ancienne, tout en l'aménageant avec les dispositifs d'alarme et de sécurité les plus modernes, Ivanenko n'avait eu aucun mal à la meubler avec ce qui représente en Union soviétique le symbole suprême de la réussite sociale : des meubles occidentaux. La cuisine était le dernier cri du confort californien (tous les éléments avaient été envoyés par avion à Moscou en caisses d'emballage par Sears Roebuck). Le salon et la chambre étaient lambrissés de pin scandinave, via Helsinki, et la salle de bains était de marbre et de céramique. Ivanenko n'occupait personnellement que l'étage supérieur, qui constituait un appartement avec entrée particulière. Son bureau-salle de musique abritait une chaîne stéréo haute fidélité Philips et une bibliothèque de livres étrangers et interdits, en français, anglais et allemand (langues qu'il parlait couramment); une salle à manger attenant au salon, et un sauna près de la salle de bains complétaient l'aménagement de l'étage supérieur.

Le rez-de-chaussée était occupé par son chauffeur, son garde du corps et son valet de chambre, et il abritait également le garage automatique. Telle était le demeure où Ivanenko rentra après son travail, pour attendre l'homme qui l'avait appelé.

Arcady était un homme aux larges épaules, au visage rougeaud. Il était en civil mais on sentait qu'il aurait été plus à son aise dans son uniforme habituel de général de brigade. Il appartenait à l'état-major de l'Armée rouge. C'était l'un des agents d'Ivanenko au sein de l'Armée. A son arrivée dans le salon du directeur du K.G.B., il s'assit sur le rebord de son siège, se pencha en avant et se mit à parler. Enfoncé nonchalamment dans son fauteuil, Ivanenko posa quelques questions, et prit à l'occasion une ou deux notes sur un bloc. Lorsque le brigadier eut terminé, il le remercia et se leva. Il appuya sur un bouton encastré dans le mur. Quelques secondes plus tard, la porte s'ouvrit et le valet de chambre d'Ivanenko, un jeune garde blond d'une beauté étonnante, entra pour reconduire le visiteur par la porte latérale.

Ivanenko réfléchit longuement à ce qu'il venait d'apprendre; il se sentait de plus en plus las et découragé. C'était donc cela que Vichnaïev préparait !... Il l'apprendrait à Maxime Roudine le lendemain matin.

Il s'attarda dans son bain, parfumé avec des sels hors de prix importés de Londres, puis il se drapa dans sa robe de chambre de soie et se servit un vieux cognac français. Il revint enfin dans sa chambre, éteignit toutes les lumières sauf une veilleuse dans l'angle et s'allongea sur le large couvre-lit. Il saisit le téléphone sur la table de chevet et appuya sur l'un des boutons d'appel. On lui répondit aussitôt.

— Volodia, dit-il (sa voix s'était faite très douce pour prononcer le diminutif affectueux de Vladimir), veux-tu monter, je te prie ?...

3

Le biréacteur des lignes aériennes polonaises vira sur l'aile au-dessus de la vaste boucle du Dniepr et se mit en ligne avec la piste principale de l'aéroport Borispil, dans la banlieue de Kiev, capitale de l'Ukraine. Andrew Drake ne quittait pas des yeux la ville qui s'étendait à ses pieds, de l'autre côté du hublot. Il était dévoré d'impatience.

Avec le groupe d'une centaine de touristes de Londres qui avait fait escale à Varsovie quelques heures plus tôt, il fit la queue pendant près d'une heure pour le contrôle des passeports et des bagages. Au guichet des services d'immigration, il glissa son passeport sous la plaque de verre et attendit. L'homme était en uniforme, un uniforme de garde de frontière, avec un liséré vert autour de sa casquette et, au-dessus de la visière, l'épée et le bouclier du K.G.B. Il regarda la photo sur le passeport, puis fixa Drake d'un œil sévère.

— An... Drev... Drak? demanda-t-il.

Drake sourit et acquiesça.

— Andrew Drake, corrigea-t-il d'une voix aimable.

L'homme de l'immigration baissa les yeux. Il examina le visa délivré à Londres, déchira la moitié correspondant à l'entrée et agrafa le visa de sortie au passeport. Puis il le rendit à son propriétaire. Drake était dans la place...

Dans l'autocar d'Intourist qui le conduisit de l'aéroport à l'hôtel Lybid, de dix-sept étages, il étudia de nouveau ses compagnons de voyage. Une bonne moitié étaient des Ukrainiens d'origine visitant pour la première fois la terre de leurs ancêtres, débordant d'un enthousiasme innocent. L'autre moitié se composait d'Anglais bon teint, des touristes curieux, sans plus. Ils semblaient tous avoir des passeports britanniques. Avec son nom anglais, Drake faisait partie du second groupe. Il s'était bien gardé de montrer qu'il parlait couramment l'ukrainien et que son russe était acceptable.

Au cours du trajet, ils firent la connaissance de Ludmilla, leur guide Intourist pour tout le voyage. C'était une Russe, et elle parlait russe avec le chauffeur qui, bien qu'ukrainien, lui répondait en russe. Lorsque l'autocar quitta l'aéroport, elle arbora un large sourire et se mit à décrire, dans un anglais très moyen, les diverses étapes du voyage qui leur était proposé.

Drake baissa les yeux vers son itinéraire : deux jours à Kiev, à trotter autour de la cathédrale Sainte-Sophie (« magnifique exemple de l'architecture russo-kiévaine abritant le tombeau du prince Yaroslav-le-Sage », chantonnait Ludmilla à l'avant du car) ; la Porte d'Or du Xe siècle et la colline Vladimir, « sans oublier l'université d'État, l'Académie des sciences et le Jardin botanique ». Mais en oubliant, songea Drake non sans amertume, l'incendie de la Bibliothèque académique en 1964, au cours duquel avaient été détruits des centaines de manuscrits, de livres et de documents irremplaçables, joyaux de la littérature, de la poésie et de la culture nationale ukrainiennes ; mais en oubliant de dire que les pompiers étaient arrivés avec trois heures de retard ; et sans préciser que le feu avait été mis par le K.G.B. lui-même, en réponse à la vague d'écrits nationalistes des Hommes de Soixante.

Après Kiev, excursion d'une journée en hydroglisseur jusqu'à Kanev, puis une journée à Ternopol, où l'on ne parlerait sûrement pas d'un homme nommé Miroslav Kaminsky ; et enfin, Lvov. Comme il s'y attendait, le russe fut la seule langue qu'il entendit dans les rues de Kiev, capitale de l'Ukraine, mais russifiée à outrance. Ce ne fut qu'à Kanev et à Ternopol qu'il entendit parler ukrainien. Tout son être bondit lorsqu'il put constater que sa langue était dans la bouche de tant de gens. Son seul regret fut d'être obligé de continuer à dire : « *I'm sorry, do you speak English?* » Mais il patienterait jusqu'au moment où il pourrait se rendre aux deux adresses ; il les avait si bien mémorisées qu'il pouvait les réciter à l'envers.

A huit mille kilomètres de là, le président des États-Unis était en conférence avec son conseiller pour les problèmes de sécurité, Stanislas Poklewski, avec Robert Benson de la C.I.A., et un troisième homme nommé Myron Fletcher, analyste en chef des problèmes de céréales en Union soviétique auprès du ministère de l'Agriculture.

— Bob, êtes-vous certain, autant que vous puissiez l'être, que les reconnaissances Condor du général Taylor et vos propres rapports de terrain confirment ces prévisions ? demanda-t-il tout en parcourant de nouveau les colonnes de chiffres alignées devant lui.

Le rapport que lui avait présenté cinq jours plus tôt le chef de ses services de renseignement par l'intermédiaire de Poklewski, consistait en un tableau de la production céréalière soviétique répartie en une centaine de zones de culture. Pour chaque zone, un carré témoin de vingt kilomètres de côté avait été photographié en gros plan, et ses problèmes de céréales avaient été analysés. A partir de ces cent portraits, les experts avaient extrapolé des prévisions valables à l'échelle nationale.

— Monsieur le Président, si nous... euh... Il était prudent de prévoir une récolte plus élevée que les Soviétiques ne sont en droit d'attendre, répondit Benson.

Le Président se tourna vers l'homme de l'Agriculture.

— Professeur Fletcher, comment ces chiffres se décomposent-ils ?

— Pour commencer, monsieur le Président, il faut déduire à tout le moins dix pour cent de la récolte brute pour obtenir la quantité de grain utilisable. Certains estiment qu'il faudrait déduire vingt pour cent. Ce chiffre modeste de dix pour cent représente le reliquat d'humidité, les éléments étrangers, gravillons et impuretés, poussières et terre, ainsi que les pertes en cours de transport et par suite de stockage dans des entrepôts mal adaptés — nous savons que l'équipement soviétique dans ce domaine laisse à désirer.

« A partir de là, il nous faut déduire les tonnages que les Soviétiques doivent conserver à la terre, pour les campagnes mêmes, avant de procéder aux réquisitions d'État pour nourrir les masses de l'industrie. Vous trouverez mon tableau à ce sujet en page deux de mon rapport annexe.

Le président Matthews feuilleta le dossier devant lui et examina le tableau. Voici ce qu'il lut :

1 — *Semences*. Les Soviets doivent mettre de côté pour les semailles de l'an prochain, en blé d'hiver et en blé de printemps ..... 10 000 000 T

2 — *Alimentation humaine*. Tonnage à réserver pour nourrir les masses demeurant dans les zones rurales, les fermes d'État, les fermes collectives et toutes les unités non urbaines, hameaux, bourgs et villages de moins de 5 000 habitants .... 28 000 000 T

3 — *Alimentation animale*. Tonnage à réserver pour la nourriture du cheptel vif pendant les mois d'hiver jusqu'aux dégels de printemps .... 52 000 000 T

4 — *Total irréductible* .... 90 000 000 T

5 — Ce qui représente une *production brute* (avant déduction des pertes inévitables) de .... 100 000 000 T

— Je tiens à souligner, monsieur le Président, poursuivit Fletcher, que ces chiffres ne sont pas généreux. Ils constituent les plus stricts minima nécessaires avant que l'on puisse songer à l'alimentation des villes. Si les autorités réduisent les rations humaines, les paysans mangeront tout simplement leur bétail, avec ou sans autorisation. Si elles rognent sur l'alimentation animale, le cheptel sera massacré de façon irréversible : ils auront de la viande en surabondance pendant l'hiver, et ensuite trois ou quatre ans de disette.

— Je le conçois, professeur, d'accord. Et leurs réserves ?

— Nous estimons que leurs réserves nationales s'élèvent à trente millions de tonnes. Ce serait bien la première fois qu'ils les utiliseraient entièrement, mais, à supposer qu'ils le fassent, cela leur donnerait un volant supplémentaire de trente millions de tonnes. Et ils *devraient* avoir un surplus de vingt millions de tonnes de la récolte de cette année disponible pour les villes. En tout donc, pour la population urbaine, cinquante millions de tonnes au grand maximum.

Le Président se tourna de nouveau vers Benson.

— Bob, quelle quantité l'État doit-il se procurer pour l'alimentation des masses urbaines ?

— Monsieur le Président, 1977 a été leur plus mauvaise année depuis longtemps, c'est l'année où ils nous ont fait l' " Arnaque ". Ils avaient une récolte globale de cent quatre-vingt-quatorze millions de tonnes. L'État a acheté à ses propres fermes soixante-huit millions de tonnes. Et il leur a fallu, *en plus*, nous acheter " en douce " vingt millions de tonnes. En 1975, leur plus mauvaise année depuis quinze ans, ils avaient réservé soixante-dix millions de tonnes pour les villes. Et il s'en est suivi des restrictions extrêmes. Aujourd'hui, avec l'accroissement de la population, l'État doit se procurer quatre-vingt-cinq millions de tonnes au minimum pour les villes.

— Donc, conclut le Président, selon vos chiffres, même s'ils utilisent la totalité de leurs réserves nationales, ils vont avoir besoin de trente à trente-cinq millions de tonnes de céréales en provenance de l'étranger.

— C'est cela, monsieur le Président, intervint Poklewski. Peut-être même davantage. Et nous sommes les seuls, avec le Canada, à pouvoir les leur fournir. Professeur Fletcher ?

L'homme de l'agriculture acquiesça d'un signe de tête.

— Il semble bien que nous aurons cette année une récolte exceptionnelle dans toute l'Amérique du Nord. Entre le Canada et nous-mêmes, la production devrait s'élever à cinquante millions de tonnes de plus que les besoins intérieurs.

Quelques minutes plus tard, le professeur Fletcher quitta la pièce. La discussion reprit. Poklewski exposa ses idées.

— Cette fois-ci, monsieur le Président, nous devons agir. Nous sommes en mesure de réclamer quelque chose en échange.

— Mettre des conditions aux ventes de blé ? demanda le Président d'un ton sceptique. Je sais à quoi vous pensez, Stan. La dernière fois, ça n'a pas marché. Cela n'a fait qu'aggraver les choses. Je ne veux pas d'un autre '' amendement Jackson ''.

Cette initiative ne leur rappelait rien de bon. Fin 1974, les Américains avaient promulgué cet amendement Jackson dont la teneur effective était la suivante : si les Soviétiques ne libéralisaient pas l'émigration des Juifs russes vers Israël, on ne leur octroierait aucun crédit pour l'achat de techniques et de produits industriels. Le Politburo, sous la direction de Brejnev, avait rejeté ces pressions avec mépris, lancé une série de procès-spectacles à prédominance antijuive, et acheté ce dont ils avaient besoin, avec des crédits commerciaux, à la France, à l'Allemagne, à la Grande-Bretagne et au Japon.

A l'époque, sir Nigel Irvine se trouvait à Washington et il avait fait observer à Bob Benson : « Un joli petit brin de chantage, mais dans ce genre d'affaires, il faut s'assurer que la victime ne peut absolument pas se passer de ce que vous avez entre les mains, et ne peut pas se le procurer ailleurs. »

Benson avait répété cette remarque à Poklewski, et celui-ci en avait fait part au président Matthews, en évitant toutefois d'employer le mot « chantage ».

— Monsieur le Président, cette fois-ci, ils ne peuvent pas se procurer du blé ailleurs. Notre surplus de céréales n'est plus un simple produit marchand. C'est une arme stratégique. Il vaut dix escadrilles de bombardiers nucléaires. Or jamais nous ne vendrions nos techniques nucléaires à Moscou uniquement pour de l'argent. Je vous demande d'invoquer la loi Shannon.

Au lendemain de l' « Arnaque » de 1977, l'administration américaine avait enfin promulgué la loi Shannon, en 1980, après bien des retards. Elle disait simplement qu'à tout moment le gouvernement fédéral était habilité à acheter à terme les surplus de céréales du pays, au tarif du jour où Washington annonçait que l'État désirait exercer son droit de préemption.

Les spéculateurs avaient maudit cette loi, mais les agriculteurs l'avaient soutenue. Elle avait permis d'éviter les fluctuations sauvages des cours du blé dans le monde. En année d'abondance, les agriculteurs vendaient leurs céréales à des prix trop bas ; en année de disette les prix grimpaient de façon anormale. La loi Shannon avait garanti aux producteurs un prix équitable et mis les spéculateurs sur la touche. Elle avait en même temps offert à l'administration une nouvelle arme formidable pour ses négociations avec les pays importateurs de céréales — qu'ils soient agressifs ou humbles, riches ou pauvres.

— Soit, dit le président Matthews, je vais signifier l'option de l'État conformément à la loi Shannon. Et je débloquerai le budget nécessaire à l'achat à terme du surplus prévu de cinquante millions de tonnes.

Poklewski ne dissimula pas sa satisfaction.

— Vous ne le regretterez pas, monsieur le Président. Cette fois, il faudra que les Soviets traitent directement avec vous, et non avec les intermédiaires. Ils sont sur un baril de poudre. Ils n'ont aucune autre possibilité.

Ephraïm Vichnaïev n'était pas de cet avis. Dès le début de la réunion du Politburo, il demanda la parole et il l'obtint.

— Nul d'entre nous, camarades, ne conteste que la famine qui nous guette est inacceptable. Nul ne conteste que les céréales nécessaires se trouvent dans l'Occident capitaliste décadent. On a suggéré que la seule chose en notre pouvoir était de nous humilier, peut-être d'accepter des concessions d'ordre militaire et donc retarder la marche en avant du marxisme-léninisme, à seule fin de nous procurer la nourriture qui nous fait défaut.

« Camarades, je ne suis pas d'accord sur ce point et je vous demande de rejeter cette solution avec moi, de ne pas vous soumettre au chantage, et de ne pas trahir notre grand inspirateur, Lénine. Il existe un autre moyen. Un moyen qui nous permettra de faire accepter par l'ensemble du peuple soviétique un rationnement rigoureux au niveau minimal et qui suscitera un sursaut de patriotisme et d'esprit de sacrifice à l'échelle de la nation, et une soumission à la discipline sans laquelle nous ne pourrons pas traverser la période de famine qui s'annonce.

« Oui, il existe un autre moyen : nous pourrons utiliser le peu de blé que nous moissonnerons à l'automne, répartir nos réserves nationales jusqu'au printemps prochain, manger la viande de nos troupeaux de bovins et d'ovins à la place des céréales, puis, quand il ne restera plus rien, nous tourner vers l'Europe occidentale, où coulent des fleuves de lait, où les montagnes sont de viande et de beurre, où se cachent les réserves nationales de dix nations parmi les plus riches du monde.

— Et les acheter ? demanda d'un ton ironique le ministre des Affaires étrangères Rykov.

— Non, camarade, répondit Vichnaïev à mi-voix. Les prendre. Je passe la parole au camarade maréchal Kérensky. Il a un dossier qu'il désire soumettre à notre examen.

On distribua les douze dossiers. Kérensky conserva le sien et se mit à le lire. Roudine n'ouvrit pas le classeur posé devant lui, et continua de fumer cigarette sur cigarette. Ivanenko laissa lui aussi son dossier sur la table et fixa Kérensky. Tout comme Roudine, il savait depuis quatre jours ce que contenait le classeur. En liaison étroite avec Vichnaïev, Kérensky avait ressorti des chambres fortes de l'état-major général les éléments du plan Boris, baptisé d'après Boris Godounov, le grand conquérant russe. Et il l'avait mis à jour.

C'était impressionnant. Il fallut à Kérensky deux heures pour le lire. Au mois de mai suivant, les grandes manœuvres de printemps que fait chaque année l'Armée rouge en Allemagne de l'Est seraient plus importantes que de coutume, et avec une différence essentielle : ce ne seraient pas des manœuvres, mais la réalité même. Sur ordre, les trente mille chars et les transports de troupe blindés, l'artillerie mobile et les véhicules amphibies, prendraient la direction de l'ouest, traverseraient l'Elbe et sillonneraient l'Allemagne de l'Ouest en direction de la France et des ports de la Manche.

A l'avant de ce front, cinquante mille hommes seraient parachutés en plus de cinquante lieux différents pour prendre d'assaut les principaux aérodromes nucléaires tactiques français, en France même, et les bases américaines et anglaises situées sur le territoire allemand. Cent mille hommes de plus, appuyés par un soutien naval massif le long des côtes, seraient parachutés en Scandinavie pour s'emparer des principales villes et des grandes voies de communications.

La percée militaire négligerait les péninsules italique et ibérique dont les gouvernements, associés aux eurocommunistes, recevraient de la part des ambassadeurs soviétiques l'ordre de se tenir à l'écart du conflit — ils seraient anéantis s'ils s'y joignaient. De toute façon, dans les dix années qui suivraient, ils tomberaient d'eux-mêmes comme des fruits mûrs. Il en serait de même pour la Grèce, la Turquie et la Yougoslavie. On éviterait la Suisse, on ne ferait que traverser l'Autriche. Ces deux pays ne seraient plus tard que des îlots au milieu d'une mer soviétique, et leurs jours seraient comptés.

La première zone d'attaque et d'occupation comprendrait les trois pays du Bénélux, la France et l'Allemagne de l'Ouest. Aussitôt, la Grande-Bretagne serait immobilisée par des grèves et troublée par l'extrême gauche qui, sur ordre, lancerait une campagne en faveur de la non-intervention. On signifierait à Londres que si la force de frappe nucléaire était utilisée à l'est de l'Elbe, la Grande-Bretagne serait effacée de la carte.

Tout au long de l'opération, l'Union soviétique exigerait à grands cris un cessez-le-feu immédiat dans toutes les capitales du monde et aux Nations unies, en prétendant que les hostilités se limitaient à l'Allemagne de l'Ouest, étaient temporaires, et provoquées uniquement par une agression préalable des Allemands de l'Ouest contre Berlin — thèse que la majeure partie de la gauche européenne en dehors de l'Allemagne croirait et soutiendrait.

— Et les Etats-Unis, pendant ce temps-là ? interrompit Pétrov.

Kérensky parut mécontent d'être arrêté après quatre-vingt-dix minutes d'exposé continu.

— L'utilisation d'armes nucléaires tactiques sur le territoire de l'Allemagne ne peut pas être exclue, poursuivit Kérensky, mais la majorité d'entre elles détruiront l'Allemagne de l'Ouest, l'Allemagne de l'Est et la Pologne, sans occasionner de pertes pour l'Union soviétique. Étant donné les faiblesses de Washington, il n'existe aucun missile balistique Cruise et aucune bombe à neutrons sur le pied de guerre. Les pertes militaires soviétiques ont été évaluées entre cent et deux cent mille hommes, au maximum. Comme deux millions d'hommes appartenant aux trois armes seront impliqués dans le conflit, ce pourcentage a été jugé admissible.

— Quelle durée ? demanda Ivanenko.

— Les unités de pointe des blindés d'avant-garde pénétreront dans les ports français de la Manche environ cent heures après la traversée de l'Elbe. A ce moment-là, nous pourrons accepter le cessez-le-feu. Le nettoyage pourra avoir lieu aussitôt après.

— L'opération est-elle réalisable dans un délai aussi bref ? demanda Pétryanov.

Ce fut Roudine qui répondit.

— Oh oui, elle est réalisable, dit-il d'une voix douce.

Vichnaïev lui lança un regard plein de soupçons.

— Ma question est toujours sans réponse, fit observer Pétrov. Que feront les États-Unis ? Que feront leurs forces de frappe nucléaires ? Je ne parle pas de leurs armes tactiques, mais de leurs armes stratégiques. De leurs missiles balistiques intercontinentaux pourvus d'ogives à bombe H. De leurs bombardiers et de leurs sous-marins nucléaires.

Tous les regards se tournèrent vers Vichnaïev. Il se leva de nouveau.

— Le président des États-Unis pourrait, au déclenchement des hostilités, recevoir trois assurances formelles tout à fait crédibles. Premièrement, que pour sa part, l'U.R.S.S. ne serait en aucun cas la première à utiliser des armes thermonucléaires. Deuxièmement, que si les trois cent mille soldats américains stationnés en Europe de l'Ouest se mêlent au conflit, ils devront tenter leur chance contre nous avec un armement conventionnel ou avec leurs armes nucléaires tactiques. Troisièmement, que dans l'éventualité où les États-Unis auraient recours à des missiles balistiques prenant pour cible l'Union soviétique les cent principales villes américaines cesseraient d'exister.

« Camarade, le président Matthews n'échangera pas New York contre un Paris en pleine décadence. Ni Los Angeles contre Francfort. Il n'y aura *aucune* riposte thermonucléaire américaine.

Le silence se prolongea tandis que l'on soupesait toutes les conséquences. Les vastes greniers de l'Europe occidentale, ses céréales, ses biens de consommation, sa technologie. La chute, comme des fruits mûrs au bout de quelques années, de l'Italie, de l'Espagne, du Portugal, de l'Autriche, de la Grèce et de la Yougoslavie. Le trésor enfoui sous les rues de la Suisse. L'isolement extrême de la Grande-Bretagne et de l'Irlande au large de la nouvelle côte soviétique. La domination sans coup férir sur l'ensemble du monde musulman et du tiers monde. C'était un breuvage susceptible de monter à la tête.

— C'est un bon scénario, dit Roudine enfin. Mais il repose entièrement sur une hypothèse. A savoir que les États-Unis ne feront pas pleuvoir leurs ogives nucléaires sur l'Union soviétique si nous leur promettons de ne pas déverser les nôtres sur l'Amérique. Je serais très heureux de savoir si le camarade Vichnaïev a des éléments susceptibles de confirmer sa déclaration optimiste. En un mot s'agit-il d'un fait démontré ou d'un vœu pieux ?

— C'est davantage qu'un vœu, lança Vichnaïev d'un ton cassant. C'est un calcul réaliste. Les Américains sont des capitalistes et des nationalistes bourgeois, qui penseront toujours avant tout à eux-mêmes. Ce sont des tigres de papier, faibles et indécis. Surtout, à la perspective de perdre la vie, ils deviennent lâches.

— Vraiment ? murmura Roudine d'un ton rêveur. Et maintenant, camarades, permettez-moi de résumer le débat. Le scénario du camarade Vichnaïev est réaliste à tous égards ; mais il repose entièrement sur son vœu — pardon, sur son calcul — que les Américains ne riposteront pas avec leurs armes thermonucléaires lourdes. Or, jamais nous n'avons cru cela jusqu'ici. Sinon, nous aurions déjà achevé le processus de libération des masses européennes captives du fascisme-capitalisme, et le marxisme-léninisme régnerait depuis longtemps jusqu'à l'Atlantique. Personnellement, je n'ai connaissance d'aucun élément nouveau justifiant le « calcul » du camarade Vichnaïev.

« Au demeurant, ni lui ni le camarade maréchal n'ont eu l'occasion de traiter avec les Américains, et ils n'ont jamais été à l'Ouest. Personnellement, je l'ai fait à maintes reprises, et je ne suis pas d'accord avec eux. Écoutons ce qu'a à nous dire le camarade Rykov.

Le vieux ministre des Affaires étrangères avait le visage blême.

— Tout ça n'est qu'un coup de poing sur la table, du pur khrouchtchévisme, comme dans le cas de Cuba. J'ai passé trente ans aux Affaires étrangères. Nos ambassadeurs dans le monde entier me font leurs rapports. A moi, et non au camarade Vichnaïev. Pas un seul d'entre eux, pas un seul analyste de mon ministère, ni moi-même, ne doutons un instant que le Président des États-Unis n'utilise ses moyens thermonucléaires en riposte à toute intervention soviétique. La question n'est pas d'échanger des villes. Il peut voir, lui aussi, que le résultat d'une guerre de cet ordre serait la domination du monde entier, ou presque, par l'Union soviétique. Ce serait la fin de l'Amérique en tant que superpuissance, et même en tant que puissance. Elle ne serait plus qu'une non-entité. Ils dévasteront l'Union soviétique plutôt que de céder l'Europe occidentale et, par voie de conséquence, le monde entier.

— Je voudrais souligner que s'ils réagissent ainsi, dit Roudine, nous ne sommes pas encore en mesure de les arrêter. Nos faisceaux laser à particules de haute intensité, utilisables à partir de satellites, ne sont pas encore pleinement opérationnels. Nous pourrons sans doute un jour réduire en poussière les fusées dirigées vers notre espace aérien avant qu'elles ne puissent nous atteindre. Mais pas encore. Selon les dernières déclarations de nos experts — de nos experts, camarade Vichnaïev, pas de nos optimistes — une attaque thermonucléaire anglo-américaine massive anéantirait en quelques heures cent millions de nos citoyens, des Grands-Russiens pour la plupart, et dévasterait soixante pour cent du territoire de l'Union soviétique entre la Pologne et l'Oural. Mais continuons, je vous prie. Camarade Ivanenko, vous avez une grande expérience de l'Ouest. Quelle est votre opinion ?

— A la différence des camarades Vichnaïev et Kérensky, je contrôle des centaines d'agents d'un bout à l'autre de l'Occident capitaliste. Leurs rapports n'ont pas varié. Je suis certain, moi aussi, que les Américains riposteront.

— Permettez-moi de tout dire en deux mots, reprit Roudine d'un ton brusque, comme si le temps imparti pour la discussion était clos. Si nous négocions avec les Américains, il nous faudra peut-être, en échange de leur blé, accéder à des exigences qui risquent de nous retarder de cinq ans. Si nous laissons s'installer la famine, notre recul sera probablement de dix ans. Si nous déclenchons une guerre en Europe, nous risquons d'être anéantis, et à tout le moins de revenir vingt ou quarante ans en arrière.

« Je ne suis pas un théoricien et je ne conteste nullement la compétence du camarade Vichnaïev dans ce domaine. Mais je crois me souvenir que les enseignements de Marx et de Lénine sont très fermes sur un point : bien qu'à toutes les étapes et par tous les moyens, nous devions nous attacher à combattre pour l'avènement du marxisme dans le monde, il ne faut jamais compromettre les acquis de la Révolution en courant des risques stupides. J'estime que ce plan est fondé sur un risque stupide. Je propose donc que nous...

— Je propose un vote, dit Vichnaïev d'une voix douce.

Voilà donc où il voulait en venir. Pas un vote de confiance sur lui-même, pensa Roudine, ce serait pour plus tard, s'il perdait ce round. Le conflit des factions allait se dérouler maintenant à visage découvert. Jamais, depuis des années, il n'avait eu à ce point le sentiment de se battre pour sa vie. S'il perdait, plus question pour lui de prendre une retraite pleine de dignité, en conservant villa et privilèges, comme Mikoyan. Ce serait la ruine, l'exil, peut-être une balle dans la nuque. Mais il garda son calme. Il énonça sa motion en premier. L'une après l'autre les mains se levèrent.

Rykov, Ivanenko et Pétrov votèrent pour lui et pour la politique de négociation. Il y eut des hésitations vers le bas de la table. Qui Vichnaïev avait-il dans sa poche ? Que leur avait-il promis ?

Stépanov et Tchouchkine levèrent la main. Puis, lentement, Chavadzé le Géorgien. Roudine présenta ensuite la contre-motion, pour la guerre au printemps. Vichnaïev et Kérensky votèrent évidemment en sa faveur. Komarov de l'Agriculture se joignit à eux. « Le salopard, pensa Roudine, c'est son putain de ministère qui nous a fichus dans cette panade. Vichnaïev a dû le persuader que je lui ferai la peau de toute façon, alors il croit qu'il n'a rien à perdre. Tu as tort, l'ami, pensa-t-il, le visage impassible. Mais pour cette main que tu lèves, je t'arracherai les tripes. » Pétryanov leva la main. On avait dû lui promettre le poste de Premier ministre. Vitautas le Balte et Mouhamed le Tadjik se rangèrent également avec Vichnaïev, du côté de la guerre. Le Tadjik savait qu'en cas de guerre nucléaire les Orientaux prendraient le pouvoir sur les décombres. Le Lituanien avait sûrement été acheté.

— Six voix pour chaque proposition, dit-il d'une voix calme. Et ma voix en faveur des négociations.

« Trop juste, pensa-t-il, beaucoup trop juste. »

Le soleil se couchait lorsque le Politburo se sépara. Mais le conflit de factions, tous en étaient conscients, durerait maintenant jusqu'à la défaite totale des uns ou des autres. Personne ne pouvait plus reculer. Personne ne pouvait plus rester neutre.

Le groupe n'arriva à Lvov que le cinquième jour. On s'installa à l'hôtel Intourist. Jusqu'à cette date, Drake avait assisté à toutes les visites dirigées inscrites au programme, mais cette fois-ci, prétextant une migraine, il avertit l'hôtesse qu'il garderait la chambre. Dès que le groupe fut parti en autocar vers l'église Saint-Nicolas, il enfila des vêtements ordinaires et se glissa hors de l'hôtel.

Kaminsky lui avait dit quel genre de vêtements il lui faudrait mettre pour ne pas attirer l'attention : des sandales avec des chaussettes, des pantalons légers pas trop élégants, et une chemise à col ouvert, au meilleur marché qu'il puisse trouver. Armé d'un plan de la ville, il se dirigea vers le faubourg ouvrier, pauvre et sale, de la Levandivka. Les deux hommes qu'il recherchait (à supposer qu'il les trouve) n'allaient pas l'accueillir à bras ouverts, il en était certain. Et leurs soupçons n'auraient rien d'étonnant étant donné leurs origines familiales et la façon dont ils avaient été traités. Il se rappela ce que Miroslav Kaminsky lui avait appris à leur sujet dans la chambre de l'hôpital turc.

Le 29 septembre, près de Kiev, dans la gorge de Babi Yar, à l'endroit même où cinquante mille Juifs avaient été massacrés par les S.S. pendant l'occupation nazie de l'Ukraine en 1941-1942, le plus éminent poète ukrainien, Ivan Jiouba, avait prononcé un discours retentissant contre l'antisémitisme —discours d'autant plus remarquable qu'il était lui-même catholique ukrainien.

L'antisémitisme a toujours été très vif en Ukraine, et les souverains successifs — tsars, staliniens, nazis, staliniens de nouveau, puis leurs successeurs — l'avaient toujours systématiquement encouragé.

Le long discours de Jiouba avait débuté par une sorte d'invitation au souvenir des Juifs de Babi Yar massacrés, et une condamnation explicite du nazisme et du fascisme. Mais, développant progressivement ce thème, il en était venu à assimiler dans la même critique toutes les formes de despotisme qui, en dépit de leurs triomphes technologiques, font violence à l'esprit humain et cherchent à persuader les victimes mêmes de leur violence qu'il s'agit là d'une attitude normale.

« Nous devrions donc juger chaque société — avait-il dit — non par ses réalisations techniques visibles, mais par le statut et la signification qu'elle accorde à la personne humaine, par la valeur qu'elle confère à la dignité et à la conscience de l'homme. »

A ces mots, les *Chekisti* qui s'étaient infiltrés dans la foule silencieuse s'étaient rendu compte que le poète ne parlait plus du tout de l'Allemagne de Hitler, mais du Politburo de l'Union des Républiques socialistes soviétiques. Presque aussitôt, le discours avait été interrompu.

Dans les caves de la caserne locale du K.G.B., le directeur des interrogatoires, l'homme à qui obéissaient au doigt et à l'œil les deux colosses au garde-à-vous dans l'angle de la pièce, armés de tuyaux de plomb d'un mètre de longueur, était un jeune colonel arriviste du Second Directorat, envoyé de Moscou. Il se nommait Youri Ivanenko.

Et pendant le discours de Babi Yar, au premier rang, debout près de leurs pères, se trouvaient deux enfants de dix ans. Ils ne se rencontreraient et ne se lieraient d'amitié que six ans plus tard, sur un chantier de construction. L'un se nommait Lev Michkine et l'autre David Lazareff.

La présence des pères de Michkine et de Lazareff à la manifestation de Babi Yar n'était pas passée inaperçue. Quelques années plus tard, lorsqu'ils avaient demandé l'autorisation d'immigrer en Israël, ils avaient été accusés tous les deux d'activités antisoviétiques et condamnés à de longues peines dans des camps de travail.

Leurs familles avaient perdu leurs appartements, leurs fils s'étaient vu refuser l'accès à l'université. En dépit de leur intelligence, ils ne pourraient jamais faire autre chose que du travail de manœuvre. Et à présent, âgés de vingt-six ans, c'étaient eux les deux hommes que Drake recherchait dans les ruelles étouffantes et poussiéreuses de la Levandivka.

C'est à la seconde adresse qu'il trouva David Lazareff. Celui-ci ne lui dissimula pas ses soupçons. Mais il accepta un rendez-vous où assisterait également son ami Michkine, puisque de toute façon Drake connaissait leurs deux noms.

Il rencontra Lev Michkine le soir même. Les deux hommes avaient à son égard une attitude voisine de l'hostilité. Il leur raconta toute l'histoire de la fuite et du sauvetage de Miroslav Kaminsky, et il leur parla de ses propres antécédents. La seule preuve qu'il pouvait leur montrer était une photographie de lui-même et de Kaminsky prise par une vieille infirmière turque dans la chambre d'hôpital de Trébizonde. C'était un cliché Polaroïd et l'on voyait sur le lit l'édition d'un journal turc de ce jour-là. Drake avait apporté ce journal — comme papier d'emballage au fond de sa valise — et il le leur montra pour prouver la véracité de ses dires.

— Écoutez, dit-il enfin, si Miroslav s'était échoué sur les côtes soviétiques, s'il avait été pris par le K.G.B., s'il avait révélé vos noms, et si j'appartenais au K.G.B., je ne serais sûrement pas ici en train de vous demander de l'aide.

Les deux ouvriers juifs acceptèrent d'étudier sa requête en moins de vingt-quatre heures. Michkine et Lazareff partageaient depuis longtemps un idéal proche de celui de Drake. Eux aussi songeaient à frapper, contre la hiérarchie suprême du Kremlin, un coup unique assez puissant pour assurer leur revanche. Mais ils étaient sur le point d'abandonner, écrasés par le fait que sans aide extérieure aucune tentative n'avait la moindre chance de réussir.

Il leur fallait un allié à l'extérieur des frontières de l'U.R.S.S. Aux petites heures du matin, les deux hommes décidèrent de mettre l'Anglo-Ukrainien au courant de leur secret. Ils devaient le rencontrer de nouveau dans l'après-midi : Drake manquerait une autre visite commentée. Pour plus de sécurité, ils allèrent se promener le long de larges boulevards non pavés des environs de la ville : trois jeunes gens paisibles bavardant en ukrainien. Ils apprirent à Drake qu'ils désiraient eux aussi frapper Moscou.

— La question c'est : qui ? dit Drake.

Lazareff était le plus silencieux des deux, mais c'est lui qui dirigeait l'équipe.

— Ivanenko, dit-il. L'homme le plus haï de toute l'Ukraine.

— Oui ? demanda Drake.

— Nous le tuerons.

Drake s'arrêta sur place et fixa le jeune homme brun au regard intense.

— Jamais vous ne pourrez l'approcher, dit-il enfin.

— L'an dernier, dit Lazareff, j'ai fait un chantier, ici à Lvov. Je suis peintre en bâtiment, vous savez. Nous avons remis à neuf l'appartement d'un gros bonnet du Parti. Il y avait en visite chez ces gens une petite vieille bonne femme de Kiev. Après son départ, la femme du responsable du Parti a dit qui elle était. Plus tard, j'ai vu une lettre tamponnée à Kiev dans la boîte. Je l'ai prise. C'était une lettre de la grand-mère. Et elle avait mis son adresse derrière.

— Qui était-ce ? demanda Drake.

— Sa mère.

Drake réfléchit.

— On ne pense jamais que des types comme Ivanenko ont une mère, dit-il. Mais il vous faudra surveiller l'appartement de Kiev pendant longtemps avant qu'il vienne lui rendre visite.

Lazareff secoua la tête.

— Elle servira d'appât, dit-il.

Il exposa les grandes lignes de son idée. Drake réfléchit à l'énormité du projet.

Avant de venir en Ukraine, il s'était demandé quel coup il pourrait porter contre la puissance du Kremlin. Il avait rêvé de bien des possibilités, mais jamais de celle-là. Assassiner le chef du K.G.B., c'était frapper au cœur même du Politburo.

Des lézardes s'ouvriraient jusqu'aux coins les plus reculés de l'édifice du pouvoir.

— Cela peut marcher, avoua-t-il.

En cas de réussite, pensa-t-il, tout serait étouffé sur-le-champ. Mais si la nouvelle pouvait se répandre, l'impact sur l'opinion publique, notamment en Ukraine, serait fantastique.

— Cela peut déclencher le plus grand soulèvement qui se soit jamais produit ici, dit-il.

Lazareff acquiesça. Isolé avec son ami Michkine, dépourvu de toute aide extérieure, il avait manifestement beaucoup réfléchi au projet.

— C'est exact, dit-il.

— Quel équipement vous faudra-t-il ? demanda Drake.

Lazareff le lui dit.

— Tout ça peut être acheté à l'Ouest, répondit Drake. Le problème c'est de le faire rentrer ici.

— Odessa, intervint Michkine. J'ai travaillé sur les docks, là-bas, pendant quelque temps. C'est un endroit complètement corrompu. Du marché noir à tour de bras. Les marins de tous les bateaux de l'Ouest font un commerce fabuleux avec les combinards du coin. Vestes de cuir turques, manteaux de daim et blue-jeans. C'est là que nous vous rencontrerons. C'est sur le territoire de l'Ukraine, nous n'aurons pas besoin de passeports inter-États.

Ils convinrent de tous les points avant de se séparer. Drake achèterait le matériel et l'apporterait à Odessa par la mer. Il préviendrait Michkine et Lazareff par une lettre postée en Union soviétique, longtemps avant son arrivée. Le contenu serait anodin. A Odessa, le lieu de rendez-vous serait un café que Michkine avait fréquenté pendant son adolescence.

— Deux choses encore, dit Drake. Lorsque ce sera terminé, la publicité donnée à l'événement, son annonce au monde entier, sera absolument vitale. Presque aussi importante que l'acte lui-même. Et cela signifie que vous devrez le révéler au monde en personne. Vous seuls connaîtrez les détails capables de convaincre. Mais cela signifie qu'il vous faudra passer à l'Ouest.

— Cela va sans dire, murmura Lazareff. Nous sommes tous les deux des *Refuseniks*. Nous avons essayé d'émigrer en Israël comme nos parents avant nous, et l'autorisation nous a été refusée. Cette fois-ci nous partirons, avec ou sans autorisation. Quand ce sera terminé, nous gagnerons Israël. C'est le seul endroit où nous pourrons peut-être vivre en sécurité. Une fois là-bas, nous dirons au monde entier ce que nous avons fait, et les salopards du Kremlin et du K.G.B. seront discrédités aux yeux de leur peuple.

— Le second point découle du premier, dit Drake. Quand ce sera fait, vous devrez m'en avertir par une lettre ou une carte postale codée. Au cas où quelque chose tournerait mal pendant votre fuite. Pour que j'essaie d'informer le monde.

Ils convinrent qu'une carte postale banale serait envoyée de Lvov à une adresse en poste restante à Londres. Les derniers détails discutés, ils se séparèrent et Drake rejoignit son groupe de touristes.

Deux jours plus tard, il était de retour à Londres. La première chose qu'il fit, ce fut d'acheter le livre le plus exhaustif existant au monde sur les armes à feu. La seconde, ce fut d'envoyer un télégramme à un ami du Canada, l'un des meilleurs de la liste personnelle qu'il avait établie au cours des années précédentes : l'élite des émigrés qui, à son avis, étaient prêts comme lui à faire passer dans les faits leur haine de l'ennemi. La troisième chose enfin, ce fut de commencer les préparatifs d'un plan en sommeil depuis longtemps, conçu pour réunir les fonds nécessaires en dévalisant une banque.

Tout au bout de la perspective Koutouzov, dans les faubourgs au sud-ouest de Moscou, une voiture qui quitterait le boulevard principal sur main droite par la route de Roublevo arriverait vingt kilomètres plus loin au petit village d'Ouspenskoié, au cœur d'une zone de villas de week-end. Les grandes forêts de pins et de bouleaux des environs d'Ouspenskoié abritent des hameaux comme Ousovo et Joukovka, où se trouvent les maisons de campagne de l'élite soviétique. De l'autre côté du pont d'Ouspenskoié sur la Moskova, il existe une plage où en été, les « moins privilégiés-mais-néanmoins-très-à-l'aise » (il faut avoir sa voiture personnelle), viennent de Moscou pour se baigner.

Les diplomates occidentaux y viennent aussi, et c'est l'un des rares endroits où un Occidental peut fraterniser avec des familles moscovites ordinaires. Même les filatures de routine dont les diplomates de l'Ouest font l'objet de la part du K.G.B., semblent se relâcher tant soit peu le dimanche après-midi pendant l'été.

Ce dimanche après-midi-là, 11 juillet 1982, Adam Munro se rendit à la plage d'Ouspenskoié avec un groupe d'amis de l'ambassade britannique : quelques couples et des célibataires plus jeunes que lui. Peu avant trois heures, tout le monde abandonna, entre les arbres, les serviettes de bain et les paniers de pique-nique, descendit la colline jusqu'à la plage de sable et se mit à nager. A son retour, Munro ramassa sa serviette pour s'essuyer. Il en tomba quelque chose.

Il s'interrompit pour le ramasser, c'était une petite carte de bristol, pas plus grande qu'une moitié de carte postale, blanche des deux côtés. Sur un côté étaient dactylographiés, en russe, les mots suivants : « Trois kilomètres au nord, une chapelle abandonnée dans les bois. Je vous attends là-bas dans trente minutes. Je vous en prie. C'est urgent. »

Il se força à sourire à la secrétaire de l'ambassade qui s'avançait vers lui en riant pour lui demander une cigarette. En la lui allumant, son esprit se mit à analyser tout ce que le message pouvait signifier. Un dissident désireux de faire passer de la littérature clandestine ? Un tas d'ennuis en perspective ! Un groupe religieux cherchant asile à l'ambassade ? Les Américains avaient connu ce genre d'incident en 1978 et cela avait suscité d'innombrables problèmes. Un piège tendu par le K.G.B. pour identifier l'homme du S.I.S. au sein de l'ambassade ? Toujours possible. Aucun secrétaire commercial ordinaire n'accepterait une invitation de ce genre, glissée dans une serviette de bain pliée, par quelqu'un qui, de toute évidence, l'avait suivi et observé des bois voisins. Et pourtant, c'était trop grossier pour le K.G.B. Ils auraient appâté avec un faux transfuge proposant de transmettre des renseignements en plein cœur de Moscou, et ils auraient pris des photographies en secret au moment de la remise des documents. Qui pouvait bien être le mystérieux auteur du message ?

Il s'habilla rapidement, sans avoir rien décidé.

Puis il prit son parti : si c'était un piège, il pourrait feindre de n'avoir reçu aucun message et dire qu'il se promenait tranquillement dans les bois. La secrétaire pleine d'espoir fut déçue de le voir partir seul. Au bout de cent mètres il s'arrêta, prit son briquet et brûla la carte. Il écrasa les cendres parmi les aiguilles de pin.

Sa montre et le soleil lui indiquèrent le nord, à angle droit avec la berge du fleuve, exposée au sud. Au bout d'une dizaine de minutes, il parvint sur l'autre versant de la colline et aperçut à deux kilomètres environ, de l'autre côté du vallon, le clocher bulbeux d'une chapelle isolée.

Il en existe ainsi des dizaines dans les forêts des environs de Moscou, anciens lieux de culte des paysans, aujourd'hui abandonnés, portes et fenêtres clouées, en ruine. Celle vers laquelle il se dirigeait se trouvait au milieu d'une petite clairière entre de grands arbres. A l'orée du bois, il s'arrêta et examina la minuscule église. Il ne vit personne. Avec précaution, il s'avança à découvert. C'est seulement à quelques mètres de la porte condamnée qu'il vit la silhouette debout dans l'ombre épaisse d'une voussure. Il s'arrêta. Pendant des minutes sans fin, ils se regardèrent.

Il murmura simplement son nom :

— Valentina.

Elle sortit de l'ombre.

« Vingt et un ans, songea-t-il, émerveillé. Elle doit avoir dépassé quarante ans. » Elle en paraissait trente. Toujours aussi belle avec sa chevelure de jais — et immensément triste.

Ils s'assirent sur l'une des pierres tombales et se mirent à bavarder du passé. Elle lui apprit que peu après leur séparation elle était rentrée à Moscou, où elle avait continué de travailler comme sténographe pour l'appareil du Parti. A vingt-trois ans, elle avait épousé un jeune officier de l'armée, promis à un bel avenir. Sept ans plus tard, ils avaient eu un enfant et ils avaient vécu à trois un bonheur paisible. La carrière de son mari avait été brillante, car l'un de ses oncles occupait un poste élevé dans l'Armée rouge — le népotisme n'est pas moins répandu en Union soviétique qu'ailleurs. Leur fils Sacha avait aujourd'hui dix ans.

Cinq ans plus tôt, son mari, parvenu au grade de colonel malgré sa jeunesse, avait trouvé la mort dans un accident d'hélicoptère alors qu'il surveillait les déploiements de troupes de l'armée chinoise le long de l'Oussouri, en Extrême-Orient. Pour tuer son chagrin, elle s'était remise à travailler. L'oncle de son mari lui avait trouvé un bon emploi, très haut placé, et auquel étaient attachés de nombreux privilèges : accès aux magasins d'alimentation spéciaux, aux restaurants spéciaux, bel appartement, voiture personnelle — tout ce qu'offre un rang élevé au sein de l'appareil du Parti.

Enfin, deux ans plus tôt, elle avait passé un examen spécial et on lui avait offert un poste dans un groupe très restreint, très fermé, de sténographes et de dactylographes : la sous-section du secrétariat général du Comité central qui porte le nom de Secrétariat du Politburo.

Munro retint son souffle. C'était un poste élevé, très élevé, un poste de très grande confiance.

— Qui est l'oncle de ton mari ? demanda-t-il.
— Kérensky, murmura-t-elle.
— Le maréchal Kérensky ?
Elle acquiesça.

Munro se força à respirer normalement. Kérensky, le vautour entre les vautours. Lorsqu'il se tourna vers elle, il aperçut dans ses yeux une lueur étrange. Ses paupières clignaient. Elle était au bord des larmes. D'instinct, il passa le bras autour de ses épaules et elle s'appuya contre lui. Il sentit ses cheveux, la même odeur douce qui l'emplissait de tendresse et de désir vingt ans plus tôt, au temps de leur jeunesse.

— Qu'y a-t-il ? murmura-t-il à son oreille.

90

— Oh, Adam, je suis si malheureuse.

— Mais pourquoi, grands dieux ? Tu as tout ce que votre société peut t'offrir.

Elle secoua la tête, et fixa les bois par-delà la clairière.

— Adam, toute ma vie, depuis mon enfance, j'ai eu la foi. Oui, une foi sincère. Même quand nous nous aimions, j'avais foi en la valeur et en la vérité du socialisme. Même aux moments les plus durs, aux époques de privation, quand l'Ouest avait toutes les richesses de la société de consommation et que nous n'avions rien, j'ai toujours eu foi en la justice de l'idéal communiste que nous apporterions un jour au monde. Un idéal qui offrirait à tous un univers sans fascisme, sans rapacité, sans exploitation, sans guerre.

« C'est ce que l'on m'avait enseigné et je le croyais sincèrement. C'était plus important que toi, que notre amour, que mon mari et mon enfant. Au moins aussi important que ce pays, ma Russie, qui est une partie de moi-même.

Munro connaissait bien le patriotisme des Russes, leur amour farouche pour leur terre qui leur permet de supporter toutes les souffrances, toutes les privations et tous les sacrifices, cette flamme qui, manipulée habilement, leur fait obéir aux suzerains du Kremlin sans broncher.

— Que s'est-il passé ? demanda-t-il doucement.

— Ils l'ont trahi. Ils le trahissent. Mon idéal. Mon peuple et mon pays.

— Ils ? demanda-t-il.

Elle se tordait les mains comme si elle avait voulu s'arracher les doigts.

— Les chefs du parti, dit-elle d'une voix amère. Les *natchalstvo*.

Elle avait craché avec mépris ce mot d'argot russe qui signifie les « gros matous », les « chats-fourrés ».

Ce n'était pas la première fois que Munro était témoin de ce genre d'abjuration. Lorsqu'un vrai croyant perd la foi, son fanatisme inversé va jusqu'à d'étranges extrêmes.

— Je les révérais, Adam. Je les respectais. Ils étaient sacrés pour moi. Maintenant, voilà des années que je vis dans leur entourage. Oui, j'ai vécu dans leur ombre, accepté leurs cadeaux, partagé leurs privilèges. Je les ai vus de près, en privé. Je les ai entendus parler. De tout. Et du peuple, qu'ils méprisent. Ils sont pourris, Adam, corrompus et cruels. Ils réduisent en cendres tout ce qu'ils touchent.

Munro fit passer une jambe de l'autre côté de la pierre tombale

91

pour être en face de Valentina, et il la prit dans ses bras. Elle pleurait doucement.

— Je ne peux pas continuer, Adam, je ne peux pas continuer, murmura-t-elle contre son épaule.

— Très bien, ma chérie, veux-tu que j'essaie de te faire sortir ?

Il savait que cela lui coûterait sa carrière, mais cette fois, il n'était plus disposé à la perdre. Cela en valait la peine. Tout en vaudrait la peine.

Elle le repoussa. Son visage était baigné de larmes.

— Je ne peux pas. Je ne peux pas partir. Il faut que je pense à Sacha.

Il prolongea le silence un peu plus longtemps. Son esprit s'était mis à courir.

— Comment as-tu appris que j'étais à Moscou ? demanda-t-il d'un ton prudent.

La question ne parut pas la surprendre. Il était de toute façon parfaitement naturel qu'il la pose.

— Le mois dernier, dit-elle entre deux sanglots, une collègue de mon bureau m'a emmenée au ballet. Nous étions dans une baignoire. Dans la pénombre, j'ai cru me tromper. Mais quand les lumières se sont rallumées à l'entracte, j'ai vu que c'était vraiment toi. Je n'ai pas pu rester plus longtemps. J'ai fait semblant d'avoir la migraine et je suis partie aussitôt.

Elle roula son mouchoir en boule et se tamponna les yeux. La crise de larmes touchait à sa fin.

— Adam, demanda-t-elle soudain, tu t'es marié ?

— Oui. Longtemps après Berlin. Ça n'a pas marché. Nous avons divorcé il y a plusieurs années.

Elle ébaucha un sourire.

— Je suis contente, dit-elle. Je suis contente qu'il n'y ait personne d'autre. Ce n'est pas très logique, hein ?

Il lui rendit son sourire.

— Non, dit-il. Pas du tout. Mais c'est agréable à entendre. Nous pourrons nous voir ? A l'avenir ?

Le sourire de Valentina s'effaça aussitôt. Il y eut comme un regard traqué dans ses yeux. Elle secoua sa tête brune.

— Non, pas très souvent, dit-elle. On me fait confiance, je suis privilégiée, mais si un étranger venait dans mon appartement, cela se remarquerait très vite et on en rendrait compte. Et de même pour ton appartement, Adam. Les diplomates sont surveillés, tu le sais. Les hôtels sont surveillés aussi, et ici on ne peut pas louer un appartement sans toutes sortes de formalités. C'est impossible. C'est tout simplement impossible.

— Valentina, c'est toi qui as voulu cette rencontre. C'est toi qui as pris l'initiative. Était-ce uniquement pour parler du bon vieux temps ? Si tu n'aimes pas ta vie ici, si tu n'aimes pas les hommes pour qui tu travailles... et si tu ne peux pas partir à cause de ton fils, que désires-tu ?

Elle se ressaisit et réfléchit pendant un instant. Lorsqu'elle parla, ce fut d'une voix très calme.

— Adam, je veux essayer de les arrêter. Je veux essayer d'arrêter ce qu'ils sont en train de faire. Cela fait plusieurs années que j'y songe, mais depuis que je t'ai vu au Bolchoï, au souvenir de toutes les libertés que nous avions à Berlin, je n'ai cessé d'y réfléchir chaque jour. Maintenant, je n'ai plus aucun doute. Dis-moi, si tu le sais : y a-t-il un officier de renseignement à ton ambassade ?

Munro fut secoué. Il s'était occupé de deux « transfuges en place », l'un à l'ambassade soviétique de Mexico, et l'autre à Vienne. Ce qui motivait le premier, c'était la mutation de son admiration pour le régime en une haine farouche, comme dans le cas de Valentina. L'autre était aigri parce qu'il piétinait sans avancement. Le premier avait été beaucoup plus difficile à manœuvrer que le second.

— Oui, je crois, répondit-il doucement. Il doit sûrement y en avoir un.

Valentina fouilla dans son sac, posé à ses pieds sur les aiguilles de pin. Ayant pris sa décision, elle semblait déterminée à aller jusqu'au bout de sa trahison. Elle retira de son sac une enveloppe épaisse.

— Donne-lui ceci, Adam. Et promets-moi de ne jamais lui révéler que cela vient de moi. Je t'en prie, Adam, ce que je suis en train de faire m'effraie. Je ne peux avoir confiance en personne, en personne sauf toi.

— Je te promets, dit-il. Mais il faut que je te revoie. Je ne peux pas me résoudre à te voir disparaître, comme la dernière fois, par la brèche du Mur.

— Non... Moi non plus... Mais n'essaie pas de venir me voir à mon appartement. C'est dans un ensemble pour cadres supérieurs, fermé avec une seule porte dans l'enceinte, gardée par un policier. N'essaie pas de me téléphoner. La ligne est sur table d'écoute. Et jamais je ne rencontrerai quelqu'un d'autre de ton ambassade, même pas le chef du service de Renseignement.

— Je suis d'accord, répondit Munro. Mais quand nous reverrons-nous ?

Elle réfléchit pendant un instant.

— Il ne m'est pas toujours très facile de m'éloigner. Sacha me prend la majeure partie de mes heures de liberté. Mais j'ai ma voiture et je ne suis pas surveillée. Demain je pars en vacances pour deux semaines mais nous pouvons nous retrouver ici, le quatrième dimanche à partir d'aujourd'hui.

Elle regarda sa montre.

— Il faut que je parte, Adam. Je suis invitée dans une datcha, à quelques kilomètres d'ici.

Il l''embrassa. Sur les lèvres comme autrefois. Et ce fut aussi doux que dans le passé. Elle se leva et traversa la clairière. A l'orée du bois, il l'appela.

— Valentina, qu'est-ce que c'est ?

Il tendit l'enveloppe vers elle. Elle s'arrêta et se retourna.

— Mon travail consiste à préparer pour chaque membre les transcriptions mot pour mot des séances du Politburo, et les résumés pour les membres suppléants. A partir des enregistrements magnétiques. C'est une copie de l'enregistrement de la réunion du 10 juin.

Elle disparut aussitôt entre les arbres. Munro s'assit sur la pierre tombale et baissa les yeux vers l'enveloppe.

— Nom de Dieu ! dit-il.

4

Enfermé dans une pièce du principal bâtiment de l'ambassade britannique, quai Maurice-Thorez, Adam Munro écoutait les dernières phrases de l'enregistrement magnétique. La pièce était à l'abri de toute forme de surveillance électronique de la part des Russes, et c'était pour cette raison qu'il l'avait empruntée au chef de la chancellerie.

« ... Il va sans dire que cette nouvelle ne doit pas transpirer en dehors de cette pièce. Notre prochaine réunion dans une semaine. »

La voix de Maxime Roudine disparut et la bande glissa de l'appareil avec un soupir puis s'arrêta. Munro coupa le magnétophone. Il se pencha en arrière et un long sifflement s'échappa de ses lèvres.

Si c'était authentique, c'était plus énorme que tout ce qu'Oleg Penkovsky avait fait passer vingt ans plus tôt... L'histoire de Penkovsky faisait partie du folklore du S.I.S. et de la C.I.A., et au K.G.B., tout le monde en conservait un souvenir amer. Oleg Penkovsky était un général de brigade du G.R.U. qui avait accès aux données secrètes les plus importantes pour le pays. Déçu par la hiérarchie du Kremlin, il avait fait des avances, d'abord aux Américains, puis aux Anglais, en leur offrant des renseignements.

Soupçonnant un piège, les Américains l'avaient éconduit. Les Anglais, au contraire, l'avaient écouté et pendant deux ans et demi, ils l'avaient « manipulé » — jusqu'à ce que le K.G.B. lui tende un piège, révèle ses activités, le juge et l'exécute. En son temps, il avait offert une véritable moisson-miracle de renseignements secrets, notamment en octobre 1952, au moment de la crise des missiles de Cuba. Ce mois-là, le monde entier s'était émerveillé de la façon magistrale dont le président Kennedy avait manœuvré au cours du tête-à-tête avec Nikita Khrouchtchev sur la mise en place de missiles soviétiques à Cuba. Mais ce que le monde entier avait ignoré, c'était que grâce à Penkovsky, les Américains avaient une connaissance exacte des points forts et des points faibles du dirigeant soviétique.

Quand tout fut enfin terminé, les missiles soviétiques avaient quitté Cuba, Khrouchtchev avait reculé, Kennedy était un héros. Mais l'on commençait à soupçonner Penkovsky. On l'avait arrêté en novembre. Un an plus tard, après un procès-spectacle, il était mort. Un an plus tard encore, Khrouchtchev était renversé, détrôné par ses propres collègues — aux yeux de tous à cause de l'échec de sa politique céréalière, en réalité parce que son aventurisme les avait effrayés jusqu'à la moelle des os. Et au cours du même hiver 1963, Kennedy était mort lui aussi, treize mois à peine après son triomphe. Le démocrate, le despote et l'espion avaient tous trois quitté la scène. Pourtant, Penkovsky lui-même n'avait jamais pénétré au sein du Politburo.

Munro enleva la bobine de l'appareil et l'enveloppa de nouveau avec soin. Il ne connaissait évidemment pas la voix du professeur Yakovlev et la majeure partie de l'enregistrement était constitué par la lecture de son rapport. Mais dans la discussion qui suivait, il y avait dix voix, dont trois au moins étaient immédiatement identifiables. Le grondement grave de Roudine était célèbre, et Munro connaissait bien la voix sèche et claire de Vichnaïev : la télévision avait diffusé certains de ses discours aux congrès du Parti. Quant aux intonations agressives du maréchal Kérensky, il les avait entendues à l'occasion des manifestations du 1er mai, aussi bien aux actualités qu'à la radio.

Quand il ramènerait la bande à Londres pour procéder à une analyse de voix (c'était, bien entendu, indispensable), son problème allait être de couvrir sa « source ». Il savait que s'il avouait son rendez-vous secret avec Valentina dans la forêt à la suite de la note dactylographiée déposée dans sa serviette de bain, on ne manquerait pas de lui demander : « Pourquoi vous, Munro ? Comment vous connaissait-elle ? » C'était une question inévitable et il lui serait impossible d'y répondre. La seule solution consistait à imaginer une autre source, à la fois crédible et invérifiable.

Il n'était à Moscou que depuis six semaines mais sa connaissance insoupçonnée du russe argotique courant avait déjà porté ses fruits. Quinze jours plus tôt, au cours d'une réception diplomatique à l'ambassade tchèque, alors qu'il était en conversation avec un attaché de l'Inde, il avait surpris deux Russes en train de chuchoter derrière lui. L'un d'eux avait dit : « C'est un salingue et il en a gros sur la patate. Il guignait un meilleur fromage. »

Il avait suivi les regards des deux hommes : ils étaient dirigés vers un Russe de l'autre côté de la pièce et c'était probablement de lui qu'ils parlaient. Plus tard, la liste des invités lui avait confirmé qu'il s'agissait d'Anatoli Krivoï, assistant personnel et bras droit de Vichnaïev, le théoricien du Parti. Et pourquoi donc « en avait-il gros sur la patate » ? Munro vérifia ses dossiers et découvrit l'histoire de Krivoï. Il avait travaillé à la section des Organisations du Parti au sein du Comité central ; or, peu après la nomination de Pétrov à la tête de cette section, Krivoï avait fait son apparition dans l'équipe de Vichnaïev. Avait-il quitté ses anciennes fonctions par dépit ? S'agissait-il d'un conflit de personnes avec Pétrov ? Était-il amer de se voir supplanté ? Tout était possible — et intéressant pour le chef d'un réseau de renseignements dans une capitale étrangère.

« Krivoï ? » se demanda-t-il, songeur.

Peut-être. Oui, peut-être. Il pouvait avoir accès, lui aussi, au moins à la copie des minutes destinée à Vichnaïev, et peut-être même aux enregistrements. Et il était probablement à Moscou ; son patron y était en tout cas : Vichnaïev avait assisté à l'arrivée du Premier ministre d'Allemagne de l'Est une semaine plus tôt.

— Désolé, Anatoli, mais tu viens juste de changer de camp, dit-il en glissant l'enveloppe dans sa poche intérieure.

Il descendit au bureau du chef de la chancellerie.

— Je vais être forcé de rentrer à Londres avec la " valise " de mercredi, dit-il au diplomate. C'est inévitable et cela ne peut pas attendre.

Le chef de la chancellerie ne lui posa aucune question. Il connaissait les responsabilités de Munro, et il lui promit de tout organiser. La valise diplomatique (qui est en réalité un sac, ou plutôt une série de sacs de toile dont le fond est renforcé de bois) va de Moscou à Londres tous les mercredis, toujours par le vol British Airways et jamais par Aeroflot. Un messager de la reine — appartenant à cette équipe d'hommes protégés par l'insigne de la Couronne et du Lévrier, qui parcourent sans cesse le monde pour prendre les « valises » dans les ambassades — quitte Londres pour aller la chercher. Les documents ultra-secrets sont transportés dans un étui à dépêches rigide accroché par une chaîne au poignet gauche de l'homme ; les éléments de routine se trouvent dans les sacs de toile. Le messager vérifie personnellement le chargement dans l'avion. Dès qu'ils sont dans la cale, les sacs sont en territoire britannique. Mais dans le cas de Moscou, le messager est toujours accompagné par un membre du personnel de l'ambassade.

Ce travail d'escorte est très recherché, car il permet de faire un voyage éclair au pays, à Londres : quelques petites courses et une bonne nuit de vacances. Le deuxième secrétaire qui, cette semaine-là, perdit son tour dans la rotation, fut très contrarié, mais ne posa aucune question.

Le mercredi suivant, l'Airbus 300-B des British Airways décolla du nouvel aéroport de Sheremetiévo, réaménagé à l'occasion des Jeux olympiques de 1980, et tourna son nez en direction de Londres. Sur le siège voisin de celui de Munro, le messager, un ancien major de l'armée, petit homme tiré à quatre épingles, se livra aussitôt à son passe-temps favori : les mots croisés de son quotidien.

— Il faut bien tuer le temps pendant ces interminables voyages, dit-il à Munro. Nous avons tous nos petites marottes aériennes.

Munro acquiesça d'un grognement et regarda, par-dessus l'aile, la ville de Moscou disparaître au loin. Quelque part là-bas, dans les rues inondées de soleil, la femme qu'il aimait travaillait et vivait au milieu d'un peuple qu'elle était en train de trahir. Elle était livrée à elle-même, et en plein dans le « Froid ».

La Norvège, si on l'isole de son voisin oriental la Suède, ressemble à une énorme main humaine préhistorique fossilisée, qui s'étale de l'Arctique vers le Danemark et la Grande-Bretagne. C'est une main droite, paume vers le bas, avec un pouce court et épais crispé vers l'est au creux de l'index. Au-dessus de la séparation entre le pouce et l'index, se trouve Oslo, la capitale.

Vers le nord, l'avant-bras fracturé s'étend jusqu'à Tromsö et Hammerfest, au cœur de la région arctique, et la bande de terre est si étroite que par endroits il n'y a qu'une soixantaine de kilomètres entre l'Océan et la frontière suédoise.

Sur une carte en relief, la main semble avoir été écrasée par les dieux avec une sorte de marteau gigantesque : les os et les articulations ont éclaté en milliers de fragments. Nulle part ces brisures ne sont plus marquées que sur la côte occidentale, où devrait se trouver le dos de la main.

Là, le sol a éclaté en mille morceaux, et entre les échardes la mer a pénétré, formant un million de criques, de goulets, de baies et de gorges, creusant d'étroits défilés où la montagne tombe à pic dans des eaux transparentes. Ce sont les fjords, et au fond de ces fjords, il y a quinze cents ans, est née une race d'hommes qui a donné au monde les meilleurs marins qui aient jamais lancé une quille dans les eaux ou une voile dans le vent. Avant la fin de leur âge d'or, ils avaient sillonné l'Océan jusqu'au Groenland et jusqu'à l'Amérique, conquis l'Irlande, soumis la Grande-Bretagne et la Normandie, guerroyé en Espagne et au Maroc, navigué de la Méditerranée à l'Islande. C'étaient les Vikings, et leurs descendants vivent toujours de la pêche le long des fjords de Norvège.

Thor Larsen, capitaine au long cours, était l'un d'entre eux. En cet après-midi du milieu de juillet, il marchait à grands pas le long du Palais-Royal de Stockholm, la capitale de la Suède ; il venait de quitter le siège social de son armateur et rentrait à l'hôtel. A son passage, les gens avaient tendance à s'écarter : il mesurait un mètre quatre-vingt-dix et avait les épaules aussi larges que les trottoirs du vieux quartier de la ville. Il avait les yeux bleus et portait la barbe. Comme toujours à terre, il s'habillait en civil, mais il était heureux parce qu'il avait toutes raisons de croire, après sa visite au siège de la Nordia Line, derrière lui sur le quai, qu'on lui confierait bientôt un nouveau commandement.

Après avoir suivi pendant six mois, aux frais de la compagnie, des cours sur les derniers perfectionnements du radar, sur les systèmes de navigation par ordinateur, et sur les techniques des superpétroliers, il mourait d'envie de reprendre la mer. S'il avait été convoqué au siège, c'était pour recevoir des mains de la secrétaire personnelle du président-directeur général et propriétaire de la Nordia Line une invitation à dîner ce soir-là. L'invitation concernait également sa femme, que l'on avait prévenue par téléphone et qui devait arriver de Norvège par avion avec un billet offert par la Compagnie. « Le vieux essaye de m'en mettre plein la vue », pensa Larsen. Il devait y avoir anguille sous roche.

Il prit sa voiture de location au garage de l'hôtel, de l'autre côté du pont sur la Nybroviken, et gagna l'aéroport, à trente-sept kilomètres de la ville. Lorsque Lisa Larsen arriva dans le hall avec son grand sac de tapisserie, il l'accueillit avec la délicatesse d'un saint-bernard plein d'enthousiasme et la souleva dans ses bras comme une fillette. Elle était petite et menue, avec des yeux sombres brillants, de douces boucles châtain et une silhouette svelte qui ne trahissait pas ses trente-huit ans. Et Thor l'adorait. Il l'avait rencontrée vingt ans plus tôt à Oslo, par une journée glaciale d'hiver. Il n'était encore qu'un second lieutenant de vingt-cinq ans monté en graine. Elle avait glissé sur le verglas, il l'avait ramassée comme une poupée et remise sur ses jambes.

Elle portait un capuchon bordé de fourrure qui dissimulait à demi son visage menu, au nez rouge, et lorsqu'elle l'avait remercié, il n'avait aperçu que ses yeux : à travers la masse de neige et de fourrure on eût dit le regard perçant d'un lemming dans la forêt en hiver. Et depuis lors, pendant qu'il l'avait courtisée et tout au long de leurs années de mariage, elle avait été pour lui sa « souris des neiges », sa « souricette ».

Tout au long du trajet de retour à Stockholm, il lui posa mille questions sur leur maison d'Alesund, très loin au nord sur la côte occidentale de Norvège, et sur les progrès de leurs deux enfants, tous deux à l'âge ingrat. Vers le sud, un Airbus des British Airways passa dans le ciel, en suivant le grand cercle entre Moscou et Londres. Thor Larsen ne s'en aperçut pas : en quoi cela aurait-il pu le toucher ?

Le dîner était prévu ce soir-là au célèbre Cellier Aurora, construit dans les caves souterraines d'un ancien palais situé dans le quartier médiéval de la ville. Dès qu'ils arrivèrent, on conduisit Thor et Lisa Larsen jusqu'à l'escalier étroit qui descend au cellier. Léonard, le propriétaire, les attendait au bas des marches.

— M. Wennerström est déjà là, dit-il.

Il les précéda jusqu'à un salon privé, petite caverne intime, voûtée avec des briques âgées de cinq cents ans. Au milieu, une table épaisse de vieux bois ciré à miroir. Sur la table, des candélabres de fer forgé. A leur entrée, Harald Wennerström, l'armateur de Larsen, se leva aussitôt, embrassa Lisa et échangea une solide poignée de main avec Thor.

Harald « Harry » Wennerström était une sorte de légende vivante pour tous les gens de mer de Scandinavie. Il avait maintenant soixante-quinze ans : les cheveux gris, les traits burinés, les sourcils en broussaille. Peu après la Seconde Guerre mondiale, à son retour dans sa ville natale de Stockholm, il avait hérité de son père une demi-douzaine de petits cargos. En vingt-cinq ans, il avait construit la plus importante flotte indépendante de pétroliers qui ne fût pas entre les mains des Grecs ou des Chinois de Hong Kong. La Nordia Line était son œuvre : au milieu des années cinquante il était passé progressivement des cargos de vrac sec aux tankers, et il avait su investir à temps pour profiter du boom pétrolier des années soixante, ne se fondant que sur sa propre intuition, sans hésiter à aller à contre-courant.

Ils s'installèrent et dînèrent. Wennerström ne parla que de choses insignifiantes, petits problèmes de famille. Ses quarante années de mariage s'étaient achevées quatre ans plus tôt, à la mort de sa femme ; ils n'avaient pas eu d'enfants. Mais s'il avait eu un fils, il aurait aimé qu'il ressemblât au grand Norvégien assis devant lui — un marin entre tous les marins. Et puis il adorait Lisa.

Le saumon, mariné dans la saumure et parfumé à l'aneth à la mode scandinave, était délicieux ; le caneton des prés salés de Stockholm, excellent. Ce fut seulement lorsqu'ils eurent terminé leur vin — Wennerström plongeant à contrecœur ses lèvres dans un grand verre d'eau (« tout ce que ces saligauds de docteurs me permettent encore de boire ») que l'armateur en vint aux affaires.

— Il y a trois ans, Thor, en 1979, j'avais fait en moi-même trois prévisions. La première, c'était que nous assisterions avant la fin de 1982 à une rupture de la solidarité au sein de l'Organisation des pays exportateurs de pétrole, l'O.P.E.P. La seconde, c'était que la politique du président américain pour réduire aux États-Unis la consommation d'énergie et de sous-produits d'origine pétrolière échouerait fatalement. La troisième, c'était que l'Union soviétique cesserait d'être un exportateur de pétrole, pour commencer à importer. On m'a répondu que j'étais fou, mais j'avais raison.

Thor Larsen acquiesça. La constitution de l'O.P.E.P. et le quadruplement des prix du pétrole pendant l'hiver 1973 avait provoqué une crise mondiale qui avait failli briser l'économie occidentale. Pour les armateurs de pétroliers, cela avait marqué le début de sept années de vaches maigres : des dizaines de tankers représentant le volume de plusieurs millions de tonnes de brut demeuraient au mouillage sans fret, inutiles, antiéconomiques, engendrant des pertes. Il fallait avoir l'esprit rudement audacieux pour imaginer trois ans à l'avance ce qui se passerait entre 1979 et 1982 : la rupture de l'O.P.E.P. lorsque le monde arabe s'était divisé en factions rivales ; la prise du pouvoir par les révolutionnaires en Iran ; la désintégration du Nigeria ; la hâte avec laquelle les pays producteurs de gauche s'étaient mis à vendre leur pétrole à n'importe quel prix pour financer leurs achats inconsidérés d'armes ; l'accroissement en flèche de la consommation de pétrole aux États-Unis (tout Américain moyen étant persuadé que Dieu lui a donné le droit de s'approprier les ressources du monde pour son confort personnel) ; et l'industrie pétrolière soviétique, incapable de dominer les techniques de pointe, qui se maintenait à un taux d'extraction si bas que la Russie se remettait à importer du brut. Tous ces facteurs s'étaient associés pour produire le nouveau boom des pétroliers, qui s'affirmait de plus en plus nettement en cet été 1982.

— Comme vous le savez, poursuivit Wennerström, j'ai signé le 1er septembre dernier un contrat avec les Japonais pour la fabrication d'un nouveau super-tanker. Dans le milieu fermé des armateurs, tout le monde m'a traité de fou ; la moitié de ma flotte était au mouillage dans le Strömstad Sund, et j'en commandais un de plus ! Mais je ne suis pas fou. Vous connaissez l'histoire de l'*East Shore Oil Company*?

De nouveau Larsen acquiesça. C'était, dix ans plus tôt, une petite compagnie pétrolière basée en Louisiane. Mais en dix ans, entre les mains du dynamique Clint Blake, elle s'était développée au point de rivaliser avec les Sept Sœurs, les mastodontes qui président aux destinées du cartel mondial du pétrole.

— Eh bien, l'an prochain, au cours de l'été 1983, Clint Blake va envahir l'Europe. C'est un marché fermé, déjà surpeuplé, mais il croit pouvoir y prendre pied. Il va installer plusieurs milliers de stations-service sur toutes les autoroutes européennes pour ouvrir le marché à sa marque d'essence et de gas-oil. Il lui faut donc un certain tonnage de tankers. Et c'est moi qui ai obtenu le marché. Un contrat de sept ans pour livrer en Europe occidentale du pétrole brut du Proche-Orient. Il est déjà en train de construire sa propre raffinerie à Rotterdam, à côté de celles d'Esso, de Mobil et de Chevron. C'est à cela que servira le nouveau pétrolier. Il est énorme, il est ultra-moderne et il coûte très cher. Mais il va rapporter. Il fera cinq ou six allers et retours par an du golfe Persique à Rotterdam, et en cinq ans il amortira l'investissement que j'ai fait. Mais ce n'est pas pour cette raison que je l'ai construit. Il va être le plus grand de tous et le meilleur. Mon vaisseau-amiral, mon chef-d'œuvre. Et c'est vous qui en serez le commandant.

Thor Larsen demeura silencieux. La main de Lisa glissa sur la nappe pour venir se poser sur celle de son mari, qu'elle étreignit doucement. Deux ans plus tôt, Larsen en était conscient, jamais un Norvégien comme lui n'aurait pu commander un vaisseau battant pavillon suédois. Mais depuis l'accord de Gothenburg de l'année précédente (que d'ailleurs Wennerström avait soutenu de tout son poids), tout armateur suédois pouvait obtenir la nationalité suédoise à titre honoraire pour les officiers non suédois d'origine scandinave travaillant déjà dans leur compagnie, de façon à pouvoir leur offrir un commandement. Wennerström avait fait les démarches pour le compte de Larsen.

On servit le café et ils le dégustèrent.

— Je l'ai fait construire aux chantiers navals Ishikawajima Harima, au Japon, reprit Wennerström. C'est le seul chantier du monde capable de le construire. Ils ont la cale sèche qu'il faut.

L'époque où l'on construisait les bateaux sur des berceaux pour les laisser ensuite déraper dans l'eau, était depuis longtemps révolue. La taille et le poids étaient trop importants. Désormais, les géants étaient construits dans d'énormes cales sèches, et lorsqu'ils étaient prêts pour le lancement, on faisait entrer la mer par les vannes de la cale et le bateau se mettait simplement à flotter sur ses béquilles. Il prenait la mer à l'intérieur même de la cale sèche.

Wennerström reprit :

— Les travaux ont commencé le 4 novembre dernier. La quille a été terminée le 30 janvier. Maintenant le bateau prend forme. Il sera mis à flot le 1er novembre prochain et après trois mois d'accastillage et d'essais en mer, il prendra le large le 2 février. Et c'est vous qui serez sur la dunette, Thor.

— Merci, dit Larsen. Comment allez-vous l'appeler ?

— Ah, oui. J'y ai songé. Vous vous souvenez des sagas ? Eh bien, nous lui donnerons un nom qui plaira à Niorn, le dieu de la mer, dit Wennerström d'une voix calme.

Il serra entre ses doigts son verre d'eau et fixa la flamme de la bougie dans le chandelier de fer forgé en face de lui.

— ... Car Niorn commande au feu et à l'eau qui sont les deux ennemis d'un capitaine de pétrolier : l'explosion et la mer elle-même.

L'eau de son verre et la flamme de la bougie se réfléchirent dans les yeux du vieil homme, comme le feu et l'eau s'étaient réfléchis dans son regard le jour de 1942 où, impuissant dans un canot de sauvetage au milieu de l'Atlantique, à quatre encâblures de son pétrolier en flammes — son premier commandement en mer — il avait vu son équipage griller dans l'océan embrasé tout autour de lui.

Thor Larsen fixa son armateur, persuadé que le vieil homme ne croyait pas vraiment en cette mythologie ; Lisa, avec son intuition de femme, comprit qu'il accordait un sens profond au moindre de ses mots. Bientôt, Wennerström s'enfonça dans son siège, repoussa le verre d'eau d'un geste brusque, et emplit son second verre de vin rouge.

— Nous lui donnerons le nom de la fille de Niorn, Freya, la plus belle de toutes les déesses. Nous l'appellerons *Freya*.

Il leva son verre.

— A *Freya*.

Thor et Lisa l'imitèrent.

— Lorsqu'il prendra la mer, dit Wennerström, le monde n'aura rien vu de semblable. Et lorsqu'il abandonnera la mer, le monde ne verra jamais plus rien d'aussi beau.

Larsen savait que les deux plus énormes tankers du monde étaient les pétroliers français de la Shell : le *Bellamya* et le *Batillus*, qui pouvaient transporter chacun un peu plus d'un demi-million de tonnes.

— Quelle sera la capacité utile du *Freya* ? demanda Larsen. Combien transportera-t-il de brut ?

— Ah oui, j'ai oublié d'en parler, dit le vieil armateur d'un ton malicieux. Il transportera un million de tonnes de pétrole.

Thor Larsen entendit sa femme retenir son souffle.

— C'est grand, dit-il enfin. C'est très grand.

— Ce sera le plus grand que le monde ait jamais vu, répondit Wennerström.

Deux jours plus tard, un jumbo-jet arriva à Londres-Heathrow en provenance de Toronto. Parmi ses passagers se trouvait un certain Azamat Krim, né au Canada mais fils d'émigré. Tout comme Andrew Drake, il avait anglicisé son nom : pour l'état civil il était Arthur Crimmins. Depuis longtemps déjà, Drake avait remarqué qu'il partageait entièrement ses vues.

Drake l'attendait à la sortie de la douane, et ils partirent ensemble à l'appartement de Drake, du côté de Bayswater Road.

Azamat Krim était un Tatar de Crimée, petit, brun, sombre, sec et nerveux. Son père, à l'inverse de celui de Drake, avait combattu pendant la Seconde Guerre mondiale *avec* l'Armée rouge et non contre elle. Sa loyauté à l'égard de la Russie n'avait pas été récompensée. Toute l'ethnie tatare avait été faite prisonnière par les Allemands, les armes à la main. Staline n'avait pas manqué d'accuser les Tatars (et le père d'Azamat Krim parmi eux) de collaboration avec l'ennemi. Cette accusation était manifestement sans fondement, mais pour Staline, le prétexte était suffisant pour déporter la totalité de la nation tatare dans les déserts de l'Orient. Des dizaines de milliers d'hommes étaient morts dans des wagons à bestiaux non chauffés, des milliers d'autres dans les immensités glacées de la Sibérie et du Kazakhstan, faute de nourriture et de vêtements.

C'est dans un camp de « travail obligatoire » nazi que Chinghis Krim, le père d'Azamat, avait appris la mort de toute sa famille. Libéré par les Canadiens en 1945, il avait eu la chance de ne pas être renvoyé à Staline : cela aurait signifié pour lui l'exécution ou les camps d'esclavage. Il s'était lié d'amitié avec un officier canadien, ancien cavalier de rodéo de Calgary qui avait eu l'occasion, dans un haras d'Autriche, d'admirer les dons de cavalier du soldat tatar et sa parfaite maîtrise du cheval. Le Canadien avait pu obtenir pour Krim une autorisation d'émigration au Canada — où le Tatar s'était marié et avait eu un fils : Azamat, maintenant âgé de trente ans et aussi agressif que Drake à l'égard du Kremlin, en raison de toutes les souffrances subies par le peuple de son père.

Dans son petit appartement de Bayswater, Andrew Drake expliqua son plan, et le Tatar accepta d'y prendre part. Leur première démarche consisterait à recueillir les fonds nécessaires en dévalisant une banque du nord de l'Angleterre : ils prirent ensemble les dernières dispositions.

Au quartier général, l'homme à qui Adam Munro rendit compte était son chef direct, Barry Ferndale, directeur de la section soviétique. Des années auparavant, Ferndale avait été lui aussi « agent de terrain », et il avait participé aux interrogatoires approfondis d'Oleg Penkovsky lorsque le transfuge russe s'était rendu en Grande-Bretagne avec une délégation commerciale soviétique.

C'était un homme de petite taille, rondelet, aux joues roses, toujours gai. Il dissimulait son intelligence très pénétrante et sa connaissance en profondeur des affaires soviétiques sous les apparences d'une cordialité débordante et d'une naïveté de façade.

Dans son bureau du quatrième étage, au siège de la Firme, il écouta de bout en bout la bande magnétique de Moscou. A la fin, il se mit à polir ses lunettes avec rage, en faisant des bonds enthousiastes.

— Bonté divine, mon cher ami ! Mon cher Adam !... Quelle affaire extraordinaire ! Vraiment, ça n'a pas de prix...

— Si c'est authentique, répondit Munro prudemment.

Ferndale le fixa, comme si cette pensée ne l'avait pas effleuré.

— Ah, oui, bien sûr. Si c'est authentique. Et maintenant, il ne nous reste plus qu'à me dire comment vous l'avez obtenu.

Munro raconta son histoire. Elle était exacte dans le moindre détail. Sauf sur un point : il affirma que la bande lui avait été remise par Anatoli Krivoï.

— Krivoï, oui, oui, j'en ai entendu parler, bien sûr, dit Ferndale. Eh bien, je vais faire traduire tout ça en anglais et le présenter au Maître. Cela risque d'être vraiment énorme. Vous ne serez pas en mesure de rentrer à Moscou demain, vous vous en doutez. Vous avez un endroit où loger ? Votre club ? Excellent. De première... Bon, eh bien, faites donc un petit tour, offrez-vous un bon dîner et restez à votre club deux ou trois jours, d'accord ?

Ferndale appela sa femme pour lui annoncer qu'il ne rentrerait pas dans leur modeste maison de Pinner ce soir-là, car il lui faudrait passer la nuit en ville. Elle connaissait son travail, et elle avait l'habitude de ce genre d'absences.

Puis, seul dans son bureau, il passa la nuit à travailler sur la traduction de la bande. Il parlait russe couramment mais sans avoir l'oreille extrêmement sensible de Munro pour l'intonation et le rythme, qui est l'apanage des véritables bilingues. Mais il était assez fort. Rien ne lui échappa dans le rapport de Yakovlev, ni la brève réaction de stupéfaction avec laquelle les treize membres du Politburo l'avaient accueilli.

A dix heures le lendemain matin, aphone mais rasé de près et pourvu de son breakfast, le teint aussi frais et rose que jamais, il appela la secrétaire de sir Nigel Irvine sur la ligne privée et demanda à le voir. Dix minutes plus tard il était avec le directeur général.

Sir Nigel Irvine lut le texte en silence, puis le posa et regarda l'enregistrement magnétique sur le bureau devant lui.

— Est-il authentique ? demanda-t-il.

Barry Ferndale avait laissé tomber son masque de bonhomie. Il connaissait Nigel Irvine depuis des années en tant que collègue, et la promotion de son ami à la direction générale et à la pairie n'avait nullement modifié leurs rapports.

— Je ne sais pas, dit-il d'un ton pensif. Il va falloir faire pas mal de vérifications. C'est possible en tout cas. Adam m'a dit qu'il avait rencontré ce Krivoï entre deux portes à une réception de l'ambassade tchèque, il y a deux semaines environ. Si Krivoï songeait à passer à l'Ouest, c'était sûrement sa chance. Penkovsky a fait exactement la même chose : il a rencontré un diplomate en terrain neutre et organisé un rendez-vous secret ultérieur. Évidemment il a fait l'objet de nombreux soupçons jusqu'à ce que l'on ait vérifié ses renseignements. C'est ce que je voudrais faire dans ce cas.

— Vos intentions exactes ? demanda sir Nigel.

Ferndale se mit de nouveau à polir ses lunettes. La vitesse des mouvements circulaires de son mouchoir sur les verres (à en croire la légende) était directement proportionnelle au rythme de ses pensées. Or il polissait avec rage.

— Numéro un, Munro, dit-il. Au cas où ce serait un piège, et où lors de la deuxième rencontre, le ressort du piège se détendrait. J'aimerais le mettre en congé ici jusqu'à ce que nous en ayons fini avec la bande. L'Opposition essaie peut-être — ce n'est qu'une possibilité — de créer un incident entre nos gouvernements.

— A-t-il droit à un congé ? demanda sir Nigel.

— Oui, nous l'avons muté à Moscou si brusquement fin mai, que nous lui devons encore quinze jours de vacances d'été.

— Dans ce cas, qu'il les prenne maintenant. Mais qu'il garde le contact. Et sans quitter la Grande-Bretagne, Barry. Pas de vagabondages à l'étranger tant que tout ceci n'est pas clair.

— Ensuite, il y a la bande magnétique elle-même, dit Ferndale. Elle se divise en deux parties. Le rapport Yakovlev et les voix des membres du Politburo. Autant que je sache, c'est la première fois que nous entendons la voix de ce Yakovlev. Donc aucune comparaison ne sera possible dans son cas. Mais ce qu'il dit est très technique. J'aimerais vérifier tout ça avec des experts chimistes spécialisés dans le conditionnement des semences. Il y a un service très compétent qui s'occupe de ce genre de choses au ministère de l'Agriculture. Inutile de dire à ces gens pourquoi nous posons la question, mais j'aimerais être sûr que ce genre d'incident puisse se produire à cause d'un clapet de trémie.

— Vous vous souvenez du dossier que les Cousins nous ont communiqué il y a un mois ? demanda sir Nigel. Les photos prises par les satellites Condor ?

— Évidemment.

— Vérifiez les symptômes par rapport à l'explication donnée. Quoi d'autre ?

— La seconde partie de la bande relève de l'analyse de voix, dit Ferndale. J'aimerais couper cette partie en petits morceaux, de façon que personne ne sache de quoi il retourne. Le laboratoire de langues de Beaconsfield pourrait vérifier la phraséologie, la syntaxe, les idiotismes, les régionalismes, etc. Mais ce qui sera décisif, c'est la comparaison des structures vocales.

Sir Nigel acquiesça : réduites à une série d'impulsions analysées électroniquement, les voix humaines sont aussi caractéristiques de l'individu que les empreintes digitales. Il n'y en a pas deux qui soient rigoureusement identiques.

— Très bien, dit-il. Mais, Barry, je tiens absolument à deux choses. Pour le moment, personne ne doit rien savoir en dehors de Munro, de vous-même et de moi. Si tout ceci n'est que du toc, je ne veux pas faire naître de faux espoirs; et si c'est authentique, c'est une véritable bombe. Aucun technicien ne doit être mis au courant de l'ensemble. Deuxièmement, je ne veux plus entendre le nom d'Anatoli Krivoï. Trouvez un nom de couverture pour cet élément et utilisez-le à l'avenir.

Deux heures plus tard, Barry Ferndale joignit Munro qui déjeunait à son club. Comme il s'agissait d'une ligne publique, les deux hommes utilisèrent le jargon commercial qui leur était familier.

— Le directeur commercial est vraiment enchanté de votre rapport de ventes, dit Ferndale à Munro. Il est tout à fait d'accord pour que vous preniez quinze jours de congé; cela nous permettrait d'étudier le problème et de déterminer notre prochaine démarche. Vous avez une préférence pour vos vacances?

Munro n'avait aucune idée précise, mais il fallait qu'il se décide. Ce n'était pas une invitation, c'était un ordre.

— J'aimerais passer quelques jours en Écosse, dit-il. J'ai toujours eu envie de faire un peu de marche en été entre le Lochaber et le comté de Sutherland, vers la côte...

Ferndale parut aux anges.

— Les Highlands, les landes de notre belle Écosse. C'est vraiment ravissant à cette époque de l'année. Je n'ai jamais supporté les efforts physiques, mais je suis sûr que vous y prendrez beaucoup de plaisir. Restez en contact avec moi. Disons : tous les deux jours. Vous avez mon numéro personnel, n'est-ce pas?

Une semaine plus tard, Miroslav Kaminsky arriva en Angleterre avec ses papiers de voyage de la Croix-Rouge. Il avait traversé l'Europe par le train, avec un billet payé par Drake, qui avait presque épuisé ses ressources personnelles.

Kaminsky fit la connaissance de Krim et reçut ses ordres.

— Apprends l'anglais, lui dit Drake. Matin, midi et soir. Voilà des bouquins et des disques. Et plus vite que tu n'as jamais rien appris. Entre-temps, je vais te trouver des papiers valables. Tu ne peux pas voyager éternellement avec une carte de la Croix-Rouge. Mais tant que tu ne pourras pas te faire comprendre en anglais, ne bouge pas de l'appartement.

Adam Munro marcha pendant dix jours à travers les hautes terres d'Inverness et de Ross-et-Cromarty, puis dans le comté de Suther-land. C'est dans le petit port de Lochinver, où les eaux du North Minch s'étalent vers l'ouest jusqu'à l'île de Lewis qu'il appela pour la sixième fois Barry Fernsdale dans sa petite maison de la banlieue de Londres.

— Ravi que vous m'ayez appelé, répondit aussitôt Ferndale. Pouvez-vous rentrer au bureau ? Le directeur commercial voudrait vous dire un mot.

Munro promit de partir dans l'heure et prit le train d'Inverness. De là il regagnerait Londres par avion.

Dans sa maison des environs de Sheffield, le grand centre de pro-duction de l'acier du Yorkshire, M. Norman Pickering embrassa sa femme et sa fille en cette belle matinée de fin juillet, puis prit sa voi-ture pour se rendre à la banque dont il était directeur.

Vingt minutes plus tard, une petite fourgonnette portant le nom d'une compagnie d'appareils ménagers s'arrêta devant la maison. Deux hommes en blouse blanche en descendirent. L'un d'eux trans-porta une grande caisse de carton jusqu'à la porte d'entrée ; son compagnon le précédait avec une planchette sur laquelle plusieurs feuilles de papier étaient maintenues par une pince métallique. Mme Pickering vint ouvrir la porte et les deux hommes entrèrent. Dans le voisinage, personne ne le remarqua.

Dix minutes plus tard, l'homme à la planchette sortit, monta dans la fourgonnette et s'éloigna. Manifestement son compagnon était resté pour installer l'appareil qu'ils venaient de livrer.

Trente minutes plus tard, la fourgonnette était garée à deux rues de la banque. Le conducteur, sans sa blouse blanche, vêtu d'un complet d'homme d'affaires gris anthracite, portant non plus une planchette à pince mais un grand attaché-case, pénétra dans la banque. Il tendit à l'une des employées une enveloppe fermée. La jeune femme, voyant qu'elle était adressée personnellement à M. Pickering, alla aussitôt la lui apporter. L'homme d'affaires atten-dit patiemment.

Deux minutes plus tard, le directeur ouvrit la porte de son bureau et jeta un regard dans la salle. Il aperçut l'homme d'affaires qui attendait.

— Monsieur Partington ? demanda-t-il. Donnez-vous la peine d'entrer.

Andrew Drake ne parla que lorsque la porte se fut refermée derrière lui. Lorsqu'il le fit, sa voix n'avait pas le moindre accent de son Yorkshire natal, mais des intonations gutturales, rappelant l'Europe centrale. Ses cheveux étaient rouge carotte et des lunettes sombres à grosse monture dissimulaient dans une certaine mesure ses yeux.

— Je désire ouvrir un compte, dit-il, et faire un retrait en espèces.

Pickering s'étonna : son adjoint aurait très bien pu s'occuper de cette transaction.

— Un compte important et un retrait important, dit Drake.

Il glissa un chèque sur le bureau. C'était un chèque de banque, du modèle délivré uniquement aux guichets. Il était émis par la succursale de Holborn à Londres, de la propre banque de Pickering. Le montant s'élevait à trente mille livres sterling.

— Je vois, dit Pickering.

Une somme de cet ordre relevait effectivement du directeur.

— Et le retrait ? demanda-t-il.

— Vingt mille livres en espèces.

— Vingt mille livres en espèces ? répéta Pickering. Bien entendu il faut que je téléphone à la succursale de Holborn et...

Il tendit la main vers le téléphone.

— Je ne crois pas que ce soit nécessaire, dit Drake.

Et il posa sur le bureau un exemplaire du *London Times* daté du matin même. Pickering le regarda. Ce que Drake lui tendit ensuite lui causa beaucoup plus d'étonnement encore. C'était une photographie, prise avec un appareil Polaroïd. Il reconnut sa femme, qu'il avait quittée quatre-vingt-dix minutes plus tôt. Elle était assise, les yeux exorbités d'angoisse, dans son propre fauteuil près de la cheminée. Il distingua une partie de son salon. Sa femme tenait leur fille serrée contre elle. Sur ses genoux, se trouvait le même exemplaire du *London Times*.

— La photo a été prise il y a une demi-heure, dit Drake.

Pickering sentit son estomac se contracter. Le cliché n'aurait pas obtenu le moindre accessit dans un concours de qualité, mais la silhouette de l'homme de trois quarts dos en avant-plan, avec un fusil à canon scié pointé sur sa famille, était d'une netteté suffisante.

— Si vous donnez l'alarme, dit Drake d'un ton calme, la police viendra ici, pas chez vous. Avant qu'ils entrent dans cette pièce vous serez mort. Dans soixante minutes exactement, à moins que je ne donne un coup de téléphone précisant que je suis en sécurité avec l'argent, cet homme appuiera sur la détente. Je vous prie de croire que nous ne plaisantons pas ; nous sommes prêts à mourir s'il le faut. Nous appartenons à la faction Armée rouge.

Pickering avala sa salive. Sous son bureau, à trente centimètres de son genou, se trouvait un bouton relié à un système d'alarme silencieux. Il regarda de nouveau la photographie et écarta son genou.

— Appelez votre adjoint, dit Drake, et ordonnez-lui d'ouvrir le compte, de créditer le chèque et d'effectuer le retrait de vingt mille livres. Dites-lui que vous avez téléphoné à Londres et que tout est en ordre. S'il exprime quelque surprise, dites-lui que la somme est destinée à une campagne publicitaire très importante, dont les primes doivent être distribuées en espèces. Ressaisissez-vous, je vous prie, et soyez convaincant.

L'adjoint fut vraiment étonné, mais son directeur paraissait assez calme, un peu préoccupé peut-être, mais dans un état tout à fait normal. Et l'homme en complet sombre en face de lui avait l'air détendu et amical. Il y avait même devant chacun d'eux un verre de xérès offert par le directeur. Malgré la température estivale, l'homme d'affaires avait conservé des gants légers, mais quoi de plus naturel ?... Trente minutes plus tard, l'adjoint remonta l'argent des chambres fortes, le déposa sur le bureau du directeur et s'en fut.

Drake rangea sans hâte les billets dans l'attaché-case.

— Il reste trente minutes, dit-il à Pickering. Dans vingt minutes je ferai mon appel. Mon compagnon quittera votre femme et votre fille parfaitement indemnes. Si vous donnez l'alarme avant cela, il tirera d'abord, et cherchera à échapper à la police ensuite.

Lorsqu'il quitta le bureau, M. Pickering demeura immobile pendant une bonne demi-heure. En fait, Drake téléphona à la maison depuis une cabine publique cinq minutes plus tard. Krim prit l'appareil, adressa un sourire bref à la femme étendue, sur le plancher, les poignets et les chevilles ligotés avec du sparadrap, puis s'en fut. Ni l'un ni l'autre n'utilisèrent la fourgonnette volée la veille. Kim enfourcha une moto garée au coin de la rue, prête à partir. Drake prit un casque de motocycliste à l'arrière de la fourgonnette pour dissimuler ses cheveux rouges, et s'éloigna avec une seconde moto garée non loin de là. Trente minutes plus tard ils étaient loin de Sheffield tous les deux. Ils abandonnèrent leurs véhicules au nord de Londres et se retrouvèrent dans l'appartement de Bayswater. Drake se débarrassa de sa teinture rousse et écrasa ses lunettes.

Le matin suivant, Munro prit son petit déjeuner en vol au sud d'Inverness. Après avoir débarrassé les tablettes de matière plastique, l'hôtesse offrit à la ronde les derniers journaux de Londres. Étant à l'arrière de l'appareil, Munro ne put obtenir ni le *Times*, ni le *Telegraph;* il dut se contenter du *Daily Express*. La manchette était consacrée à deux hommes non identifiés, des Allemands appartenant selon toute probabilité à la faction Armée rouge, qui avaient volé vingt millions de livres dans une banque de Sheffield.

— Les salopards, dit l'homme sur le siège voisin de Munro. Tous ces sales communards, la corde au cou, voilà ce que je ferais, moi.

C'était un spécialiste du pétrole qui rentrait des plates-formes de forage de la mer du Nord. Munro lui accorda que la pendaison était bien, dans ce cas précis, une solution d'avenir...

A Heathrow, il prit un taxi jusque dans le quartier de la Firme, et on l'introduisit aussitôt dans le bureau de Barry Ferndale.

— Adam, mon cher vieux, vous avez l'air d'un autre homme.

Il fit asseoir Munro et demanda qu'on apporte du café.

— Bon, tout d'abord la bande magnétique. Vous devez mourir d'envie de savoir. La vérité, mon vieux, c'est qu'elle est authentique. Aucun doute à ce sujet. Tout concorde. Il y a eu une drôle de lessive au ministère de l'Agriculture soviétique : six ou sept hauts fonctionnaires virés, dont l'un doit sûrement être le pauvre malheureux de la Loubianka.

« Cela ne suffirait pas à confirmer le reste, mais les voix sont authentiques. Sans le moindre doute, selon les types du labo. Et ce n'est pas tout, il s'en faut. Un de nos éléments qui travaille sur Leningrad est allé faire une petite balade en voiture hors de la ville. Il n'y a pas beaucoup de champs de blé là-bas dans le Nord, mais il y en a tout de même. Il a arrêté sa voiture pour un petit pipi, et il en a profité pour ramasser un plant malade. Le blé est arrivé par la valise il y a trois jours. J'ai eu le rapport du labo hier soir. Ils confirment qu'il y a un excès de lindane dans les racines.

« Voilà donc où nous en sommes. Vous avez frappé en plein dans ce que nos Cousins américains appellent de façon si charmante *paydirt*, et nos amis français un *filon*. En fait c'est de l'or à vingt-quatre carats. A propos, le Maître veut vous voir. Vous rentrez à Moscou ce soir.

La réunion de Munro avec sir Nigel Irvine fut cordiale mais brève.

— Beau travail, lui dit le Maître. Si je comprends bien, votre prochaine rencontre a lieu dans quinze jours ?

Munro acquiesça.

— Cela risque d'être une opération de longue haleine, reprit sir Nigel, et c'est donc une bonne chose que vous soyez nouveau à Moscou. Personne ne froncera les sourcils si vous restez deux ou trois ans. Mais au cas où cet individu changerait d'idée, j'aimerais que vous le pressiez un peu. Tout ce que nous pourrons tirer de lui sera le bienvenu.

« Vous désirez un peu d'aide, un coup de pouce ?

— Non, merci, répondit Munro. Lorsqu'il a fait le plongeon, l'élément a insisté pour ne parler qu'à une seule personne. Je n'ai pas envie de l'effrayer à ce stade en introduisant un autre interlocuteur. Je ne crois pas non plus qu'il puisse voyager, comme autrefois Penkovsky. Vichnaïev ne voyage jamais, il n'y a donc aucune raison pour que son adjoint se déplace. Je m'en occuperai seul.

Sir Nigel hocha la tête.

— Parfait, l'affaire est entre vos mains.

Lorsque Munro quitta la pièce, sir Nigel Irvine se pencha de nouveau sur le dossier posé sur son bureau — le dossier personnel de Munro. C'était bien ce qu'il avait craint. Cet homme était de l'espèce « cavalier seul », mal à l'aise lorsqu'il lui fallait travailler en équipe : un homme qui passe ses vacances à parcourir l'Écosse à pied, tout seul dans la montagne !...

Si l'on en croit un adage de la Firme, « il y a des agents âgés et des agents gonflés, mais il n'y a pas d'agents âgés gonflés ». Sir Nigel était un agent âgé, et il appréciait la prudence. Mais l'agent Munro avait été parachuté dans la danse à l'improviste, sans être vraiment préparé. Et il fonçait très vite... Pourtant, les enregistrements étaient authentiques, sans l'ombre d'un doute. Ainsi que la convocation sur son bureau : madame le Premier ministre désirait le voir le soir même. Dès que les enregistrements avaient été vérifiés, il avait prévenu le ministre des Affaires étrangères, et cette convocation en était la conséquence directe.

La porte noire du 10, Downing Street, résidence du Premier ministre de Grande-Bretagne, est peut-être l'une des portes les plus célèbres du monde. Elle se trouve sur la droite, au deuxième tiers d'un petit cul-de-sac non loin de Whitehall, presque une venelle prise en sandwich entre les masses imposantes des bureaux du

Conseil et du ministère des Affaires étrangères — le Foreign Office.

Devant cette porte toute simple, ornée d'un marteau de cuivre et d'un chiffre 10 peint en blanc, gardée par un seul agent de police sans arme, les touristes se rassemblent à toute heure du jour pour prendre des photographies et pour observer les allées et venues des messagers et des célébrités.

En réalité, ce sont les hommes de palabre qui entrent par la porte principale ; les hommes d'influence ont tendance à préférer l'entrée latérale... La maison qui porte le numéro 10 s'étend à quatre-vingt-dix degrés de l'immeuble du Conseil et à l'arrière, les angles des deux bâtiments se touchent presque, comme pour enserrer une petite pelouse, close par des grilles noires. L'espace séparant les deux bâtisses est occupé par un passage conduisant à une petite porte latérale, et c'est cette porte que franchirent, en cette fin d'après-midi de juillet, le directeur général du S.I.S. et sir Julian Flannery, le secrétaire de cabinet. Les deux hommes furent conduits directement au deuxième étage, dans le bureau personnel du Premier ministre, au-delà de la salle du Conseil.

Madame le Premier ministre avait lu la traduction de la bande magnétique du Politburo que lui avait transmise le ministre des Affaires étrangères.

— Avez-vous tenu les Américains au courant de cette affaire ? demanda-t-elle aussitôt.

— Pas encore, madame, répondit sir Nigel. L'authenticité de la bande n'a été définitivement confirmée qu'il y a trois jours.

— J'aimerais que vous le fassiez en personne, dit-elle.

Sir Nigel inclina la tête.

— Les conséquences politiques de la famine qui menace l'Union soviétique sont d'une portée impossible à évaluer aujourd'hui, ajouta-t-elle. Et en tant que principal producteur-exportateur de blé dans le monde, les États-Unis doivent être informés dès le début.

— Je ne voulais pas que les Cousins tournent autour de notre agent, répondit sir Nigel. Notre indicateur risque d'être extrêmement délicat à manipuler. Je crois que nous devrions nous occuper de lui sans interférences.

— Est-ce que les Américains essaieraient d'intervenir ? demanda le Premier ministre.

— Ils risquent de le faire, madame. Assurément. Nous nous sommes occupés conjointement de Penkovsky, bien que nous l'ayons recruté nous-mêmes, mais il y avait de bonnes raisons à cela. Cette fois, je crois que nous devrions mener l'affaire de bout en bout tout seuls.

Le Premier ministre comprit aussitôt toute la valeur que représentait, sur le plan politique, le fait de contrôler ainsi un élément ayant accès aux minutes du Politburo.

— Si l'on veut exercer des pressions, répondit-elle, tenez-moi au courant et j'en parlerai personnellement au président Matthews. Entre-temps, j'aimerais que vous alliez à Washington dès demain leur apporter l'enregistrement, ou au moins une copie mot pour mot. De toute façon j'ai l'intention de parler au Président ce soir.

Sir Nigel et sir Julian se levèrent pour prendre congé.

— Une dernière chose, leur dit-elle, je comprends très bien que je ne sois pas en droit de connaître l'identité de ce transfuge. Mais révélerez-vous à Robert Benson qui il est ?

— Certainement pas, madame.

Non seulement le directeur général du S.I.S. refuserait tout net de révéler à son Premier ministre ou au Foreign Office l'identité du Russe, mais il ne leur dirait même pas qu'il était manœuvré par Munro. Les Américains connaîtraient le rôle de Munro, mais ignoreraient tout de la personne qu'il contrôlait. Et les Cousins en poste à Moscou ne fileraient pas Munro, il y veillerait.

— Cette " source " russe doit bien avoir un nom de code. Puis-je le connaître ? demanda le Premier ministre.

— Certainement, madame. Dans tous nos dossiers l'homme porte simplement le nom de Rossignol.

Le hasard voulait que sur la liste des oiseaux dans laquelle on puisait par ordre alphabétique les noms de code de tous les agents soviétiques, on en soit arrivé à la lettre R. Mais c'était un détail que le Premier ministre ignorait. Pour la première fois depuis le début de l'audience, elle sourit.

— C'est très bien choisi, dit-elle.

5

Peu après dix heures du matin, le 1er août, par une journée humide et pluvieuse, un quadriréacteur VC-10 de la force de frappe de la Royal Air Force, déjà âgé mais confortable, quitta la base de Lyneham dans le Wiltshire et se dirigea vers la côte occidentale de l'Irlande et vers l'Atlantique. Le nombre de ses passagers était limité : un maréchal de l'Air avait appris la veille au soir qu'on l'attendait à Washington pour discuter au Pentagone des prochaines manœuvres tactiques de bombardement conjoint de la R.A.F. et de l'U.S.A.F., et qu'aucune autre journée ne serait plus propice. Il y avait avec lui un civil insignifiant vêtu d'un imperméable râpé.

Le maréchal de l'Air s'était présenté au civil, et il avait appris aussitôt que son compagnon de voyage était un certain M. Barrett, du Foreign Office, qui avait des affaires à traiter à l'ambassade britannique, Massachusetts Avenue ; on lui avait demandé de profiter de ce VC-10 pour éviter au contribuable les frais d'un billet aller et retour à Washington. Jamais l'officier de l'aviation n'apprit qu'en réalité, ce vol de l'avion de la R.A.F. avait été prévu pour le civil et non pour lui-même.

Dans un autre couloir aérien, au sud du VC-10, un jumbo-jet Boeing des British Airways quittait Heathrow pour New York. Parmi ses trois cents et quelques passagers, il emmenait Azamat Krim, alias Arthur Crimmins, citoyen canadien, en route vers l'Ouest avec les poches pleines d'argent pour accomplir une mission d'achat.

Huit heures plus tard, le VC-10 fit un atterrissage impeccable à la base aérienne d'Andrews, dans le Maryland, à quinze kilomètres au sud-est de Washington. Lorsque ses moteurs s'arrêtèrent en bout de piste, une voiture officielle du Pentagone se rangea en bas de la passerelle et un général de brigade de l'armée de l'Air des États-Unis en descendit. Deux hommes de la police militaire de l'U.S.A.F. se

116

mirent au garde-à-vous lorsque le maréchal de l'Air britannique s'avança vers son comité de réception. Cinq minutes plus tard, tout était terminé : la limousine du Pentagone s'éloigna vers Washington, la « garde d'honneur » de la police repartit au pas cadencé, et tous les oisifs et les curieux de la base aérienne reprirent leur activité interrompue.

Personne ne remarqua la conduite intérieure modeste, portant des plaques d'immatriculation banales, qui vint se ranger près du VC-10 dix minutes plus tard. En tout cas, personne n'y regarda d'assez près pour remarquer, sur son toit, l'antenne de forme étrange qui trahissait une voiture de la C.I.A. Personne ne s'intéressa au civil mal fagoté qui descendit la passerelle quatre à quatre et monta tout droit dans la voiture. Personne ne vit la voiture quitter la base aérienne.

L'homme de la Compagnie en poste à l'ambassade des États-Unis à Londres avait été prévenu la veille au soir. Il avait aussitôt envoyé à Langley un message codé pour organiser la réception. Le conducteur de la voiture, en vêtements civils, faisait partie du personnel subalterne, mais sur la banquette arrière, l'homme qui accueillit l'hôte de Londres était le chef de la division d'Europe occidentale, l'un des subordonnés « géographiques » du directeur adjoint des Opérations. On l'avait choisi pour souhaiter la bienvenue à l'Anglais parce qu'il le connaissait très bien ; il avait dirigé autrefois l'antenne de la C.I.A. à Londres. Nul n'apprécie les substitutions de personnes.

— Nigel, quel plaisir de vous revoir ! dit-il après avoir bien constaté que l'arrivant était bien l'homme qu'on attendait.

— Tout le plaisir est pour moi, Lance, lui répondit sir Nigel Irvine.

Mais le plaisir ne jouait aucun rôle dans l'affaire : c'était une mission comme une autre. Dans la voiture, on parla de Londres, de la famille, du beau temps. Pas de question dans le genre : « Quel bon vent vous amène ?... » La voiture suivit le périphérique de la capitale jusqu'au pont Woodrow-Wilson sur le Potomac, puis prit la direction de l'ouest et pénétra en Virginie.

Aux environs d'Alexandria, le chauffeur tourna à droite sur l'autoroute George-Washington qui suit la berge occidentale du fleuve. Lorsqu'ils parvinrent à la hauteur de l'aéroport national et du cimetière d'Arlington, sir Nigel Irvine se tourna vers la droite pour admirer au loin, se détachant sur le ciel, la silhouette de la capitale américaine où, de l'ambassade britannique, il avait assuré jadis la liaison entre le S.I.S. et la C.I.A. Les temps étaient très durs à l'époque. C'était au lendemain de l'affaire Philby, et même le bulletin météorologique était un renseignement trop secret pour qu'on le confie à des Anglais. Il songea au contenu de son attaché-case et ne put s'empêcher de sourire.

Trente minutes plus tard, ils quittèrent l'autoroute, la franchirent et pénétrèrent dans la forêt. Il se souvint d'un petit poteau indicateur signalant simplement B.P.R.-C.I.A., et il se demanda s'il était toujours au même endroit. Ou bien vous connaissiez le chemin, ou bien vous ne le connaissiez pas ; et si vous ne le connaissiez pas, vous ne seriez en aucun cas invité à vous y rendre.

Au portail de sécurité qui interrompt la grande clôture continue de deux mètres vingt-cinq entourant Langley, ils s'arrêtèrent. Lance montra son laissez-passer, puis entra et tourna à gauche après l'horrible centre de conférences connu sous le nom de « l'igloo » parce que c'est exactement ce à quoi il ressemble.

Le quartier général de la Compagnie comprend cinq bâtiments : un au centre, et les quatre autres à chaque angle du bâtiment central, formant une sorte de croix de Saint-André ébauchée. L'igloo est collé au bâtiment d'angle le plus proche du portail d'accès. A la hauteur du bâtiment central sir Nigel remarqua, en retrait, l'entrée principale imposante avec sur le dallage devant la porte, en mosaïque, le grand sceau des États-Unis d'Amérique. Mais il savait que cette entrée d'honneur était réservée aux hommes du Congrès, aux sénateurs et à tous les autres indésirables. La voiture ne ralentit pas, dépassa les bâtiments puis obliqua à droite et fit le tour vers la façade arrière.

Il y a là une petite rampe, protégée par une herse de fer, qui descend au premier sous-sol. Elle conduit au garage de la direction, qui ne peut contenir qu'une dizaine de voitures. La conduite intérieure noire s'arrêta et l'homme nommé Lance confia sir Nigel à son supérieur, Charles « Chip » Allen, directeur adjoint des Opérations. Ils se connaissaient de longue date.

Dans le mur du fond du garage, il y a un petit ascenseur gardé par deux hommes — et des doubles portes d'acier. Chip Allen déclina l'identité de son invité, signa pour lui et ouvrit les portes de l'ascenseur avec sa carte de matière plastique personnelle. L'ascenseur glissa en ronronnant jusqu'au septième étage où se trouve la suite du directeur. Une autre carte magnétique leur permit de sortir de l'ascenseur. Le vestibule dans lequel ils se trouvèrent n'avait que trois portes. Chip Allen frappa à celle du centre et ce fut Bob Benson en personne qui, prévenu d'en bas, accueillit le visiteur britannique dans son repaire.

Benson lui fit traverser son grand bureau jusqu'au coin salon, en face de la cheminée de marbre ivoire. En hiver, Benson aimait qu'un feu de rondins crépite à toute heure dans sa cheminée, mais le mois d'août à Washington n'invite pas aux feux de cheminée et la climatisation fonctionnait à plein. Benson referma l'écran de papier de riz qui séparait le bureau du salon et s'assit en face de son invité. Il commanda du café, et lorsqu'ils furent seuls, Benson demanda enfin :

— Qu'est-ce qui vous amène à Langley, Nigel ?

Sir Nigel prit une gorgée de café et se pencha dans son fauteuil.

— Nous avons obtenu les services d'un nouvel élément, dit-il d'un ton neutre.

Et il parla pendant dix minutes avant que le directeur de la C.I.A. ne l'interrompe.

— Au sein du Politburo ? demanda-t-il. Vous dites bien, à l'intérieur même ?

— Disons simplement qu'il a accès aux minutes des réunions du Politburo, répondit sir Nigel.

— Voyez-vous une objection à ce que j'appelle Chip Allen et Ben Kahn sur-le-champ ?

— Aucune, Bob. De toute façon, il faudra bien les mettre au courant dans l'heure qui suit. Cela m'évitera de répéter.

Bob Benson se leva, prit le téléphone sur la table de salon et appela sa secrétaire personnelle. Quand il eut raccroché, il posa les yeux sur la forêt verdoyante de l'autre côté de la baie vitrée.

— Mille dieux ! murmura-t-il.

Sir Nigel n'était pas fâché que ses deux anciens contacts à la C.I.A. assistent à la réunion dès le début. Toutes les agences se consacrant exclusivement au renseignement (au contraire de celles qui regroupent à la fois le renseignement et la police secrète, comme le K.G.B.) comportent deux principales branches : les Opérations, qui s'occupent de la récolte des éléments, et le Renseignement qui se charge de confronter, de vérifier, d'interpréter et d'analyser l'énorme masse de matériel brut, non traité, que les Opérations lui fournissent.

Ces deux branches doivent être aussi excellentes l'une que l'autre. Si l'information de base est erronée, la meilleure analyse du monde n'aboutira jamais qu'à une absurdité. Si l'analyse est inepte, tous les efforts des personnes qui recueillent les éléments seront gaspillés. Les hommes d'État ont besoin de savoir ce que font, et si possible ce qu'ont l'intention de faire, les autres pays — qu'il s'agisse d'amis, ou d'ennemis en puissance. A l'heure actuelle, ce qu'ils font est souvent observable, mais leurs intentions ne le sont pas. C'est la raison pour laquelle toutes les caméras spatiales du monde ne supplanteront jamais un analyste brillant travaillant sur du matériel provenant de l'intérieur même des conseils secrets des autres pays.

A la C.I.A., les deux hommes qui exercent le pouvoir au-dessous du directeur général (qui peut être un homme politique) sont le directeur adjoint des Opérations et le directeur adjoint du Renseignement. Ce sont les Opérations qui inspirent les romans d'espionnage ; le Renseignement est un travail de bureau, fastidieux, lent, méthodique, souvent ennuyeux au possible, mais toujours efficace.

Tout comme Dupont et Dupond, les deux D.-A. doivent travailler la main dans la main. Et il faut qu'ils se fassent confiance. Benson, homme politique nommé à la tête de l'Agence, avait beaucoup de chance : son D.-A. des Opérations était Chip Allen, Blanc anglo-saxon et protestant, ancien joueur de football américain, et son D.-A. du Renseignement était Ben Kahn, juif et ancien champion d'échecs ; ils étaient assortis comme une paire de gants. Cinq minutes plus tard, ils étaient tous deux assis avec Benson et Irvine dans le salon du directeur. Personne ne pensait plus au café.

Le maître espion anglais parla pendant près d'une heure. Sans interruption. Puis les trois Américains lurent le « document Rossignol » et regardèrent la bande magnétique dans son sac de plastique avec un sentiment assez voisin de la fringale. Lorsque Irvine se tut, il y eut un bref instant de silence. Chip Allen le rompit.

— Penkovsky est enfoncé, dit-il.

— Vous voudrez certainement vérifier tout ça, dit sir Nigel d'un ton naturel.

Personne ne le contredit. Les amis sont les amis, mais...

— Nous avons travaillé dessus pendant dix jours sans rien trouver à redire, reprit l'Anglais. Les analyses de voix correspondent, absolument toutes. Nous avons déjà échangé des câbles sur les mutations soudaines au ministère de l'Agriculture soviétique. Et vous avez, bien sûr, vos photos Condor. Ah, une dernière chose...

Il sortit de son attaché-case un petit sac de plastique contenant un jeune plant de blé.

— Un de nos agents a ramassé ça dans un champ aux environs de Leningrad.

— Je le ferai vérifier par notre ministère de l'Agriculture, répondit Benson. Rien d'autre, Nigel?

— Non... Pas vraiment, répondit sir Nigel. Deux ou trois petites choses, peut-être...

— Je vous en prie...

Sir Nigel respira profondément.

— Le dispositif des Russes en Afghanistan, dit-il. Nous avons l'impression qu'ils préparent une intervention contre le Pakistan et l'Inde, au nord de la passe de Kyber. C'est une pierre dans notre jardin. Si vous pouviez obtenir que Condor jette un œil...

— Accordé, répondit Benson sans la moindre hésitation.

— Et puis il y a ce transfuge soviétique que vous avez ramené à Genève il y a deux semaines, reprit sir Nigel. Il a l'air d'être très au courant de l'infiltration soviétique dans nos syndicats.

— Nous vous enverrons des copies de l'interrogatoire, se hâta de répondre Allen.

— Nous aimerions obtenir un accès direct, insista sir Nigel.

Allen se tourna vers Kahn. Kahn haussa les épaules.

— D'accord, dit Benson. Pouvons-nous aussi avoir accès à Rossignol?

— Je regrette, répondit sir Nigel. Non... C'est différent. L'opération Rossignol est beaucoup trop délicate, et en plein dans le Froid. Je ne veux pas effrayer le poisson, il risquerait de changer d'avis. Nous vous donnerons absolument tout ce que nous recevrons, dès que nous le recevrons. Mais aucune intervention directe de votre part n'est possible. J'essaie d'accélérer le rythme et le volume, mais il va falloir beaucoup de temps, et beaucoup de prudence.

— Pour quand la prochaine livraison est-elle prévue? demanda Allen.

— Dans une semaine. En tout cas, c'est la date du rendez-vous. J'espère qu'il y aura quelque chose.

Sir Nigel Irvine passa la nuit dans une « planque » de la C.I.A. en pleine campagne de Virginie et le lendemain, « M. Barrett » regagna Londres en avion avec son maréchal de l'Air.

Ce fut trois jours plus tard qu'Azamat Krim quitta le quai 49 du port de New York à bord du vieux *Queen Elizabeth II* en partance pour Southampton. Il avait décidé de rentrer par bateau et non par avion : ses bagages auraient plus de chances d'échapper au contrôle par rayons X.

Il avait terminé ses emplettes. L'un de ses bagages était une mallette d'aluminium à courroie d'épaule de type classique, comme en utilisent les photographes professionnels pour protéger leurs appareils et leurs objectifs. Étant métallique elle ne pourrait pas être passée aux rayons X mais serait examinée à la main. La mousse de plastique moulée qui protégeait des chocs les appareils et les objectifs était collée au fond de la mallette. En réalité elle n'arrivait qu'à cinq centimètres du fond. Dans la cavité aménagée se trouvaient deux pistolets automatiques avec leurs chargeurs.

Au cœur d'une petite malle-cabine pleine de vêtements, il avait placé un tube d'aluminium fermé par un bouchon vissé, contenant un appareil d'optique ressemblant à un long objectif cylindrique d'une douzaine de centimètres de diamètre. Il s'était dit qu'au moment de la fouille, le douanier le plus soupçonneux le prendrait pour un de ces objectifs que les passionnés de photo utilisent pour les clichés à grand distance. Pour confirmer les conjectures du douanier, il avait mis dans la malle, à côté de la lentille, plusieurs livres de photos d'oiseaux et des instantanés d'animaux sauvages.

En réalité, il s'agissait d'un intensificateur d'image, également appelé « viseur de nuit », que l'on peut acheter sans autorisation spéciale aux États-Unis, mais non en Grande-Bretagne.

En ce dimanche 8 août, il faisait à Moscou une chaleur torride. Tous ceux qui ne pouvaient se rendre sur les plages s'entassaient dans les nombreuses piscines publiques de la ville, et notamment dans le nouvel ensemble nautique construit à l'occasion des Jeux olympiques de 1980. Mais le personnel de l'ambassade britannique, avec les membres d'une bonne douzaine d'autres légations, était à la plage de la Moskova en amont du pont d'Ouspenskoié. Adam Munro était du nombre.

Il s'efforçait de paraître aussi insouciant que les autres, mais il avait du mal. Il regardait trop souvent sa montre... Enfin il s'habilla.

— Oh! Adam, vous ne partez tout de même pas ? Il va encore faire jour pendant des heures..., s'étonna l'une des secrétaires.

Il ébaucha non sans mal un sourire de regret.

— Le devoir m'appelle, lui cria-t-il. Ou plutôt l'organisation de la visite de la chambre de commerce de Manchester.

Il traversa les bois jusqu'à sa voiture et y déposa son maillot et sa serviette. Il jeta un regard à la ronde pour vérifier que personne ne s'intéressait à lui, puis il referma la voiture. Il y avait trop d'hommes en sandales, en pantalons légers et en chemisettes à col ouvert pour qu'on le remarque au milieu des autres. Il bénit le ciel du fait que les hommes du K.G.B. ne quittent jamais leurs vestes. Il n'y avait en vue aucun homme ressemblant de près ou de loin à un membre de l'Opposition. Il s'éloigna vers le nord, à travers les arbres.

Valentina l'attendait, debout dans l'ombre des arbres. Il avait l'estomac serré, noué. Le bonheur de la voir était trop fort. Elle ne savait pas repérer une filature et on l'avait peut-être suivie. Si c'était le cas, Adam serait sauvé du pire par sa couverture diplomatique, mais on l'expulserait aussitôt et les conséquences seraient désastreuses. Pourtant ce n'était pas cela qui le tourmentait : c'était le traitement que subirait Valentina si elle était prise. Quels que soient ses motifs, ce qu'elle faisait ne portait qu'un nom : trahison.

Il la prit dans ses bras et l'embrassa. Elle lui rendit son baiser. Il sentit qu'elle tremblait.

— Tu as peur ? lui demanda-t-il.

— Un peu. Tu as écouté l'enregistrement ?

— Oui. Avant de le remettre. Je n'aurais peut-être pas dû, mais je l'ai fait.

— Alors tu sais que nous sommes condamnés à la famine. Adam, j'ai déjà vu la famine dans ce pays pendant mon enfance, au lendemain de la guerre. C'était horrible, mais la faute en incombait aux Allemands. C'est ce qui nous permettait de la supporter. Nos dirigeants étaient de notre côté, nous leur faisions confiance : ils faisaient pour le mieux.

— Peut-être ont-ils la possibilité d'arranger les choses cette fois-ci, dit Munro sans grande conviction.

Valentina secoua la tête, rageuse.

— Ils n'essaient même pas ! s'écria-t-elle. Je reste des heures à écouter leurs voix, à dactylographier les minutes des séances... Ils ne font que se chamailler, pour sauver leur propre peau.

— Et ton oncle, le maréchal Kérensky ? demanda-t-il doucement.

— Il est aussi mauvais que les autres. Quand je me suis mariée, oncle Nicolas est venu à la noce. Il était tellement gai, tellement aimable ! Évidemment, c'était sa vie privée. Maintenant, je suis au courant de sa vie publique. Il est comme tous les autres : sans cœur, cynique. Ils ne font que se duper les uns les autres, pour obtenir plus de pouvoir, et ils se fichent complètement du peuple. Je suppose que je devrais être comme eux, mais je ne peux pas. Plus maintenant, plus jamais.

Munro regarda les pins de l'autre côté de la clairière, mais il vit des oliviers et il entendit un adolescent en uniforme crier : « Je ne suis à personne ! Je n'appartiens qu'à moi-même ! » Les autorités en place, toutes-puissantes, vont quelquefois trop loin ; et leurs excès leur font perdre tout pouvoir sur leurs serviteurs eux-mêmes. Pas toujours ni souvent, mais parfois.

— Je pourrai te faire quitter le pays, Valentina, dit-il. Il faudra que j'abandonne le corps diplomatique, mais cela s'est déjà produit. Sacha est assez jeune pour être élevé ailleurs.

— Non, Adam, non. C'est tentant, mais je ne peux pas accepter. Quoi qu'il arrive, je fais partie de la Russie, il faut que je reste. Peut-être, un jour... je ne sais pas.

Ils demeurèrent silencieux pendant un moment, main dans la main. Ce fut elle qui parla la première.

— Est-ce que vos... agents de renseignements ont transmis la bande magnétique à Londres ?

— Je pense. Je l'ai donnée à l'homme de l'ambassade qui représente, je crois, le Service secret. Il m'a demandé s'il y aurait quelque chose d'autre.

Elle fit un signe de tête vers son sac à main.

— Uniquement la dactylographie. Je n'ai pas pu obtenir les enregistrements. Ils sont déposés dans un coffre après la transcription, et je n'ai pas les clés. Les feuilles que j'ai apportées sont les minutes de la séance suivante du Politburo.

— Comment les as-tu obtenues, Valentina ? demanda-t-il.

— Après les séances, dit-elle, les enregistrements et les notes en sténo sont apportés sous bonne garde au bâtiment du Comité central. C'est là que se trouve le service complètement isolé où nous travaillons, cinq autres femmes et moi. Avec un homme qui dirige le service. Quand la transcription est terminée, les bandes magnétiques sont enfermées ailleurs.

— Mais comment as-tu pu te procurer la première ?

Elle haussa les épaules.

— Le chef de service a changé le mois dernier. L'ancien était plus coulant. Il y a une petite cabine d'enregistrement et de repiquage attenante à notre service. C'est là que les bandes sont copiées une fois avant d'être enfermées dans les coffres. Le mois dernier je suis restée seule assez longtemps pour voler une copie et mettre à la place une bande vierge.

— Une bande vierge ? s'écria Munro. Ils s'apercevront de la substitution dès qu'ils voudront l'écouter.

— Ils ne l'écouteront probablement jamais, répondit-elle. Ce sont les dactylographies qui constituent les archives, après vérification de leur exactitude en les comparant aux bandes. J'ai eu beaucoup de chance pour la bobine : je l'ai sortie dans mon sac à provisions avec l'épicerie que j'avais achetée à la coopérative du Comité central.

— Tu n'es pas fouillée ?

— Presque jamais. On nous fait confiance, Adam : nous sommes l'élite de la nouvelle Russie. Pour les papiers, c'est plus facile. Au travail, je porte une ceinture large à l'ancienne mode. Quand j'ai photographié la dernière séance de juin à la machine, j'ai fait une copie de plus et ensuite j'ai ramené l'indicateur de contrôle en arrière. J'ai mis la copie supplémentaire dans ma ceinture. Pas la moindre bosse, on ne pouvait se rendre compte de rien.

L'estomac de Munro se serra en apprenant les risques qu'elle prenait.

— De quoi ont-ils parlé à cette réunion ? demanda-t-il en faisant un signe vers son sac à main.

— Des conséquences, dit-elle. De ce qui se passera quand éclatera la famine. De ce que leur fera le peuple de Russie. Mais Adam... il y en a eu une autre depuis. Au début de juillet. Je n'ai pas pu la copier parce que j'étais en congé. Je ne pouvais pas refuser mon congé, cela aurait attiré l'attention. Mais à mon retour j'ai parlé à l'une des filles qui a fait la transcription. Elle était blême et elle n'a rien voulu me dire.

— Pourras-tu l'obtenir ? demanda Munro.

— Je peux en tout cas essayer. J'attendrai que le bureau soit vide pour utiliser la machine à photocopier. Je sais comment faire pour que personne ne se rende compte que je m'en suis servie. Mais ce ne sera pas avant le mois prochain : je ne suis jamais seule quand je ne suis pas de garde de nuit.

— Il ne faudra plus nous rencontrer ici, lui dit Munro. La répétition augmente toujours le danger.

Il passa une heure de plus à lui enseigner les trucs de métier qu'elle avait besoin de connaître s'ils devaient continuer de se rencontrer. Enfin il lui remit un bloc de feuilles dactylographiées, aux lignes serrées, qui se trouvait dans sa ceinture sous sa chemisette.

— Tout est là, mon amour, lui dit-il. Apprends-le par cœur et brûle-le. Jette les cendres dans les toilettes.

Cinq minutes plus tard, elle lui donna une liasse de feuilles de papier mince, recouvertes de caractères cyrilliques bien nets, puis elle s'éloigna entre les arbres jusqu'à sa voiture garée sur un chemin de sable, à quelques centaines de mètres de là.

Munro se cacha dans l'ombre de la voûte, près de la porte latérale en retrait de la petite chapelle. Il prit dans sa poche un rouleau de toile adhésive, baissa son pantalon jusqu'à ses genoux et fixa la liasse de feuilles contre sa cuisse. Il remonta son pantalon et referma sa ceinture. A chaque pas, il sentait le papier plaqué contre sa peau, mais sous son pantalon ample, de confection russe, rien ne se remarquerait.

Vers minuit, dans le silence de son appartement, il avait relu le texte plus de dix fois. Le mercredi suivant, les feuilles prirent la route de Londres dans le petit étui à dépêches enchaîné au poignet du messager. L'enveloppe matelassée qui les contenait était scellée à la cire et adressée, en code, à l'attention exclusive de l'homme de liaison du S.I.S. au Foreign Office.

Les portes de verre donnant sur la roseraie étaient soigneusement fermées et seul le murmure de la climatisation troublait le silence du Bureau Ovale de la Maison Blanche. Les journées délicieuses du mois de juin étaient déjà oubliées et la chaleur étouffante de Washington en août n'invitait guère à ouvrir portes et fenêtres.

De l'autre côté du bâtiment, sur la façade de l'avenue de Pennsylvanie, des touristes trempés de sueur admiraient l'entrée principale de la Maison Blanche, familière à tous avec ses colonnes, son drapeau et son allée circulaire. Ou bien ils faisaient la queue pour la visite organisée de ce saint des saints de l'Amérique. Mais aucun d'eux ne pénétrerait dans la minuscule aile ouest où le président Matthews était en conférence avec ses conseillers.

Devant son bureau se trouvaient Stanislas Poklewski et Robert Benson. S'était joint à eux le ministre des Affaires étrangères, David Lawrence, avocat de Boston et membre influent de l'*establishment* de la côte Est.

Le président Matthews referma le dossier posé devant lui. Il avait pris connaissance depuis longtemps des premières minutes du Politburo, traduites en anglais ; ce qu'il finissait de lire, c'était l'analyse de ses experts à son sujet.

— Bob, votre estimation d'une disette nette de trente millions de tonnes n'était pas loin de la vérité, dit-il. Il semble bien aujourd'hui qu'il va leur manquer cinquante à cinquante-cinq millions de tonnes au moment de la récolte. Et vous êtes bien certain que ces minutes proviennent directement du Politburo ?

— Monsieur le Président, nous les avons vérifiées sous tous les angles. Les voix sont réelles ; les traces d'excès de lindane dans la racine du plant de blé sont réelles ; les liquidations au sein du ministère de l'Agriculture soviétique sont réelles. Nous ne croyons pas qu'il puisse subsister le moindre doute : la bande magnétique est bien l'enregistrement du Politburo en séance.

— Il va nous falloir manœuvrer serré, fit observer le Président. Nous ne devons nous permettre aucune erreur de calcul cette fois. Jamais nous n'avons eu une occasion comme celle-là.

— Monsieur le Président, dit Poklewski, ceci signifie que les Soviets devront affronter, non pas des restrictions sévères comme nous le pensions lorsque vous avez invoqué la loi Shannon le mois dernier, mais une véritable famine.

Sans le savoir, il faisait écho aux paroles de Pétrov, prononcées au Kremlin deux mois plus tôt, dans son aparté (non enregistré) avec Ivanenko. Le président Matthews hocha lentement la tête.

— Nous sommes tous d'accord sur ce point, Stan. Le problème c'est : que décidons-nous de faire ?

— Laissons-les avec leur famine, dit Poklewski. C'est la plus grande erreur qu'ils ont commise depuis le printemps 1941 lorsque, malgré tous les avertissements des Occidentaux, Staline a refusé de croire que les nazis se rassemblaient à ses frontières. Cette fois-ci, l'ennemi est à l'intérieur. Laissons-les s'en dépêtrer tout seuls.

— David ? demanda le Président au ministre des Affaires étrangères.

Lawrence secoua la tête. Les divergences d'opinion entre le vautour Poklewski et le Bostonien prudent étaient légendaires.

— Je ne suis pas d'accord, monsieur le Président, dit-il enfin. Tout d'abord, je ne crois pas que nous ayons examiné avec assez d'attention les bouleversements qui risquent de se produire si l'Union soviétique est en proie au chaos au cours du printemps prochain. A mon sens, il ne s'agit pas seulement de laisser, ou de ne pas laisser, les Soviets « mijoter dans leur jus ». Un phénomène de cet ordre aura forcément des répercussions énormes à l'échelle mondiale.

— Bob ? demanda le président Matthews.

Le directeur de la C.I.A. était perdu dans ses pensées.

— Nous avons le temps, monsieur le Président, dit-il. Ils savent que vous avez fait jouer la loi Shannon le mois dernier. Ils savent que, s'ils veulent des céréales, il leur faudra s'adresser à vous. Comme le dit M. Lawrence, nous devrions bien réfléchir à toutes les conséquences possibles d'une famine en Union soviétique. Il nous est encore difficile de nous prononcer. Tôt ou tard, le Kremlin devra ouvrir le jeu. Nous n'aurons toutes les cartes en main qu'à ce moment-là. Nous savons dans quelle situation déplorable ils se trouvent ; mais ils ignorent que nous sommes au courant. Nous avons le blé, nous avons les Condor, nous avons Rossignol et nous avons du temps devant nous. Tous les atouts sont dans notre main. Pourquoi se hâter de les jouer ?

Lawrence acquiesça d'un geste et considéra Benson avec un surcroît de respect. Poklewski haussa les épaules. Le président Matthews prit sa décision.

— Stan, pour l'instant je veux que l'on constitue un groupe *ad hoc* au sein du Conseil de la sécurité nationale. Il faut qu'il soit restreint et absolument secret. Vous, Bob et David. Le président de l'état-major interarmes, les ministres de la Défense, des Finances et de l'Agriculture. Je veux savoir ce qui se produira à l'échelle mondiale si l'Union soviétique meurt de faim. Il faut que je le sache, et le plus vite possible.

L'un des téléphones de son bureau se mit à sonner. C'était la ligne directe des Affaires étrangères. Le président Matthews lança à David Lawrence un regard interrogateur.

— C'est vous qui m'appelez, David ? demanda-t-il en souriant.

Le ministre se leva et décrocha. Il écouta pendant plusieurs minutes puis reposa l'appareil.

— Monsieur le Président, le rythme s'accélère. Il y a deux heures, à Moscou, le ministre des Affaires étrangères Rykov a convoqué l'ambassadeur Donaldson à son bureau. Au nom du gouvernement soviétique, il a demandé que les États-Unis vendent à l'U.R.S.S. au printemps prochain cinquante-cinq millions de tonnes de céréales diverses.

Pendant quelques instants, l'on n'entendit dans le Bureau Ovale que le tic-tac de la pendule en or moulu sur la cheminée de marbre.

— Qu'a répondu l'ambassadeur Donaldson ? demanda le Président.

— Que la requête serait transmise à Washington pour étude, répondit Lawrence, et que votre réponse serait signifiée en temps voulu

— Messieurs, dit le Président, j'ai besoin de ce que je vous ai demandé sans délai. Je peux retarder ma réponse pendant quatre semaines, pas davantage. Mais le 15 septembre au plus tard, il me faudra la donner. Je ne peux me permettre de le faire sans savoir à quoi m'en tenir. Toutes les éventualités doivent être envisagées.

— Monsieur le Président, nous recevrons sous peu un second envoi de Rossignol. Cela nous donnera certainement une indication sur l'opinion du Kremlin sur le même problème.

Le président Matthews acquiesça.

— Bob, dit-il, dès que vous aurez ces éléments, faites-les traduire en anglais et apportez-les-moi aussitôt.

Lorsque la conférence présidentielle s'acheva dans le crépuscule de Washington, il faisait déjà nuit depuis longtemps en Grande-Bretagne. Les dossiers de la police montrèrent plus tard que plusieurs vingtaines de cambriolages et d'effractions s'étaient produits dans la nuit du 11 au 12 août, mais aucun ne troubla davantage la police que le vol d'une armurerie de sport dans la charmante ville campagnarde de Taunton dans le Somerset.

Les voleurs devaient avoir rendu visite à ce magasin pendant la journée, la veille ou l'avant-veille, car le système d'alarme avait été coupé par une personne ayant repéré le passage des fils. Ayant mis le système d'alarme hors d'usage, les voleurs avaient découpé avec de puissantes cisailles la grille de la fenêtre donnant sur la ruelle, à l'arrière de la boutique.

Le magasin n'avait pas été mis à sac et le butin classique de ce genre de cambriolage — les armes de poing utilisées pour les hold-up des banques — avait été négligé. La seule chose qui manquait, selon le propriétaire, c'était une carabine de chasse, une des meilleures en sa possession, une Sako Hornet de calibre 22, de fabrication finlandaise, un bijou de haute précision. Avaient disparu également deux boîtes de cartouches pour cette carabine, des Remington à charge creuse, utilisant de la poudre de type 45, capable de grande vélocité à la bouche, de grande pénétration et d'importante distorsion à l'impact.

Dans son appartement de Bayswater, Andrew Drake admira le trésor que Miroslav Kaminsky et Azamat Krim avaient installé sur la table du salon : deux pistolets automatiques avec, pour chacun, deux chargeurs pleins, la carabine avec les deux boîtes de cartouches, et l'intensificateur d'image.

Il existe deux types de viseurs de nuit : le viseur à infrarouges et l'intensificateur. Les hommes qui tirent la nuit ont tendance à préférer l'intensificateur et Krim, qui avait passé son enfance dans les régions de chasse à l'ouest du Canada, puis trois ans dans un régiment de parachutistes canadiens, avait fait un bon choix.

Le viseur à infrarouges fonctionne sur le principe suivant : on envoie un faisceau de lumière infra-rouge le long de la ligne de mire pour éclairer la cible, qui apparaît alors dans le viseur comme un contour verdâtre. Mais comme ce viseur émet de la lumière — cette lumière fût-elle invisible à l'œil nu — il exige toujours une source d'énergie. L'intensificateur d'image fonctionne selon un autre principe : il rassemble les minuscules particules de lumière qu'il y a toujours dans un milieu « noir », et il les concentre exactement comme la rétine géante de l'œil de la chouette concentre le peu de lumière de l'ambiance où elle se trouve pour apercevoir une souris qui trotte, alors même que l'œil humain ne distingue rien. Et il n'exige aucune source d'énergie.

Mis au point à l'origine pour résoudre les problèmes militaires, les petits intensificateurs d'image portatifs avaient suscité l'intérêt de l'industrie de la sécurité (un secteur important aux États-Unis) dès la fin des années soixante-dix. Les gardiens d'usine, entre autres, les utilisaient couramment. Très vite, on les avait mis en vente dans le commerce. Au début des années quatre-vingts, on pouvait acheter également aux États-Unis, sans formalités, des appareils plus importants montables sur carabine. C'était un de ces viseurs qu'Azamat Krim avait acheté.

La carabine avait déjà, sur la partie supérieure de sa culasse, des encoches pour fixer un viseur télescopique pour tirs de précision. Krim fixa un étau sur le coin de la table de la cuisine et se mit à limer les tenons de l'intensificateur d'image pour les adapter aux gorges de la carabine...

Tandis que Krim poursuivait son travail, à moins de deux kilomètres de là, Barry Ferndale rendait visite à l'ambassade des États-Unis à Londres, Grosvenor Square. Il y rencontra, comme prévu, le chef de l'antenne de la C.I.A. à Londres, qui était aux yeux de tous un diplomate en poste à l'ambassade de son pays.

L'entrevue fut cordiale mais brève. Ferndale retira de son attaché-case une liasse de feuilles et la remit à son interlocuteur.

— Cela sort des presses, cher ami, dit-il à l'Américain. Il y en a tout un paquet, j'en ai peur. Ces Russes sont drôlement bavards, hein ? De toute façon, bonne chance.

Ces feuilles étaient la seconde livraison du Rossignol, déjà traduites en anglais. L'Américain savait qu'il lui faudrait les coder et les envoyer lui-même. Personne d'autre ne devrait les voir. Il remercia Ferndale et se prépara pour une longue nuit de travail.

Il ne fut pas le seul homme à dormir très peu cette nuit-là. Très loin de Londres, dans la ville de Ternopol en Ukraine, un agent du K.G.B. en civil quitta le club des sous-officiers derrière la caserne du K.G.B. Il rentrait chez lui à pied : il n'était pas de rang assez élevé pour avoir droit à une voiture de service, et sa voiture personnelle était garée près de son appartement. Mais cela lui était parfaitement égal, la nuit était tiède et agréable et il venait de passer une soirée très arrosée au club, avec ses collègues.

C'est probablement la raison pour laquelle il ne remarqua pas deux silhouettes enfoncées dans un porche de l'autre côté de la rue, en train d'observer l'entrée du club.

Il était plus de minuit, et dans les rues de Ternopol, même par cette chaude nuit du mois d'août, il n'y avait pas âme qui vive. L'homme de la police secrète suivit paisiblement son chemin, loin des rues principales, puis dans le vaste parc Chevtchenko où les arbres touffus recouvraient presque entièrement les sentiers étroits. Ce fut le raccourci le plus long qu'il eût jamais pris. Vers le milieu du parc, il entendit des pas furtifs dans son dos. Il se retourna à demi et reçut sur la tempe le coup de matraque qui était destiné à sa nuque. Il s'effondra sur le sentier.

Il ne reprit ses esprits qu'à l'aurore. On l'avait traîné dans un fourré et on lui avait dérobé portefeuille, argent, clés, cartes d'alimentation et carte d'identité. La gendarmerie et le K.G.B. enquêtèrent pendant plusieurs semaines sur cette agression peu banale, mais l'on ne découvrit aucun indice. Les deux coupables avaient pris le premier train du matin quittant Ternopol à destination de Lvov, où ils habitaient.

Le président Matthews présidait en personne la réunion du comité *ad hoc* chargé d'étudier la deuxième livraison du Rossignol. Tout le monde était très inquiet.

— Mes analystes avaient étudié plusieurs conséquences possibles d'une famine en Union soviétique au cours de l'hiver et du printemps, dit Benson aux huit hommes réunis dans le bureau ovale, mais aucun d'eux n'aurait jamais osé aller aussi loin que le Politburo lui-même : une réaction en chaîne aboutissant à l'écroulement de la loi et de l'ordre social... C'est bien la première fois qu'on envisage une chose pareille en Union soviétique.

— Mes hommes sont arrivés à des conclusions parallèles, confirma David Lawrence des Affaires étrangères. Ils estiment que le K.G.B. ne serait plus en mesure de maintenir l'ordre. Mais je ne crois pas qu'ils seraient allés eux-mêmes aussi loin dans leurs pronostics.

— Quelle réponse dois-je donner à Maxime Roudine pour son offre d'achat de cinquante-cinq millions de tonnes de céréales ? demanda le Président.

— Répondez « non », monsieur le Président, dit aussitôt Poklewski. C'est là une occasion qui ne s'est jamais produite et qui ne se renouvellera peut-être jamais. Vous tenez Maxime Roudine et tout le Politburo dans le creux de la main. Depuis vingt ans, l'un après l'autre, les gouvernements américains ont soutenu les Soviets chaque fois qu'ils ont eu des problèmes économiques. Et chaque fois, ils se sont retournés contre nous, plus agressifs que jamais. Chaque fois, ils nous ont remerciés en augmentant leur mainmise sur l'Afrique, l'Asie et l'Amérique latine. Chaque fois, le tiers monde a été encouragé à croire que les Soviets ont triomphé de leurs revers par leurs propres forces et que le système économique marxiste est efficace.

« Cette fois-ci, nous avons l'occasion de montrer au monde entier, sans qu'il subsiste le moindre doute, que le système économique marxiste ne fonctionne pas et ne fonctionnera jamais. Cette fois-ci j'insiste pour que vous bloquiez toutes les issues. Vous pouvez les forcer à quitter l'Asie, l'Afrique et l'Amérique. Et si Roudine refuse, vous pouvez le renverser.

— Est-ce que ceci pourrait renverser Roudine ? demanda le Président en montrant le rapport Rossignol sur son bureau.

Ce fut David Lawrence qui répondit et personne ne le contredit.

— Si ce qui est décrit ici par les membres du Politburo eux-mêmes se produisait réellement en Union soviétique, oui. Roudine tomberait en disgrâce, exactement comme Khrouchtchev.

— Profitez de votre puissance, insista Poklewski. Utilisez-la. Roudine n'a aucune possibilité. Il ne peut faire autrement qu'accepter vos conditions. Et s'il refuse, renversez-le.

— Et le successeur ?..., demanda le Président.

— Il aura vu ce qui est arrivé à Roudine et il tiendra compte de la leçon. Tous les successeurs accepteront les conditions que nous imposerons.

Le président Matthews recueillit les opinions des autres membres du comité. Tous sauf Lawrence et Benson se rangèrent à l'opinion de Poklewski. Le président Matthews prit sa décision. Les vautours avaient gagné.

Le ministère des Affaires étrangères soviétique est l'un des sept immeubles de grès brun, quasi identiques, qui se trouvent sur le boulevard de Smolensk au coin de l'Arbat ; il est typique du style gâteau de mariage, cher à Staline : on croirait voir le délire néo-gothique d'un pâtissier dément.

L'avant-dernier jour du mois, la Cadillac Fleetwood Brougham de l'ambassadeur des États-Unis à Moscou glissa sans bruit jusqu'à l'entrée principale et M. Myron Donaldson fut aussitôt accompagné au bureau somptueux de Dmitri Rykov, au quatrième étage. L'ambassadeur et le vieux ministre soviétique se connaissaient très bien. Avant d'être nommé à Moscou, Donaldson avait représenté son pays à l'O.N.U., où Dmitri Rykov était un personnage connu de tous. Ils avaient souvent échangé des toasts amicaux, à New York puis à Moscou. Mais ce jour-là, il s'agissait d'une entrevue officielle. Donaldson était accompagné par son chef de chancellerie, et Rykov avait à ses côtés cinq hauts fonctionnaires.

Donaldson lut son message scrupuleusement, sans changer un seul mot, dans le texte original anglais. Rybov comprenait et parlait très bien l'anglais, mais un assistant traduisait le texte au fur et à mesure près de son oreille droite.

Le message du président Matthews ne faisait aucune allusion au désastre qui frappait la récolte de blé soviétique et il n'exprimait aucune surprise, bien que la proposition d'achat de cinquante-cinq millions de tonnes de blé lancée par les Russes le mois précédent, fût littéralement stupéfiante. En termes mesurés, le Président exprimait ses regrets : les États-Unis d'Amérique ne seraient pas en mesure de vendre à l'Union des Républiques socialistes soviétiques le tonnage de céréales demandé.

Puis, presque sans transition, l'ambassadeur Donaldson se mit à lire la seconde partie du message. Le texte, apparemment sans aucun rapport avec le premier, bien que rédigé à la suite, regrettait le peu de succès des conversations sur la limitation des armes stratégiques connues sous le nom de SALT III, achevées au cours de l'hiver 1980, en une période de moindre tension mondiale, et exprimait l'espoir que les négociations SALT IV, dont les rencontres préliminaires étaient prévues pour l'automne et l'hiver prochain, parviendraient à des résultats plus positifs, et permettraient au monde de franchir une étape décisive sur le chemin d'une paix juste et durable. C'était tout.

L'ambassadeur Donaldson posa le texte du message sur le bureau de Rykov, écouta les remerciements officiels que le ministre soviétiques des Affaires étrangères, impassible, lui adressa — cheveux gris, visage gris — puis s'en fut.

Andrew Drake passa le plus clair de cette journée-là le nez dans des livres. Azamat Krim, quelque part dans les montagnes galloises, faisait des essais de précision avec le viseur de nuit monté sur la culasse de la carabine finlandaise. Miroslav Kaminsky continuait d'améliorer son anglais. Quant à Drake, tous ses problèmes tournaient autour du port d'Odessa, au sud de l'Ukraine.

Le premier ouvrage de référence qu'il consulta fut la *Lloyds Loading List*, à couverture rouge, guide hebdomadaire de tous les bateaux affrétés dans les ports européens en partance vers tous les ports du monde. Il apprit aussitôt qu'il n'existait aucune ligne régulière entre l'Europe du Nord et Odessa, mais qu'une petite ligne méditerranéenne indépendante desservait également plusieurs ports de la mer Noire. C'était la Salonika Line, qui possédait deux bâtiments.

Ensuite, il se plongea dans le *Lloyds Shipping Index*, à couverture bleue, et il en parcourut les colonnes jusqu'à ce qu'il tombe enfin sur les deux bâtiments en question. Il sourit. Les propriétaires supposés de chacun des vaisseaux travaillant pour la Salonika Line étaient des compagnies possédant un seul navire, et enregistrées à Panama. Cela signifiait à n'en pas douter que la « compagnie » propriétaire n'était dans chaque cas qu'une plaque de cuivre fixée au mur d'un cabinet juridique de Panama City.

Dans un troisième ouvrage de référence, un livre à couverture marron portant le nom d'*Annuaire des armateurs grecs*, il constata que les agents s'occupant de la gestion des deux compagnies étaient une société grecque, domiciliée au Pirée, le port d'Athènes. Il savait ce que cela voulait dire. Quatre-vingt-dix-neuf fois sur cent, lorsque les agents maritimes d'un bateau battant pavillon panaméen sont des Grecs, il s'agit en réalité des propriétaires du bateau. S'ils feignent de n'être que de « simples agents », c'est pour profiter du fait que les agents ne peuvent pas être tenus pour responsables devant les tribunaux des manquements de leurs mandants. Certains de ces manquements comprennent notamment : salaires inférieurs et mauvaises conditions de travail pour les équipages, bâtiments en mauvais état de navigabilité, normes de sécurité mal définies mais estimations très bien définies de l'assurance « perte totale », et même, à l'occasion, de très mauvaises habitudes en matière de « coulage » lorsqu'ils transportent du pétrole brut.

Et Drake se mit à aimer beaucoup la *Salonika Line* : en effet, ses bateaux seraient forcément commandés par des officiers supérieurs grecs mais pourraient employer un équipage cosmopolite, avec ou sans inscription au rôle officiel : un passeport suffirait. Et les bateaux faisaient régulièrement escale à Odessa.

Maxime Roudine se pencha en avant et posa sur la table basse la traduction en russe du message négatif du président Matthews remis par l'ambassadeur Donaldson. Il leva les yeux vers ses trois hôtes. Il faisait nuit dehors et il aimait laisser son bureau personnel, tout au nord de l'Arsenal du Kremlin, dans une demi-pénombre.

— Du chantage, dit Pétrov d'une voix rageuse. Un sale chantage.

— C'est évident, répondit Roudine. Vous vous attendiez à quoi ? A de la charité ?

— C'est ce démon de Poklewski qui est derrière ce message, dit Rykov. Mais ce n'est pas le dernier mot de Matthews. C'est impossible. Leurs satellites Condor et notre offre d'achat de cinquante-cinq millions de tonnes de céréales doivent les avoir mis au courant de notre situation.

— Accepteront-ils malgré tout de parler, de négocier ? demanda Ivanenko.

— Oh, oui, ils négocieront, répondit Rykov. Mais ils feront traîner les choses en longueur, ils couperont les cheveux en quatre jusqu'à ce que la famine nous saisisse à la gorge. Et ils n'échangeront leur blé que contre des concessions humiliantes.

— Pas trop humiliantes, j'espère, murmura Ivanenko. Nous n'avons au Politburo qu'une majorité de sept contre six, et il nous faut absolument la conserver.

— C'est là tout le problème, répondit Roudine de sa voix basse. Tôt ou tard, il faudra que j'envoie Dmitri Rykov combattre autour d'un tapis vert, et je n'ai pas une seule arme à lui donner.

Le dernier jour du mois, Andrew Drake quitta Londres en avion pour Athènes, en quête d'un bateau à destination d'Odessa.

Le même jour, une petite fourgonnette transformée en camping-car à deux couchettes, semblable en tous points à celles qu'utilisent les étudiants pour parcourir l'Europe pendant les vacances, quitta Londres pour Douvres, traversa la Manche et prit elle aussi la route d'Athènes. Cachés sous le plancher se trouvaient les armes, les munitions et le viseur de nuit. La majeure partie du trafic de drogue se fait dans l'autre sens, des Balkans vers la France et la Grande-Bretagne : à Douvres et à Calais, la visite des douaniers fut de pure forme.

Au volant, avec son passeport canadien et son permis de conduire international, Azamat Krim. A ses côtés avec des papiers britanniques neufs (mais pas tout à fait authentiques), Miroslav Kaminsky...

6

A Ouspenskoié, près du pont sur la Moskova, il existe un restaurant baptisé *L'Isba russe*, construit dans le style des fermes de rondins dans lesquelles vivent les paysans. A l'intérieur comme à l'extérieur, ces isbas sont faites de dosses de pin clouées sur des poutres verticales. Les espaces libres sont traditionnellement remplis avec de l'argile ou du torchis, comme le sont parfois les cabanes des bûcherons canadiens.

Ces isbas paraissent primitives, et du point de vue sanitaire elles le sont très souvent, mais au cours des longs hivers russes, elles gardent beaucoup mieux la chaleur que si elles étaient bâties en briques ou en béton. L'Isba russe d'Ouspenskoié est un nid douillet divisé en une douzaine de petites salles à manger intimes, dont certaines ne sont occupées que par un seul groupe d'invités. A l'inverse de ce qui se passe dans les restaurants du centre de Moscou, les stimulants matériels sont autorisés. En conséquence, la nourriture y est excellente et le service, rapide et attentionné — ce qui est loin d'être le cas dans la plupart des boufferies soviétiques.

C'était là qu'Adam Munro avait prévu son rendez-vous suivant avec Valentina, le samedi 4 septembre. Elle s'était fait inviter à dîner par un de ses amis mais elle lui avait demandé de l'emmener à ce restaurant-là. Quant à Munro, il avait convié une des secrétaires de l'ambassade et avait retenu la table au nom de la jeune femme sans mentionner le sien.

La liste des réservations ne conserverait donc aucune trace de la présence de Munro et de Valentina à l'Isba russe ce soir-là.

Ils dînèrent dans des cabinets particuliers différents et à neuf heures juste, ils s'excusèrent et quittèrent la table. Ils se rencontrèrent dans le parc de stationnement et Munro, dont la voiture était trop voyante avec ses plaques de l'ambassade, suivit Valentina dans sa petite Jigouli personnelle. Elle semblait préoccupée. Elle tirait nerveusement sur sa cigarette.

Munro avait déjà manœuvré deux informateurs russes sur le terrain, et il savait à quel point les nerfs peuvent s'user en quelques semaines de subterfuges et de secret.

— J'ai eu de la chance, dit-elle enfin. Il y a trois jours. La réunion de début juillet. J'ai failli être prise.

Munro était tendu. Valentina croyait qu'on lui faisait confiance au sein de l'appareil du Parti, mais dans les milieux politiques de Moscou, personne ne fait confiance à personne. Jamais. Elle était en équilibre sur une corde raide. Et lui de même. La seule différence, c'était qu'il disposait d'un filet : son statut de diplomate.

— Que s'est-il passé ? demanda-t-il.

— Quelqu'un est entré. Un garde. Je venais tout juste d'éteindre l'appareil à photocopier et j'étais devant ma machine à écrire. Il a été tout à fait gentil. Mais il s'est appuyé à l'appareil. La plaque était encore chaude. Je ne pense pas qu'il ait remarqué quoi que ce soit. Mais ça m'a fait peur. Et s'il n'y avait eu que ça pour me faire peur !... Je n'ai lu le texte qu'en rentrant chez moi. J'avais déjà bien assez de mal à faire les photocopies. Adam, c'est horrible.

Elle prit les clés de sa voiture, ouvrit la boîte à gants et en retira une grosse enveloppe qu'elle tendit à Munro. Le moment de la remise est en général l'instant où les guetteurs bondissent, l'instant où des pas crissent sur le gravier, où les portières s'ouvrent brusquement, où l'on arrache les occupants de la voiture. Rien de tel n'arriva.

Munro jeta un coup d'œil à sa montre. Près de dix minutes. Trop long. Il glissa l'enveloppe dans sa poche intérieure.

— Je vais demander l'autorisation de te faire sortir, dit-il. Tu ne peux pas continuer comme ça éternellement. C'est déjà trop. Et tu ne peux pas reprendre ta vie d'autrefois comme si de rien n'était. Plus maintenant. Sachant ce que tu sais. Et moi non plus, je ne peux pas continuer, en sachant que tu es là, en ville, et que nous nous aimons. J'ai un congé le mois prochain. J'irai à Londres leur poser la question.

Elle ne fit aucune objection cette fois, ce qui prouvait bien que ses nerfs commençaient à lâcher.

— Très bien, dit-elle.

Deux secondes plus tard, elle avait disparu dans les ténèbres du parking. Il la regarda pénétrer dans la tache de lumière près de l'entrée du restaurant, puis disparaître à l'intérieur. Il lui accorda deux minutes, puis alla rejoindre son invitée, sûrement impatiente.

Il était trois heures du matin lorsque Munro acheva de lire le plan Boris, scénario du maréchal Nicolas Kérensky pour la conquête de l'Europe occidentale. Il se versa un double cognac et demeura figé, sans oser quitter des yeux les papiers posés sur la table de son salon. Le brave tonton Nicolas de Valentina, pensa-t-il, n'y allait pas de main morte ! Il étudia la carte de l'Europe pendant deux heures et au lever du jour, il était aussi convaincu que Kérensky lui-même : dans le cadre d'une guerre conventionnelle, le plan Boris réussirait. Et il était tout aussi certain que Rykov avait raison : cela provoquerait de la part des États-Unis une riposte thermonucléaire. Troisième point, il savait que jamais les membres dissidents du Politburo ne l'admettraient — en tout cas tant que l'holocauste n'aurait pas eu lieu.

Il se leva et se dirigea vers la fenêtre. Les premières lueurs de l'aube venaient d'apparaître du côté de l'orient, au-delà des clochers du Kremlin. C'était pour les citoyens de Moscou un dimanche comme les autres. Dans deux heures il en serait de même pour les Londoniens et les Parisiens, et cinq heures plus tard, pour les habitants de New York.

Depuis qu'il était adulte, le fait que tous les dimanches d'été resteraient des dimanches d'été comme les autres, dépendait en fait d'un équilibre délicat. Un équilibre fondé sur la croyance en la force et en la détermination de la superpuissance adverse, un équilibre de la crédibilité, un équilibre de la peur, mais un équilibre tout de même. Il frissonna, en partie à cause de la fraîcheur matinale, mais surtout parce que les papiers posés devant lui démontraient que le vieux cauchemar conjuré refaisait surface : l'équilibre était en train de se rompre.

A l'aube, ce dimanche-là, Andrew Drake était de bien meilleure humeur, car la nuit du samedi lui avait révélé des renseignements d'un tout autre genre.

Chaque secteur des connaissances humaines, si infime et si secret soit-il, a ses spécialistes et ses fanatiques. Et chacun de ces groupuscules semble posséder un endroit où se réunir pour bavarder, discuter, échanger des renseignements et répandre les derniers commérages.

Les déplacements des bateaux dans le bassin oriental de la Méditerrannée ne constituent pas un sujet de thèse de troisième cycle, mais ils n'en intéressent pas moins tous les matelots sans emploi de la région — et c'était le rôle qu'Andrew Drake jouait au Pirée. Le centre de renseignements concernant ces mouvements de bateaux est un petit hôtel de Cavo d'Oro, dominant l'un des ports de plaisance.

Drake avait déjà repéré les bureaux des agents (et propriétaires probables) de la Salonika Line, mais il savait que leur rendre visite était vraiment la dernière chose à faire.

Au lieu de cela, il s'installa à l'hôtel Cavo d'Oro et passa son temps au bar où les capitaines, les matelots, les boscos, les agents, les bavards du monde des docks et les chercheurs de travail, échangent autour d'un verre tous les éléments d'information qu'ils détiennent. Et ce samedi-là, dans la soirée, Drake trouva son homme, un bosco qui avait travaillé autrefois pour la Salonika. Il ne lui fallut qu'une demi-bouteille de vin résiné pour lui arracher les renseignements.

— Celui qui accoste le plus souvent à Odessa, lui dit le Grec, c'est le *M.V. Sanadria*. C'est un vieux baquet. Capitaine : Nikos Thanos. Je crois qu'il est au mouillage en ce moment.

Le *Sanadria* était effectivement au Pirée, et Drake le trouva sur le port au milieu de la matinée. C'était un caboteur de la Méditerranée, à deux ponts, de cinq cents tonneaux de jauge, rouillé, plutôt sale. Mais du moment qu'il mettait le cap sur la mer Noire lors de son prochain voyage, Drake l'aurait trouvé magnifique même si sa coque était une vraie passoire.

Au coucher du soleil, il avait appris que son capitaine et tous ses officiers étaient originaires de l'île grecque de Chio. La plupart de ces caboteurs grecs sont pour ainsi dire des affaires de famille, le patron et ses principaux officiers viennent en général de la même île et sont souvent parents. Drake ne parlait pas grec, mais l'anglais est la *lingua franca* de la marine marchande internationale, même au Pirée. Le soleil se couchait lorsqu'il rencontra le capitaine Thanos.

Dans le nord de l'Europe, quand ils ont fini leur travail, les hommes rentrent à la maison, pour retrouver femme, enfants et famille. Les Levantins, en revanche, vont tout droit au café, bavarder avec les amis. Et au Pirée, le lieu de pèlerinage de tous les amateurs de café est une petite rue proche du front de mer, qui porte le nom d'Akti Miaouli. Le quartier ne comporte que des bureaux de compagnies maritimes et des bistrots à marins. C'est une véritable Mecque de la marine marchande.

Chacun a son bar favori, et tous sont pleins à craquer. Le bistrot attitré du capitaine Thanos, quand il était à terre, était la terrasse de Chez Miki, et c'est là que Drake le découvrit, assis en face de l'inévitable café noir épais, accompagné comme toujours d'un verre d'eau fraîche et d'un godet d'ouzo. C'était un homme de petite taille, aux épaules larges, brun de peau, avec des cheveux noirs frisés très courts et une barbe de plusieurs jours.

— Capitaine Thanos ? demanda Drake.

L'homme jeta à l'Anglais un regard soupçonneux et hocha la tête lentement.

— Nikos Thanos du *Sanadria ?*

De nouveau, le marin acquiesça. Les trois hommes à sa table gardèrent le silence. Drake sourit.

— Je m'appelle Andrew Drake. Puis-je vous offrir quelque chose ?

De l'index, le capitaine Thanos montra sa consommation puis celles de ses trois amis. Drake, toujours debout, appela un garçon et commanda la même chose pour cinq. D'un signe de tête, Thanos indiqua une chaise vide, invitant enfin l'Anglais à se joindre à eux. Drake savait que ce serait long. Il lui faudrait peut-être plusieurs jours. Mais il avait tout son temps : il avait trouvé son bateau.

Cinq jours plus tard, la réunion dans le Bureau Ovale était beaucoup moins détendue. Les sept membres du comité *ad hoc* du Conseil de la sécurité nationale étaient tous présents et le président Matthews dirigeait la séance. Ils avaient tous passé la moitié de la nuit à lire les minutes de la réunion du Politburo au cours de laquelle le maréchal Kérensky avait exposé son plan de bataille, tandis que Vichnaïev posait ses premiers jalons pour la prise du pouvoir. Les huit hommes étaient ébranlés. Tous les regards étaient tournés vers le président de l'état-major interarmes, le général Martin Craig.

— L'opération est-elle réalisable, général ? demanda le président Matthews.

— Dans le cadre d'une guerre conventionnelle à travers l'Europe occidentale depuis le Rideau de fer jusqu'aux ports de la Manche, même si l'on suppose l'intervention d'engins nucléaires tactiques, oui, monsieur le Président, l'opération est réalisable.

— L'Ouest est-il en mesure de développer suffisamment son dispositif de défense avant le printemps prochain pour faire échouer le plan soviétique ?

— C'est une question délicate, monsieur le Président. Nous pouvons certainement envoyer en Europe davantage d'hommes et de matériel lourd. Mais cela donnerait aux Soviets un bon prétexte pour renforcer leur propre dispositif, à supposer qu'ils aient besoin de ce genre de prétexte. Mais quant à nos alliés européens, ils n'ont pas les réserves que nous possédons ; depuis plus de dix ans ils diminuent régulièrement leurs effectifs militaires, leurs armements et leur niveau de préparation. Le déséquilibre entre les forces de l'O.T.A.N. et celles du Pacte de Varsovie est devenu tel, sur le plan des hommes comme sur celui du matériel, qu'il est actuellement impossible de rattraper le retard en neuf mois. Non, neuf mois ne suffiraient pas à former les hommes, même si on les recrutait demain. Et la production des armes sophistiquées nécessaires exigerait bien plus de temps encore.

— C'est la situation de 1939 qui se répète, dit le ministre des Finances d'une voix sombre.

— Et l'option nucléaire ? demanda Bill Matthews d'un ton calme.

Le général Craig haussa les épaules.

— Si les Soviets attaquent en force, c'est inévitable. Un homme prévenu en vaut deux, mais de nos jours, les programmes d'armement et les programmes d'entraînement exigent trop de temps. Prévenus comme nous le sommes, nous pourrons ralentir l'avancée des Soviétiques vers l'ouest, faire perdre à Kérensky une centaine d'heures sur ses prévisions. Mais quant à l'immobiliser — toute l'armée soviétique, la marine et l'aviation — c'est une tout autre affaire. Et au moment où nous connaîtrions la réponse, il serait probablement trop tard de toute façon. L'option nucléaire est donc inévitable. A moins, bien sûr, que nous décidions d'abandonner l'Europe et nos trois cent mille hommes stationnés là-bas.

— David ? demanda le Président.

Le ministre des Affaires étrangères David Lawrence posa l'index sur le dossier devant lui.

— C'est bien la première fois de ma vie que je suis d'accord avec Dmitri Rykov. Il ne s'agit pas seulement de l'Europe occidentale. Si l'Europe tombe, les Balkans, la Méditerranée orientale, la Turquie, l'Iran et les États arabes ne pourront pas tenir. Il y a dix ans, cinq pour cent de notre pétrole était importé. Il y a cinq ans nous en étions à cinquante pour cent. Aujourd'hui, c'est soixante pour cent et cela ne cesse d'augmenter. L'ensemble du continent américain, au maximum de sa production, ne peut plus fournir que cinquante-cinq pour cent de notre consommation. Nous avons besoin du pétrole arabe. Sans lui, nous sommes aussi vaincus que l'Europe. Et sans coup férir.

— Des suggestions, messieurs ? demanda le Président.

— Le Rossignol présente une valeur certaine, dit Stanislas Poklewski, mais il n'est pas indispensable. Plus maintenant. Pourquoi ne pas rencontrer Roudine et mettre cartes sur table ? Nous connaissons le plan Borris, et l'objectif poursuivi. Et nous prendrons des mesures pour décapiter cet objectif, pour faire échouer le plan. Lorsqu'il informera le Politburo de la situation, tout le monde comprendra que, sans l'élément de surprise, l'option de la guerre ne saurait demeurer valide. Ce serait la fin du Rossignol, mais aussi la fin du plan Boris.

Bob Benson, le directeur de la C.I.A., secoua énergiquement la tête.

— Je ne crois pas que ce soit aussi simple, monsieur le Président. Si j'ai bien lu le dossier, le problème n'est pas de convaincre Roudine ou Rykov. Nous avons affaire à une rivalité de factions au sein du Politburo. Avec pour enjeu la succession de Roudine, et alors que la famine est suspendue au-dessus de leurs têtes.

« Vichnaïev et Kérensky ont proposé une guerre limitée pour pouvoir obtenir les surplus alimentaires de l'Europe occidentale *et* imposer aux peuples soviétiques une discipline de guerre. Le fait de révéler à Roudine ce que nous savons n'y changera rien. Cela risque même de précipiter sa chute. Vichnaïev et ses amis prendront alors le pouvoir. Ils ne savent pratiquement rien de l'Occident et de la façon dont nous réagissons quand on nous attaque. Et même sans l'élément de surprise, la famine risque de les pousser à la guerre.

— Je suis d'accord avec Bob, ajouta David Lawrence. La situation ressemble beaucoup à celle du Japon il y a quarante ans. L'embargo sur le pétrole a provoqué la chute des modérés de la faction Konoya. A la place nous avons eu le général Tojo et cela a abouti à Pearl Harbor. Si Maxime Roudine perd le pouvoir en ce moment, nous risquons d'avoir Ephraïm Vichnaïev à sa place. Et si l'on en croit ce dossier, cela ne peut qu'aboutir à la guerre.

— Dans ce cas, Maxime Roudine doit rester au pouvoir, dit le président Matthews.

— Monsieur le Président, je proteste, s'écria Poklewski avec chaleur. Dois-je comprendre que les États-Unis vont consacrer tous leurs efforts à sauver la peau de Maxime Roudine ? Avons-nous

143

donc oublié tout ce qu'il a fait ? Tous les êtres humains éliminés sur son ordre pour qu'il parvienne au sommet du pouvoir en Union soviétique ?

— Stan, je suis désolé, dit le président Matthews d'un ton définitif. Le mois dernier, j'ai autorisé que les États-Unis refusent de fournir à l'Union soviétique les céréales dont elle a besoin pour éviter la famine. En tout cas jusqu'à ce que je puisse mesurer quelles seraient les conséquences de cette famine. Je ne peux plus me permettre de poursuivre cette politique de refus. Je crois que nous savons tous maintenant quelles en seraient les conséquences.

« Messieurs, je vais rédiger ce soir une lettre personnelle au président Roudine, pour lui proposer une conférence en territoire neutre, entre David Lawrence et Dmitri Rykov. Le sujet de cette conférence sera le nouveau traité sur la limitation des armes stratégiques, SALT IV, et *tous autres sujets présentant un intérêt pour nos deux pays.*

Lorsque Andrew Drake revint au Cavo d'Oro après sa deuxième rencontre avec le capitaine Thanos, il trouva un message d'Azamat Krim : le Tatar venait de s'installer, avec Kaminsky, à l'hôtel convenu.

Une heure plus tard, Drake les avait rejoints. La fourgonnette avait traversé les frontières sans encombre. Pendant la soirée, Drake fit transporter les armes et les munitions dans sa chambre du Cavo d'Oro, où Kaminsky et Krim vinrent séparément. Lorsque tout fut sous clé, en sécurité, il invita ses deux amis à dîner. Le matin suivant, Krim repartirait à Londres par avion. Il s'installerait dans l'appartement de Drake et attendrait son coup de téléphone. Kaminsky en revanche resterait dans une petite pension des bas quartiers du Pirée. Elle n'avait peut-être aucun confort, mais on pouvait y conserver son anonymat.

Tandis que les trois Ukrainiens dînaient, le ministre des Affaires étrangères des États-Unis avait un entretien privé avec l'ambassadeur d'Irlande à Washington.

— Si ma rencontre avec le ministre Rykov doit avoir lieu, dit Lawrence, nous aurons besoin d'un endroit retiré. La discrétion devra être absolue. Reykjavik, en Islande, serait trop voyant. Notre base de Keflvik est pour ainsi dire un territoire américain. Genève est pleine de regards curieux ; de même pour Stockholm et Vienne. Helsinki, comme l'Islande, attirerait trop l'attention. L'Irlande est à mi-chemin entre Moscou et Washington, et l'on y célèbre encore le culte de la discrétion.

Au cours de la même nuit, Washington et Dublin échangèrent des messages chiffrés et vingt-quatre heures plus tard le gouvernement irlandais avait accepté d'accueillir les deux ministres, et proposait des plans de vol pour les deux missions. Quelques heures plus tard, la lettre personnelle privée du président Matthews au président Maxime Roudine était envoyée à l'ambassadeur Donaldson à Moscou.

Lors de sa troisième tentative, Andrew Drake parvint à parler en tête à tête au capitaine Nikos Thanos. Le vieux Grec devait bien se douter que le jeune Anglais avait quelque chose à lui demander, mais il ne trahit pas la moindre curiosité. Comme d'habitude, Drake offrit le café et l'ouzo.

— Capitaine, dit Drake, j'ai un problème et je crois que vous pouvez peut-être m'aider.

Les sourcils de Thanos se relevèrent, mais il ne cessa pas de fixer son café.

— Vers la fin de ce mois, le *Sanadria* quittera Le Pirée pour Istanbul et la mer Noire. Je crois que vous ferez escale à Odessa.

Thanos hocha la tête.

— Nous devons prendre la mer le 30, dit-il. Et, c'est vrai, nous avons du fret à décharger à Odessa.

— Je veux aller à Odessa, dit Drake. Il le faut.

— Vous êtes anglais, dit Thanos. Il y a des voyages organisés pour Odessa. Vous pouvez prendre l'avion ou bien partir en croisière sur un paquebot soviétique.

Drake secoua la tête.

— Ce n'est pas si facile que ça, répondit-il. Capitaine Thanos, je n'obtiendrai pas de visa pour Odessa. Ma demande sera transmise à Moscou et on me refusera l'entrée.

— Et pourquoi voulez-vous y aller ? demanda Thanos, soupçonneux.

— Je connais une fille à Odessa, répondit Drake. Ma fiancée. Je veux la faire sortir.

Le capitaine Thanos secoua la tête d'un air définitif. Ses ancêtres de Chio faisaient déjà de la contrebande en tout genre dans le bassin oriental de la Méditerranée à l'époque où Homère apprenait à parler ; il n'ignorait pas qu'Odessa était la plaque tournante de divers trafics et il savait que son équipage améliorait sensiblement ses fins de mois en revendant au marché noir dans le port ukrainien des articles de luxe occidentaux comme bas de nylon, parfums et vestes de cuir. Mais la contrebande des personnes est une tout autre affaire, et il n'avait pas du tout l'intention de mettre le doigt dans cet engrenage.

— Je crois que m'avez mal compris, dit Drake. Il n'est pas question que je la ramène sur le *Sanadria*. Laissez-moi vous expliquer.

Il lui montra aussitôt une photographie où il était assis, avec une fille d'une beauté remarquable, sur la balustrade de l'Escalier Potemkine qui relie la ville et le port d'Odessa. L'intérêt de Thanos se ranima aussitôt : la fille valait vraiment le coup d'œil.

— Je suis licencié en russe de l'université de Bradford, dit Drake. L'an dernier j'ai participé à un échange d'étudiants et j'ai passé six mois à l'université d'Odessa. C'est là que j'ai rencontré Larissa. Nous sommes tombés amoureux. Nous avons voulu nous marier.

Comme la plupart des Grecs, Nikos Thanos se flattait d'avoir l'âme romantique. Drake lui parlait donc son propre langage.

— Pourquoi ne l'avez-vous pas fait ? demanda-t-il.

— Les autorités soviétiques ont refusé, dit Drake. Je voulais, bien sûr, ramener Larissa en Angleterre pour l'épouser. Elle a sollicité l'autorisation de partir et on la lui a refusée. J'ai continué à faire des démarches à partir de Londres. Sans succès. Le 1er juillet dernier j'ai fait ce que vous venez de me suggérer, un voyage organisé en Ukraine, par Kiev, Ternopol et Lvov.

Il sortit son passeport de sa poche et montra à Thanos les cachets de l'aéroport de Kiev.

— Elle est venue à Kiev pour me voir. Nous avons fait l'amour. Elle vient de m'écrire : elle attend un enfant. Il faut qu'on se marie, capitaine. Maintenant plus que jamais.

Le capitaine Thanos connaissait les règles. Elles étaient en vigueur dans sa société depuis l'origine des temps. Il regarda de nouveau la photo. Comment aurait-il pu deviner que la fille était un modèle de Londres qui avait posé dans un studio près de la gare de King's Cross, avec en arrière-plan le décor de l'Escalier Potemkine agrandi à partir d'un dépliant touristique offert par le bureau d'Intourist à Londres ?

— Comment allez-vous la faire sortir ? demanda le Grec.

— Le mois prochain, dit Drake, un paquebot soviétique, le *Litva*, quitte Odessa avec un groupe important d'étudiants du Komsomol, le mouvement des jeunesses communistes soviétiques. Ils font une croisière culturelle hors saison en Méditerranée.

Thanos acquiesça, il connaissait bien le *Litva*.

— J'ai fait trop d'histoires à propos de Larissa pour que les autorités me permettent de revenir en Russie. Normalement, Larissa n'aurait pas dû avoir l'autorisation de faire cette croisière. Mais il y a aux bureaux du ministère de l'Intérieur à Odessa un fonctionnaire qui aime vivre au-dessus de ses moyens. Il s'arrangera pour qu'elle participe à cette croisière avec tous ses papiers en règle, et quand le bateau fera escale à Venise, je serai là-bas pour l'attendre. Seulement voilà : le fonctionnaire exige dix mille dollars américains. Je les ai, mais il faut que je remette l'enveloppe à Larissa.

Tout cela était très logique pour le capitaine Thanos. Il savait que la corruption bureaucratique régnait à l'état endémique sur toute la côte méridionale soviétique, de l'Ukraine et la Crimée jusqu'à la Géorgie — communisme ou pas. Le fait qu'un fonctionnaire « arrange » quelques papiers contre une somme d'argent en monnaie occidentale pour améliorer son niveau de vie, était tout à fait dans l'ordre des choses.

Une heure plus tard, l'affaire était conclue. Pour cinq mille dollars de plus, Thanos engagerait Drake comme matelot de pont pour la durée du voyage.

— Nous prendrons la mer le 30, lui dit-il, et nous serons à Odessa le 9 ou le 10. Soyez sur le quai où est amarré le *Sanadria* le 30 à six heures du soir. Attendez jusqu'à ce que l'employé de l'armateur s'en aille, et montez à bord juste avant l'arrivée des gens de l'immigration.

Quatre heures plus tard, dans l'appartement de Drake à Londres, Azamat Krim décrocha le téléphone : à l'autre bout du fil, Drake lui donna la date que Michkine et Lazareff, les deux Juifs de Lvov, avaient besoin de savoir.

Le président Matthews reçut la réponse de Maxime Roudine le 20. C'était une lettre personnelle, comme celle qu'il avait adressée au dirigeant soviétique. Roudine donnait son accord pour la rencontre secrète entre David Lawrence et Dmitri Rykov, prévue le 24 en Irlande.

Le président Matthews tendit la lettre à Lawrence.

147

— Il ne perd pas de temps, fit-il observer.

— Il n'y a pas de temps à perdre, répliqua le ministre des Affaires étrangères. Tout a été lancé. J'ai envoyé deux hommes à Dublin pour vérifier les préparatifs. Notre ambassadeur à Dublin rencontrera l'ambassadeur soviétique pour mettre la dernière main à tous les détails.

— Très bien, David. Vous savez ce que vous avez à faire, répondit le président des États-Unis.

Le problème d'Azamat Krim était de poster à l'intérieur de l'Union soviétique, avec des timbres russes et écrite en russe, une lettre ou une carte postale adressée à Michkine, sans passer par les formalités inévitables quand on sollicite un visa d'entrée auprès du consulat soviétique de Londres. Les délais sont parfois de quatre semaines. Avec l'aide de Drake, il avait trouvé une solution relativement simple.

Jusqu'en 1980, le principal aéroport de Moscou, Cheremetievo, n'était qu'un complexe de dimensions limitées, sinistre et plutôt minable. Mais à l'occasion des Jeux olympiques de 1980, le gouvernement soviétique avait fait construire de nouveaux bâtiments magnifiques, et Drake avait effectué des recherches à leur sujet.

L'aménagement du nouvel aéroport, qui recevait tous les long-courriers partant et arrivant à Moscou, était vraiment splendide. Il y avait de toutes parts des plaques chantant les louanges de la technologie soviétique : mais on avait évidemment oublié de mentionner que Moscou avait dû engager pour la construction une entreprise ouest-allemande : aucune entreprise soviétique de travaux publics n'aurait pu respecter les normes et les délais. Les Allemands de l'Ouest avaient été fort bien payés en devises fortes, mais leur contrat comportait des clauses de pénalisation très rigoureuses en cas de non-achèvement pour le début des Jeux de 1980. Dans ces conditions, les Allemands n'avaient pris sur place que deux éléments : le sable et l'eau. Tout le reste avait été acheminé à partir de l'Ouest pour que les délais imposés puissent être respectés.

Dans les grands halls de départ et de correspondance, on avait installé des boîtes aux lettres pour recevoir le courrier de tous ceux qui désiraient envoyer une carte postale avant de quitter Moscou. Le K.G.B. vérifie toutes les lettres, les cartes, les télégrammes et les appels téléphoniques qui entrent en Union soviétique ou qui en sortent. Si énorme que soit la tâche, elle est accomplie. Mais les nouveaux halls de départ de Cheremetievo étaient utilisés non seulement pour les vols internationaux mais pour les long-courriers du trafic intérieur.

La carte postale de Krim avait été achetée aux bureaux d'Aeroflot à Londres. Ses timbres soviétiques authentiques, en quantité suffisante pour affranchir une carte au tarif intérieur, provenaient du sanctuaire londonien de la philatélie : Stanley Gibbons. Sur la carte, qui représentait un avion de ligne supersonique Tupolev 144, était écrit en russe le message suivant : « Je pars dans une minute avec le groupe du Parti de notre usine pour l'expédition de Khabarovsk. Formidable. J'en ai presque oublié de t'écrire. Tous mes vœux pour ton anniversaire, le dix. Ton cousin, Ivan. »

Khabarovsk est au fin fond de la Sibérie, près de la mer du Japon. Un groupe se rendant par avion dans cette ville part forcément par le même hall de départ qu'un vol à destination de Tokyo. La lettre était adressée à David Michkine, à son adresse à Lvov.

Azamat Krim prit le vol Aeroflot de Londres à Moscou et changea d'appareil pour prendre le vol Aeroflot de Moscou à l'aéroport Narita de Tokyo. Il avait un retour « open ». Il lui fallut attendre deux heures dans le hall des correspondances de Cheremetievo. Il mit sa carte dans la boîte aux lettres et repartit vers Tokyo. Là, il passa aux Japan Air Lines et rentra à Londres.

La carte fut examinée par l'équipe de surveillance postale du K.G.B. à l'aéroport de Moscou. On la prit pour une carte adressée par un Russe à un cousin ukrainien, vivant et travaillant l'un et l'autre en Union soviétique, et on la laissa passer. Elle arriva à Lvov trois jours plus tard.

Tandis que le Tatar de Crimée rentrait du Japon, épuisé et déphasé par le décalage horaire, un petit avion à réaction de la ligne intérieure norvégienne Brathens-Safe vira très haut dans le ciel au-dessus du port de pêche d'Alesund et se mit à descendre vers l'aéroport municipal, sur l'île basse au milieu de la baie. Par l'un des hublots, Thor Larsen regardait au-dessous de lui : c'était dans cette petite communauté qu'il avait grandi, et elle serait toujours son foyer. Chaque fois qu'il y retournait, il ne pouvait réprimer un frisson d'enthousiasme.

Il était venu au monde en 1935 dans une petite maison de pêcheurs du vieux quartier Buholmen, démolie bien des années plus tard lorsqu'on avait tracé la nouvelle route nationale. Avant la guerre, Buholmen était le quartier des pêcheurs, un véritable labyrinthe de maisons de bois, peintes de gris, de bleu et d'ocre. De la maison de son père, comme de toutes les autres demeures de la ruelle, une sorte de cour descendait vers le fjord. Au bout de la cour, chaque pêcheur indépendant avait, comme son père, sa petite jetée de bois plus ou moins bancale où venaient s'amarrer les petites barques au retour de la pêche ; les odeurs de son enfance étaient un mélange de goudron, de résine, de peinture, de sel et de poisson.

Dès ses premiers pas, il avait passé des journées assis sur la jetée de son père, à regarder les gros bateaux s'avancer lentement vers le môle de la Storneskaïa, et il avait rêvé de tous les ports où ils devaient faire escale, loin, très loin dans l'océan de l'Ouest. A sept ans, il savait manœuvrer son petit canot jusqu'à plusieurs centaines de mètres des jetées de Buholmen, à l'endroit où le vieux mont Sula, de l'autre côté du fjord, projette son ombre sur les eaux scintillantes.

— Ce sera un marin, avait dit son père qui le suivait des yeux, satisfait, du bout de la jetée. Pas un pêcheur, qui ne quitte jamais les mêmes eaux. Un vrai marin de l'Océan.

Il avait cinq ans quand arrivèrent à Alesund des hommes grands, vêtus de gris, qui défilaient partout au pas de l'oie avec leurs grosses bottes : les Allemands. A sept ans, il avait vu la guerre. C'était l'été, et son père lui avait permis de l'accompagner à la pêche pendant les vacances de l'école Norvoy. Avec le reste de la flottille de pêche d'Alesund, le bateau de son père était parti au large, sous la garde d'un E-Boot allemand.

Pendant la nuit, il s'éveilla : des hommes allaient et venaient. Du côté de l'ouest, des lumières clignotaient : les têtes des mâts de la flottille des Orcades anglaises. Une petite barque à rames se glissa le long du bateau de son père et l'équipage se mit à déplacer des caisses à harengs. Sous les yeux stupéfaits de l'enfant, un jeune homme pâle, brisé de fatigue et de peur, surgit d'entre les caisses de la cale et on l'aida à descendre dans la barque. Quelques minutes plus tard il avait disparu dans les ténèbres, du côté des hommes des Orcades. C'était un opérateur de radio de la Résistance norvégienne qui gagnait l'Angleterre pour un stage de formation. Son père lui fit jurer de ne jamais parler de ce qu'il avait vu. Une semaine plus tard, à la nuit tombante, on entendit à Alesund une série de coups de feu, et sa mère lui dit de prier plus fort que d'habitude ce soir-là, parce que le maître d'école était mort.

Au début de son adolescence, gamin efflanqué qui grandissait dans ses vêtements plus vite que sa mère ne parvenait à les rallonger, il s'était passionné pour la radio à son tour. Il lui fallut deux ans pour construire son émetteur-récepteur. Son père était en extase devant cet appareil qui dépassait son entendement. Thor avait seize ans à ce moment-là, et le lendemain de Noël, il capta un S.O.S. provenant d'un bâtiment en détresse au milieu de l'Atlantique. C'était le *Flying Enterprise*. Son fret avait dérapé et il donnait dangereusement de la bande. Par gros temps.

Pendant seize jours, le monde entier et un adolescent norvégien avaient été tenus en haleine par l'obstination du capitaine Kurt Carlson, Américain d'origine danoise, qui refusait d'abandonner son bâtiment prêt à sombrer, et qu'il maintenait cap à l'est, non sans mal au milieu des bourrasques, vers les ports du sud de l'Angleterre. Assis dans son grenier, heure après heure, les écouteurs sur les oreilles, les yeux fixés sur l'océan sauvage par-delà les bouches du fjord, Thor Larsen avait ardemment désiré que le vieux cargo rentre à bon port. Le 10 janvier 1952, il avait finalement sombré, à exactement cinquante-sept milles nautiques au large de Falmouth.

Larsen l'entendit s'enfoncer dans les flots, il écouta les remorqueurs qui le suivaient raconter sa mort, il vécut en direct le sauvetage du capitaine indomptable. Il ôta ses écouteurs, les posa sur la chaise et descendit rejoindre ses parents, qui venaient de se mettre à table.

— J'ai décidé de ce que je vais faire, leur dit-il. Je serai capitaine au long cours.

Un mois plus tard, il entrait dans la marine marchande.

L'avion se posa et vint doucement se ranger près du bâtiment central, petit mais coquet avec son bassin à cygnes près du parc à voitures. Sa femme Lisa l'attendait, avec Kristina, sa fille de seize ans, et son fils Kurt qui venait d'en avoir quatorze. Les deux enfants bavardèrent comme des pies pendant la traversée très courte de l'île jusqu'à l'embarcadère du bac, puis sur le fjord jusqu'à Alesund, et enfin jusqu'à leur maison confortable, de style rustique, dans le faubourg résidentiel de Bogneset.

C'était si bon d'être chez soi ! Il irait pêcher avec Kurt dans le fjord Borgund, exactement comme autrefois, dans sa jeunesse, il l'avait fait avec son père ; ils iraient pique-niquer à la fin de l'été, avec leur petit hors-bord, sur l'une des minuscules îles vertes qui parsèment la baie. Il avait trois semaines de congé ; ensuite : le Japon, et en février, il reprendrait la mer comme capitaine du plus énorme navire que le monde ait jamais vu. Quel chemin parcouru depuis la petite maison de bois du quartier Buholmen! Mais Alesund demeurait toujours son foyer, et pour ce descendant des Vikings, aucun lieu du monde ne pouvait lui être comparé.

Pendant la nuit du 23 septembre, un Grumman Gulfstream aux couleurs d'une société commerciale bien connue décolla de la base aérienne d'Andrews et mit le cap vers l'Atlantique, avec des réservoirs de secours lui permettant d'atterrir à l'aéroport irlandais de Shannon. Le réseau de contrôle du trafic aérien en Irlande l'enregistra comme un vol charter privé. Lorsqu'il arriva à Shannon, on le dirigea tous feux éteints vers un coin de l'aérodrome, à l'écart des bâtiments internationaux. Cinq limousines noires pourvues de rideaux aux portières vinrent se ranger aussitôt près de lui.

Le ministre des Affaires étrangères David Lawrence et ses six collaborateurs furent accueillis par l'ambassadeur des États-Unis et le premier secrétaire. Les cinq limousines franchirent les grillages entourant l'aéroport par une sortie latérale. Elles prirent la direction du nord-est, par la campagne endormie, vers le comté de Meath.

La même nuit, un biréacteur Tupolev 134 d'Aeroflot refit le plein à l'aéroport Schoenfeld de Berlin-Est et repartit vers l'ouest, survolant l'Allemagne, les Pays-Bas et l'Angleterre avant d'atterrir en Irlande. Il s'agissait en principe d'un vol spécial Aeroflot conduisant une délégation commerciale à Dublin. Les aiguilleurs de l'air britanniques l'abandonnèrent à leurs collègues irlandais dès qu'il quitta la côte du Pays de Galles. Mais ce fut le réseau de contrôle aérien militaire qui prit le relais, et le Tupolev atterrit deux heures avant l'aube à la base aérienne irlandaise de Baldonnel, non loin de Dublin.

Le Tupolev fut alors garé entre deux hangars, à l'abri des regards, loin des bâtiments principaux de l'aérodrome. L'ambassadeur soviétique et le vice-ministre des Affaires étrangères irlandais étaient présents à son arrivée. Avec six limousines. Le ministre des Affaires étrangères Rykov et ses collaborateurs pénétrèrent dans les véhicules, disparurent derrière les rideaux des portières, et quittèrent la base.

Dominant de très haut le cours de la Boyne, dans un décor d'une grande beauté naturelle non loin de la ville campagnarde de Slane dans le comté de Meath, se dresse le château de Slane, demeure ancestrale de la famille des Conyngham, sires de Mount Charles. Le gouvernement irlandais avait demandé discrètement au jeune « sire » d'aller passer, avec sa jolie comtesse, une semaine de vacances dans un hôtel de luxe de la côte Ouest, et de louer le château au gouvernement pour quelques jours. Il avait accepté. Le restaurant dépendant du château portait une pancarte « Fermeture pour travaux » et le personnel avait été invité à prendre une semaine de congé. Des employés du gouvernement avaient fait aussitôt leur apparition et des policiers irlandais en civil s'étaient postés discrètement tout autour du château. Aussitôt après l'entrée des deux cortèges de limousines, le portail principal s'était refermé. Si les gens de l'endroit remarquèrent quoi que ce fût, ils eurent la courtoisie de ne pas en faire état.

Les deux hommes d'État se rencontrèrent dans la salle à manger privée de l'époque des rois George, en face d'une cheminée de marbre d'Adam — pour prendre un petit déjeuner copieux.

— Dmitri, c'est un plaisir de vous revoir, dit David Lawrence en tendant la main.

La poignée de main de Rykov fut tout aussi chaleureuse. Il regarda autour de lui les objets d'argent massif, cadeaux de George IV, et les portraits des Conyngham sur les murs.

— Alors voilà comment vivent les capitalistes bourgeois décadents que vous êtes ! dit-il.

Lawrence éclata de rire.

— J'aimerais bien, Dmitri. Oui, j'aimerais bien.

A onze heures, entourés de leurs collaborateurs, les deux hommes s'installèrent pour négocier dans la magnifique bibliothèque circulaire gothique de Johnston. Il n'était plus question de plaisanter.

— Monsieur le Ministre, dit Lawrence, il semble bien que nous ayons l'un et l'autre un problème. Le nôtre se rapporte à la perpétuelle course aux armements entre nos deux pays ; rien ne paraît pouvoir l'arrêter ou même la ralentir, et cela nous préoccupe fort. Le vôtre semble se rapporter à la prochaine récolte de blé en Union soviétique. J'espère que nous parviendrons ensemble à atténuer nos problèmes respectifs.

— Je l'espère également, monsieur le Ministre, répondit Rykov prudemment. Quelles sont vos intentions ?

Il n'existe qu'un seul vol direct par semaine entre Athènes et Istanbul, la liaison de la Sabena tous les mardis, qui quitte l'aéroport Hellênikon d'Athènes à 14 heures et atterrit à Istanbul à 16 h 45. Le mardi 28 septembre, Miroslav Kaminsky était dans cet avion, chargé d'acheter pour Andrew Drake un ballot de vestes de daim et de manteaux de mouton retourné, qu'il troquerait à Odessa.

Au cours du même après-midi, dans le bureau ovale, le ministre des Affaires étrangères Lawrence achevait de rendre compte de sa mission en Irlande devant le comité *ad hoc* du Conseil de la sécurité nationale.

— Monsieur le Président, messieurs, je crois que nous avons réussi. A condition bien entendu que Maxime Roudine conserve son autorité au sein du Politburo et obtienne son accord.

« La proposition est la suivante : nous enverrons, ainsi que les Soviets, deux équipes de négociateurs pour reprendre les conversations sur la limitation des armes stratégiques. Le lieu proposé pour la conférence est de nouveau l'Irlande. Le gouvernement irlandais a accepté et préparera une salle de conférence convenable et tous les équipements nécessaires, dès que les Soviets et nous-mêmes leur ferons part de notre accord.

« Une des équipes rencontrera son homologue pour discuter de toute une série de limitations des armements. Ce sera une grande première, car j'ai obtenu une concession de la part de Dmitri Rykov : la discussion pourra porter sur les armes thermonucléaires, toutes les armes stratégiques, l'espace intérieur, le contrôle international, les armes nucléaires tactiques, les armes conventionnelles, les effectifs humains, et l'allégement du dispositif militaire le long du rideau de fer.

Les sept autres hommes présents ne purent retenir un murmure d'approbation et de surprise. Jamais aucune conférence américano-soviétique sur le désarmement n'avait porté sur un domaine aussi étendu. Si dans tous les secteurs envisagés on faisait preuve d'un esprit de détente sincère, cela reviendrait en fait à un traité de paix.

— Ces conversations, reprit Lawrence, seront l'objet supposé de la conférence, aux yeux de tout le monde et pour les communiqués de presse habituels. Mais en arrière-plan de la conférence principale, une conférence secondaire d'experts techniques négociera la vente par les États-Unis à l'Union soviétique, à des tarifs restant à fixer mais qui seront probablement inférieurs aux cours mondiaux, de cinquante-cinq millions de tonnes de céréales, de techniques permettant la production de biens de consommation, d'ordinateurs et de techniques d'extraction du pétrole.

« A chaque stade, il y aura une liaison entre les négociateurs de l'équipe de façade et ceux de l'arrière-plan. Chaque fois que les Russes feront une concession sur les armes, nous en ferons une sur les marchandises à bas prix.

— Quelle est la date prévue ? demanda Poklewski.

— C'est là l'élément le plus surprenant, répondit Lawrence. Normalement, les Russes aiment travailler très lentement. Mais on dirait qu'ils sont soudain très pressés. Ils veulent commencer dans quinze jours.

— Bon Dieu, mais nous ne pouvons pas nous préparer en quinze jours ! s'écria le ministre de la Défense dont les services étaient directement concernés.

— Il faudra l'être, répondit le président Matthews. Jamais nous n'aurons une seconde occasion comme celle-là. En outre, notre équipe SALT est prête et au courant. Elle se prépare depuis des années. L'Agriculture, le Commerce et la Technologie doivent maintenant intervenir, et vite. Il nous faut réunir l'équipe capable de négocier l'autre volet de l'affaire — le côté commercial et technique. Messieurs, au travail. Et tout de suite.

Maxime Roudine, le matin suivant, ne présenta pas les choses au Politburo sous le même angle.

— Ils ont mordu à l'appât, dit-il du bout de la table. Quand ils font une concession sur le blé ou sur la technologie dans une des salles de conférence, nous faisons une concession minimale sur les armes dans l'autre salle. Nous aurons notre blé, camarades ; nous nourrirons notre peuple, nous triompherons de la famine. Et cela, aux moindres frais. Après tout, jamais les Américains n'ont été capables de battre les Russes autour d'un tapis vert.

Tout le monde s'accorda à le reconnaître.

— Quelles concessions ? jeta Vichnaïev d'une voix sèche. De combien ces concessions vont-elles retarder l'Union soviétique et le triomphe du marxisme-léninisme dans le monde ?

— Quant à votre première question, répliqua Rykov, il est impossible d'y répondre avant que les négociations ne commencent. Et pour la seconde, la réponse est : beaucoup moins que ne nous aurait retardés la famine.

— Avant de nous décider pour ou contre la négociation, commença Roudine, deux points doivent être bien clairs entre nous. Premièrement, le Politburo sera tenu rigoureusement informé à chaque stade, de sorte que si le prix à payer se révèle trop élevé à un moment ou à un autre, nous aurons toujours la possibilité de faire avorter la conférence et de nous en remettre au camarade Vichnaïev et à son projet de guerre au printemps. Le second point, c'est qu'aucune concession acceptée pour obtenir le blé n'est forcée de se prolonger très longtemps après les livraisons.

Plusieurs visages sourirent aussitôt autour de la table. Le Politburo avait l'habitude de ce genre de *realpolitik* : ils étaient même parvenus à transformer l'ancien accord d'Helsinki sur la détente en une véritable farce.

— Très bien, dit Vichnaïev, mais je crois que nous devrions déterminer les limites exactes des responsabilités de nos équipes de négociation en ce qui concerne toutes les concessions.

— Aucune objection, répondit Roudine.

La réunion se poursuivit sur ce thème pendant une heure et demie. Roudine obtint le vote en sa faveur avec la même marge que précédemment : sept voix contre six.

Le dernier jour du mois, Andrew Drake, debout dans l'ombre d'une grue, surveillait le *Sanadria* qui mettait en place ses panneaux de cale. Bien en évidence sur le pont, se trouvaient des *Vacuvators* à destination d'Odessa, puissantes machines à succion fonctionnant comme des aspirateurs à poussière, qui servent à aspirer le blé de la cale d'un bateau pour le refouler dans un silo à grains. L'Union soviétique doit essayer d'améliorer sa capacité de déchargement des céréales, songea-t-il, mais sans même se demander pour quelle raison. Sous le pont supérieur, il y avait des chariots-élévateurs à destination d'Istanbul et du matériel agricole à destination de Varna en Bulgarie — le tout faisait partie d'une cargaison en provenance d'Amérique et transbordée du Pirée.

Il suivit des yeux l'employé de l'agent maritime qui quittait le bateau après avoir échangé une dernière poignée de mains avec le capitaine Thanos. Thanos parcourut les quais du regard et repéra la silhouette de Drake, qui avançait à grands pas dans sa direction, son sac de marin sur l'épaule et une valise à la main.

Dans la cabine de jour du capitaine, Drake lui donna son passe-port et ses certificats de vaccination. Il signa le règlement du bateau et devint l'un des membres de l'équipage de pont. Et tandis qu'il rangeait ses affaires dans le poste d'équipage, le capitaine Thanos inscrivit son nom sur le rôle, juste avant l'arrivée à bord de l'officier des services grecs d'immigration. Les deux hommes prirent un verre ensemble comme de coutume.

— Il y a un homme d'équipage en plus, dit Thanos d'un ton neutre.

L'officier de l'immigration étudia la liste et regarda la pile des carnets d'inscription maritime et des passeports. La plupart étaient grecs, mais il y en avait six non-Grecs. Le passeport britannique de Drake tranchait sur le reste. L'officier le saisit et feuilleta les pages. Il en tomba un billet de cinquante dollars.

— Un type sans travail, dit Thanos, il essaie de passer en Turquie pour aller en Orient. J'ai pensé que vous seriez ravi d'en être débarrassé.

Cinq minutes plus tard, les papiers d'identité de l'équipage avaient regagné leur casier de bois, et les papiers du bateau avaient reçu le visa de sortie du port. La nuit tombait au moment où on largua les amarres. Le *Sanadria* se dégagea du quai et mit cap au sud pour contourner le cap Sounion, avant de prendre la direction du nord-est, vers les Dardanelles.

Dans l'entrepont, l'équipage était rassemblé autour de la table graisseuse du poste. L'un d'eux espérait que personne n'aurait l'idée de fouiller sous son matelas, où il avait caché la carabine Sako Hornet.

A Moscou, sa cible était assise devant un excellent dîner.

7

Tandis que les hauts responsables et les agents secrets redoublaient d'activité à Washington et à Moscou, le vieux *Sanadria* s'époumonait, impassible, sur la route des Dardanelles, vers Istanbul.

Le second jour, Drake regarda glisser à bâbord les collines brunes, dénudées, de Gallipoli. Ensuite le bras de mer séparant la Turquie d'Europe de celle d'Asie s'élargit pour former la mer de Marmara. Le capitaine Thanos, qui connaissait ces eaux comme le patio de sa maison natale à Chio, pilotait lui-même.

Deux croiseurs soviétiques passèrent par leur travers : ils venaient de Sébastopol et se dirigeaient vers la Méditerranee pour épier les manœuvres de la sixième flotte américaine. Peu après le coucher du soleil, on aperçut au loin les lumières clignotantes d'Istanbul, puis le pont de Galata au-dessus de la Corne d'Or. Le *Sanadria* jeta l'ancre pour la nuit. Il n'entra dans le port d'Istanbul que le lendemain matin.

Tandis que l'on déchargeait les chariots élévateurs, Andrew Drake se fit remettre son passeport par le capitaine Thanos et descendit à terre. Il rencontra Miroslav Kaminsky au rendez-vous convenu dans le centre d'Istanbul et prit livraison d'un gros ballot de vestes de daim et de manteaux de peau de mouton. Lorsqu'il retourna à bord, le capitaine Thanos fronça les sourcils.

— Vous voulez tenir votre petite amie au chaud, hein ? demanda-t-il.

Drake hocha la tête et sourit.

— L'équipage m'a dit qu'un marin sur deux débarquait ce genre de trucs à Odessa. J'ai pensé que ce serait le meilleur moyen de faire passer mon paquet.

Le capitaine grec ne s'étonna guère. Il savait qu'une bonne demi-douzaine de ses marins allaient ramener à bord ce genre de bagage. A Odessa, les trafiquants du marché noir leur achèteraient les vestes et les blue-jeans à la mode cinq fois plus cher qu'ils ne les avaient payés.

Trente heures plus tard, la Corne d'Or disparaissait à l'arrière du *Sanadria* : il était reparti sur le Bosphore, avec ses tracteurs à destination de la Bulgarie.

A l'ouest de Dublin se trouve le comté de Kildare qui abrite le centre hippique irlandais de Curragh et la ville-marché somnolente de Celbridge. C'est aux environs de Celbridge que se dresse l'une des plus vastes et des plus belles résidences officielles du pays, Castletown House. Avec l'assentiment des ambassadeurs américain et soviétique, le gouvernement irlandais avait proposé Castletown comme lieu de réunion de la conférence sur le désarmement.

Pendant une semaine, des équipes de peintres, de plâtriers, d'électriciens et de jardiniers avaient travaillé nuit et jour pour mettre la dernière main aux deux salles qui allaient héberger les conférences jumelées. Personne ne savait encore quel serait l'objet de la seconde conférence.

La façade du bâtiment principal mesure à elle seule près de cinquante mètres de longueur et à chaque angle, des colonnades couvertes conduisent vers d'autres bâtisses. L'une de ces ailes contient les cuisines et les appartements de la domesticité : c'est là que seraient logées les forces américaines de sécurité. L'autre bloc abrite les écuries, surmontées de vastes logements : on y hébergerait les gardes du corps soviétiques.

Le bâtiment principal servirait à la fois de centre de conférence et de logement pour les diplomates subalternes, qui occuperaient les nombreuses chambres d'hôte de l'étage supérieur. Seuls les deux principaux négociateurs et leurs collaborateurs les plus proches rentreraient chaque soir à leurs ambassades respectives — équipées, comme il se doit, de liaisons codées avec Washington et Moscou.

Cette fois-ci, rien ne fut tenu secret, hormis le sujet de la seconde conférence. David Lawrence et Dmitri Rykov arrivèrent à Dublin au milieu d'un déploiement de publicité sans précédent. Le président et le Premier ministre de la République d'Irlande les accueillirent en personne. Après les classiques poignées de mains télévisées et les vœux de succès habituels, les cortèges jumeaux des deux ministres quittèrent Dublin pour Castletown.

Le 8 octobre à midi, les deux hommes d'État et leurs vingt conseillers pénétrèrent dans l'immense galerie Longue du premier étage (quarante-huit mètres), décorée de faïences bleues de Wedgwood. Le centre de la pièce était occupé par une magnifique table de l'époque des rois George, autour de laquelle les deux délégations s'installèrent. Chaque ministre des Affaires étrangères était entouré d'experts en matière de défense, d'électronique militaire, de technologie nucléaire, d'espace intérieur, et de matériel blindé.

Les deux hommes d'État n'étaient là que pour donner le coup d'envoi de la conférence. Après la première prise de contact et l'accord sur l'ordre du jour, ils repartiraient dans leurs pays et les conversations se poursuivraient sous la responsabilité des deux chefs de délégation : le professeur Ivan I. Sokolov du côté soviétique et l'ancien premier secrétaire de la Défense, Edwin J. Campbell, pour les Américains.

Les autres pièces de cet étage étaient le domaine des sténographes, des dactylos et des documentalistes.

Un étage au-dessous, au rez-de-chaussée, dans la vaste salle à manger de Castletown tendue de draperies pour voiler l'éclat du soleil d'automne qui se déversait à flots par la façade sud-est de la vieille demeure, la seconde conférence se mit en place sans grand tapage. Il s'agissait essentiellement de techniciens, experts en matière de céréales, de pétrole, d'ordinateurs, et d'équipements industriels.

Au premier étage, Dmitri Rykov et David Lawrence firent chacun à leur tour une brève allocution de bienvenue à la délégation adverse : ils espéraient de tout cœur que la conférence parviendrait à atténuer les problèmes d'un monde en état de siège et en proie à la frayeur. Ensuite, ils se séparèrent pour déjeuner, chacun de leur côté.

Après le déjeuner, le professeur Sokolov eut un entretien privé avec Rykov avant le départ de ce dernier à Moscou.

— Vous connaissez notre situation, camarade professeur, lui dit Rykov. Franchement, elle n'est pas bonne. Les Américains réclameront tout ce qu'ils croiront pouvoir obtenir. Votre mission consiste à lutter pied à pied pour minimiser nos concessions. Mais nous avons besoin de ce blé. Par ailleurs, pour toute concession sur les niveaux d'armement et sur les dispositifs militaires en Europe de l'Est, vous devez en référer à Moscou : le Politburo insiste pour être impliqué dans les décisions d'approbation ou de rejet concernant tous les domaines sensibles.

Il se garda bien de préciser que ces « domaines sensibles » étaient ceux qui risquaient de compromettre une attaque éventuelle de l'Europe occidentale par les Soviets, et que la carrière politique de Maxime Roudine ne tenait qu'à un fil.

Dans un autre salon, à l'autre bout de Castletown (un salon que les spécialistes américains avaient protégé contre tout espionnage électronique éventuel), David Lawrence s'entretenait avec Edwin Campbell.

— Vous avez tout entre les mains, Ed. Cela ne se passera pas du tout comme à Genève. Ils ont trop de problèmes pour se permettre de faire traîner les choses : il n'y aura ni retards, ni ajournements, ni discussions à n'en plus finir avec Moscou. J'estime qu'il leur faut obtenir un accord avec nous en moins de six mois. Ce sera ça, ou ils n'auront pas le blé.

« D'un autre côté, Sokolov se battra pour chaque pouce de terrain. Nous savons que chaque concession sur les armes devra être soumise à l'approbation de Moscou, mais Moscou devra se décider très vite dans un sens ou dans l'autre, sinon le temps leur manquera.

« Une dernière chose. Nous savons que Maxime Roudine ne peut pas être bousculé trop fort. S'il l'est, il risque de tomber. Mais s'il n'obtient pas le blé, il tombera de toute façon. La difficulté, ce sera de trouver le point d'équilibre — d'obtenir le maximum de concessions sans provoquer pour autant une révolte au sein du Politburo.

Campbell ôta ses lunettes et se frotta l'arête du nez. Il avait passé quatre années de sa vie à faire la navette entre Washington et Genève pour les conversations SALT, infructueuses jusqu'ici, et il connaissait bien tous les problèmes que pose la négociation avec les Russes.

— Tout cela paraît excellent, David. Mais vous savez, ils ne cèdent jamais rien au-delà de la position qu'ils ont fixée préalablement entre eux. Si seulement je savais jusqu'à quel point je peux les pousser et la limite qu'ils n'accepteront jamais de franchir...

David Lawrence ouvrit son attaché-case et en retira une liasse de documents. Il les tendit à Campbell.

— De quoi s'agit-il ? demanda Campbell.

Lawrence choisit ses mots avec soin.

— Il y a onze jours à Moscou, le Politburo, en séance plénière, a autorisé Maxime Roudine et Dmitri Rykov à entreprendre ces négociations. Mais uniquement par un scrutin de sept voix contre six. Il y a une faction dissidente au sein du Politburo qui désire faire avorter la négociation et renverser Roudine. A la suite de l'accord de principe, le Politburo a déterminé les paramètres exacts des concessions que le professeur Sokolov pouvait accepter ou devait refuser. C'est la limite de ce que le Politburo permettra à Roudine de faire. Si l'on dépasse cette limite, Roudine risque d'être renversé. Si cela se produisait, nous aurions de graves, de très graves problèmes.

— Et que sont ces documents ? demanda Campbell en montrant les papiers qu'il tenait à la main.

— Ils sont arrivés de Londres la nuit dernière, répondit Lawrence. C'est la transcription mot pour mot de la séance du Politburo.

Campbell jeta sur les documents un regard stupéfait.

— Nom de Dieu ! murmura-t-il. Nous pouvons dicter nos conditions.

— Pas tout à fait, corrigea Lawrence, mais nous pouvons exiger le maximum de ce que la faction modérée du Politburo aura la possibilité de nous concéder. Insister pour obtenir davantage risquerait de nous faire mordre la poussière.

Le séjour du Premier ministre britannique et de son ministre des Affaires étrangères à Washington, deux jours plus tard, fut annoncé dans la presse comme une visite privée. Aux yeux de tous, la première femme Premier ministre de Grande-Bretagne se rendait dans la capitale américaine pour prononcer une allocution à un congrès exceptionnel de la Société anglophone. Elle profiterait de l'occasion pour rendre une visite de courtoisie au président des États-Unis Matthews.

Mais le moment capital de ce séjour fut néanmoins la réunion dans le bureau ovale, au cours de laquelle le président Bill Matthews, flanqué de son conseiller spécial en matière de sécurité, Stanislas Poklewski, et de son ministre des Affaires étrangères, David Lawrence, présenta à ses visiteurs britanniques un rapport circonstancié sur les débuts prometteurs de la conférence de Castletown. L'ordre du jour, déclara le président Matthews, avait été accepté avec une rapidité inhabituelle. Les deux délégations avaient défini au moins trois domaines de discussion, et les Soviétiques avaient réduit au minimum leurs objections de détail.

Le président Matthews exprima l'espoir qu'après des années de déconvenues, les entretiens de Castletown aboutiraient enfin à un accord global sur la limitation des dispositifs militaires, en armements et en effectifs, tout au long du Rideau de fer de la Baltique à la mer Egée.

Le seul point noir fut évoqué au moment où les deux chefs de gouvernement se séparèrent.

— Nous considérons comme vital, madame, que les renseignements en notre possession, sans lesquels la conférence pourrait se solder par un échec, continuent de nous parvenir.

— Vous voulez parler du Rossignol ? dit le Premier ministre d'un ton contraint.

— Oui, madame, répondit Matthews. Nous tenons pour essentiel que le Rossignol continue d'opérer.

— Je comprends bien, monsieur le Président, répondit-elle d'une voix calme. Mais je crois que les risques de cette opération sont très élevés. Je ne me permets pas de dicter à sir Nigel Irvine la façon dont il doit, ou ne doit pas, faire marcher ses services. J'ai trop de respect pour son jugement. Mais je ferai mon possible.

Stanislas Poklewski n'exprima ses sentiments que beaucoup plus tard, après la cérémonie traditionnelle devant la façade principale de la Maison Blanche, lorsque les hôtes britanniques furent installés dans leurs limousines et que les derniers sourires aux caméras se furent figés sur toutes les lèvres.

— Aucun risque que puisse courir un agent russe ne saurait être comparé au succès ou à l'échec des négociations de Castletown, dit-il.

— C'est évident, répondit Bill Matthews. Mais si j'ai bien compris Bob Benson, le risque, c'est que le Rossignol soit découvert en ce moment. Si cela se produisait, s'il était pris, le Politburo saurait tout ce qu'il nous a révélé. Les Russes quitteraient aussitôt Castletown. Le Rossignol doit être, soit réduit au silence, soit ramené à l'Ouest, mais pas avant que nous ayons un traité signé en bonne et due forme. Et il faudra peut-être six mois.

Le même soir, alors que le soleil était encore haut dans le ciel de Washington, il se couchait déjà sur le port d'Odessa : le *Sanadria* jetait l'ancre dans la rade. Lorsque la chaîne d'ancre cessa de cliqueter, il régna sur le cargo un silence absolu ; seul le groupe électrogène de la salle des machines continuait de ronronner et sur le pont, un mince jet de vapeur chuintait doucement. Andrew Drake se pencha sur le bastingage pour observer les lumières de la ville et du port, qui s'allumaient les unes après les autres.

Vers l'ouest du bateau, à l'extrémité nord du port, se trouvaient les docks pétroliers et la raffinerie, entourés d'une clôture de gros

163

grillage. Vers le sud, la rade était protégée par le bras recourbé de la grande jetée maritime. A une quinzaine de kilomètres du môle, le Dniestr se jetait dans la mer au milieu des marécages où, cinq mois plus tôt, Miroslav Kaminsky avait volé une barque pour s'élancer, en désespoir de cause, vers la liberté. Maintenant, grâce à lui, Andrew Drake — Andriy Drach — était revenu sur la terre de ses ancêtres. Mais cette fois, il était arrivé armé.

Ce soir-là, on informa le capitaine Thanos qu'il pourrait entrer dans le port et se mettre à quai le lendemain matin. Les services de santé et les douaniers montèrent à bord du *Sanadria* où ils demeurèrent pendant une heure, enfermés avec le capitaine Thanos dans sa cabine, pour déguster du scotch de degré élevé, réservé à cette occasion. Le bateau ne fit l'objet d'aucune fouille. Lorsqu'il vit la chaloupe officielle s'éloigner du bateau, Drake se demanda si Thanos ne l'avait pas trahi. Cela aurait été très facile : Drake serait arrêté dès qu'il poserait le pied à terre et Thanos reprendrait la mer avec ses cinq mille dollars.

Tout dépendait d'une seule chose, pensa-t-il : Thanos avait-il vraiment cru qu'il venait à Odessa pour apporter de l'argent à sa fiancée ? S'il l'avait cru, il ne l'aurait trahi pour rien au monde, car c'était vraiment un délit banal. Ses propres marins apportaient des marchandises de contrebande à chaque voyage à Odessa et les dollars américains n'étaient en fait qu'une marchandise comme une autre. Et si Thanos avait découvert la carabine et les armes de poing, le plus simple aurait été de tout jeter par-dessus bord et de renvoyer Drake à son retour au Pirée. Pourtant ce soir-là, il ne put ni manger ni dormir.

Le pilote monta à bord peu après le lever du jour. Le *Sanadria* leva l'ancre, prit le câble de remorque et s'avança lentement entre les jetées jusqu'à son poste à quai. Drake avait appris qu'il y avait très souvent des délais de mise à quai dans ce port d'Odessa, le plus embouteillé de tous les ports en eaux chaudes de l'Union soviétique. Les Russes devaient avoir un besoin urgent de leurs *Vacuvators*. Pour quelle raison en avaient-ils besoin ? Drake ne se posa même pas la question. Une fois encore, les grues se mirent à décharger le cargo et les inactifs de l'équipage furent autorisés à se rendre à terre.

Pendant le voyage, Drake s'était lié d'amitié avec le charpentier du *Sanadria*, un marin grec entre deux âges qui avait séjourné à Liverpool et qui était ravi de pouvoir utiliser les vingt mots d'anglais qu'il y avait appris. Il les avait répétés sans fin avec une joie intense chaque fois qu'il avait rencontré Drake au cours du voyage ; et chaque fois Drake avait hoché la tête avec enthousiasme en signe d'approbation et d'encouragement. Il avait expliqué à Constantin, en anglais et avec les mains, qu'il avait une petite amie à Odessa, et qu'il lui apportait des cadeaux. Constantin avait approuvé avec chaleur. Avec une dizaine d'autres matelots, ils descendirent la coupée et se dirigèrent vers les grilles des docks. La journée était assez chaude, mais Drake portait une de ses meilleures vestes de mouton retourné. Quant à Constantin, il avait à la main un sac de toile contenant deux bouteilles de whisky d'exportation.

Toute la zone portuaire d'Odessa est isolée de la ville et de ses habitants par une haute clôture de grillage, surmontée par des fils de fer barbelés et balayée la nuit par des projecteurs tournants. Les entrées principales des docks restent en général ouvertes toute la journée. L'accès n'est interdit que par une longue tige de fer à contrepoids, rayée de rouge et de blanc. C'est là que passent les camions et les fourgons, sous les regards d'un responsable des douanes et de deux miliciens armés.

A cheval sur l'entrée, il y a un long hangar étroit dont une porte donne sur la zone portuaire et l'autre sur la ville. Le groupe du *Sanadria* entra par la première porte, Constantin en tête. Un seul douanier se tenait près du long comptoir ; il y avait aussi un bureau pour les passeports, occupé par un officier de l'immigration et par un homme de la milice. Les trois hommes avaient l'air de s'ennuyer ferme. Constantin s'avança vers le douanier et posa son sac sur le comptoir. L'homme l'ouvrit et en sortit une bouteille de whisky. Constantin lui fit comprendre d'un geste que c'était un cadeau à son intention. Le douanier répondit par un signe de tête amical et glissa la bouteille sous le comptoir.

Constantin fit passer son bras musclé autour des épaules de Drake et tendit le doigt vers lui.

— *Droug !* dit-il avec un large sourire.

Le douanier indiqua en hochant la tête qu'il comprenait que le nouveau venu était l'ami du charpentier grec : il serait considéré comme tel. Drake sourit de toutes ses dents. Il fit un pas en arrière et regarda le douanier comme un marchand d'habits étudie la carrure d'un client éventuel. Puis il se rapprocha, ôta sa veste de mouton retourné et la tendit au douanier, en indiquant d'un geste qu'ils avaient tous deux la même corpulence. Le douanier ne se soucia guère de l'essayer : c'était un beau vêtement qui valait au moins un mois de son salaire. Il adressa à Drake un sourire de reconnaissance, glissa la veste sous la table et, d'un geste de la main, fit passer tout le groupe.

L'officier de l'immigration et le milicien ne trahirent aucune surprise. La seconde bouteille de whisky était pour eux. Les membres de l'équipage du *Sanadria* remirent leurs carnets d'inscription maritime (et Drake, son passeport) à l'officier de l'immigration, et ils reçurent en échange des laissez-passer pour aller à terre, que l'officier conservait dans une sacoche de cuir en bandoulière. Quelques minutes plus tard, les marins du *Sanadria* retrouvaient la lumière du soleil, de l'autre côté du hangar.

Le lieu de rendez-vous de Drake était un petit café du quartier des docks, dans une des vieilles rues pavées proches du monument Pouchkine, sur la pente qui sépare les docks de la ville proprement dite. Il le découvrit au bout d'une demi-heure de recherches, après avoir faussé compagnie à ses amis marins sous prétexte de rejoindre sa petite amie mythique. Constantin n'avait fait aucune objection : il fallait qu'il contacte ses relations des bas-fonds pour organiser la livraison de son ballot de blue-jeans.

Ce fut Lev Michkine qui se présenta, peu après midi. Il était préoccupé, anxieux, et il s'assit à l'écart sans adresser à Drake le moindre signe de reconnaissance. Quand il eut avalé son café, il se leva et sortit. Drake le suivit. Michkine attendit d'être sur le boulevard Primorsky, la grande avenue du front de mer, pour se laisser rattraper par Drake. Ils bavardèrent en se promenant.

Drake proposa de faire sa première livraison le soir même : les deux armes de poing coincées dans sa ceinture, et l'intensificateur d'image glissé dans un sac de toile avec deux bouteilles de whisky. De nombreux marins travaillant sur les bateaux occidentaux descendaient sûrement à terre vers la même heure pour tirer une bordée dans les cafés du port. Il enfilerait une autre veste de mouton pour dissimuler les revolvers dans sa ceinture, et la fraîcheur du soir justifierait qu'il l'ait boutonnée. Michkine et son ami David Lazareff attendraient dans le noir, près du monument Pouchkine, et Drake leur remettrait les armes et le viseur.

Peu après huit heures, Drake traversa avec sa première livraison. Il salua jovialement le douanier, qui lui fit un signe de la main et le recommanda à son collègue au bureau de police. L'homme de l'immigration lui donna un laissez-passer en échange de son passeport et désigna d'un coup de menton la porte ouverte vers la ville. Drake avait réussi. Il était presque arrivé au pied du monument Pouchkine, et il regardait le visage du poète se profiler sur le ciel étoilé, lorsque deux silhouettes sortirent des ténèbres entre les platanes qui peuplent toutes les places d'Odessa.

— Des problèmes ? demanda Lazareff.

— Aucun.

— Finissons-en, ajouta Michkine.

Les deux hommes, comme tout le monde en Union soviétique, avaient à la main leur porte-documents. En fait, ces serviettes ne contiennent jamais de documents : ce sont l'équivalent masculin des sacs de corde des femmes, qui portent le nom d' « en-cas ». Et si on les traîne toujours avec soi, c'est dans l'espoir de trouver un article rare, et de l'acheter avant qu'il n'en reste plus ou que des queues ne se forment. Michkine prit le viseur de nuit et le rangea dans sa serviette, plus grande que celle de Lazareff. Ce dernier prit les deux revolvers, les chargeurs supplémentaires et la boîte de munitions de la carabine.

— Nous reprenons la mer demain soir, dit Drake. Il faudra que j'apporte la carabine dans la journée.

— Merde ! dit Michkine. A la lumière du jour !... David, tu connais mieux que moi le quartier du port. Où pouvons-nous nous rencontrer ?

Lazareff réfléchit.

— Il y a une sorte de ruelle entre deux ateliers de réparation des grues.

Il décrivit les ateliers couleur de terre, non loin des docks.

— C'est un passage étroit, assez court. Il donne d'un côté sur la mer et de l'autre sur un troisième mur aveugle. Vous entrerez par le côté de la mer à onze heures juste. J'entrerai par l'autre bout. S'il y a quelqu'un d'autre dans le passage, ne vous arrêtez pas, faites le tour du pâté de maisons et recommencez. Si le passage est vide, vous me donnerez la carabine.

— Comment allez-vous la transporter ? demanda Michkine.

— Enveloppée dans des vestes de peau de mouton, répondit Drake, et enfoncée dans un sac de marin. Cela fera environ un mètre.

— Filons, dit Lazareff, j'entends quelqu'un.

Lorsque Drake revint à bord du *Sanadria*, une nouvelle équipe de douaniers avait pris la relève, et on le fouilla. Il était en règle. Le lendemain matin, il demanda au capitaine Thanos l'autorisation de descendre une dernière fois à terre sous prétexte de passer le plus de temps possible avec sa fiancée. Thanos lui fit grâce de ses corvées de pont et le laissa partir. Il vécut quelques minutes très angoissantes sous le hangar de la douane, quand on lui demanda de vider ses poches. Il posa son sac de marin par terre et s'exécuta : il avait quatre billets de dix dollars. Le douanier, qui paraissait de mauvaise humeur, agita un index accusateur sous le nez de Drake et lui confisqua ses dollars. Il négligea le sac. Les vestes de mouton étaient (semblait-il) une contrebande respectable, mais non les dollars.

La ruelle était vide. Michkine et Lazareff descendaient d'un côté tandis que Drake montait de l'autre. Michkine fixait, par-dessus l'épaule de Drake, la mer qui s'étendait à perte de vue au bout du passage. Lorsqu'ils se croisèrent, Michkine murmura une seule syllabe et Drake fit passer le sac de marin sur l'épaule de Lazareff.

— Bonne chance, dit-il en poursuivant son chemin. On se reverra en Israël.

Sir Nigel était membre de trois clubs de l'ouest de Londres, mais ce fut le *Brook's* qu'il choisit pour son dîner avec Barry Ferndale et Adam Munro. Comme de coutume, les trois hommes n'abordèrent les affaires sérieuses de la soirée qu'après avoir quitté la salle à manger, dans le fumoir où l'on servait le café, les liqueurs et les cigares.

Sir Nigel avait demandé au maître d'hôtel, qui portait le titre de Grand Echanson, de lui réserver son coin favori, près des fenêtres donnant sur St. James Street. A leur arrivée, le groupe des quatre fauteuils de cuir, profonds et confortables, semblait les attendre. Munro commanda un cognac et de l'eau, Ferndale et sir Nigel prirent une carafe du porto du club, que le garçon posa entre eux sur la table. Le silence se prolongea le temps d'allumer les cigares et de goûter le café. De leur cadre accroché au mur, les Dilettantes, à la mode du XVIIIe siècle, les fixaient de tous leurs yeux.

— Et maintenant, mon cher Adam, quel paraît être le problème ? demanda enfin sir Nigel.

Munro se tourna vers la table voisine où deux hauts fonctionnaires civils étaient en conversation. S'ils avaient l'oreille fine, ils étaient à bonne distance d'écoute. Sir Nigel remarqua le regard de Munro.

— Personne ne nous entendra, dit-il d'une voix normale, à moins que nous nous mettions à crier. Un gentleman n'écoute pas les conversations d'autrui.

— Il nous arrive de le faire, répondit Munro sans sourire.

— C'est différent, dit Ferndale. C'est notre travail.

— Très bien, répondit Munro. Je veux faire sortir le Rossignol d'Union soviétique.

Sir Nigel fixa le bout de son cigare.

— Oui ? dit-il. Vous avez une raison particulière ?

— La tension devient trop forte, répondit Munro. L'enregistrement magnétique original a dû être volé et on lui a substitué une bande vierge. La substitution risque d'être découverte à tout instant et le Rossignol se tourmente de plus en plus à ce sujet. Surtout, les risques augmentent chaque fois que le Rossignol touche aux minutes du Politburo. Nous savons que Maxime Roudine se bat pour sauver sa carrière politique et pour assurer sa succession à son départ. Si le Rossignol fait un impair, ou manque de chance, il risque d'être pris.

— C'est l'un des risques que courent tous les transfuges, dit Ferndale. C'est dans l'ordre des choses. Penkovsky a été pris.

— C'est bien le problème, continua Munro. Penkovsky avait fourni à peu près tout ce qu'il pouvait nous donner. La crise des missiles de Cuba était terminée. Les Russes n'avaient plus aucun moyen de rattraper le mal que Penkovsky leur avait fait.

— J'aurais cru que c'était là une bonne raison pour maintenir le Rossignol en place, fit observer sir Nigel. Il peut nous rendre encore beaucoup de services.

— Ou bien l'inverse, répondit Munro. Si le Rossignol passe à l'Ouest maintenant, le Kremlin risque de ne jamais savoir ce qu'il nous a communiqué. S'il est pris, ils le feront parler. Ce qu'il révélera suffira à renverser Roudine. Or, en ce moment, il semble bien que l'Ouest n'ait aucune envie de voir Roudine remplacé par l'un des vautours.

— Certes non, répondit sir Nigel. Votre argument est convaincant. C'est une question d'équilibre des risques. Si nous faisons sortir le Rossignol, le K.G.B. fera des vérifications en remontant plusieurs mois en arrière. L'enregistrement manquant sera probablement découvert et l'on supposera que le Rossignol a passé d'autres éléments avant de quitter la Russie. S'il est pris, c'est encore plus mauvais : on lui arrachera absolument tout ce qu'il nous a donné. Et, effectivement, Roudine sera renversé aussitôt. Et même si Vichnaïev tombe du même coup, les négociations de Castletown tourneront court. Troisième solution, nous maintenons le Rossignol en place jusqu'à ce que les négociations de Castletown soient terminées et que l'accord sur la limitation des armes soit signé. A ce stade, la faction du Politburo favorable à la guerre ne pourra plus rien faire. C'est un choix délicat.

— J'aimerais que l'on fasse sortir le Rossignol, dit Munro. Ou au moins qu'on le laisse en veilleuse, qu'il cesse ses activités.

— Je préférerais qu'il continue, dit Ferndale, au moins jusqu'à la fin de Castletown.

Sir Nigel réfléchit aux deux possibilités.

— J'ai passé l'après-midi avec le Premier ministre, dit-il enfin. Elle m'a présenté une requête, avec une grande insistance, de sa part et de la part du président des États-Unis. Je ne peux pas repousser cette requête en ce moment, à moins que le Rossignol soit vraiment sur le point d'être découvert. Les Américains considèrent que pour parvenir à un traité global à Castletown, il est essentiel que le Rossignol continue à les tenir informés de la position de négociation des Soviétiques, au moins jusqu'au nouvel an.

« Je vais vous dire ce que nous allons faire. Barry, vous allez préparer un plan pour ramener le Rossignol à l'Ouest. Quelque chose qui puisse être mis en branle dans des délais très courts. Adam, si vous voyez que le feu commence à prendre sous les ailes du Rossignol, vous le faites sortir. Et vite. Mais pour l'instant, les conversations de Castletown et la déroute de la clique de Vichnaïev doivent prendre le pas sur la sécurité du Rossignol. Trois ou quatre rendezvous de plus, et les négociations de Castletown toucheront à leur fin. Les Soviets ne peuvent pas retarder les livraisons de blé au-delà de février ou de mars au plus tard. Après quoi, mon cher Adam, le Rossignol pourra passer à l'Ouest, et je suis certain que les Américains témoigneront de leur gratitude comme de coutume.

Le dîner dans les appartements privés de Maxime Roudine, au cœur du sanctuaire intérieur du Kremlin, était beaucoup plus intime que celui du Brook's Club de Londres. Jamais les hommes de Moscou n'ont fait confiance à la discrétion de gentlemen susceptibles d'écouter les conversations d'autres gentlemen. Il n'y avait personne à portée de voix, hormis le silencieux Micha, lorsque Roudine s'installa dans son fauteuil favori de la bibliothèque, et fit signe à Ivanenko et à Pétrov de prendre place à ses côtés.

— Que pensez-vous de la réunion d'aujourd'hui ? demanda Roudine à Pétrov d'un ton brusque.

Le maître des Organisations du Parti de l'Union soviétique haussa les épaules.

— Nous nous en sommes sortis, dit-il. Le rapport de Rykov était magistral. Mais il va nous falloir faire de drôles de concessions si nous voulons ce blé. Et Vichnaïev pense toujours à la guerre.

Roudine grogna.

— Vichnaïev pense à ma place, dit-il carrément. C'est ça, son ambition. La guerre, c'est Kérensky qui la souhaite. Il veut se servir de ses forces armées avant d'avoir passé l'âge.

— Cela revient au même, répondit Ivanenko. Si Vichnaïev réussit à vous renverser, il dépendra trop de Kérensky pour être en mesure de s'opposer à la recette du maréchal pour résoudre tous les problèmes de l'Union soviétique. D'ailleurs, il n'en a pas particulièrement envie. Il laissera Kérensky faire sa guerre au printemps ou au début de l'été prochain. A eux deux, ils saccageront tout ce que deux générations ont réalisé à grand-peine.

— Quelles nouvelles de vos comptes rendus d'hier ? demanda Roudine.

Il savait qu'Ivanenko avait rappelé pour des entretiens personnels deux de ses hommes les plus compétents sur les affaires du tiers monde. L'un d'eux dirigeait toutes les opérations subversives en Afrique, et l'autre était son homologue au Moyen-Orient.

— Optimistes, répondit Ivanenko. Les capitalistes ont saboté leur politique africaine depuis si longtemps maintenant, que leur position est pratiquement irrécupérable. Les libéraux sont toujours au pouvoir à Londres et à Washington, en tout cas aux Affaires étrangères. Ils se préoccupent tellement de l'Afrique du Sud qu'ils ne semblent pas remarquer le Nigeria et le Kenya. Or, ces deux pays sont sur le point de tomber dans notre camp. Les Français, au Sénégal, se révèlent plus efficaces. Au Moyen-Orient, je crois que nous pouvons compter sur la chute de l'Arabie Saoudite dans notre camp d'ici trois ans. Ils sont déjà presque encerclés.

— Les délais ? demanda Roudine.

— Dans quelques années, disons en 1990 au plus tard, nous contrôlerons en fait le pétrole et les voies maritimes. La campagne d'euphorie que nous avons lancée à Washington et à Londres est de plus en plus active, et elle fait son effet.

Roudine souffla sa fumée et écrasa le tube de carton de sa cigarette dans le cendrier que lui tendit Micha.

— Je ne le verrai pas, dit-il, mais vous en serez tous les deux témoins. D'ici deux ans, l'Occident crèvera de malnutrition et nous n'aurons pas à tirer un seul coup de feu. C'est une raison de plus pour arrêter Vichnaïev tant qu'il en est encore temps.

A quatre kilomètres au sud-ouest du Kremlin, à l'intérieur d'un méandre resserré de la Moskova et non loin du stade Lénine, se trouve l'ancien monastère de Novodévichi. Son entrée principale est juste en face du principal magasin Bériozka, où les riches privilégiés et les étrangers peuvent acheter, contre devises fortes, des articles de luxe hors de portée du commun.

Le domaine du monastère comprend trois lacs et un cimetière, et l'accès au cimetière est autorisé aux piétons. Le gardien arrête rarement les personnes portant des gerbes de fleurs.

Adam Munro rangea sa voiture dans le parking du magasin Bériozka, au milieu d'autres véhicules dont les plaques révélaient qu'ils appartenaient à des privilégiés.

« Où cachez-vous un arbre ? demandait souvent son premier instructeur à ses élèves. Dans une forêt. Et où cachez-vous un galet ? Sur une plage. Tout doit toujours être naturel. »

Munro traversa la rue, erra dans le cimetière avec sa gerbe d'œillets et trouva Valentina en train de l'attendre près de l'un des petits lacs. Avec la fin du mois d'octobre, les premières bises mordantes étaient arrivées des steppes de l'est, et de lourds nuages gris s'amoncelaient dans le ciel. La surface de l'eau était agitée de vaguelettes frémissant dans le vent.

— Je leur ai posé la question à Londres, dit-il doucement. Ils m'ont répondu que c'était trop risqué pour l'instant. Ils disent que si tu passais à l'Ouest, on s'apercevrait qu'il manque une bande magnétique ; le K.G.B. comprendrait que nous avons eu les minutes entre les mains. Ils estiment que si cela se produisait, le Politburo annulerait les négociations d'Irlande et se rabattrait sur le plan Vichnaïev.

Elle frissonna légèrement. A cause de la fraîcheur des rives du lac, ou bien en songeant à ses maîtres ? Il posa le bras sur ses épaules et l'attira vers lui.

— Ils ont peut-être raison, dit-elle d'une voix calme. Pour l'instant en tout cas, le Politburo négocie pour le blé et la paix et ne prépare pas la guerre.

— Roudine et son groupe paraissent sincères, non ? suggéra Adam Munro.

Elle ricana.

— Ils sont aussi mauvais que les autres, répondit-elle. S'ils n'y étaient pas contraints, ils n'en seraient pas là.

— Mais ils y sont contraints, dit Munro. Et le blé sera livré. Ils en connaissent maintenant le prix. Je crois que le monde aura enfin son traité de paix.

— Si cela se produit, ce que j'ai fait n'aura pas été inutile, répondit Valentina. Je ne veux pas que Sacha grandisse au milieu des ruines comme moi, je ne veux pas qu'il vive avec une arme à la main. Et c'est bien ce que le Kremlin lui prépare.

— Il ne connaîtra pas cela, dit Munro. Crois-moi, mon amour, il grandira en liberté, à l'Ouest, avec sa mère. Et je serai son père d'adoption. Mes supérieurs ont accepté de te faire passer à l'Ouest au printemps.

Elle leva vers lui des yeux brillants d'espoir.

— Au printemps? Oh, Adam, à quelle date?

— Les négociations ne peuvent pas s'éterniser. Le Kremlin a besoin de son blé en avril au plus tard. A ce moment-là, toute la récolte et toutes les réserves seront épuisées. Dès que le traité sera adopté, peut-être même avant la signature, Sacha et toi partirez à l'Ouest. En attendant, je veux que tu limites au minimum les risques que tu prends. Ne transmets que les éléments essentiels concernant les négociations de paix de Castletown.

— C'est ce que je t'apporte aujourd'hui, dit-elle en montrant son sac. Cela date de dix jours. C'est un texte tellement technique que je n'ai pas pu tout comprendre. Il s'agit des réductions acceptables des SS 20 mobiles.

Munro hocha la tête avec un sourire triste.

— Des fusées tactiques à ogives nucléaires, très précises et très mobiles, qui équipent des véhicules tractés. On peut les garer dans des bouquets d'arbres, ou sous des filets de camouflage. Il y en a partout en Europe de l'Est.

Vingt-quatre heures plus tard, le paquet avait pris la route de Londres.

Trois jours avant la fin du mois, une vieille dame descendait la rue Sverdlov, au centre de Kiev, pour rentrer à son appartement. Elle avait droit à une voiture avec chauffeur, mais c'était une femme de la campagne, une paysanne robuste et à toute épreuve. A soixante-dix ans passés, elle préférait marcher plutôt que de prendre la voiture pour un aussi court trajet. Et la visite qu'elle venait de faire à l'une de ses amies, deux rues plus loin, devait être si brève qu'elle avait renvoyé le chauffeur pour la nuit. Il était dix heures à peine lorsqu'elle traversa la rue à la hauteur de son immeuble.

La voiture allait trop vite pour qu'elle ait le temps de la voir. Elle était au milieu de la rue déserte, il n'y avait que deux piétons à une centaine de mètres, et l'instant d'après, le véhicule était sur elle, tous phares dehors. Les pneus gémirent sur le pavé. Elle s'immobilisa. Le chauffeur parut donner un coup de volant à droite dans sa direction, puis il fit une embardée. L'aile du véhicule lui heurta la hanche et la renversa dans le caniveau. La voiture ne ralentit pas et se perdit bientôt dans le boulevard Krechtchatik, au bout de la rue Sverdlov. Elle entendit vaguement des pas crisser sur le trottoir : les passants accouraient à son secours.

Ce soir-là, Edwin J. Campbell, le principal négociateur américain de la Conférence de Castletown, rentra épuisé et déçu à la résidence de l'ambassadeur, près de Phoenix Park. C'était une demeure élégante, mise à la disposition du représentant des États-Unis à Dublin, pourvue du confort moderne et possédant de belles chambres d'hôte — dont Edwin Campbell avait pris la plus agréable. Il n'aspirait qu'à un bon bain chaud et à une nuit de repos.

A peine avait-il ôté son manteau et répondu aux salutations de son hôte que l'un des courriers de l'ambassade lui présenta une grosse enveloppe brune. Il ne dormit pas beaucoup cette nuit-là, mais cela en valait la peine.

Le lendemain, lorsqu'il prit place dans la galerie Longue de Castletown, il fixa d'un regard impassible le professeur Ivan I. Sokolov de l'autre côté de la table.

« Très bien, professeur, pensa-t-il, je sais maintenant ce que vous pouvez concéder et ce que vous refuserez. Ne perdons pas de temps. »

Le délégué soviétique ne lutta que quarante-huit heures avant d'accepter de diminuer de moitié les fusées tactiques téléguidées à ogive nucléaire mises à la disposition du Pacte de Varsovie. Six heures plus tard, dans la salle à manger du rez-de-chaussée, les États-Unis acceptèrent un protocole d'accords permettant à l'Union soviétique d'acheter à bas prix pour deux cents millions de dollars du matériel de forage et d'extraction de pétrole.

La vieille dame avait perdu conscience lorsque l'ambulance parvint à l'hôpital général de Kiev, l'hôpital Octobre, 39, rue Karl-Liebknecht. Elle demeura dans le coma jusqu'au lendemain matin. Lorsqu'elle fut en mesure de décliner son identité, les responsables affolés lui firent quitter la salle commune pour l'installer dans une chambre particulière, que l'on emplit aussitôt de fleurs. Le jour même, le meilleur chirurgien orthopédiste de Kiev remit en place son fémur fracturé.

A Moscou, Ivanenko reçut un appel téléphonique de son assistant personnel. Il écouta attentivement.

— Je comprends, dit-il sans la moindre hésitation. Dites aux autorités que j'arrive tout de suite... Pardon ?... Soit, dès qu'elle ne sera plus sous anesthésie... Demain soir ? Parfait. Faites le nécessaire.

Il faisait très froid à Kiev par cette dernière nuit d'octobre. Personne ne bougeait dans la rue Rosa-Luxemburg qui longe l'arrière de l'hôpital Octobre. Personne ne remarqua les deux longues limousines noires stationnées le long du trottoir près de l'entrée de derrière, que le directeur du K.G.B. avait préférée au grand portique de la façade.

Tout le quartier occupe une colline en pente douce, couverte d'arbres, et plus bas dans la rue, du côté opposé, une annexe de l'hôpital était en construction. Ses étages supérieurs, inachevés, dépassaient les cimes des marronniers. Les gardiens qui se tenaient au milieu des tas de sacs de ciment glacés se frottaient les mains pour faire circuler le sang, les yeux fixés sur les deux voitures, près de la porte faiblement éclairée par une unique ampoule au-dessus du porche.

Lorsqu'il descendit l'escalier intérieur, l'homme qui n'avait plus que sept secondes à vivre portait un long pardessus à col de fourrure et des gants épais pour se protéger du froid le temps de traverser le trottoir jusqu'à la voiture chauffée qui l'attendait. Il venait de passer deux heures près de sa mère, et il l'avait réconfortée de son mieux en lui assurant que l'on trouverait les coupables : n'avait-on pas découvert déjà la voiture abandonnée ?

Le garde du corps qui le précédait hâta le pas pour éteindre la lumière du porche. Le porche et le trottoir furent plongés dans l'obscurité. C'est seulement à ce moment-là qu'Ivanenko avança jusqu'à la porte, que maintenait grande ouverte l'un de ses six gardes du corps. Il sortit. Le groupe des quatre autres gardes, à l'extérieur, se dispersa au moment où parut sa silhouette en manteau fourré — ombre impossible à distinguer des autres ombres.

Il s'avança d'un pas vif vers la Zil dont le moteur tournait déjà, de l'autre côté du trottoir. Il s'arrêta une seconde au moment où l'on ouvrit la portière arrière, puis il mourut. La balle de la carabine de chasse lui avait perforé le front, fait éclater l'os pariétal et était sortie à l'arrière du crâne avant de se loger dans l'épaule d'un garde.

Le claquement du coup de feu, le bruit amorti de l'impact et le premier cri du colonel Evguéni Koukouchkine, le responsable de sa garde personnelle, se succédèrent en moins d'une seconde. Avant même que l'homme inerte ne s'effondre sur le trottoir, le colonel en civil l'avait pris sous les aisselles et l'avait tiré sur le siège arrière de la Zil. Avant même que la portière ne soit refermée, le colonel hurlait au chauffeur bouleversé de démarrer au plus vite.

Le colonel Koukouchkine laissa glisser sur ses genoux la tête ensanglantée. La Zil quittait déjà le trottoir, il fallait qu'il réfléchisse vite. Un hôpital ? Mais quel hôpital pour recevoir un homme comme celui-là ? Dès que la Zil parvint au bout de la rue Rosa-Luxemburg, il alluma le plafonnier de la voiture. Ce qu'il vit (et il avait vu beaucoup de choses au cours de sa carrière) suffit à le convaincre que son directeur n'avait plus besoin d'aucun hôpital. Sa seconde réaction, du fait de son métier, était déjà programmée dans son esprit : « Personne ne doit savoir. » S'il était parvenu à un poste de confiance comme celui qu'il occupait, c'était grâce à sa présence d'esprit. Il regarda par la lunette arrière la seconde limousine, la Tchaïka des gardes du corps, quitter la rue Rosa-Luxemburg à leur suite. Il ordonna aussitôt au chauffeur de choisir une rue calme et sombre, dans deux ou trois kilomètres, et de s'arrêter.

Après avoir ôté son manteau taché de sang, il abandonna le long du trottoir la Zil immobile, tous rideaux tirés. Les gardes du corps formèrent le cercle autour de la voiture. Il s'éloigna à pied. Il passa son coup de téléphone dans une caserne de la milice, où sa carte d'identification et son rang lui donnèrent aussitôt accès au bureau et au téléphone privé du commandant. Il disposa également de la ligne directe. Il ne lui fallut qu'un quart d'heure pour obtenir son numéro.

— Il faut que je parle d'urgence au camarade secrétaire général Roudine, dit-il à la standardiste du Kremlin.

La femme savait, d'après le numéro secret où était parvenu l'appel, qu'il ne s'agissait ni d'une plaisanterie ni d'une impertinence. Elle lui passa un assistant à l'intérieur du bâtiment de l'Arsenal, et celui-ci communiqua avec Maxime Roudine par le téléphone inté-rieur. Roudine autorisa qu'on lui passe l'appel.

— Oui, gronda-t-il dans l'appareil. Ici, Roudine.

C'était la première fois que le colonel Koukouchkine lui parlait, bien qu'il l'ait déjà vu et entendu très souvent. Il reconnut aussitôt sa voix. Il avala sa salive, prit une profonde respiration et fit son rapport.

A l'autre bout du fil, Roudine écouta, posa deux questions rapides, lança une cascade d'ordres et raccrocha. Il se tourna vers Vassili Pétrov qui se tenait à ses côtés, penché en avant, attentif et inquiet.

— Il est mort, dit Roudine comme s'il ne parvenait pas à le croire. Pas d'une crise cardiaque. D'une balle. Youri Ivanenko. Quelqu'un vient d'assassiner le chef du K.G.B.

De l'autre côté des fenêtres, l'horloge de la tour dominant la porte du Sauveur carillonna les douze coups de minuit, et tout un monde endormi se mit à glisser lentement vers la guerre.

8

Le K.G.B. n'a jamais été responsable devant le Conseil des ministres soviétique. Dans la pratique, il ne rend des comptes qu'au Politburo.

Les activités de routine du K.G.B., la nomination de tous les officiers affectés, toutes les promotions et l'endoctrinement rigoureux de chacun de ses membres, tout est supervisé par le Politburo, par l'entremise de la commission du Comité central responsable des Organisations du Parti. A tous les stades de sa carrière, chaque homme du K.G.B. est surveillé : on se renseigne sur lui et on établit des rapports. Les chiens de garde de l'Union soviétique ne sont pas, eux non plus, exempts de contrôle. Il est donc tout à fait improbable que le plus puissant et le plus pénétrant de tous les appareils de pouvoir puisse jamais échapper au pouvoir.

Au lendemain de l'assassinat de Youri Ivanenko, ce fut Vassili Pétrov qui prit la direction de l'opération de couverture que Maxime Roudine avait ordonnée en personne.

Au téléphone, Roudine avait commandé au colonel Koukouchkine de ramener les deux limousines officielles directement à Moscou par la route, de ne s'arrêter ni pour manger, ni pour boire, ni pour dormir, de rouler tout au long de la nuit, de refaire le plein de la Zil transportant le cadavre d'Ivanenko avec les bidons que la Tchaïka apporterait jusqu'à la voiture, et d'écarter tous les curieux éventuels.

A leur arrivée dans la banlieue de Moscou, les deux voitures se rendirent directement à la clinique privée du Politburo, à Kountsevo, où le cadavre à la tête brisée fut enterré discrètement au milieu des pins, à l'intérieur même de la clinique, dans une tombe anonyme. Les hommes qui procédèrent à l'inhumation furent les gardes du corps d'Ivanenko, et tous furent aussitôt mis aux arrêts dans une des villas de la forêt, dépendant du Kremlin. Ce fut la

178

Garde du Kremlin, et non le K.G.B., qui assura leur surveillance.

Seul le colonel Koukouchkine demeura en liberté.

Lorsqu'il pénétra dans le bureau privé de Pétrov, dans l'immeuble du Comité central, il était blême de peur. Lorsqu'il en sortit,
sa frayeur n'avait pas diminué, bien que Pétrov lui ait laissé une
chance de sauver sa carrière et sa peau : il l'avait chargé de l'opération de couverture.

A la clinique de Kountsevo, il isola un service entier, et pour monter la garde tout autour, il fit venir de la place Dzerjinsky de nouveaux agents du K.G.B. Deux médecins du K.G.B. furent transférés
à Kountsevo pour prendre en charge le patient du service interdit.
Le patient était en réalité un lit vide, mais les deux médecins, qui en
savaient assez long pour être terrorisés, transportèrent à l'intérieur
du bâtiment les appareils et les médicaments nécessaires au traitement d'une maladie de cœur. Vingt-quatre heures plus tard, dans le
service isolé de la clinique secrète, non loin de la route de Moscou à
Minsk, tout était en place pour que Youri Ivanenko continue officiellement d'exister.

A ce premier stade, un seul homme de plus fut mis dans le
secret : l'un des six adjoints d'Ivanenko dont les bureaux se trouvaient près de celui de leur chef, au troisième étage du centre du
K.G.B. Le général Constantin Abrassov était officiellement vice-
président du K.G.B. Pétrov le convoqua dans son bureau et le mit
au courant de ce qui s'était passé. Rien, au cours d'une carrière de
trente années dans la police secrète, n'avait jamais bouleversé le
général à ce point. Il estima lui aussi que le subterfuge devait absolument se prolonger.

A l'hôpital Octobre de Kiev, la mère du mort fut entourée
d'hommes de la branche locale du K.G.B. et elle continua de recevoir chaque jour des lettres de réconfort de son fils.

Enfin, les trois ouvriers de l'annexe de l'hôpital Octobre qui
avaient découvert une carabine de chasse et un viseur de nuit en
reprenant leur travail le lendemain du coup de feu, furent déportés
avec leurs familles dans des camps de Mordovie, et l'on envoya de
Moscou deux détectives de la police judiciaire pour enquêter sur un
« acte de banditisme ». Le colonel Koukouchkine les accompagnait.
On leur raconta que le coup de feu avait été tiré sur la voiture d'un
responsable local du Parti. La balle avait traversé le pare-brise et on
l'avait retrouvée dans les garnitures des sièges. On leur remit la
véritable balle, extraite de l'épaule du garde du corps d'Ivanenko et

nettoyée avec soin. On leur demanda de repérer et d'identifier les responsables dans le secret le plus absolu. Intrigués et déconcertés, ils se mirent à l'œuvre. On interrompit les travaux de construction de l'annexe, le bâtiment à demi terminé fut placé sous scellés, et on fournit aux détectives tout le matériel spécialisé qu'ils demandèrent. La seule chose qu'ils ne purent obtenir, ce fut une version authentique des faits.

Lorsque la dernière pièce de ce puzzle mensonger fut en place, Pétrov rendit compte personnellement à Roudine. Il appartenait au vieil homme d'État d'accomplir la tâche la plus difficile : apprendre au Politburo ce qui s'était réellement passé.

Deux jours plus tard, le rapport personnel du professeur Myron Fletcher (du ministère de l'Agriculture) au président Matthews, était exactement ce que le comité *ad hoc* constitué sous les auspices du Président aurait pu souhaiter. Non seulement les conditions météorologiques favorables avaient provoqué en Amérique du Nord une récolte de céréales satisfaisante, mais tous les records seraient battus. Même en tenant compte des besoins probables de la consommation intérieure, même en reconduisant au même taux l'assistance aux pays pauvres, les surplus atteindraient soixante millions de tonnes pour les États-Unis et le Canada réunis.

— Monsieur le Président, vous avez tout entre les mains, dit Stanislas Poklewski. Vous pouvez acheter ce surplus quand vous le désirez, aux tarifs du mois de juillet dernier. Conscient de l'importance des négociations de Castletown, le Comité des expropriations du Congrès ne vous fera aucune difficulté.

— J'y compte bien, répondit le Président. Si nous réussissons à Castletown, les réductions sur le budget de la Défense compenseront plus que largement les pertes commerciales sur les céréales. Et la récolte soviétique ?

— Nous l'étudions, dit Bob Benson. Les Condor balayent l'Union soviétique et nos analystes travaillent sur les rendements en grains région par région. Nous vous présenterons un rapport dans huit jours. Nous pourrons le comparer avec les comptes rendus de nos hommes sur le terrain, et fournir un chiffre assez précis, avec une erreur de l'ordre de cinq pour cent seulement.

— Le plus tôt sera le mieux, répondit le président Matthews. J'ai besoin de connaître la situation exacte des Soviétiques dans tous les domaines. Y compris la réaction du Politburo à leur récolte céréalière. J'ai besoin de connaître leurs points forts et leurs points faibles. Il faut que vous me découvriez tout cela, Bob.

Personne en Ukraine n'oubliera jamais le vide que le K.G.B. et la milice creusèrent cet hiver-là dans les rangs de tous ceux qui firent preuve du moindre sentiment nationaliste.

Les deux détectives de Koukouchkine interrogèrent minutieusement tous les passants qui se trouvaient dans la rue Sverdlov la nuit où la mère d'Ivanenko avait été renversée. Ils mirent en pièces méticuleusement la voiture volée qui avait heurté la vieille dame, et ils scrutèrent le moindre centimètre carré de la carabine et de l'intensificateur d'image, ainsi que tous les abords de l'hôpital. Parallèlement le général Abrassov s'occupa des nationalistes.

Il les jeta par centaines dans les prisons de Kiev, de Ternopol, de Lvov, de Kanev, de Jitomir, et de Vinnitsa. Le K.G.B. de chaque ville, assisté par des équipes dépêchées de Moscou, mena interrogatoire sur interrogatoire. Officiellement, l'objet des enquêtes était des actes sporadiques de banditisme semblables à l'agression de l'agent en civil du K.G.B., survenue à Ternopol au mois d'août. Seuls certains enquêteurs de grade élevé savaient que leurs recherches concernaient également le coup de feu tiré à Kiev fin octobre, mais rien de plus.

Dans le quartier ouvrier misérable de la Levandivka, à Lvov, David Lazareff et Lev Michkine se promenaient dans les rues enneigées. Ils se voyaient rarement. Étant donné que leurs pères avaient été envoyés dans des camps, ils savaient que leur tour viendrait. Le mot « Juif » était imprimé au tampon sur leurs cartes d'identité, comme sur celles des trois millions de Juifs d'Union soviétique. Tôt ou tard, les regards inquisiteurs du K.G.B. se détourneraient des nationalistes pour se diriger sur les Juifs. Rien ne change jamais radicalement en Union soviétique.

— J'ai envoyé la carte à Andriy Drach hier, pour confirmer le succès du premier objectif, dit Michkine. Comment vont les choses pour toi ?

— Bien, en tout cas jusqu'ici, répondit Lazareff. Peut-être cela va-t-il se calmer.

— Pas cette fois-ci, j'en suis sûr, dit Michkine. Il va nous falloir agir très vite, sinon nous n'en aurons plus l'occasion. Les ports sont hors de question. Il faut que ce soit par avion. Même endroit, la semaine prochaine. Je vais voir ce que je peux faire du côté de l'aéroport.

Très loin vers le nord, un jumbo-jet des services aériens scandinaves suivait son itinéraire de Stockholm à Tokyo par le pôle. Parmi ses passagers de première classe se trouvait le capitaine Thor Larsen, en route vers son nouveau commandement.

Maxime Roudine fit son rapport au Politburo, de sa voix de rogomme, sans trahir la moindre émotion. Mais aucun effet dramatique n'aurait pu provoquer dans son public plus d'attention, ni une réaction de stupéfaction plus intense. Depuis qu'un officier de l'armée avait, dix ans plus tôt, vidé le chargeur de son revolver sur la limousine de Leonid Brejnev à l'instant où elle franchissait la porte Borovitsky du Kremlin, le spectre du fanatique solitaire pénétrant les murailles de sécurité dressées autour des hiérarques continuait de hanter les esprits. Et voici que ce spectre était sorti de l'ombre pour s'asseoir à leur table, devant leur tapis de feutre vert, et les regardait dans les yeux.

Ce jour-là, aucun secrétaire n'était dans la pièce. Aucun magnétophone ne tournait sur la table d'angle. Aucun collaborateur, aucun sténographe n'était présent. Quand il eut terminé, Roudine passa la parole à Pétrov, qui décrivit les mesures complexes qu'il avait prises pour dissimuler l'attentat, ainsi que les enquêtes en cours pour identifier et éliminer les tueurs quand ils auraient révélé tous leurs complices.

— Mais vous ne les avez pas encore découverts ? lança Stépanov d'un ton cassant.

— L'attentat n'a eu lieu qu'il y a cinq jours, répondit Pétrov d'une voix égale. Non, pas encore. Ils seront pris, c'est évident. Ils ne peuvent pas s'échapper. Et lorsqu'ils seront pris, ils dénonceront tous ceux qui les ont aidés, jusqu'au dernier. Le général Abrassov y veillera. Toute personne sachant ce qui s'est passé cette nuit-là rue Rosa-Luxemburg, où qu'elle puisse se dissimuler, sera éliminée. Il ne restera aucune trace.

— Et en attendant ? demanda Komarov.

— En attendant, répondit Roudine, nous devons affirmer, avec une solidarité à toute épreuve, que le camarade Youri Ivanenko a été victime d'une grave crise cardiaque et qu'il reçoit des soins attentifs. Il faut que ceci soit très clair entre nous. L'Union soviétique ne peut pas, et ne veut pas, tolérer l'humiliation publique que provoquerait la révélation au monde entier de ce qui s'est passé rue Rosa-Luxemburg. Il n'y a pas et il n'y aura jamais de Lee Harvey Oswald dans notre pays.

Tout le monde acquiesça. Personne ne songeait à s'opposer à Roudine sur ce point.

— Les conséquences de la révélation à l'étranger de cette catastrophe seraient extrêmement graves, camarade Secrétaire général, intervint Pétrov, mais il ne faut pas pour autant négliger l'aspect intérieur du problème. S'il se produit des fuites, des rumeurs se mettront à circuler parmi nos populations. Très vite ce seront plus que de simples rumeurs. Les conséquences à l'intérieur du pays risquent d'être immenses.

Ils savaient tous à quel point le maintien de l'ordre public était lié à la réputation d'invincibilité absolue du K.G.B.

— S'il se produit des fuites à ce sujet, dit Chavadzé le Géorgien en pesant ses mots, et surtout si les coupables échappent à la justice, l'effet sera aussi terrible que la famine.

— Ils ne peuvent pas échapper à la justice, répondit Pétrov d'un ton sans réplique. C'est impossible. Ils n'échapperont pas.

— Qui sont-ils ? gronda Kérensky.

— Nous ne le savons pas encore, camarade maréchal, répondit Pétrov, mais nous l'apprendrons bientôt.

— Ils se sont servis d'une arme occidentale, insista Tchouchkine. Les pays de l'Ouest sont peut-être derrière toute l'affaire...

— A mon sens, c'est une possibilité à exclure, répondit Rykov, des Affaires étrangères. Aucun gouvernement occidental, aucun pays du tiers monde, ne serait assez fou pour soutenir un attentat de ce genre. Jamais nous n'aurions participé, même de loin, à l'assassinat de Kennedy. Non. Des émigrés, peut-être. Des fanatiques antisoviétiques. Mais sûrement pas des gouvernements.

— Nous enquêtons également sur les groupes d'émigrés à l'étranger, dit Pétrov. Mais discrètement. Nous avons infiltré des agents dans la plupart d'entre eux. Sans aucun résultat jusqu'ici. La carabine, les munitions et le viseur de nuit sont de fabrication occidentale. On peut les acheter dans le commerce, à l'Ouest. Ils ont été introduits en fraude, cela ne fait aucun doute. Cela signifie, soit que les coupables les ont introduits eux-mêmes, soit qu'ils ont bénéficié d'une aide extérieure. Le général Abrassov estime comme moi que nous devons avant tout découvrir les utilisateurs : ils nous révéleront leurs fournisseurs. Le département V prendra les choses en main.

Ephraïm Vichnaïev suivit les débats avec beaucoup d'intérêt mais n'y prit guère part. Kérensky exprima à sa place le mécontentement du groupe dissident. Mais ni l'un ni l'autre ne chercha à provoquer un nouveau vote sur le choix entre les négociations de Castletown et une guerre en 1983. Ils savaient qu'en cas d'égalité, la voix du Président serait prépondérante. Roudine avait fait un pas de plus vers sa chute, mais n'était pas encore fini.

L'assemblée décida d'annoncer que Youri Ivanenko avait eu une crise cardiaque et était hospitalisé, mais la nouvelle ne devait pas dépasser le K.G.B. et les cadres supérieurs du Parti. Lorsque les tueurs seraient identifiés et éliminés, ainsi que leurs complices, Ivanenko expirerait paisiblement, emporté par la maladie.

Roudine était sur le point de faire venir les secrétaires pour procéder à la réunion habituelle du Politburo, lorsque Stépanov, qui avait voté depuis le début du côté de Roudine en faveur des négociations avec les États-Unis, leva soudain la main.

— Camarades, si les tueurs de Youri Ivanenko devaient échapper à la justice et révéler publiquement leur exploit, je considérerais cela comme une grande défaite pour notre pays. Si cela se produisait, je ne serais plus en mesure de continuer mon soutien à la politique de négociation, qui nous oblige à des concessions sur le plan militaire en échange du blé américain. J'accorderais ma voix à la proposition du théoricien du Parti Vichnaïev.

Il y eut un silence de mort.

— Je ferai de même, dit Tchouchkine.

« Huit contre quatre, pensa Roudine, impassible, sans lever les yeux de la table. Huit contre quatre si ces deux merdeux changent de camp. »

— Nous prenons acte de votre décision, camarades, dit-il d'une voix impassible. Ce malheur ne sera pas rendu public. En aucune circonstance.

Dix minutes plus tard, la séance officielle débutait et le Politburo exprimait ses regrets unanimes à la suite de la maladie soudaine du camarade Ivanenko. On passa ensuite à l'ordre du jour : les derniers chiffres relatifs à la récolte de blé et de céréales diverses.

La berline Zil d'Ephraïm Vichnaïev surgit de la porte Borovitsky, à l'angle sud-ouest du Kremlin, et traversa la place du Manège. L'agent qui réglait la circulation sur la place, prévenu par talkie-walkie que le cortège du Politburo quittait le Kremlin, avait arrêté la circulation. Quelques secondes plus tard, les longues voitures noires carrossées à la main se précipitaient dans la rue Frounzé et dépassaient le ministère de la Défense en direction des résidences des privilégiés, dans le quartier de la perspective Koutouzov.

Le maréchal Kérensky était assis près de Vichnaïev dans la voiture de ce dernier, qui l'avait invité à rentrer à ses côtés. La séparation insonorisée entre l'arrière spacieux et le chauffeur était fermée. Les rideaux tirés les protégeaient des regards des piétons.

— Il est sur le point de tomber, gronda Kérensky.

— Non, dit Vichnaïev. Il se rapproche un peu plus de sa chute, et sans Ivanenko il est beaucoup plus faible, mais il n'est pas encore sur le point de tomber. Ne sous-estimez pas Maxime Roudine. Avant de s'en aller, il se battra comme un ours de la taïga acculé par les loups. Mais il s'en ira. Parce qu'il faut qu'il s'en aille.

— Il ne reste plus beaucoup de temps, dit Kérensky.

— Moins encore que vous ne le pensez, répliqua Vichnaïev. Il y a eu des émeutes pour le pain à Vilna la semaine dernière. Notre ami Vitautas, qui a voté pour notre proposition en juillet, commence à devenir nerveux. Il était sur le point de changer de camp, malgré la très belle villa que je lui ai offerte à côté de la mienne, près de Sotchi. Maintenant, il est rentré dans le rang, et Tchouchkine et Stépanov risquent de rallier notre bord.

— Uniquement si les tueurs ne sont pas arrêtés, ou si la vérité se répand à l'étranger, dit Kérensky.

— Justement. Il faut que cela se produise.

Kérensky se retourna sur la banquette arrière. Son visage rougeaud devint couleur brique sous sa crinière blanche.

— Révéler la vérité ? Au monde entier ? Nous ne pouvons pas faire ça ! explosa-t-il.

— Non, bien sûr. Il y a trop peu de personnes au courant, et faire courir de simples rumeurs n'aboutirait à rien. On pourrait trop facilement les démentir. On pourrait dénicher un acteur ressemblant à Ivanenko, lui apprendre son rôle et le faire paraître en public. Non. Il faut que d'autres le fassent pour nous. En apportant des preuves irréfutables. Les gardes présents cette nuit-là sont entre les mains des soldats d'élite du Kremlin. Il ne nous reste plus que les tueurs eux-mêmes.

— Mais nous ne les avons pas, dit Kérensky. Et il est peu probable que nous les ayons jamais. Le K.G.B. les prendra avant nous.

— C'est possible, mais il faut quand même essayer, répondit Vichnaïev. Regardons les choses en face, Nicolas. Nous ne luttons plus pour exercer le pouvoir sur l'Union soviétique. Nous luttons pour notre vie, tout comme Roudine et Pétrov. Tout d'abord le blé, maintenant Ivanenko. Un scandale de plus, Nicolas, un seul, et quel qu'en soit le responsable — que ceci soit bien clair entre nous — quel qu'en soit le responsable, Roudine tombera. Ce scandale *doit* avoir lieu. Nous devons veiller à ce qu'il se produise.

Thor Larsen, vêtu de bleus de travail et portant un casque de sécurité, était debout sur un pont roulant au-dessus de la cale sèche centrale des chantiers navals Ishikawajima-Harima. Il regardait à ses pieds la masse du navire qui serait un jour le *Freya*.

Cela faisait trois jours qu'il l'avait vu pour la première fois, mais sa taille lui coupait encore le souffle. A l'époque de ses premières armes, les pétroliers ne dépassaient jamais 30 000 tonnes. Le premier tanker d'un tonnage supérieur n'avait pris la mer qu'en 1956. Il s'agissait d'une nouvelle catégorie de bâtiments, et on les avait appelés « supertankers ». Puis un armateur avait crevé le plafond des 50 000 tonnes, et une nouvelle catégorie était née : les « très gros transporteurs de brut », les V.L.C.C., d'après les initiales de leur nom anglais : *Very Large Crude Carrier*. Et lorsque à la fin des années soixante la barrière des 200 000 tonnes avait été franchie, on avait créé l'expression *Ultra large Crude Carrier*, ou U.L.C.C. : les ultra-gros porteurs.

Une fois, Larsen avait croisé en mer l'un de ces léviathans français, transportant 550 000 tonnes. Son équipage s'était précipité sur le pont pour l'admirer. Le navire qui s'étendait maintenant à ses pieds était deux fois plus grand. Comme le lui avait dit Wennerström, jamais le monde n'avait vu un bateau pareil, et jamais plus il n'en reverrait.

Il avait 515 mètres de longueur, soit 1 689 pieds : la taille de dix pâtés de maisons. De bord à bord, sa largeur était de 90 mètres, soit 295 pieds, et au-dessus du pont, sa superstructure s'élevait dans les airs à la hauteur de cinq étages. Très loin au-dessous, il pouvait voir le pont, et il savait que la quille plongeait à 36 mètres (118 pieds) vers le bas, jusqu'au plancher de la cale sèche. Chacun de ses soixante réservoirs était plus vaste qu'un cinéma de quartier. Au fond de ses entrailles, au-dessous de la superstructure, les quatre turbines à vapeur développant au total 90 000 chevaux étaient déjà en place, prêtes à lancer les deux arbres jumelés dont les hélices de bronze de douze mètres de diamètre luisaient légèrement au-dessous de la poupe.

D'un bout à l'autre du bateau fourmillaient des silhouettes minuscules : les ouvriers des chantiers qui s'apprêtaient à quitter leur poste de travail, le temps que la cale sèche se remplisse. Depuis douze mois, presque jour pour jour, ils avaient taillé, soudé, vissé, scié, riveté, cisaillé, bordé et martelé sa carcasse. D'énormes plaques d'acier à haute résistance étaient descendues des ponts roulants pour prendre place à l'endroit prédéterminé, et constituer sa coque. Les hommes finissaient d'ôter les filins et les chaînes, les cordes et les câbles qui pendaient de toutes parts, et enfin le vaisseau parut sous sa forme réelle : ses bordages, libres de toute entrave, peints de vingt couches antirouille, étaient prêts à affronter la mer.

Il ne resta plus bientôt que les blocs ayant servi de berceaux. Les hommes qui avaient construit cette cale sèche (la plus grande du monde) à Chita près de Nagoya sur la baie d'Isé, n'avaient jamais imaginé que leur œuvre puisse être utilisée un jour à cette fin. C'était la seule cale sèche susceptible d'accueillir un pétrolier d'un million de tonnes, et ce serait le premier et le dernier que l'on y construirait. Quelques vieux matelots s'approchèrent des barrières pour assister à la cérémonie.

La cérémonie religieuse dura une demi-heure : le prêtre shinto invita la bénédiction des divinités à descendre sur ceux qui avaient construit ce mastodonte, sur ceux qui continueraient d'y travailler, et sur ceux qui prendraient la mer avec lui, afin que tous puissent travailler et naviguer dans la paix et la sécurité. Thor Larsen y assista, pieds nus, avec son chef mécanicien et son second, aux côtés de l'architecte naval de l'armateur-propriétaire, qui avait suivi les travaux depuis le début avec son homologue du chantier. C'étaient ces deux hommes qui avaient conçu et construit le navire.

Quelques minutes avant midi, on ouvrit les vannes et l'océan Pacifique pénétra dans la cale sèche avec un grondement de tonnerre.

Il y eut un déjeuner officiel au bureau du directeur, mais dès qu'il fut terminé, Thor Larsen revint vers la cale. Son second, Stig Lundquist et son chef mécanicien, Bjorn Erikson, suédois tous les deux, le rejoignirent aussitôt.

— Il est différent de tous les autres, dit Lundquist, tandis que l'eau montait le long des parois de la coque.

Quelques instants avant le coucher du soleil, le *Freya* grogna comme un géant qui s'éveille, se déplaça d'un ou deux centimètres, grogna de nouveau, puis se libéra de ses supports invisibles sous l'eau, et se mit à flotter. Tout autour de la cale sèche, quatre mille ouvriers japonais rompirent leur silence attentif et se mirent à hurler de joie. Des dizaines de casques blancs volèrent dans les airs ; la demi-douzaine de Scandinaves leur fit écho, chacun échangeant une poignée de mains avec son voisin et lui donnant des claques sur l'épaule. Au-dessous d'eux, patient, le géant attendait, comme s'il savait déjà que son tour de pavoiser viendrait un jour.

Le lendemain, on le remorqua hors de la cale sèche jusqu'au quai d'accastillage où pendant trois mois encore, il hébergerait des milliers de petites silhouettes travaillant comme des démons pour préparer son grand départ vers l'Océan, par-delà la baie.

Sir Nigel Irvine lut les dernières lignes de la livraison Rossignol, referma le classeur et se pencha en arrière.

— Eh bien, Barry, quelle est votre impression ?

Barry Ferndale avait passé le plus clair de sa vie active à étudier l'Union soviétique, ses maîtres et sa structure de pouvoir. Il souffla sur ses lunettes et leur fit subir un lustrage final.

— C'est un coup de plus auquel Maxime Roudine va devoir survivre, répondit-il. Ivanenko était un de ses fidèles les plus sûrs. Et d'une intelligence exceptionnelle. Son entrée à l'hôpital prive Roudine de l'un de ses conseillers les plus capables.

— Ivanenko conservera-t-il encore son droit de vote au Politburo ? demanda sir Nigel.

— Il est possible qu'il vote par procuration si un autre vote a lieu, dit Ferndale, mais en réalité là n'est pas la question. Même avec un scrutin de six voix contre six sur un problème important de politique, la voix du président est prépondérante. Le danger, c'est qu'un ou deux opportunistes changent de camp. Ivanenko debout était très redouté, même à un niveau aussi élevé. Ivanenko sous une tente à oxygène risque de l'être beaucoup moins.

Sir Nigel tendit le classeur à Ferndale par-dessus son bureau.

— Barry, je veux que vous partiez à Washington avec ce dossier. Une simple visite de courtoisie, bien entendu. Mais essayez de dîner en tête à tête avec Ben Kahn et comparez vos conclusions avec les siennes. Cette affaire commence vraiment à ressembler à un numéro de corde raide.

Deux jours plus tard, Ferndale achevait de dîner dans la maison de Ben Kahn à Georgetown.

— Voici comment nous voyons les choses, dit-il. Le pouvoir de

Maxime Roudine ne tient plus qu'à un fil en face d'un Politburo hostile à cinquante pour cent, et ce fil s'amenuise de jour en jour.

Le directeur-adjoint (Renseignements) de la C.I.A. allongea ses jambes vers les bûches en train de brûler dans sa cheminée de briques rouges, sans quitter des yeux le cognac qu'il faisait tournoyer dans son verre.

— Cela me paraît un raisonnement sans faille, Barry, répondit-il sans trop s'avancer.

— Nous estimons également que si Roudine ne parvient pas à persuader le Politburo de continuer dans la voie des concessions qu'il vous fait à Castletown, il risque de tomber. Cela provoquerait un conflit pour la succession, qui serait arbitré par le Comité central en séance plénière. Et malheureusement, Ephraïm Vichnaïev a une grande influence et des amis puissants au sein du Comité central.

— C'est exact, répondit Kahn. Mais il en est de même pour Vassili Pétrov. Son influence est même probablement plus forte que celle de Vichnaïev.

— Sans aucun doute, consentit Ferndale, et Pétrov aurait sûrement pris la succession... s'il avait le soutien de Roudine, si Roudine avait la possibilité de prendre sa retraite au bon moment et dans de bonnes conditions, et si Ivanenko pouvait l'aider, avec sa force de frappe du K.G.B., à contrebalancer l'influence de Kérensky au sein de l'Armée rouge.

Kahn sourit à son hôte.

— Vous avancez beaucoup de pions, Barry. Quel jeu jouez-vous ?

— Je cherche simplement à comparer nos observations, répondit Ferndale.

— D'accord, simplement comparer nos observations. A vrai dire, nous pensons à Langley à peu près comme vous. David Lawrence, des Affaires étrangères, est de notre avis. Stan Poklewski désire mener la vie dure aux Soviets à Castletown. Le Président est entre les deux — comme d'habitude.

— Mais Castletown est pourtant assez important pour lui, non ? avança Ferndale.

— Très important. L'année prochaine sera sa dernière année à la Maison Blanche. Dans treize mois, il y aura un nouveau président désigné. Bill Matthews aimerait faire une sortie en grand style, en laissant derrière lui un traité global sur la limitation des armes.

— Nous avons justement pensé...

— Ah ! s'écria Kahn, je crois que vous songez à avancer votre cavalier.

— Nous avons pensé que les négociations de Castletown avorteraient immanquablement si Roudine perdait le pouvoir dans la conjoncture actuelle. Mais que s'il obtenait des concessions de votre part à Castletown, cela lui permettrait de convaincre certains opportunistes de sa faction qu'il va réussir un exploit, et qu'il est donc l'homme à soutenir.

— Des concessions ? demanda Kahn. Nous connaissons depuis la semaine dernière les derniers chiffres de la récolte soviétique de céréales. Ils sont sur un tonneau de poudre. En tout cas, c'est la façon dont Poklewski a présenté les choses.

— Il a raison, dit Ferndale. Mais le tonneau est sur le point de se disjoindre. Et à l'intérieur, notre cher camarade Vichnaïev est à l'affût avec son plan de bataille. Et nous savons tous ce que cela entraînerait.

— Je comprends bien, dit Kahn. En fait, mon analyse de l'ensemble du dossier Rossignol est à peu près dans la même ligne que la vôtre. Je suis en train de préparer un rapport personnel au Président dans ce sens. Il l'aura la semaine prochaine, lorsqu'il recevra Benson avec Lawrence et Poklewski.

— Ces chiffres représentent bien la récolte globale de céréales que l'Union soviétique a effectuée il y a un mois ? demanda le président Matthews.

Il leva les yeux vers les quatre hommes assis devant son bureau. A l'autre bout de la pièce, un feu de bois crépitait dans la cheminée de marbre, ajoutant une sorte de chaleur visuelle à la température élevée qu'assurait le chauffage central. De l'autre côté des fenêtres blindées, vers le sud, les pelouses rases étaient recouvertes des premières gelées blanches de novembre. Comme tous les hommes du Sud, William Matthews aimait la chaleur.

Robert Benson et le professeur Myron Fletcher acquiescèrent à l'unisson. David Lawrence et Stanislas Poklewski étudièrent les chiffres.

— Toutes nos sources sont parvenues au même résultat, monsieur le Président, et tous nos renseignements ont été recoupés avec un soin extrême, dit Benson. Nous pouvons nous tromper de cinq pour cent dans un sens ou dans l'autre, mais sûrement pas davantage.

— Et d'après le Rossignol, le Politburo est d'accord avec nous, intervint le ministre des Affaires étrangères.

— Cent millions de tonnes au total..., dit le Président, songeur.

Cela ne durera que jusqu'à fin mars, et en se serrant pas mal la ceinture !

— Les paysans commenceront à abattre le bétail en janvier, dit Poklewski. Il faudra qu'ils fassent des concessions extraordinaires à Castletown le mois prochain s'ils veulent survivre.

Le Président posa le rapport sur la récolte soviétique et prit la note préparée par Ben Kahn que lui avait remise le directeur de la C.I.A. Les quatre hommes venaient de la lire en même temps que lui-même. Benson et Lawrence étaient d'accord avec ses conclusions, on n'avait pas demandé son opinion au professeur Fletcher, le vautour Poklewski était contre.

— Nous savons et ils savent qu'ils sont dans une situation désespérée, dit Matthews. La question est de déterminer jusqu'à quel point nous devons les bousculer.

— Comme vous l'avez dit il y a quelques semaines, monsieur le Président, répondit Lawrence, si nous ne les bousculons pas assez fort, nous passerons à côté de la meilleure affaire qu'il soit possible d'imaginer pour l'Amérique et le monde libre. Mais en les bousculant trop fort, nous forçons Roudine à faire échouer les conversations pour se sauver de ses vautours. C'est une question d'équilibre. Au point où nous en sommes, je sens que nous devrions faire un geste.

— Du blé ?

— Des céréales pour le bétail, qui les aideront à maintenir en vie une partie de leurs troupeaux, suggéra Benson.

— Professeur Fletcher ? demanda le Président.

L'homme de l'Agriculture haussa les épaules.

— Tout est prêt, monsieur le Président, répondit-il. Les Soviets ont une grande partie de leur flotte marchande, la Sovfracht, en mesure d'intervenir. Nous savons qu'avec leurs tarifs de frêt subventionnés par l'État, tous leurs bateaux pourraient être en charge, or ils ne le sont pas. Ils sont en attente un peu partout dans les ports en eau chaude de la mer Noire et au sud de la côte soviétique de l'océan Pacifique. Ils prendront la mer vers les États-Unis dès qu'ils en recevront l'ordre de Moscou.

— Quel est le dernier délai pour leur communiquer notre décision sur ce point ? demanda le président Matthews.

— Le jour de l'An, répondit Benson. S'ils savent qu'ils peuvent compter sur un répit, ils sursoiront à l'abattage du bétail.

— J'insiste pour que vous ne leur accordiez aucun répit, intervint Poklewski. En mars, ils seront désespérés.

— Suffisamment désespérés pour faire des concessions de désarmement garantissant dix ans de paix, ou suffisamment désespérés pour partir en guerre ? demanda Matthews, non sans emphase. Messieurs, vous connaîtrez ma décision le jour de Noël. Je ne suis pas aussi libre que vous. Dans cette affaire, il faut que je m'assure l'accord des présidents de cinq sous-commissions du Sénat : Défense, Agriculture, Affaires étrangères, Commerce et Expropriations. Et je ne peux rien leur dire au sujet du Rossignol, n'est-ce pas, Bob ?

Le directeur de la C.I.A. secoua la tête.

— Non, monsieur le Président. Rien au sujet du Rossignol. Les sénateurs ont trop de collaborateurs et d'assistants, il y aurait des fuites. Les conséquences d'une fuite en ce moment seraient désastreuses.

— Très bien. Nous en reparlerons à Noël.

Le 15 décembre, dans la galerie Longue de Castletown, le professeur Ivan Sokolov se leva et se mit à lire une note préalablement mise au point. L'Union soviétique, dit-il, fidèle à ses traditions de pays se consacrant à la recherche inlassable de la paix mondiale, et consciente de ses engagements maintes fois renouvelés en faveur de la coexistence pacifique...

De l'autre côté de la table, Edwin J. Campbell observait son homologue soviétique avec une grande sympathie. En deux mois de travail jusqu'aux limites de l'épuisement, il s'était établi des rapports assez chaleureux entre l'homme de Washington et celui de Moscou — en tout cas dans la mesure où leurs positions et leurs devoirs respectifs le permettaient.

Au cours des interruptions de séance, ils s'étaient rendu visite dans les salles de repos de leurs délégations. Dans les salons des Soviétiques, en présence de tous les officiels moscovites et de leur inévitable complément d'agents du K.G.B. la conversation avait été agréable, mais un peu guindée. Dans les salons américains, en revanche, où Sokolov s'était rendu seul, il s'était détendu au point de montrer à Campbell des photos de ses petits-enfants en vacances sur la côte de la mer Noire. Membre éminent de l'Académie des sciences, le professeur était récompensé de sa loyauté au Parti et à la cause par une limousine, un chauffeur, un appartement en ville, une datcha à la campagne, une villa sur le bord de la mer et l'accès aux magasins privilégiés de l'Académie. Campbell se doutait bien que Sokolov avait été payé pour sa loyauté et pour la compétence avec laquelle il avait placé ses talents au service d'un régime qui avait envoyé des milliers d'intellectuels dans les camps de travail de Mordovie. Il faisait partie des privilégiés, des *natchalstvo*. Mais même les *natchaltsvo* ont des petits-enfants.

Il écouta le Russe avec une surprise croissante.

« Mon pauvre vieux, songea-t-il, comme ceci doit te coûter ! »

A la fin de la péroraison, Edwin Campbell se leva et remercia gravement le professeur pour sa déclaration, qu'il avait écoutée au nom des États-Unis d'Amérique, avec le plus grand soin et la plus grande attention. Il proposa un ajournement, le temps que le gouvernement américain décide de sa position. Une heure plus tard, il était dans son ambassade à Dublin, en train de transmettre à David Lawrence le texte extraordinaire du discours de Sokolov.

Quelques heures plus tard, au ministère des Affaires étrangères à Washington, David Lawrence décrocha l'un de ses téléphones et appela le président Matthews sur sa ligne privée.

— Je dois vous apprendre, monsieur le Président, qu'il y a six heures en Irlande, l'Union soviétique a fait des concessions sur six points essentiels de l'ordre du jour. Ces concessions vont du nombre total des missiles balistiques intercontinentaux à ogives munies de bombes à hydrogène, jusqu'au rappel d'effectifs et de matériel stationnés le long de l'Elbe, en passant par les blindés conventionnels.

— Merci David, répondit Matthews. C'est une grande nouvelle. Vous aviez raison. Je crois le moment venu de leur donner quelque chose en échange.

Les forêts de bouleaux et de mélèzes du sud-ouest de Moscou, où les membres de l'élite soviétique ont leurs datchas de week-end, s'étendent sur à peine vingt-cinq mille hectares. Les officiels du Parti aiment se serrer les coudes. Les routes de l'endroit sont bordées sur des kilomètres et des kilomètres de barrières d'acier peintes en vert, qui protègent les propriétés privées des hommes parvenus au sommet de la hiérarchie. Les clôtures et les portails des allées paraissent déserts mais nul ne pourrait escalader les premières ou franchir les seconds en voiture, sans être aussitôt intercepté par des gardes se matérialisant comme par enchantement derrière les arbres.

Au-delà du pont d'Ouspenskoié, se trouve un petit village du nom de Joukovka que l'on appelle en général Joukovka-Village, parce qu'il y a deux autres Joukovka, plus récents, dans les environs : Sovmin-Joukovka, où les hiérarques du Parti ont leurs villas de week-end, et Akademik-Joukovka, où se regroupent les écrivains, les artistes peintres, les musiciens et les savants en faveur auprès du Comité central.

Mais de l'autre côté du fleuve se trouve Ousovo, le village suprême, le plus exclusif de tous. C'est là que le secrétaire général du Parti communiste de l'Union soviétique, président du Praesidium du Soviet suprême et du Politburo, se retire dans l'intimité d'une somptueuse demeure construite sur une centaine d'hectares de forêt rigoureusement gardée.

La veille de Noël (une fête qu'il n'avait jamais célébrée en cinquante ans), Maxime Roudine était dans sa datcha, assis dans son fauteuil préféré, de cuir capitonné, et il allongeait les jambes vers une énorme cheminée en blocs de granit à peine dégrossis, où des dosses de pin d'un mètre de long crépitaient joyeusement. C'était la même cheminée où s'étaient réchauffés avant lui Leonid Brejnev et Nikita Khrouchtchev.

La lueur jaune clair des flammes jetait des reflets sur les murs lambrissés du bureau et éclairait le visage de Vassili Pétrov, en face de lui de l'autre côté de la cheminée. Près de l'accoudoir de Roudine, sur un plateau posé sur la table basse, se trouvait une carafe de cognac d'Arménie à moitié vide — et Pétrov la fixait d'un œil inquiet. Il savait que son vieux protecteur était censé ne pas prendre d'alcool. Roudine serrait entre le pouce et l'index son éternelle cigarette.

— Quelles nouvelles de l'enquête ? demanda-t-il.

— Elle traîne en longueur, dit Pétrov. L'existence d'une aide extérieure ne fait aucun doute. Nous savons maintenant que le viseur de nuit a été acheté dans le commerce, à New York. La carabine finlandaise faisait partie d'une commande exportée d'Helsinki en Grande-Bretagne. Nous ne savons pas dans quel magasin elle a été achetée, mais l'ordre d'exportation concernait des fusils de chasse et de sport : il s'agissait donc d'une commande du secteur privé et non du secteur public.

« Les traces de pas sur le terrain du bâtiment en construction ont été comparées aux bottes de tous les ouvriers du chantier, et deux séries de traces n'ont pas pu être identifiées. Il y avait de l'humidité dans l'air ce soir-là, et avec la poussière de ciment qui vole un peu partout, les traces sont très nettes. Nous sommes à peu près sûrs qu'il s'agit de deux hommes.

— Des dissidents ? demanda Roudine.

— Presque certainement. Des fous...

— Non, Vassili, gardez ça pour les réunions du Parti. Les fous canardent au petit bonheur, ou se sacrifient spontanément. Non, cet attentat a été organisé pendant des mois par quelqu'un. Par quelqu'un qui existe toujours, en Russie ou à l'étranger, et qu'il faut réduire au silence une fois pour toutes avant que son secret ne franchisse ses lèvres. Sur qui se concentre-t-on ?

— Sur les Ukrainiens, répondit Pétrov. Nous avons infiltré des hommes dans tous leurs groupes, en Allemagne, en Angleterre et en Amérique. Personne n'a entendu de rumeur relative à un plan de ce genre. Personnellement, je suis persuadé qu'ils sont encore en Ukraine. Il est incontestable que la mère d'Ivanenko a servi d'appât. Or qui pouvait savoir qu'elle était la mère d'Ivanenko ? Sûrement pas un cracheur de slogans de New York. Ni un nationaliste en pantoufles de Francfort. Ni un pamphlétaire de Londres. Non, quelqu'un sur place, ayant des contacts à l'extérieur. Nous mettons l'accent sur Kiev. Plusieurs centaines d'anciens détenus libérés qui sont revenus dans la région de Kiev sont en cours d'interrogatoire.

— Trouvez-les, Vassili, trouvez-les et réduisez-les au silence.

Maxime Roudine, à son habitude, passa soudain à un autre sujet sans changer de ton :

— Du nouveau en Irlande ?

— Les Américains ont repris les négociations mais n'ont pas encore répondu à notre initiative, répondit Pétrov.

Roudine grogna.

— Ce Matthews est idiot. Jusqu'où croit-il que nous pourrons aller avant d'être contraints à faire marche arrière ?

— Il doit lutter avec les sénateurs antisoviétiques, dit Pétrov, et avec ce catholique fasciste de Poklewski. Et bien entendu, il ignore à quel point notre situation est précaire au sein du Politburo.

De nouveau Roudine grogna.

— S'il ne nous offre rien pour le Nouvel An, nous ne tiendrons pas le Politburo au-delà de la première semaine de janvier...

Il tendit la main et prit une gorgée de cognac. Quand il l'eut avalée, il poussa un soupir de satisfaction.

— Vous croyez que vous avez raison de boire ? demanda Pétrov. Les docteurs vous l'ont interdit il y a cinq ans.

— Les docteurs, je les emmerde ! répondit Roudine. C'est d'ailleurs pour ça que je vous ai demandé de venir. Je peux vous affirmer

195

sans le moindre risque d'erreur que je ne mourrai pas d'alcoolisme ou d'une défaillance du foie.

— Je suis ravi de l'apprendre, répondit Pétrov.

— Et ce n'est pas tout. Le 30 avril, je prendrai ma retraite. Cela vous étonne ?

Pétrov demeura immobile, tendu. Deux fois, il avait assisté au départ du Chef suprême. Khrouchtchev, descendu en flammes, éjecté et tombé en disgrâce avant de devenir une non-personne. Puis Brejnev, aux conditions qu'il avait fixées. Chaque fois, il avait été assez près pour sentir la terre trembler au moment où le tyran le plus puissant du monde faisait place à son successeur — mais jamais aussi près. Cette fois-ci, c'est lui qui porterait la pourpre, à moins que d'autres ne la lui arrachent des épaules.

— Oui, répondit-il d'une voix prudente. Cela me surprend.

— En avril, je convoquerai le Comité central en séance plénière, dit Roudine. Pour annoncer ma décision de me retirer le 30 avril. Le 1er mai, il y aura un nouveau Chef au milieu de la rangée, devant le Mausolée. Je veux que ce soit vous. Le Congrès du Parti doit avoir lieu en juin et le Chef présentera les grandes lignes de la politique à venir. Je veux que ce soit vous. Je vous l'ai dit il y a des semaines.

Pétrov savait que Roudine l'avait choisi, depuis la réunion dans les appartements du vieux dirigeant, au Kremlin, à laquelle assistait, cynique et vigilant comme toujours, Youri Ivanenko, maintenant disparu. Mais il ne se doutait pas que ce fût pour si tôt.

— Jamais je ne parviendrai à faire entériner votre nomination par le Comité central, si je ne leur donne pas ce qu'ils désirent : du blé. Ils connaissent tous la situation depuis longtemps. Si nous ne réussissons pas à Castletown, ils se rangeront tous derrière Vichnaïev.

— Pourquoi si tôt ? demanda Pétrov.

Roudine souleva son verre. Mischa le silencieux surgit de l'ombre et l'emplit de cognac.

— On m'a communiqué hier les résultats des analyses de Kountsevo, répondit Roudine. Cela fait plusieurs mois qu'ils pataugent dessus. Maintenant, ils sont catégoriques. Il ne s'agit ni de cigarettes ni de cognac d'Arménie. Une leucémie. De dix à douze mois. Disons donc que je ne verrai pas un autre Noël après celui-ci. Et si nous avons une guerre nucléaire, vous ne le verrez pas non plus.

« Au cours des cent jours qui viennent, il nous faut obtenir des Américains un accord sur les céréales et effacer l'affaire Ivanenko de façon définitive. Le sable tombe dans le sablier. Et diablement vite ! Toutes nos cartes sont sur la table, retournées, et nous n'avons plus aucun atout à jouer.

Le 28 décembre, les États-Unis offrirent de vendre à l'Union soviétique, avec livraison immédiate et aux cours commerciaux, dix millions de tonnes de céréales pour l'alimentation animale — offre indépendante de toutes les conditions en cours de négociation à Castletown.

La veille du jour de l'An, un biréacteur Tupolev 134 décolla de l'aéroport de Lvov pour un vol intérieur à destination de Minsk. Juste au nord de la frontière entre l'Ukraine et la Russie Blanche, très haut au-dessus des marais du Pripet, un jeune homme se leva de son siège et s'avança vers l'hôtesse qui parlait à un passager, non loin de la porte métallique conduisant à la cabine de pilotage.

Sachant que les toilettes se trouvaient à l'arrière de l'appareil, elle se redressa dès que le jeune homme s'approcha d'elle. Il la saisit par les épaules, la fit pivoter sur elle-même et passa son bras gauche sous le menton de la jeune femme. En même temps, il sortit un pistolet de sa poche et le lui enfonça dans les côtes. Elle hurla. Les passagers se mirent à crier. Le jeune homme commença à traîner l'hôtesse à reculons vers la porte verrouillée de la cabine. Sur la cloison, près de la porte, se trouvait le téléphone intérieur permettant à l'hôtesse de parler à l'équipage, qui avait l'ordre de refuser d'ouvrir la porte en cas d'incident.

Du milieu du fuselage, l'un des passagers se leva, pistolet automatique en main. Il s'accroupit dans l'allée, les deux mains crispées sur son arme braquée sur l'hôtesse et le jeune homme derrière elle.

— Ne bougez pas, cria-t-il. K.G.B. Jetez votre arme.

— Dites-leur d'ouvrir la porte, cria le jeune homme.

— Il n'en est pas question, lui répondit l'agent du K.G.B. qui assurait la police du vol.

— S'ils n'ouvrent pas, je tue la fille, cria l'homme qui maintenait l'hôtesse.

La jeune femme fit preuve de beaucoup de courage. Elle lança son talon en arrière, toucha le jeune homme au tibia, se dégagea de son étreinte et se mit à courir vers l'homme de la police. Le jeune homme bondit sur elle, trois rangées de passagers plus loin. Ce fut une erreur. L'un d'eux, qui se trouvait sur un siège proche de l'allée centrale, se leva, se retourna et lança son poing sur la nuque du jeune homme. Il s'étala à plat ventre. Avant qu'il ait pu faire un mouvement, son assaillant lui avait pris son arme et la braquait vers lui. Le jeune homme se retourna, s'accroupit, fixa le revolver puis cacha son visage entre ses mains et se mit à sangloter doucement.

L'agent du K.G.B., toujours l'arme au poing, dépassa l'hôtesse et s'avança vers le passager audacieux.

— Qui êtes-vous ? demanda-t-il.

Pour toute réponse, le passager fouilla dans une poche intérieure, en retira une carte et la tendit à l'agent. C'était une carte du K.G.B.

— Vous n'êtes pas de Lvov, dit ce dernier.

— De Ternopol, lui répondit l'autre. Je pars en permission chez moi, à Minsk. C'est pour ça que je n'ai pas d'arme. Mais je sais encore me servir de mon gauche.

Il sourit. L'agent de Lvov hocha la tête.

— Merci, camarade. Continuez à le couvrir.

Il s'avança jusqu'à l'interphone et en quelques mots rapides expliqua ce qui s'était passé et demanda de prévenir la police pour qu'elle récupère le prisonnier à Minsk.

— Tout est tranquille ? On peut jeter un œil ? demanda une voix métallique venant de derrière la porte.

— Bien sûr, répondit l'agent du K.G.B. Il est tranquille comme tout.

On entendit un cliquetis de l'autre côté de la porte, puis elle s'ouvrit et un homme de l'équipage passa la tête, effrayé et suprêmement curieux.

L'agent de Ternopol agit alors de façon étrange. Il se détourna de l'homme accroupi sur le sol, frappa avec son revolver la base du crâne de son collègue, le poussa de côté et jeta son pied dans l'intervalle entre le chambranle et la porte avant que celle-ci n'ait eu le temps de se refermer. Une seconde plus tard, il l'avait franchie en bousculant l'homme de l'équipage dans la cabine. Le jeune homme à terre se leva, s'empara de l'automatique de l'agent du K.G.B. assommé, un Tokarev 9 mm standard, franchit à son tour la porte d'acier et la claqua derrière lui. Elle était pourvue d'un système de verrouillage automatique.

Deux minutes plus tard, sur l'ordre de David Lazareff et de Lev Michkine, le Tupolev prit la direction de l'ouest, vers Varsovie et Berlin. Cette dernière ville était juste à la limite de son rayon d'action. Aux commandes, le capitaine Roudenko était blême de rage ;

près de lui, Vatoutine son copilote répondait lentement aux questions affolées de la tour de contrôle de Minsk sur le changement soudain de cap.

Lorsque l'avion de ligne traversa la frontière et pénétra dans l'espace aérien polonais, la tour de contrôle de Minsk et quatre autres moyen-courriers branchés sur la même longueur d'onde avaient appris que le Tupolev était aux mains de terroristes. Lorsque l'appareil passa, sans un signal, au centre de la zone de contrôle du trafic de Varsovie, Moscou était déjà au courant. A cent soixante kilomètres à l'ouest de Varsovie, une escadrille de six chasseurs Mig-23, soviétiques bien que basés en Pologne, apparurent par tribord et encadrèrent le Tupolev. Le chef d'escadrille parlait d'une voix hachée dans son masque.

Derrière son bureau du ministère de la Défense, rue Frounzé à Moscou, le maréchal Nicolas Kérensky, prit une communication urgente sur la ligne le reliant au quartier général de l'aviation soviétique.

— Où ? aboya-t-il.

— Au-dessus de Poznan, lui répondit-on. A trois cents kilomètres de Berlin. Cinquante minutes de vol.

Le maréchal étudia la situation sous tous ses angles. Il savait très bien ce qu'il aurait dû faire : abattre le Tupolev avec l'ensemble de ses passagers et son équipage. Plus tard, la version officielle expliquerait que les terroristes avaient tiré à l'intérieur de l'avion et perforé le principal réservoir de combustible. Cela s'était déjà produit deux fois au cours des dix années précédentes. Mais cette fois-ci... N'était-ce pas l'occasion de provoquer le scandale que Vichnaïev réclamait ?

Il donna ses ordres. A cent mètres du bout de l'aile du Tupolev, le chef de l'escadrille des Mig les reçut cinq minutes plus tard.

— D'accord, camarade colonel, répondit-il au commandant de sa base. Si ce sont les ordres...

Vingt minutes plus tard, le Tupolev traversa la ligne Oder-Neisse et commença sa descente vers Berlin. Au même instant les Mig décrochèrent avec une volte gracieuse et s'enfoncèrent à l'horizon, vers leur base.

— Il faut que j'avertisse Berlin de notre arrivée, expliqua le capitaine Roudenko à Michkine. S'il y a un avion sur la piste, nous finirons en boule de feu.

Michkine regarda les montagnes de nuages d'hiver, gris acier, dans lesquelles plongeait l'appareil. Jamais il n'était monté en avion auparavant, mais ce que disait le capitaine ne manquait pas de bon sens.

— Très bien, répondit-il, rompez le silence et informez Tempelhof de votre arrivée. Pas de commentaires, juste une phrase.

Le capitaine Roudenko jouait sa dernière carte. Il se pencha en avant, choisit sa longueur d'ondes avec soin et se mit à parler.

— Tempelhof, Berlin-Ouest. Tempelhof, Berlin-Ouest. Ici vol Aeroflot 351...

Il parlait anglais, la langue internationale du contrôle de trafic aérien. Michkine et Lazareff ne comprenaient de cette langue que deux ou trois mots entendus au cours d'émissions radio diffusées à partir de l'Ouest à l'intention des Ukrainiens. Michkine enfonça son arme dans la nuque de Roudenko.

— Pas de blague, dit-il en ukrainien.

Dans la tour de contrôle de l'aéroport Schönefeld de Berlin-Est les deux aiguilleurs du ciel se regardèrent stupéfaits : on les appelait sur leur fréquence, mais comme si l'on s'adressait à Tempelhof ! Aucun avion d'Aeroflot ne pouvait songer à atterrir à Berlin-Ouest — indépendamment du fait que Tempelhof n'était plus l'aéroport civil de Berlin-Ouest depuis dix ans. Dès que l'aéroport de Tegel avait été mis en service, Tempelhof était redevenu une base de l'U.S. Air Force. L'un des deux Allemands de l'Est, plus vif que l'autre, décrocha le microphone.

— Tempelhof à Aeroflot 351, vous pouvez atterrir, dit-il. Approche directe.

Dans l'avion, le capitaine Roudenko avala sa salive et sortit ses volets et son train d'atterrissage. Le Tupolev perdit rapidement de l'altitude et se prépara à atterrir sur le principal aéroport d'Allemagne de l'Est communiste. Ils sortirent des nuages à un kilomètre du bout de la piste et ils aperçurent les balises d'atterrissage droit devant eux. A deux cents mètres, Michkine qui regardait de tous ses yeux à travers le perspex couvert de buée, commença à avoir des soupçons. Il avait entendu parler de Berlin-Ouest, de ses lumières étincelantes, de ses rues bondées, de ses foules de badauds sur le Kurfürstendam et de l'aéroport de Tempelhof en plein cœur de la ville. Or cet aéroport était en rase campagne...

— Non ! cria-t-il à Lazareff. Il nous a eus. Nous sommes à l'Est.

Il enfonça son arme dans la nuque du capitaine Roudenko.

— Remontez ! cria-t-il. Remontez ou je tire.

Le capitaine ukrainien serra les dents et se maintint en position d'atterrissage, pour les cent derniers mètres. Michkine passa la main par-dessus son épaule et tenta de tirer en arrière la colonne des commandes. Les deux bruits, lorsqu'ils se produisirent, furent si rapprochés l'un de l'autre qu'on n'aurait su dire lequel avait précédé l'autre. Michkine prétendit plus tard que la secousse des roues heurtant le sol avait fait partir son revolver ; le copilote, Vatoutine, affirma que Michkine avait tiré avant. Ce fut beaucoup trop confus pour qu'on puisse déterminer une version incontestable.

La balle creusa un trou béant dans le crâne du capitaine Roudenko, qui mourut sur le coup. La cabine de pilotage s'emplit de fumée bleutée, Vatoutine tira aussitôt le manche à balai vers lui, en criant à son mécanicien de donner plus de puissance. Le hurlement des deux réacteurs domina soudain les cris des passagers, et le Tupolev, comme un clochard ivre, rebondit deux fois sur le tarmac puis s'éleva dans les airs, essoufflé, à la limite de la perte de vitesse. Vatoutine maintint le nez haut malgré les secousses, mendiant entre ses dents un peu plus de puissance, tandis que les faubourgs de Berlin-Est défilaient sous ses ailes... Quelques minutes plus tard ils survolaient le Mur.

Lorsque le Tupolev arriva au-dessus du périmètre de Tempelhof, il n'était qu'à deux mètres des maisons les plus proches.

Le visage blême, le jeune copilote fit un atterrissage trois points sur la principale piste. Il avait presque oublié qu'il avait le canon du revolver de Lazareff dans les côtes. Michkine tenait dans ses bras le cadavre ensanglanté de Roudenko pour l'empêcher de tomber sur le tableau de commandes. Le Tupolev s'immobilisa enfin aux trois quarts de la piste, toujours sur ses roues.

Le sergent-chef Leroy Coker était un patriote. Il s'était tassé sur lui-même au volant de la jeep de la police de l'air, et il avait relevé le col de sa parka fourrée tout autour de son visage : il songeait avec envie à la chaleur de son Alabama natal. Mais il était de garde, et il prenait ses responsabilités au sérieux.

Lorsque l'avion de ligne glissa au-dessus des maisons, de l'autre côté de la clôture, moteurs hurlant, train d'atterrissage et volets dehors, il cria aussitôt.

— Qu'est-ce que c'est que cette merde !...

Et il se redressa sur son siège.

Jamais il n'était allé en Russie, jamais il n'avait fait la moindre balade à l'Est, mais il avait lu pas mal de choses sur « leur » compte. Il ne savait presque rien de la guerre froide, mais il se doutait bien qu'une attaque communiste était toujours possible, sinon pourquoi aurait-on fait monter la garde au milieu de l'Europe, à des

201

hommes comme lui, Leroy Coker ? Il savait aussi reconnaître une étoile rouge lorsqu'il en voyait une, ainsi qu'une faucille et un marteau.

Lorsque le Tupolev s'arrêta, il décrocha sa carabine, visa et creva les pneus de la roue jumelée à l'avant.

Michkine et Lazareff se rendirent trois heures plus tard. Leur intention avait été de garder l'équipage, de libérer les passagers, de prendre à bord trois notables de Berlin-Ouest et de se faire conduire à Tel-Aviv. Mais il était hors de question de trouver d'autres pneus pour l'avant du Tupolev : jamais les Russes n'en fourniraient. Et lorsque les responsables de la base américaine apprirent le meurtre de Roudenko, ils refusèrent de prêter un de leurs appareils. Des tireurs d'élite encerclaient le Tupolev ; jamais les deux hommes n'auraient pu faire passer l'équipage dans un autre avion, même à la pointe du pistolet. Ils seraient criblés de balles avant d'avoir fait trois pas sur la piste. Après une heure de négociations avec le commandant de la base, Michkine et Lazareff quittèrent l'avion, les mains sur la tête.

Au cours de la même nuit, ils furent officiellement remis aux autorités de Berlin-Ouest pour être emprisonnés et jugés.

9

Lorsqu'il pénétra dans le bureau de David Lawrence, au ministère des Affaires étrangères, le 2 janvier 1983, l'ambassadeur soviétique à Washington était en proie à une colère froide.

Le ministre américain le recevait à la « requête » des Soviétiques — mais le terme « insistance » aurait été plus justifié.

L'ambassadeur lut sa protestation officielle d'une voix monocorde. Quand il eut terminé, il déposa le texte sur le bureau de Lawrence. Ce dernier, qui savait d'avance de quoi il s'agissait, avait fait préparer une réponse par ses conseillers juridiques, debout tous les trois derrière son fauteuil.

Il reconnut que Berlin-Ouest n'était pas, en droit, un territoire souverain mais une ville occupée par les quatre Grands. Néanmoins les Alliés occidentaux étaient convenus depuis longtemps qu'en matière juridique, les autorités de Berlin-Ouest auraient à connaître de tous les délits civils et criminels ne tombant pas sous le coup de la juridiction purement militaire des Alliés occidentaux. Le détournement d'un avion de ligne, poursuivit-il, constituait un délit très grave, mais il n'avait été commis ni par des citoyens américains, ni contre des citoyens américains, ni dans le ressort de la base aérienne américaine de Tempelhof. C'était donc une affaire relevant de la juridiction civile. En conséquence, le gouvernement des États-Unis déclarait qu'il ne lui était possible ni de procéder à l'arrestation de personnes de nationalité non américaine, ni de saisir des biens d'origine non américaine sur le territoire de Berlin-Ouest, bien que l'avion de ligne eût atterri sur une base aérienne de l'armée de l'Air des États-Unis.

Il n'avait donc aucun recours : il était contraint de rejeter la protestation soviétique.

L'ambassadeur l'écouta dans un silence glacé. Il répondit que l'explication américaine était inacceptable et il la rejeta. Il rendrait compte à son gouvernement dans ce sens. Il repartit aussitôt à son ambassade et câbla à Moscou.

Le même jour, dans un petit appartement de Bayswater, à Londres, trois hommes effondrés fixaient les journaux éparpillés sur le sol autour d'eux.

— C'est un désastre ! s'écria Andrew Drake, la gorge nouée. Une vraie merde. En ce moment, ils devraient être en Israël. Dans un mois, on les relâcherait et ils tiendraient leur conférence de presse. Pourquoi a-t-il fallu qu'ils tuent ce pilote, nom de Dieu !

— S'il avait atterri à Schönefeld et refusé de redécoller pour Berlin-Ouest, ils étaient fichus de toute façon, fit observer Azamat Krim.

— Ils auraient pu l'assommer, répliqua Drake, furieux.

— Dans le feu de l'action..., murmura Kaminsky. Mais qu'allons-nous faire, à présent ?

— Est-ce que l'origine de leurs armes peut être déterminée ? demanda Drake à Krim.

Le Tatar secoua la tête.

— On pourra peut-être remonter jusqu'à l'armurier qui les a vendues, mais pas jusqu'à moi. Je n'ai pas eu besoin de révéler mon identité.

Drake se mit à marcher de long en large, réfléchissant à voix haute.

— Je ne crois pas que les Russes obtiennent leur extradition, dit-il. Ils vont la demander : détournement d'avion, meurtre de Roudenko, agression contre l'agent du K.G.B. à bord du Tupolev, et bien sûr contre l'autre agent dont ils ont volé la carte. Le plus sérieux, c'est le meurtre du pilote. Mais je ne crois pas qu'un gouvernement d'Allemagne fédérale se risque à renvoyer deux Juifs à une mort certaine. Ils vont être jugés et ils seront condamnés. Probablement à perpétuité. Miroslav, vont-ils parler de l'assassinat d'Ivanenko ?

Le réfugié ukrainien secoua la tête.

— Pas s'il leur reste un grain de bon sens, répondit-il. Pas en plein cœur de Berlin. Les Allemands risqueraient de changer d'avis et de les renvoyer, tout compte fait, à Moscou. A supposer qu'ils les croient — ce qui est invraisemblable, parce que Moscou démentirait aussitôt la mort d'Ivanenko en présentant un sosie au monde entier. Non... Seulement, Moscou les croirait et les ferait liquider. Les Allemands, qui ne les croiraient pas, ne leur assureraient pas une protection spéciale. Ils n'auraient pas la moindre chance... Je suis sûr qu'ils garderont le silence.

— Et si nous faisons, nous, cette conférence de presse, ajouta Krim, on ne nous croira pas davantage. Seuls Michkine et Lazareff, en pleine liberté et avec l'appui d'une presse bienveillante, peuvent convaincre le monde de la vérité, et humilier l'ensemble de l'appareil d'État soviétique. Or c'est dans ce seul but que toute l'affaire a été montée. Nous avons échoué.

— Il faut les tirer de là ! répondit Drake d'un ton définitif. Il nous faut monter une seconde opération pour leur permettre de gagner Tel-Aviv avec des garanties formelles pour leur vie et leur liberté. Sinon, c'est un coup pour rien.

— Qu'allons-nous faire ? répéta Kaminsky.

— Nous allons réfléchir, répondit Drake. Nous allons trouver un moyen, étudier un projet et l'exécuter. Il ne faut pas qu'ils passent le reste de leur vie à moisir dans une prison berlinoise, pas avec un secret comme ça dans leurs têtes. Et nous n'avons guère de temps. Moscou ne tardera pas à s'apercevoir que deux et deux ne font pas quatre. Ils ont une piste à présent : ils comprendront très vite que les deux détenus de Berlin sont aussi les deux auteurs du coup de Kiev. Et ils mettront en place un plan de vengeance. Il faut absolument que nous les devancions.

La colère froide de l'ambassadeur soviétique à Washington était vraiment de pure forme, comparée à la rage offensée de son homologue de Bonn, deux jours plus tard, lorsqu'il se trouva en présence du ministre des Affaires étrangères d'Allemagne de l'Ouest. Le refus du gouvernement fédéral de remettre les deux terroristes criminels, soit aux autorités soviétiques, soit à celles d'Allemagne de l'Est, constituait à l'entendre une rupture flagrante de leurs relations jusque-là amicales, et serait interprété par l'Union soviétique comme un acte d'hostilité de la part de la République fédérale.

Le ministre des Affaires étrangères se sentait extrêmement mal à l'aise. Il aurait vraiment préféré, quant à lui, que le Tupolev se soit écrasé sur le tarmac en Allemagne de l'Est. Il eut envie de répondre que les Russes ayant toujours maintenu que Berlin-Ouest ne faisait pas partie de l'Allemagne fédérale, ils feraient mieux aujourd'hui de s'adresser au Sénat de Berlin — mais il se retint.

L'ambassadeur répéta son argumentation pour la troisième fois :

les criminels étaient des citoyens soviétiques, les victimes étaient des citoyens soviétiques, l'avion de ligne était un territoire soviétique, le détournement avait eu lieu dans l'espace aérien soviétique, et le meurtre avait été commis sur la piste du principal aéroport d'Allemagne de l'Est, ou à quelques dizaines de centimètres au-dessus. Le délit relevait donc des tribunaux soviétiques ou, à tout le moins, d'une juridiction est-allemande.

Avec toute la courtoisie dont il était capable, le ministre des Affaires étrangères fit valoir que selon tous les précédents à ce jour, en cas de détournement d'avion, les coupables avaient été jugés par les tribunaux du pays où ils avaient finalement atterri, chaque fois que ce pays avait exprimé le désir d'exercer ce droit. L'Allemagne fédérale ne doutait nullement de l'équité des procédures judiciaires soviétiques mais...

Quel enfer! pensa-t-il à part soi. Personne en Allemagne de l'Ouest, au gouvernement, dans la presse ou dans le grand public, n'ignorait le sort que subiraient Michkine et Lazareff si on les renvoyait à l'Est: interrogatoires du K.G.B., procès truqué et peloton d'exécution. Et en plus, ils étaient juifs — un problème de plus.

Pendant les tout premiers jours de janvier, la presse est souvent en mal de copie, et les journaux ouest-allemands avaient déjà monté l'affaire en épingle. Les journaux conservateurs du puissant Axel Springer hurlaient à tous les vents que si grand fût leur crime, les deux Ukrainiens méritaient un procès équitable, et que seule l'Allemagne de l'Ouest était à même de le leur garantir. Le parti C.S.U. de Bavière, qui arbitrait la coalition au pouvoir, avait adopté la même attitude. Certains milieux antisoviétiques donnaient à la presse des éléments d'information très précis, enrichis de détails sinistres sur les dernières répressions du K.G.B. dans la région de Lvov d'où venaient les deux jeunes détenus, et laissaient entendre que dans une telle ambiance de terreur, la fuite était une réaction justifiée, même si le moyen utilisé en la circonstance (le détournement de l'avion) était en principe blâmable.

De plus, comme on avait découvert récemment à un poste élevé de la Fonction publique, un nouvel agent communiste sous couverture, le gouvernement ne se rendrait certainement pas populaire en se montrant conciliant à l'égard de Moscou. Et avec les élections provinciales imminentes...

Le ministre avait reçu du Chancelier des ordres très clairs... Michkine et Lazareff passeraient en jugement à Berlin-Ouest aussitôt que possible, dit-il à l'ambassadeur, et s'ils étaient — ou plutôt lorsqu'ils seraient — reconnus coupables, ils seraient condamnés à des peines exemplaires.

La réunion du Politburo, à la fin de la même semaine, devait être assez orageuse. De nouveau, les magnétophones étaient à l'arrêt et les sténographes absents.

— C'est une insulte ! s'écria Vichnaïev d'un ton cassant. Un scandale de plus. L'Union soviétique est bafouée aux yeux du monde entier. Cela n'aurait jamais dû se produire.

Il laissait entendre que seule la faiblesse coupable de Maxime Roudine était responsable de ce qui s'était passé.

— Rien ne serait arrivé, répliqua Pétrov, si les chasseurs Mig du camarade maréchal Kérensky avaient abattu l'avion au-dessus de la Pologne comme d'habitude.

— Il y a eu une panne dans les réseaux de télécommunication entre la base aérienne et le chef d'escadrille, mentit Kérensky. Une chance sur mille...

— Un hasard malheureux, fit observer Rykov d'un ton froid.

Ses ambassadeurs venaient de lui apprendre que le procès de Michkine et de Lazareff serait public, et révélerait exactement comment les deux hommes avaient assommé un officier du K.G.B. pour lui prendre ses papiers, puis avaient joué son rôle pour pénétrer dans la cabine de pilotage.

— S'est-on demandé si ces deux hommes n'étaient pas ceux qui ont assassiné Ivanenko ? dit Pétryanov, de la faction Vichnaïev.

L'atmosphère se tendit aussitôt.

— Pas du tout, répondit Pétrov d'une voix ferme. Nous savons que ces deux-là viennent de Lvov et non de Kiev. Ce sont des Juifs à qui l'autorisation d'émigrer a été refusée. Notre enquête se poursuit, mais jusqu'ici il n'existe aucun lien entre les deux affaires.

— Si un tel lien se faisait jour, nous en serions évidemment informés aussitôt ? demanda Vichnaïev.

— Cela va sans dire, camarade, gronda Roudine.

On appela les sténographes et la séance se poursuivit. On évoqua les progrès de la conférence de Castletown et l'achat des dix millions de tonnes de céréales pour bétail. Vichnaïev n'insista pas. Rykov se dépensa sans compter pour démontrer que l'Union soviétique obtenait les quantités de blé nécessaires à sa survie jusqu'au printemps, tout en n'accordant sur le plan des armements que des concessions minimes — ce que contesta aussitôt le maréchal

Kérensky. Mais Komarov fut forcé d'avouer que l'arrivée imminente de dix millions de tonnes de céréales pour les animaux lui permettrait de débloquer tout de suite le même tonnage sur les réserves, et d'éviter des abattages massifs du cheptel. La suprématie de la faction Roudine ne tenait plus qu'à un cheveu, mais elle tenait encore.

Lorsque les membres du Politburo se séparèrent, le vieux dirigeant soviétique prit Vassili Pétrov à part.

— Existerait-il un lien entre les deux Juifs et le meurtre d'Ivanenko ? lui demanda-t-il.

— C'est possible, admit Pétrov. Nous savons maintenant qu'ils sont les auteurs de l'agression de Ternopol, ils avaient donc quitté Lvov pour préparer leur fuite. Nous avons pu obtenir leurs empreintes digitales sur l'avion, et elles correspondent à celles que nous avons relevées dans leurs appartements. Nous n'avons pas trouvé de chaussures correspondant aux traces relevées à Kiev sur les lieux du meurtre, mais nous continuons à chercher. Une dernière chose : nous avons l'empreinte de la paume d'une main, relevée sur la voiture qui a renversé la mère d'Ivanenko. Nous essayons d'obtenir les empreintes des paumes des deux hommes emprisonnés à Berlin. Si elles correspondent...

— Préparez un plan, un plan d'urgence, une étude des possibilités, dit Roudine. Pour les faire liquider à l'intérieur de leur prison de Berlin-Ouest. Juste en cas. Autre chose, si vous avez la preuve qu'ils ont assassiné Ivanenko faites-m'en part à moi, pas au Politburo. Nous les effacerons d'abord, et nous informerons nos camarades ensuite.

Pétrov avala sa salive. En Russie soviétique, tricher avec le Politburo, c'est jouer avec le feu ; une fausse manœuvre et tout est fini : il n'y a plus de filet de sécurité. Il se souvint de ce que Roudine lui avait dit à Ousovo, près de la cheminée, quinze jours plus tôt. Avec le Politburo dressé à six contre six, Ivanenko mort, et deux membres de leur propre camp sur le point de passer à Vichnaïev, il ne restait plus d'atout à jouer.

— Très bien, répondit-il.

Peu après le milieu du mois, Dietrich Busch, le chancelier d'Allemagne fédérale, reçut son ministre de la Justice dans son bureau de la tour de la Chancellerie, non loin de l'ancien palais Schaumberg. Le chef du gouvernement ouest-allemand, debout près de la baie vitrée moderne, avait les yeux fixés sur la neige glacée qui recouvrait les toits de Bonn. A l'intérieur du nouveau quartier général du gouvernement, qui dominait la place du Chancelier fédéral, la climatisation lui permettait de rester en bras de chemise : janvier, rude et mordant dans cette ville des bords du Rhin, s'arrêtait à la porte.

— Cette affaire Michkine et Lazareff, comment se présente-t-elle ? demanda Busch.

— C'est assez étrange, avoua Ludwig Fischer, le ministre de la Justice. Ils coopèrent beaucoup plus qu'on ne s'y attendait. On dirait qu'ils ont envie d'avoir un procès rapide, et dans les délais les plus brefs.

— Excellent, répondit le Chancelier. C'est exactement ce qu'il nous faut. Une affaire rondement menée. Débarrassons-nous de tout ça au plus vite. De quelle manière coopèrent-ils ?

— On leur a offert un avocat vedette d'extrême droite. Payé par des fonds réunis « spontanément », peut-être en Allemagne, peut-être aux États-Unis par la *Jewish Defense League*. Ils l'ont renvoyé. Il voulait faire tout un spectacle autour du procès, et monter en épingle la persécution des Juifs par le K.G.B. en Ukraine.

— Un avocat d'*extrême droite* voulait faire ça ?

— Ils font flèche de tout bois, vous savez, du moment que la cible est communiste..., répondit Fischer. Quoi qu'il en soit, Michkine et Lazareff désirent plaider coupables et invoquer les circonstances atténuantes. Ils sont fermes sur ce point. S'ils s'en tiennent à cette attitude et s'ils prétendent que l'arme est partie toute seule au moment où l'avion a heurté la piste de Schönefeld, leur défense se tient. Leur nouvel avocat réclame en échange que l'accusation de meurtre soit réduite à un simple homicide involontaire.

— Je crois que nous pouvons le leur accorder, répondit le Chancelier. Quelle est la peine correspondante ?

— Avec le détournement d'avion, de quinze à vingt ans. Bien entendu, ils pourront être libérés sur parole après avoir purgé le tiers de la peine. Ils sont jeunes, ils pourront sortir à trente ans.

— Cela nous fait au moins cinq ans, murmura Busch. Or ce qui m'inquiète, ce sont les cinq prochains mois. Le souvenir efface tout. Dans cinq ans, tout le monde les aura oubliés.

— Ils reconnaissent tout, le seul point sur lequel ils insistent, c'est que le revolver est parti par accident. Ils affirment que leur seul but était de gagner Israël et qu'ils n'avaient pas d'autres moyens à leur disposition. Ils plaideront coupables sur toute la ligne — s'ils ne sont inculpés que d'homicide involontaire.

— Il faut le leur accorder, dit le Chancelier. Cela ne va pas plaire aux Russes, mais de toute façon rien ne peut leur plaire dans cette affaire. Là-bas, ils seraient condamnés à mort pour meurtre, mais ici la peine correspondante n'est plus en fait que de vingt ans.

— Il y a autre chose. Ils désirent être transférés dans une prison d'Allemagne de l'Ouest après le procès.

— Pourquoi ?

— On dirait qu'ils ont peur que le K.G.B. ne se venge. Ils croient qu'ils seront plus en sécurité en Allemagne de l'Ouest qu'à Berlin-Ouest.

— C'est idiot, répondit Busch. Ils seront jugés et détenus à Berlin-Ouest. Jamais les Russes ne songeront à régler leurs comptes dans une prison de Berlin. Ils n'oseront jamais. Nous pourrons opérer un transfert de routine dans un an ou deux. Mais pas pour l'instant. Allez de l'avant, Ludwig. Que tout soit vite fait et bien fait, puisqu'ils veulent coopérer. Mais je ne veux pas avoir la presse sur le dos à la veille des élections, l'ambassadeur russe me suffit.

A Chita, le soleil levant brillait sur le pont du *Freya*, amarré depuis deux mois et demi à son quai d'accastillage. En soixante-quinze jours, il s'était métamorphosé. Nuit et jour, il s'était docilement abandonné aux mains des minuscules créatures qui fourmillaient partout sur sa coque. Des centaines de kilomètres de fils avaient été posés en tous sens, et puis des câbles, des tuyaux, des tubes rigides et souples. Le labyrinthe de ses réseaux électriques avait été connecté et mis à l'essai. Son système de pompage, un véritable casse-tête, avait été installé et vérifié.

Les instruments commandés par ordinateurs qui empliraient et videraient ses réservoirs, qui le lanceraient en avant toute ou qui le ralentiraient sur son erre, qui le maintiendraient sur n'importe quel cap prédéterminé pendant d'interminables semaines sans qu'une main humaine ne se pose sur sa barre, sans qu'un œil humain n'observe les étoiles au-dessus de lui, ou les fonds marins au-dessous — tout avait été mis en place.

Les garde-manger et les congélateurs permettant de nourrir son équipage pendant plusieurs mois avaient été installés ; de même que les meubles, les poignées de porte, les ampoules électriques, les toilettes, les fourneaux de la cambuse, le chauffage central, l'air conditionné, le cinéma, le sauna, trois bars, deux salles à manger, les couchettes, la literie, les tapis et les portemanteaux.

Sa superstructure de cinq étages n'était plus une coquille vide mais un hôtel de luxe ; sa dunette, sa salle de radio et la salle de l'ordinateur n'étaient plus des galeries désertes et sonores, mais un complexe de banques de données, de calculatrices et de systèmes de contrôle, où régnait un murmure assourdi.

Lorsque le dernier ouvrier rassembla ses outils et l'abandonna enfin, le *Freya* représentait en taille, en puissance, en capacité, en luxe et en raffinement technique, le summum de tout ce que la technologie de l'homme avait jamais tenté de faire flotter sur les eaux.

Le reste de l'équipage (trente hommes en tout) était arrivé par avion deux semaines plus tôt pour se familiariser avec chaque recoin du bâtiment. Il se composait comme suit : le capitaine, Thor Larsen, son second, et deux officiers de navigation ; le chef mécanicien, un premier officier mécanicien, un officier mécanicien en second, et un ingénieur électricien qui avait rang de « premier officier mécanicien ». Son officier de radio et le chef steward avait également rang d'officiers. L'équipage proprement dit comprenait : le premier cuisinier, quatre stewards, trois pompiers-artificiers-mécaniciens, un réparateur mécanicien, dix matelots de pont, et un spécialiste des pompes.

Deux semaines avant la date prévue de sa mise en service officielle, les remorqueurs l'arrachèrent au quai et le conduisirent au milieu de la baie d'Isé. Là, ses deux énormes hélices jumelles mordirent enfin les eaux, et le *Freya* commença ses essais en mer dans le Pacifique occidental. Pour les officiers et l'équipage, ainsi que pour la douzaine de techniciens japonais qui les accompagnaient, ce seraient deux semaines de travail épuisant : tous les équipements jusqu'au dernier allaient être testés contre toute avarie possible.

Ce matin-là, cent soixante-dix millions de dollars se mirent à glisser vers la passe de la baie, et les petits bateaux au large de Nagoya regardèrent passer le *Freya* avec une admiration craintive.

A vingt kilomètres du centre de Moscou, le village touristique d'Arkhangelskoié possède, non loin de son musée, un restaurant gastronomique réputé pour ses filets d'ours poêlés authentiques. Au cours de la dernière semaine de ce mois de janvier glacial, Adam

Munro y réserva une table, pour lui-même et son invitée, choisie dans la meute des secrétaires de l'ambassade britannique.

Il variait toujours ses invitations, pour qu'aucune jeune femme ne puisse remarquer son habitude de quitter la table au milieu du repas. Peut-être la jeune écervelée de ce soir-là s'étonna-t-elle de le voir couvrir autant de kilomètres sur des routes verglacées par une température de moins vingt-cinq degrés, mais elle ne fit aucun commentaire.

Le restaurant, de toute façon, était chaud et douillet ; et lorsqu'il s'excusa pour aller chercher un paquet de cigarettes dans sa voiture, elle trouva la chose naturelle. Le vent glacé le saisit dès qu'il passa la porte. Il frissonna. Deux phares brillèrent pendant un instant dans le noir, et il se hâta vers la voiture de Valentina.

Il entra à l'avant, la prit dans ses bras, la serra très fort contre lui et chercha ses lèvres.

— Je déteste savoir que tu es là-dedans avec une autre femme, murmura-t-elle en se blottissant au creux de son épaule.

— Ce n'est rien, ça ne compte pas. Juste un prétexte pour pouvoir venir dîner ici sans éveiller les soupçons. J'ai des nouvelles pour toi.

— Pour nous deux ? demanda-t-elle.

— Pour nous deux. J'ai demandé aux gens de chez moi s'ils accepteraient de t'aider à sortir, et ils ont dit oui. Ils ont préparé un plan. Tu connais le port de Constanta, sur la côte roumaine ?

Elle secoua la tête.

— J'en ai entendu parler, mais je n'y suis jamais allée. Je prends toujours mes vacances sur la côte soviétique de la mer Noire.

— Peux-tu t'arranger pour y aller en vacances avec Sacha ?

— Je pense. Je peux prendre mes congés pratiquement où je veux. La Roumanie fait partie du bloc socialiste, cela ne devrait étonner personne.

— Quand Sacha quitte-t-il l'école pour les vacances de printemps ?

— Pendant la dernière semaine de mars, je crois. C'est important ?

— Il faut que ce soit au milieu d'avril, lui dit-il. Mes amis pensent que depuis la plage, tu pourrais passer sur un cargo au large. Avec un canot rapide. Peux-tu t'organiser pour prendre tes vacances de printemps en avril, en même temps que Sacha, à Constanta ou dans la station voisine de Mamaïa ?

— J'essaierai, répondit-elle. J'essaierai. En avril ? Oh, Adam, cela paraît tellement près.

— C'est tout près, mon amour. Moins de quatre-vingt-dix jours. Encore un peu de patience, Valentina, et nous serons libres de commencer ensemble une nouvelle vie.

Cinq minutes plus tard, elle lui avait donné les minutes de la réunion du Politburo de début janvier et elle était repartie dans la nuit. Il enfonça les feuilles de papier dans la ceinture souple qu'il portait sous sa chemise, et il rentra dans l'atmosphère chaude du restaurant d'Arkhangelskoié.

Cette fois-ci, se dit-il tout en conversant gentiment avec la secrétaire, il ne ferait aucune erreur, il ne reculerait devant rien, il ne la laisserait pas partir comme en 1961. Cette fois-ci, ce serait pour toujours.

Edwin Campbell se pencha sur la belle table ancienne de la Galerie Longue de Castletown, et fixa le professeur Sokolov. Le dernier point de l'ordre du jour avait été traité, la dernière concession obtenue. Un envoyé de la « salle à manger » du rez-de-chaussée venait d'annoncer que la conférence secondaire avait répondu aux concessions du premier étage par un accord commercial sur la vente du blé américain à l'Union soviétique.

— Je crois que nous en avons terminé, mon cher Ivan, dit Campbell. Au stade où nous en sommes, nous ne pourrons rien faire de plus.

Le Russe leva les yeux des pages d'écriture cyrillique manuscrite posées devant lui — ses notes personnelles. Pendant cent jours, il avait combattu, de toutes ses griffes et de toutes ses dents, pour assurer à son pays les tonnages de céréales qui permettraient d'éviter une famine catastrophique — tout en maintenant au plus haut niveau d'efficacité possible le dispositif militaire de l'Europe de l'Est. Il savait qu'il avait dû accepter des concessions que l'on aurait jugées impensables à Genève, quatre ans plus tôt, mais il avait fait de son mieux, dans les circonstances où il se trouvait.

— Vous avez raison, Edwin, répliqua-t-il. Nous pouvons préparer un premier projet de traité sur la limitation des armes, et le soumettre à nos gouvernements respectifs.

— Et le protocole d'accord commercial, dit Campbell. Je crois qu'ils auront envie de voir ça aussi.

Sokolov se permit un sourire presque ironique.

— J'en suis persuadé, dit-il.

Pendant la semaine suivante, les deux équipes d'interprètes et de

213

sténographes préparèrent simultanément le traité et le protocole commercial. A plusieurs reprises, on fit appel aux deux principaux négociateurs pour éclaircir tel ou tel point obscur, mais presque tout le travail de rédaction et de traduction fut effectué par leurs collaborateurs. Lorsque les deux documents volumineux, rédigés dans les deux langues, furent enfin prêts, les deux négociateurs regagnèrent leurs capitales respectives pour les présenter à leurs Maîtres.

Andrew Drake posa son magazine et se pencha en arrière.
— Pourquoi pas ? dit-il.
— Pardon ? lui demanda Azamat Krim en entrant dans le petit salon avec trois grandes tasses de café.
Drake poussa le magazine vers le Tatar.
— Lis le premier article, dit-il.
Krim commença de lire tandis que Drake dégustait son café. Kaminsky suivait des yeux chacun de leurs gestes.
— Tu es cinglé, répondit Krim d'un ton définitif.
— Mais non, s'écria Drake. Si nous restons les deux pieds dans le même sabot, nous en serons encore au même point dans dix ans. Ça peut marcher, je te dis. Écoute : Michkine et Lazareff passent en jugement dans deux semaines. Tu sais très bien comment ça finira. Autant commencer à se préparer tout de suite, non ?, si on veut qu'ils sortent un jour ou l'autre de cette foutue prison. Donc, on se met au travail. Azamat, tu as été para au Canada, n'est-ce pas ?
— Oui, trois ans.
— Tu as suivi des cours sur les explosifs ?
— Ouais. Démolition et sabotage. En stage avec le Génie pendant trois mois.
— Dans ma jeunesse, j'étais un mordu de l'électronique, dit Drake. Peut-être parce que mon vieux avait un atelier de réparation radio avant de mourir. Nous avons des chances de réussir. Il nous faudra de l'aide, mais ce n'est pas impossible.
— Combien d'hommes en plus ? demanda Krim.
— Il nous faut un homme hors du coup, pour bien identifier Michkine et Lazareff à leur libération. Et ce ne peut être que Miroslav. Pour le coup lui-même, nous, et cinq hommes de main en plus.
— Jamais personne n'a fait un truc comme ça, fit observer le Tatar plein de doute.

214

— Nous profiterons de l'effet de surprise. Ils s'attendent à tout sauf à ça.

— Quand tout sera fini, ils nous arrêteront, dit Krim.

— Pas forcément. A leur place, je couvrirais notre fuite. Et de toute façon, ce serait le procès le plus sensationnel de ces dix dernières années. Avec Michkine et Lazareff libres en Israël, la moitié du monde occidental nous couvrirait de fleurs. Tous les journaux et toutes les revues en dehors du bloc soviétique évoqueraient en première page le problème de l'Ukraine libre.

— Tu connais cinq types qui se mettraient dans le coup avec nous ?

— Voilà des années que je dresse des listes de noms, répondit Drake. Je connais tous les Ukrainiens émigrés qui en ont par-dessus la tête des parlottes stériles. Si nous leur disons ce que nous avons déjà fait, ils n'hésiteront pas à se joindre à nous. Oui, je trouverai cinq types sûrs avant la fin du mois.

— Parfait, dit Krim. Puisque nous avons mis le doigt dans l'engrenage, autant aller jusqu'au bout. Que dois-je faire ?

— Aller en Belgique, dit Drake. Je veux un grand appartement à Bruxelles. C'est là que nous réunirons les hommes. Ce sera la base du groupe.

Tandis que Drake continuait d'exposer son projet, à l'autre bout du monde, le soleil se levait sur Chita et les chantiers navals I.H.I. Le *Freya* était encore immobile le long de son quai d'accastillage, mais ses moteurs bourdonnaient déjà.

La veille au soir, une longue conférence avait réuni dans le bureau du président d'I.H.I., l'architecte constructeur des chantiers et celui de l'armateur, les comptables, Harry Wennerström et Thor Larsen. Les deux experts techniques avaient confirmé que tous les éléments du pétrolier géant étaient en parfait état de marche. Wennerström avait signé la dernière décharge, précisant que le *Freya* constituait bien tout ce pour quoi il avait versé tant d'argent.

En fait, il avait payé cinq pour cent de sa valeur à la signature du contrat original de commande de la construction, cinq pour cent à la mise en place de la quille, cinq pour cent à la mise en eau, et cinq pour cent à la remise officielle du bâtiment. Les quatre-vingts pour cent restants (majorés des intérêts) seraient payables en huit ans. Mais pour servir et valoir ce que de droit, le bateau était à lui. Les couleurs des chantiers navals furent amenées en grande cérémonie, et le fanion de la Nordia Line, un casque ailé de Viking couleur argent sur fond bleu ciel, se mit à claquer dans la brise matinale.

Dans la dunette, tout en haut de la superstructure qui se dressait comme une tour au-dessus de la vaste étendue du pont, Harry Wennerström prit Thor Larsen par le bras, l'entraîna dans la salle de la radio et referma la porte derrière lui. C'était une pièce complètement insonorisée lorsque la porte était close.

— Il est tout à vous, Thor, lui dit-il. A propos, il y a eu une légère modification en ce qui concerne votre arrivée en Europe. Je ne le déchargerai pas au large. Pas pour son voyage inaugural. Juste pour cette fois, vous le conduirez jusqu'à l'Europort de Rotterdam avec ses cales pleines.

Larsen adressa à son armateur un regard incrédule. Jamais les pétroliers géants n'entrent dans les ports. Ils restent au large et se déchargent en déversant le plus gros de leur fret dans des pétroliers plus petits. Cela leur permet de réduire leur tirant d'eau pour passer les hauts-fonds. Ou bien ils accostent à des « îles flottantes », réseaux de tuyaux fixés à des plates-formes amarrées en eaux profonde, qui permettent de pomper à terre tout leur pétrole. L'idée d'avoir une fille dans chaque port n'est plus qu'une mauvaise plaisanterie pour les équipages des supertankers : d'un bout de l'année à l'autre ils n'accostent pour ainsi dire jamais aux environs d'une ville, et pour leurs congés périodiques, on vient les chercher en mer en hélicoptère. C'est la raison pour laquelle, dans un pétrolier géant, le poste de l'équipage doit être un véritable foyer confortable.

— Jamais il ne traversera le Pas-de-Calais, dit Larsen.

— Vous ne remonterez pas la Manche, lui répondit Wennerström. Vous contournerez l'Irlande par l'Atlantique, passerez à l'ouest des Hébrides, au nord du Pentland Firth, entre les Orcades et les Shetland, puis vous redescendrez la mer du Nord en suivant la ligne des vingt brasses, et vous vous mettrez au mouillage en eau profonde ; de là les pilotes vous feront remonter le chenal principal vers l'estuaire de la Meuse, et les remorqueurs vous tireront de Hoek van Holland jusqu'à l'Europort.

— Le chenal intérieur, entre la balise K.I. et la Meuse n'est pas assez profond pour admettre le *Freya* en pleine charge, répliqua Larsen.

— Il le sera, fit Wennerström d'un ton calme. Le chenal a été dragué à trente-cinq mètres au cours des quatre dernières années. Vous aurez un tirant d'eau de trente mètres. Thor, s'il existe au monde un seul marin capable de conduire un pétrolier d'un million de tonnes dans l'Europort, c'est bien vous. Ce sera peut-être à un cheveu près, mais vous ne pouvez pas me refuser, pour une seule et unique fois, cette joie extraordinaire. Je veux que le monde entier le voie, Thor. Mon *Freya* ! Ils seront tous là à l'attendre, j'y veillerai. Le gouvernement des Pays-Bas, la presse de partout. Je les inviterai et ils en auront le souffle coupé. Sinon, personne ne le verrait jamais. Il va passer toute sa vie hors de vue de la terre.

— Très bien, dit Larsen à regret. Mais une seule fois. J'aurai vieilli de dix ans quand tout sera terminé.

Wennerström sourit comme un enfant.

— Attendez donc le moment où ils le verront, dit-il. Le 1ᵉʳ avril. Nous nous reverrons à Rotterdam, Thor Larsen.

Dix minutes plus tard, il était parti. A midi, les ouvriers japonais s'alignèrent le long du quai pour faire leurs adieux au puissant pétrolier, qui quitta la rade et mit le cap sur l'entrée de la baie. Le 2 février à 14 heures, il se lança pour la seconde fois dans le Pacifique et tourna sa proue vers les Philippines, Bornéo et Sumatra : ses fiançailles avec la mer...

Le 10 février à Moscou, le Politburo se réunit pour étudier, approuver ou rejeter le projet de traité négocié à Castletown et le protocole commercial qui l'accompagnait. Roudine et son clan savaient que s'ils pouvaient faire accepter les conditions du traité à cette séance même, il serait ensuite — sauf accident — ratifié et signé sans difficulté. Ephraïm Vichnaïev et sa faction de vautours n'en étaient pas moins conscients. La réunion fut longue et particulièrement agressive.

On croit souvent que les hommes d'État, au cours de leurs conférences privées, utilisent à l'égard de leurs collègues et de leurs conseillers un langage modéré et courtois. Ceci n'est pas exact en ce qui concerne plusieurs présidents récents des États-Unis, et c'est complètement inexact du Politburo en séance. Ce jour-là, les équivalents russes des expressions imagées les plus crues volèrent d'un bout de la table à l'autre. Seul Vichnaïev, guindé comme de coutume, conservait un langage contenu, mais son ton de voix devenait plus acide à chaque concession, qu'il attaquait ligne par ligne avec le soutien de ses partisans.

Dans la faction modérée, c'était Dmitri Rykov, le ministre des Affaires étrangères, qui défendait le projet.

— La vente assurée de cinquante-cinq millions de tonnes de céréales aux prix raisonnables de juillet dernier, voilà ce que nous avons gagné. Ce grain nous permettra d'éviter une catastrophe à l'échelle nationale. Et par-dessus le marché, nous disposerons de l'équivalent de trois milliards de dollars en techniques de pointe, industries de biens de consommation, ordinateurs et techniques d'extraction pétrolière. Cela nous permettra de maîtriser des problèmes qui nous harcèlent depuis deux décennies, et de les résoudre en cinq ans.

« En échange de ces avantages, il va falloir accorder certaines concessions minimes sur le plan de notre armement et de notre dispositif tactique — concessions qui, je le souligne, ne retarderont et n'entraveront en rien notre capacité de dominer le tiers monde et ses ressources en matières premières au cours de ces mêmes cinq années. En mai dernier, nous étions au bord du désastre, mais grâce aux initiatives inspirées du camarade Maxime Roudine, nous sortons triomphants de l'impasse. Rejeter ce traité aujourd'hui nous ramènerait à la situation de mai dernier, mais en pire : les dernières céréales de notre récolte 1982 seront épuisées dans soixante jours.

Au moment du vote sur les conditions du traité — qui était en fait un vote sur la confirmation ou l'infirmation de l'autorité de Maxime Roudine — le rapport des forces demeura inchangé : six voix contre six. La voix prépondérante du Président l'emporta une fois de plus.

— Il n'y a plus qu'une chose qui puisse le renverser, dit Vichnaïev à Kérensky.

Il avait rejoint le maréchal dans sa voiture après la réunion du Politburo. On le sentait très calme, mais la décision qu'il avait prise était irrévocable.

— Il faut que quelque chose se produise pour faire changer d'opinion un ou deux membres de sa faction avant la ratification du traité, dit-il. Sinon le Comité central approuvera le traité sur la recommandation du Politburo et il passera. Si seulement nous pouvions démontrer que ces deux foutus Juifs de Berlin ont tué Ivanenko...

Kérensky avait un peu perdu de son naturel bravache. Il commençait à se demander en secret s'il n'avait pas choisi le mauvais côté. Trois mois plus tôt, on aurait vraiment cru que les Américains pousseraient Roudine trop loin, et qu'il perdrait une ou deux des voix qui lui faisaient si cruellement besoin au sein du Politburo. Mais maintenant... Seulement voilà, Kérensky était trop lié à Vichnaïev pour reculer. Et puis, il n'y aurait pas de grandes manœuvres soviétiques massives en Allemagne de l'Est dans deux mois, et c'était très dur à avaler.

— Une dernière chose, dit Vichnaïev. Si nous l'avions connue six mois plus tôt, la lutte pour le pouvoir serait terminée depuis longtemps. Un de mes contacts à la clinique de Kountsevo m'a fourni des renseignements. Maxime Roudine va mourir.

— Mourir ? répéta le ministre de la Défense. Quand ?

— Pas assez tôt, répondit le théoricien du Parti. Il vivra assez pour voir ce traité ratifié. Le temps nous manque, et nous n'y pouvons rien. A moins que l'affaire Ivanenko ne lui éclate à la figure.

Au même moment, le *Freya* franchissait le détroit de la Sonde. Par le travers de bâbord, il avait la pointe de l'île de Java, et à tribord dans le lointain l'énorme masse du volcan Krakatoa se détachait sur le ciel sombre. Dans la pénombre de la dunette, toute une batterie d'instruments en veilleuse indiquaient à Thor Larsen, à l'officier de quart et au jeune officier qui les accompagnait, tout ce qu'ils avaient besoin de savoir. Trois systèmes de navigation distincts comparaient leurs données grâce à l'ordinateur logé dans une petite pièce à l'arrière de la timonerie, et ces données étaient parfaitement exactes. Les indications que donnait le compas, avec une précision de l'ordre de la demi-seconde d'arc, étaient automatiquement vérifiées par comparaison avec les étoiles, qui ne se trompent jamais. La position des étoiles artificielles de l'homme — ses satellites dont les émissions ne sont jamais cachées par les nuages — était également analysée, et l'on offrait les résultats en pâture à l'ordinateur. Aussitôt, les mémoires électroniques digéraient les données concernant la marée, le vent, les courants sous-marins, la température et le degré hygrométrique. Et, sans discontinuer, l'ordinateur envoyait ses messages au gouvernail géant, automatique, qui frétillait, très loin au-dessous de l'arcasse de poupe, aussi sensible que la queue d'une sardine.

Au-dessus de la dunette, les deux radars balayaient l'espace sans interruption, relevant les contours des côtes, dessinant les montagnes, les bateaux et les balises, puis offrait tout cela à l'ordinateur, qui traitait également ces données, toujours prêt à déclencher son signal d'alarme au premier soupçon de danger. Les sondes par écho, immergées, dessinaient une carte en trois dimensions des fonds sous-marins au-dessous du bateau, tandis que le sonar de l'avant, dans son bulbe de la proue, balayait les eaux noires, vers l'avant et vers le bas sur une distance de cinq kilomètres. En effet, le *Freya* mettrait trente minutes pour passer d' « en avant toute » à l'arrêt complet, et il couvrirait trois ou quatre kilomètres sur son erre. C'était la rançon de sa grandeur.

Il avait franchi le détroit de la Sonde avant l'aube, et ses ordinateurs lui faisaient prendre la direction du nord-ouest, en suivant la ligne des cent brasses pour éviter le sud de Ceylan, avant de remonter vers le golfe Persique.

Deux jours plus tard, le 12, huit hommes se réunissaient dans l'appartement loué par Azamat Krim dans la banlieue de Bruxelles. Les cinq nouveaux venus avaient été convoqués par Drake. Plusieurs années plus tôt il les avait remarqués et rencontrés, puis il avait discuté avec eux de longues nuits avant de décider qu'ils partageaient le même rêve que lui : frapper un grand coup contre Moscou. Deux d'entre eux étaient des Ukrainiens nés en Allemagne, appartenant à l'importante communauté ukrainienne de la République fédérale. Le troisième était un Américain de New York né de père ukrainien. Les deux derniers étaient des Ukrainiens anglais.

Lorsqu'ils apprirent ce que Michkine et Lazareff avaient fait, leur réaction fut enthousiaste. Quand Drake leur expliqua que l'opération ne s'achèverait qu'avec la libération des deux partisans, aucun d'eux ne songea à le contester. Ils discutèrent tout au long de la nuit. A l'aube ils s'étaient répartis en quatre équipes de deux hommes.

Drake et Kaminsky rentreraient en Angleterre et achèteraient le matériel électronique que Drake jugeait indispensable. L'un des Allemands, qui ferait équipe avec un Anglais, retournerait en Allemagne pour se procurer les explosifs nécessaires. L'autre Allemand, qui avait des amis à Paris, emmènerait le second Anglais pour trouver et acheter (ou voler) les armes. Azamat Krim et l'autre Américain du Nord se procureraient la vedette à moteur. L'Américain avait travaillé dans un chantier de bateaux de plaisance dans le nord de l'État de New York et il était capable de choisir ce qu'il fallait.

Huit jours plus tard, dans la salle d'audience sévèrement gardée qui dépend de la prison Moabit de Berlin-Ouest, le procès de Michkine et Lazareff commença. Les deux hommes écoutèrent l'acte d'accusation en silence. Ils paraissaient très effrayés dans leur box, malgré les multiples cordons de défense, les fils de fer barbelés des murs d'enceinte et les gardes armés disséminés dans la salle d'audience. La lecture dura dix minutes. Quand les deux hommes déclarèrent qu'ils plaidaient coupables pour toutes les charges, tous les journalistes entassés dans la tribune de la presse en eurent le souffle coupé. Le procureur se leva pour exposer aux juges le déroulement des événements survenus la veille du jour de l'An. Lorsqu'il eut terminé, les juges ajournèrent la séance pour discuter de la sentence.

Le *Freya* s'engagea lentement, calmement, dans le détroit d'Ormuz et pénétra dans les eaux du golfe Persique. La brise avait fraîchi au lever du soleil, lorsque le *Shamal* glacé du nord-est, chargé de sable, s'était mis à gifler sa proue. Les particules de poussière en suspension dans l'air formaient comme une brume qui troublait l'horizon. L'équipage connaissait bien ce phénomène : ils avaient tous fait ce chemin maintes fois en allant chercher le pétrole brut du golfe. C'étaient des « pétroliers » expérimentés.

Sur un côté du *Freya*, à deux encablures à peine, les îles Qishu, dénudées et arides, semblaient glisser sur l'eau. De l'autre, les officiers de la dunette pouvaient distinguer le paysage lunaire, désertique de la péninsule de Mousandam, avec ses montagnes abruptes. Le *Freya* à vide était très haut sur les flots, et la profondeur du chenal ne posait aucun problème. Au retour, en pleine charge, il n'en serait pas de même. Il voguerait presque au ras des eaux, lentement, ses yeux électroniques rivés sur sa sonde de fond, surveillant la carte des fonds marins qui défileraient à quelques dizaines de centimètres à peine au-dessous de sa quille, enfouie à près de trente mètres sous sa ligne de flottaison.

Il était encore sous ballast, comme depuis son départ de Chita. Il possédait soixante réservoirs géants : trois rangées de vingt, alignées de la poupe à la proue. L'un d'eux était le réservoir de boue. On y recueillerait les résidus du nettoyage de ses cinquante réservoirs de fret, destinés au pétrole. Les neuf autres étaient des réservoirs de ballast permanent, que l'on ne devait emplir que d'eau de mer, et qui assuraient sa stabilité lorsqu'il était à vide.

Mais les cinquante réservoirs à pétrole brut suffisaient amplement. Chacun d'eux pouvait contenir vingt mille tonnes de brut. C'était avec une confiance absolue en son invulnérabilité à tout accident de pollution par le pétrole qu'il se dirigeait vers Abou Dhabi pour recevoir sa première cargaison.

Rue Miollis, à Paris, se trouve un bistrot modeste où le menu fretin du monde des mercenaires et des marchands d'armes se réunit volontiers pour prendre un verre ensemble. C'est là que l'Ukrainien allemand et son compère anglais se rendirent, sous la conduite de leur « contact » français.

Le conciliabule entre le Français et un de ses amis, français lui aussi, se prolongea plusieurs heures. Puis le Français revint trouver les deux Ukrainiens.

— Mon copain dit que c'est possible, expliqua-t-il à l'Allemand. Cinq cents dollars pièce, en dollars américains. Cash, évidemment. Un seul chargeur par arme.

— C'est d'accord, mais qu'il ajoute un revolver et son chargeur plein par-dessus le marché.

Trois heures plus tard, dans le garage d'un pavillon de banlieue du côté de Neuilly, les Ukrainiens enveloppaient dans des couvertures six pistolets-mitrailleurs et un pistolet automatique M.A.B. de neuf millimètres, puis les rangeaient dans le coffre de leur voiture. L'argent changea de mains. Douze heures plus tard, le 24 février, juste avant minuit, les deux hommes montèrent dans leur appartement de Bruxelles et déposèrent leur matériel au fond de la penderie.

Le 25 février au lever du soleil, le *Freya* dépassa les derniers hauts-fonds du détroit d'Ormuz et c'est avec soulagement que les officiers surveillant la sonde électronique virent le fond de la mer s'enfoncer soudain sous leurs yeux à des profondeurs océaniques. Sur le voyant digital, les chiffres passèrent rapidement de vingt à cent brasses. Le *Freya* revint progressivement à sa vitesse de croisière en pleine charge — quinze nœuds — et mit le cap au sud-est pour redescendre le golfe d'Oman.

Lourdement chargé, il faisait enfin ce pour quoi il avait été conçu et réalisé : il transportait un million de tonnes de pétrole brut vers les raffineries assoiffées de l'Europe — et les millions de conduites intérieures familiales qui allaient s'en désaltérer. Son tirant d'eau était, comme prévu, de quatre-vingt-dix-huit pieds — vingt-neuf mètres soixante-trois — et ses dispositifs d'alarme avaient mémorisé cette donnée pour pouvoir agir si le fond de la mer remontait trop près.

Ses neuf réservoirs de ballast étaient vides et ils agissaient comme réservoirs de flottaison. Très loin à l'avant, la première rangée de trois réservoirs était constituée par deux réservoirs pleins de brut, à bâbord et à tribord avec, au centre, l'unique réservoir de boues. La rangée suivante comprenait les trois premiers réservoirs de ballast, vides. La seconde rangée de trois réservoirs vides se trouvait au milieu du bateau, et la troisième rangée de trois, au pied même de la superstructure. Dans cette dernière, au cinquième étage, le capitaine Thor Larsen passa le commandement du *Freya* à son officier de quart, et descendit dans sa luxueuse cabine de jour pour prendre son petit déjeuner et se reposer pendant quelques heures.

Le matin du 26 février, après un ajournement de plusieurs jours, le juge qui présidait le procès de Michkine et de Lazareff commença la lecture du jugement rendu par lui-même et ses deux assesseurs. Cela lui prit plusieurs heures.

Dans leur box cloisonné, les deux Juifs ukrainiens l'écoutèrent sans trahir aucune émotion. De temps en temps ils buvaient un peu d'eau dans les verres posés devant eux sur la table. Tous les regards étaient tournés vers eux, ceux des juges comme ceux de tous les journalistes qui se pressaient dans la tribune réservée à la presse internationale. Mais un journaliste (qui représentait un mensuel allemand d'extrême gauche) semblait s'intéresser davantage aux verres qu'aux prisonniers eux-mêmes.

La cour ajourna la séance pour le déjeuner et lorsque l'audience reprit, ce journaliste n'était plus à sa place. Il téléphonait depuis l'une des cabines publiques à l'extérieur de la salle. Peu après trois heures, le juge acheva sa lecture. On demanda aux deux hommes de se lever pour s'entendre condamner à quinze années de réclusion criminelle.

On les emmena aussitôt à la prison de Tegel au nord de la ville, où ils purgeraient leurs peines. En quelques minutes, la salle d'audience se vida et les femmes de ménage se mirent à l'œuvre. Elles commencèrent par enlever les corbeilles à papiers pleines à ras bord, les carafes et les verres. L'une d'elles, entre deux âges, se chargea du nettoyage du box des accusés. A l'abri des regards de ses collègues, elle prit les deux verres des prisonniers, les enveloppa soigneusement dans le papier qui protégeait ses sandwichs, puis les mit dans son sac à provisions sous ses chiffons à poussière. Personne ne s'en aperçut. Et qui s'en serait soucié ?

Le dernier jour du mois, Vassili Pétrov sollicita et obtint une audience privée avec Maxime Roudine dans les appartements de ce dernier au Kremlin.

— Michkine et Lazareff, dit-il sans préambule.

— Eh bien ? Ils en ont pris pour quinze ans. Ils méritaient le poteau d'exécution.

— Un de nos hommes à Berlin-Ouest a pu se procurer les verres dans lesquels ils ont bu au cours du procès. Une des deux empreintes de paume correspond à celle que nous avons relevée sur la voiture qui a renversé la mère d'Ivanenko à Kiev en octobre.

— C'était donc eux, répondit Roudine d'une voix sombre. Que le diable les emporte, Vassili. Effacez-les. Liquidez-les. Aussi vite que possible. Chargez-en les *mokrié dyéla*.

Le K.G.B., dont les objectifs et l'organisation sont vastes et complexes, est en principe constitué par quatre Directorats principaux, sept Directorats indépendants et six Départements indépendants. Mais les quatre Directorats principaux constituent l'essentiel du K.G.B., et le premier de ces Directorats s'occupe exclusivement des activités clandestines en dehors de l'U.R.S.S. Au cœur de ce premier Directorat, il existe une section connue simplement sous le nom de Département V (comme Victor) ou département d'Action exécutive. C'est l'une des sections dont le K.G.B. aimerait le plus dissimuler l'existence au reste du monde, aussi bien en U.R.S.S. qu'au-dehors. Car ses missions comportent sabotage, extorsion, enlèvement et assassinat. Dans le jargon du K.G.B. on lui donne en général un autre nom : *mokrié dyéla*, les « affaires mouillées », parce que bien souvent ses opérations impliquent que le sang soit versé.

C'était à ce Département V du premier Directorat principal du K.G.B., que Maxime Roudine suggérait de confier l'élimination de Michkine et Lazareff.

— J'y ai déjà songé, répondit Pétrov. Je pense charger de l'affaire le colonel Koukouchkine, le responsable de la sécurité d'Ivanenko.

Il a des raisons personnelles de vouloir réussir : venger Ivanenko, racheter sa propre humiliation, mais surtout sauver sa peau. Il était aux *mokrié dyéla*, il y a dix ans. Et il est déjà au courant de ce qui s'est passé rue Rosa-Luxemburg, à Kiev : il y était. Il parle allemand couramment. Il ne rendra compte qu'au général Abrassov ou à moi-même.

Roudine hocha la tête.

— Très bien, confiez-lui le travail. Qu'il choisisse ses hommes. Abrassov doit lui donner tout ce qu'il désire. On prendra pour prétexte la mort du capitaine du Tupolev, qui doit être vengée. Et dites-lui bien, Vassili, qu'il a intérêt à réussir du premier coup. Si sa tentative échouait, Michkine et Lazareff pourraient très bien devenir bavards. Et après une tentative de meurtre, tout le monde les croirait sur parole. Vichnaïev, en tout cas, saurait la vérité, et vous devinez bien ce qui se passerait.

— Certes, dit Pétrov d'une voix calme. Il réussira. Il le fera lui-même.

10

— C'est le mieux que nous puissions obtenir, monsieur le Président, dit le ministre des Affaires étrangères David Lawrence. Sincèrement, je crois qu'Edwin Campbell nous a bien défendus à Castletown.

Les ministres des Affaires étrangères, de la Défense et des Finances étaient en conférence dans le Bureau Ovale de la Maison Blanche, avec Stanley Poklewski et Robert Benson de la C.I.A. De l'autre côté des portes-fenêtres à la française, une bise d'hiver balayait encore la roseraie. La neige avait fondu, mais ce premier jour du mois de mars demeurait sinistre et glacé.

Le président William Matthews posa sa main à plat sur le volumineux dossier devant lui : le projet d'accord auquel avaient abouti les négociations de Castletown.

— Une grande partie de tout ceci est trop technique pour moi, avoua-t-il, mais le condensé du ministère de la Défense m'a fait une forte impression. Voici comment je vois les choses : si nous rejetons cet accord à présent, après que le Politburo soviétique l'a accepté, il n'y aura de toute façon aucune reprise des négociations. En tout état de cause, le problème des livraisons de céréales serait purement académique pour les Russes d'ici trois mois : ils seront en train de crever de faim et Roudine sera renversé. Ephraïm Vichnaïev aura sa guerre. Nous sommes bien d'accord là-dessus ?

— Cela me semble irréfutable, dit David Lawrence.

— Et le deuxième volet de l'accord, demanda le Président, les concessions que nous avons faites ?

— Le protocole commercial secret se trouve dans le document séparé, dit le ministre des Finances. Il exige que nous livrions cinquante-cinq millions de tonnes de céréales diverses au prix de production, ainsi que pour environ trois milliards de dollars de techniques relatives aux industries du pétrole, des ordinateurs et de certains biens de consommation. A des prix assez lourdement subventionnés. L'ensemble de l'opération coûtera aux États-Unis trois milliards de dollars environ. En revanche, la limitation des armements devrait nous permettre de récupérer cette somme et même davantage en réduisant le budget militaire.

— A condition que les Soviétiques respectent leurs engagements, se hâta de dire le ministre de la Défense.

— Mais s'ils le font, et nous n'avons aucune raison de croire qu'ils ne le feront pas, répliqua aussitôt Lawrence, nos experts ont calculé qu'il leur serait impossible de lancer avec succès une guerre en Europe, avec de l'armement conventionnel ou des armes nucléaires tactiques, pendant au moins cinq ans.

Le président Matthews ne serait pas candidat aux élections en novembre. Mais s'il pouvait quitter la Maison Blanche au mois de janvier suivant en laissant derrière lui la perspective d'une demi-décennie de paix et la course aux armements des années soixante-dix arrêtée sur sa lancée, il était certain de prendre rang dans l'histoire parmi les grands présidents des États-Unis. Et en ce printemps 1983, c'était ce qu'il désirait plus que tout autre chose au monde.

— Messieurs, dit-il, il nous faut approuver ce traité tel qu'il est. David, informez Moscou que nous acceptons comme eux toutes les conditions, et proposez que nos négociateurs se retrouvent rapidement à Castletown pour préparer le traité officiel en vue de la ratification. Pendant ce temps, nous autoriserons le chargement des céréales sur les bateaux, pour qu'ils prennent la mer le jour même de la signature. Ce sera tout.

Le 3 mars, Azamat Krim et son coéquipier américano-ukrainien négocièrent l'achat d'une vedette de haute mer robuste et puissante. C'était un de ces bateaux qui font les délices des pêcheurs sportifs sur les côtes britanniques et continentales de la mer du Nord. Douze mètres de long, et coque d'acier, en très bon état pour une occasion. Elle était immatriculée en Belgique, et ils l'avaient découverte près d'Ostende.

Elle avait à l'avant un poste de pilotage dont le rouf occupait le premier tiers de la longueur. Une entrée de capot permettait de descendre dans le poste de repos où s'entassaient quatre couchettes, des toilettes minuscules et un réchaud camping-gaz. A l'arrière de la cloison de cabine, elle était ouverte à tous vents. Son pont dissimulait un moteur puissant capable de lui faire traverser la mer du

Nord, souvent très mauvaise, jusqu'aux bancs de grande pêche.

Krim et son compagnon la conduisirent d'Ostende à Blankenberge, plus haut sur la côte de Belgique, et ils la mirent au mouillage dans le port de plaisance, où elle n'attira l'attention de personne. Le printemps amène toujours sur les côtes, avec leurs bateaux et tout leur attirail, sa moisson de pêcheurs audacieux. L'Américain décida de vivre à bord pour travailler sur le moteur. Krim, de retour à Bruxelles, découvrit qu'Andrew Drake avait transformé la table de cuisine en établi, et se consacrait à des préparatifs assez particuliers.

Pour la première fois depuis le début de son voyage inaugural, le *Freya* traversa l'équateur et, le 7 mars, pénétra dans le canal de Mozambique, direction sud-sud-ouest quart sud, vers le cap de Bonne-Espérance. Il suivait toujours la ligne des cent brasses, qui laissait cent cinquante mètres d'eau sous sa quille. Il était donc très éloigné des routes maritimes classiques. Il ne s'était pas trouvé en vue de la terre depuis sa sortie du golfe d'Oman, mais pendant l'après-midi du 7, il passa au large des Comores, au nord de Madagascar. Son équipage, profitant des vents modérés et de la mer calme pour se promener sur les quatre cents mètres de son pont avant, ou pour se prélasser près de la piscine couverte du pont C, aperçurent par bâbord l'île de Grande Comore. Le sommet de ses montagnes couvertes d'épaisses forêts était enfoui dans les nuages, et la fumée des sous-bois qui brûlaient sur les pentes glissait à la surface des eaux vertes. A la tombée de la nuit, le ciel se garnit soudain de nuages gris, le vent se mit à souffler par rafales. Le *Freya* allait aborder maintenant les eaux tumultueuses du cap, avant sa longue course vers le nord, vers l'Europe où tout était prêt pour lui souhaiter la bienvenue.

Le lendemain, Moscou répondit officiellement à la proposition du président des États-Unis, le remercia d'avoir accepté les conditions du projet de traité et donna son accord pour que les deux délégations se réunissent de nouveau à Castletown pour rédiger le texte définitif, en restant en contact permanent avec leurs gouvernements respectifs.

Le plus gros de la flotte marchande russe, la *Sovfracht*, ainsi que de nombreux autres vaisseaux préalablement loués par l'Union soviétique, prirent la mer à l'invitation des Américains vers les côtes est de l'Amérique du Nord, où ils devaient charger le grain. Moscou venait de recevoir les premiers rapports constatant l'arrivée de quantités excessives de viande sur les marchés de campagne : on avait commencé à abattre le bétail, même dans les fermes d'État et dans les fermes collectives où c'était rigoureusement interdit. Les dernières réserves de céréales destinées à l'alimentation animale, comme celles réservées aux hommes, touchaient à leur fin.

Dans un message privé au président Matthews, Maxime Roudine exprima ses regrets de ne pouvoir, pour raisons de santé, signer le traité au nom de l'Union soviétique, à moins que la cérémonie n'ait lieu à Moscou. Il proposait que les signatures officielles soient apposées par les ministres des Affaires étrangères, à Dublin, le 10 avril.

Les vents du cap de Bonne-Espérance semblaient souffler de l'Enfer. L'été sud-africain était terminé depuis longtemps et les tempêtes d'automne remontaient de l'Antarctique pour se jeter à l'assaut du Drakensberg. Le 12 mars, le *Freya* était au cœur du courant d'Agulhas, cap à l'ouest dans une mer verte aux lames géantes, et il prenait les bises du sud-ouest par le travers avant.

Il devait faire un froid de chien sur le pont, mais il n'y avait personne. Le capitaine Thor Larsen et ses deux officiers de quart étaient à l'abri du double vitrage de la dunette, avec le timonier, l'officier radio et deux autres marins en bras de chemise. Bien au chaud, en sécurité, protégés par l'auréole de leur technologie infaillible, ils regardaient vers la proue où des vagues de douze mètres, soulevées par le vent de force dix qui faisait rage, se dressaient au-dessus du flanc du *Freya* par bâbord, semblaient planer pendant un instant, puis s'écrasaient à grand fracas pour recouvrir aussitôt le pont gigantesque et ses myriades de tuyaux et de vannes, en un maëlstrom d'écume blanche. Chaque fois que les vagues jaillissaient, seul le gaillard d'avant, au loin, demeurait visible, comme une entité séparée de l'arrière. Et lorsque l'écume reculait, vaincue, pour disparaître par les dalots de pont, le *Freya* semblait s'ébrouer avant d'enfouir sa masse dans une nouvelle montagne d'eau vive. A trente mètres au-dessous de ces hommes, quatre-vingt-dix mille chevaux-vapeur poussaient un million de tonnes de pétrole brut, un peu plus loin à chaque tour d'hélice, vers Rotterdam. Très haut dans le ciel les albatros du Cap tournoyaient en vol plané et derrière le Plexiglas, nul n'entendait leurs cris éperdus. Un des stewards servit le café.

Deux jours plus tard, le lundi 14, Adam Munro sortit en voiture de la cour de la Section commerciale, et tourna à droite dans la perspective Koutouzov, vers le centre de la ville. Il se dirigeait vers le bâtiment principal de l'ambassade britannique, où le chef de la chancellerie venait de le convoquer. L'appel téléphonique, vraisemblablement « écouté » par le K.G.B., avait fait allusion à l'éclaircissement de détails mineurs relatifs à la délégation commerciale venant de Londres. En réalité, cela signifiait qu'un message l'attendait dans la salle du chiffre.

La salle du chiffre se trouve au sous-sol de l'ambassade, quai Maurice-Thorez. C'est une pièce sûre, nettoyée à intervalles réguliers par des « balayeurs » qui ne s'occupent pas de poussière, mais d'éventuels engins d'écoute électronique. Les employés du chiffre sont des agents diplomatiques soumis à des contrôles de sécurité très stricts. Mais parfois, certains messages sont précédés d'un indicatif codé interdisant tout décodage par les machines à décoder ordinaires. Cet indicatif précise que le message doit être remis à un employé du chiffre particulier — un homme qui a le droit de savoir, parce qu'il ne peut en être autrement. Et il arrivait parfois qu'un message destiné à Adam Munro comporte cet indicatif. C'est ce qui s'était produit ce jour-là. L'employé en question connaissait le travail réel de Munro, parce qu'il fallait bien qu'il le sache ; ne serait-ce que pour le protéger de ceux qui l'ignoraient.

L'employé du chiffre aperçut Munro dès que celui-ci pénétra dans la salle du chiffre. Ils se retirèrent dans une petite annexe et l'employé, un homme précis et méthodique qui portait des lunettes à double foyer, prit une clé attachée à sa ceinture et déverrouilla une machine à décoder spéciale. Il introduisit le message de Londres et la machine se mit à taper la traduction. L'employé ne pouvait rien voir, et lorsque Munro fit quelques pas de côté, il détourna son regard.

Munro lut le message et sourit. Il le mémorisa en quelques secondes et le fit passer aussitôt dans une machine à déchiqueter qui réduisit la feuille mince en particules de la taille d'un grain de poussière. Il remercia l'employé et partit, gai comme un pinson. Barry Ferndale l'informait que le traité américano-soviétique étant sur le point d'être signé, le Rossignol pouvait passer à l'Ouest, où on l'accueillerait discrètement mais avec une grande reconnaissance. L' « enlèvement » aurait lieu à partir de la côte roumaine, près de Constanta, dans la semaine du 16 au 23 avril. On lui fournirait ultérieurement plus amples détails sur l'opération. On lui demandait de consulter le Rossignol et de confirmer son accord.

En recevant le message personnel de Maxime Roudine, le président Matthews avait fait observer à David Lawrence :

— Comme il ne s'agit pas d'un simple accord sur la limitation des armes, je pense que nous devons l'appeler « traité ». Et comme le destin semble vouloir qu'il soit signé à Dublin, l'histoire le connaîtra sans doute sous le nom de traité de Dublin.

Lawrence avait consulté le gouvernement de la République d'Irlande, qui avait accepté avec une joie à peine dissimulée d'organiser la cérémonie officielle de la signature, par David Lawrence au nom des États-Unis et par Dmitri Rykov au nom de l'Union des Républiques socialistes soviétiques. Elle se déroulerait dans la salle Saint-Patrick du château de Dublin, le 10 avril.

Le 16 mars, le président Matthews donna donc à Maxime Roudine son accord sur le lieu et la date.

Il existe dans les montagnes de Bavière, non loin d'Ingolstadt, deux carrières de granit assez importantes. Au cours de la nuit du 18 mars, le veilleur de nuit de l'une d'elles fut attaqué et ligoté par quatre hommes masqués — dont l'un au moins était armé d'un revolver, s'il faut en croire ses déclarations ultérieures à la police. Ces hommes, qui avaient l'air de savoir ce qu'ils cherchaient, s'introduisirent avec les clés du gardien dans le magasin de dynamite, et volèrent deux cent cinquante kilos du T.N.T. utilisé pour faire sauter les rochers, ainsi qu'un certain nombre de détonateurs électriques. Ils avaient terminé longtemps avant le lever du jour, et comme le lendemain, 19 mars, était un samedi, personne ne secourut le veilleur de nuit — et ne découvrit le vol — avant midi. La police se livra aussitôt à une enquête serrée, et comme les voleurs semblaient connaître la disposition des lieux, on passa au crible les dossiers des anciens employés de la carrière. Mais étant donné que l'on concentra les recherches sur les éléments d'extrême gauche, le nom de Klimtchouk, employé à la carrière trois ans plus tôt, n'attira pas particulièrement l'attention. On le supposait d'origine polonaise, mais en réalité c'est un nom ukrainien. Le samedi soir, les deux voitures transportant les explosifs étaient rentrées à Bruxelles après avoir franchi la frontière germano-belge par l'autoroute d'Aix-la-Chapelle à Liège. La circulation du week-end était très intense et on ne leur avait même pas demandé leurs papiers.

Le soir du 20 mars, le *Freya* avait dépassé depuis longtemps le Sénégal; les vents du sud-ouest et un courant favorable lui avaient permis d'avancer à belle allure depuis le cap de Bonne-Espérance. On était encore au début du printemps dans le nord de l'Europe, mais les vacanciers se pressaient déjà sur les plages des Canaries.

Le *Freya* passa assez loin à l'ouest de l'archipel, mais le 21, peu après l'aurore, les officiers de quart purent distinguer le sommet volcanique du Teide, dans l'île de Ténériffe; ils n'avaient pas entrevu la terre depuis qu'ils avaient suivi la côte inhospitalière de la province du Cap. Les montagnes canariotes disparurent à l'horizon. Ils savaient que s'ils ne parvenaient pas à distinguer le sommet de Madère au milieu des nuages, leur prochain contact avec la terre serait les balises leur indiquant de se tenir à l'écart des côtes sauvages de Mayo et de Donegal, à l'ouest de l'Irlande.

Adam Munro, non sans impatience, avait dû attendre une semaine pour rencontrer la femme qu'il aimait, mais il n'avait aucun moyen de la joindre avant leur rendez-vous prévu pour le lundi 21. Il avait choisi l'Exposition des réalisations de l'économie, dont le parc et les jardins de deux cent trente-huit hectares rejoignent le principal jardin botanique de l'Académie des sciences de l'U.R.S.S. Là, dans un arboretum en plein air, elle l'attendait. Il était presque midi. Un promeneur risquait à tout instant de les apercevoir, aussi ne prit-il pas le risque de l'embrasser, si fort qu'en fût son désir.

Dominant son enthousiasme, il lui transmit la nouvelle de Londres. Elle était ravie.

— J'ai une nouvelle pour toi, moi aussi, lui dit-elle. Pendant la première quinzaine d'avril, une délégation fraternelle du Comité central se rendra au congrès du Parti de Roumanie. On m'a demandé de l'accompagner. Sacha quitte l'école le 29 et nous partirons pour Bucarest le 5. Au bout d'une dizaine de jours, il sera parfaitement naturel que je conduise un petit garçon qui s'ennuie sur les plages de la côte pendant une semaine.

— Dans ce cas, je fixerai le rendez-vous pour la nuit du lundi 18 avril. Cela te donnera plusieurs jours à Constanta pour te repérer. Tu dois louer ou emprunter une voiture et te procurer une torche électrique puissante. Et maintenant, mon amour, voici tous les détails. Retiens-les bien car il ne faudra pas commettre la moindre erreur.

« Au nord de Constanta se trouve la station balnéaire de Mamaïa, où s'entassent les touristes occidentaux. La nuit du 18, tu quitteras Constanta vers le nord et tu traverseras Mamaïa. A dix kilomètres huit cents exactement de la sortie de Mamaïa, tu trouveras sur la droite un chemin non goudronné qui va de la route à la plage. Sur le promontoire, à la hauteur du croisement, tu verras une tour basse, en pierre, dont la moitié inférieure est peinte en blanc. C'est un amer pour les pêcheurs. Laisse la voiture assez loin de la route et descend la falaise jusqu'à la plage. A deux heures du matin, tu apercevras une lumière en mer : trois signaux longs et trois signaux courts. Tu prendras ta torche, tu couperas les bords du faisceau avec un tube de carton et tu le dirigeras exactement vers l'endroit d'où venait la lumière. Un canot rapide viendra te prendre, ainsi que Sacha.

« Il y aura à bord une personne parlant russe et deux marins. Tu te feras connaître en prononçant la phrase : '' Le Rossignol chante à Berkeley Square. '' Tu as bien compris ?

— Oui. Où est-ce, Berkeley Square ?

— A Londres. C'est très beau. Comme toi. Il y a beaucoup d'arbres.

— Et il y a vraiment des rossignols qui chantent ?

— En tout cas, il y a une chanson qui le dit. Ma chérie, cela semble si près, maintenant. Dans quatre semaines... Quand nous nous retrouverons à Londres, je t'emmènerai à Berkeley Square, tu verras.

— Adam, dis-moi : ai-je vraiment trahi mon peuple, le peuple russe ?

— Non, dit-il d'une voix ferme. Certainement pas. Ce sont vos dirigeants qui ont failli vous trahir. Si tu n'avais pas agi comme tu l'as fait, Vichnaïev et ton oncle seraient probablement en train de s'engager dans la guerre. La Russie aurait été détruite, ainsi que la majeure partie de l'Amérique, mon pays et l'Europe occidentale. Tu n'as pas trahi le peuple de ton pays.

— Mais ils ne comprendront jamais..., dit-elle. Ils ne me pardonneront pas. Ils diront que j'ai trahi. Je serai une exilée.

Dans ses yeux noirs perlaient des larmes.

— Un jour peut-être, toute cette folie aura une fin, lui répondit Adam. Un jour peut-être, tu pourras revenir. Écoute, mon amour, nous ne pouvons pas rester ici plus longtemps. C'est trop risqué. Une dernière chose : j'ai besoin de ton numéro de téléphone personnel. Je sais bien que je ne dois jamais t'appeler. Mais je ne te reverrai plus avant que tu sois en sécurité à l'Ouest. Si par le plus grand des hasards, il se produisait un changement quelconque de plan ou de date, il faudrait peut-être que je te rencontre d'urgence. Si je t'appelle, je te dirai que je suis un ami du nom de Grégor, et je t'expliquerai que je ne peux pas dîner avec toi. Dans ce cas, pars aussitôt de chez toi et viens me retrouver dans le parking de l'hôtel Mojarsky, en haut de la perspective Koutouzov.

Elle acquiesça doucement et lui donna son numéro de téléphone. Elle l'embrassa sur la joue.

— Nous nous reverrons à Londres, mon amour, lui dit-il avant de disparaître entre les arbres.

Il savait qu'il allait être obligé de démissionner et d'essuyer la colère froide de sir Nigel Irvine lorsque l'on découvrirait que le Rossignol n'était pas Anatoly Krivoï mais une femme — sa future épouse. Mais à ce moment-là, il serait trop tard. Le service lui-même n'y pourrait rien.

Ludwig Jahn regarda les deux hommes qui occupaient les seuls fauteuils de son coquet appartement de célibataire dans le quartier ouvrier de Weeding, à Berlin-Ouest. La peur l'envahit soudain : ils ressemblaient à des hommes qu'il avait déjà vus autrefois, des années auparavant, et qu'il aurait souhaité ne jamais revoir.

Celui qui parlait était incontestablement allemand, il n'y avait aucun doute possible. Mais il ignorait qu'il s'agissait du major Schulz de la police secrète est-allemande — la *Staatssicherheitsdienst* redoutée de tous, connue par son sigle : S.S.D. Jamais il ne connaîtrait son identité, mais il devinait sans peine le rôle qu'il jouait.

Et il savait surtout que la S.S.D. possédait des dossiers bien fournis sur chaque Allemand de l'Est passé en République fédérale. Or, c'était son cas. A Berlin-Est, trente ans plus tôt, Jahn avait participé aux émeutes des ouvriers de la construction, qui avaient très vite suscité des soulèvements dans toute l'Allemagne démocratique. Il avait eu de la chance : on l'avait arrêté au cours d'une des rafles effectuées par la police russe, aidée par ses amis communistes est-allemands, mais on l'avait relâché. Il avait à ce moment-là dix-huit ans, mais il se rappelait encore l'odeur des cellules de détention et l' « allure » très particulière des hommes qui y régnaient en maîtres. Or ce 22 mars, trois décennies plus tard, les visiteurs dans son salon avaient justement cette même « allure ».

Il s'était tenu tranquille pendant huit ans après les émeutes de 1953, puis, en 1961, juste avant l'achèvement du Mur, il était paisiblement passé à l'Ouest. Depuis quinze ans, il avait une bonne place dans la Fonction publique de Berlin-Ouest. Il avait débuté comme simple gardien de prison, mais il avait monté en grade. Il était maintenant *Oberwachmeister*, gardien-chef responsable de deux quartiers, à la prison de Tegel.

L'autre homme qui se trouvait dans son studio ce soir-là, garda le silence. Jahn ne saurait jamais que c'était un colonel soviétique nommé Koukouchkine, agissant dans le cadre du département des « affaires mouillées » du K.G.B.

Jahn fixa avec des yeux horrifiés les photos que l'Allemand retirait d'une grande enveloppe brune pour les lui présenter lentement, l'une après l'autre. Il reconnut aussitôt sa mère, veuve depuis plusieurs années, enfermée dans une cellule de prison, terrifiée. Elle avait près de quatre-vingts ans et elle fixait l'objectif, pleine de bonne volonté, dans l'espoir d'être bientôt libérée. Puis ce furent ses deux jeunes frères, menottes aux poignets, dans des cellules différentes — comme le démontraient les enduits des murs sur les clichés, particulièrement nets.

— Et voici vos belles-sœurs et vos trois petites nièces, si mignonnes. Oh oui, nous sommes au courant des cadeaux de Noël. Comment vous appellent-elles, déjà ? Oncle Ludo ? Comme c'est charmant. Dites-moi, vous avez déjà vu des endroits comme celui-ci ?

Il lui tendit les autres photographies, et le bon gros oncle Jahn ne put s'empêcher de fermer les yeux. Des silhouettes étranges, semblables à des zombies, se succédaient sur les clichés, vêtues de haillons, cheveux rasés, visages semblables à des crânes nus, fixant l'objectif d'un regard hébété. Ils se serraient, se blottissaient les uns contre les autres, ils enveloppaient leurs pieds desséchés dans des chiffons pour se protéger du froid polaire. Ils étaient édentés, tremblotants, sous-humains. C'étaient les pensionnaires des camps de travaux forcés du complexe de Kolyma, très loin au fin fond de la Sibérie, tout à l'est, au nord de la péninsule du Kamtchatka, où se trouvent les mines d'or, à la latitude du cercle Arctique.

— Les condamnations à perpétuité dans ce genre de... stations balnéaires... sont réservées aux pires ennemis de l'État, Herr Jahn. Mais mon collègue ici présent est en mesure de faire condamner à perpétuité toute votre famille — oui, même votre chère vieille mère — sur un simple coup de téléphone. Et maintenant, dites-moi, voulez-vous qu'il passe ce coup de fil ?

Jahn regarda dans les yeux l'homme qui n'avait pas parlé : son regard était aussi glacé que les camps de Kolyma.

— *Nein*, murmura-t-il dans un souffle. Non, je vous en prie. Que voulez-vous de moi ?

— Il y a dans la prison de Tegel, deux hommes coupables de détournement d'avion, Michkine et Lazareff. Vous les connaissez ?

Jahn acquiesça d'un signe de tête.

— Oui. Ils sont arrivés il y a quatre semaines. On en a fait tout un plat.

— Où se trouvent-ils exactement ?

— Au quartier numéro 2. Étage supérieur, aile gauche. Au secret, sur leur propre demande. Ils ont peur des autres prisonniers. En tout cas c'est ce qu'ils disent. Mais il n'y a pas de raison. Ce n'est pas comme s'ils avaient violé une fillette. Non. Mais ils ont insisté.

— Vous pouvez leur rendre visite, Herr Jahn ? Vous avez accès à leurs cellules ?

Jahn ne répondit pas. Il commençait à comprendre où ses visiteurs voulaient en venir avec ces deux détenus. C'étaient des hommes de l'Est, et Michkine et Lazareff s'étaient enfuis de l'Est. Ils n'avaient pas l'intention de leur apporter des cadeaux d'anniversaire.

— Vous devriez jeter un second coup d'œil à ces photos, Jahn. Prenez votre temps, regardez-les bien avant de songer à nous mettre des bâtons dans les roues.

— Oui, je peux leur rendre visite. Au cours de mes rondes. Mais seulement de nuit. Pendant la journée, il y a trois gardiens dans ce corridor. Si je désire entrer dans la cellule d'un prisonnier, un gardien, ou même deux, doit m'accompagner. Et pendant la journée, il n'y a aucune raison que j'entre dans une cellule. Seulement la nuit, pour vérifier.

— Êtes-vous de nuit en ce moment ?

— Non, de jour.

— Quelles sont les heures de la garde de nuit ?

— De minuit à huit heures. On coupe les lumières à dix heures du soir, la garde est relevée à minuit. Elle finit son tour à huit heures. Pendant le tour de nuit, je dois faire trois patrouilles dans chaque quartier, accompagné par l'officier de service à chaque étage.

L'Allemand anonyme réfléchit pendant un instant.

— Mon ami désire leur rendre visite, dit-il. Quand serez-vous de nouveau de garde de nuit ?

— Lundi. Le 4 avril, répondit Jahn.

— Très bien, dit l'Allemand de l'Est. Voici ce que nous allons faire...

Jahn reçut l'ordre de se procurer dans l'armoire d'un collègue en congé l'uniforme et le laissez-passer nécessaires. Le lundi 4 avril, à deux heures du matin, il descendrait au rez-de-chaussée et ferait entrer le Russe par l'entrée du personnel qui donnait sur la rue. Il l'accompagnerait au dernier étage et le cacherait dans la salle de jour des gardiens, dont il se procurerait un double de la clé. Il enverrait l'officier de service du dernier étage faire une course, et prendrait la garde à sa place pendant son absence. Il conduirait alors le Russe dans le couloir des détentions au secret et il lui prêterait son propre passe, qui permettait d'ouvrir les deux cellules. Lorsque le Russe aurait terminé sa « visite » à Michkine et à Lazareff, on ferait la manœuvre inverse. Le Russe se cacherait de nouveau jusqu'à ce que l'officier de service à l'étage vienne reprendre son poste, ensuite Jahn raccompagnerait le Russe à l'entrée du personnel et le ferait sortir.

— Ça ne marchera pas, murmura Jahn, parfaitement conscient que l'opération était réalisable.

Le Russe parla enfin, en allemand.

— Il vaut mieux que ça marche, dit-il. Si ça ne marche pas, je veillerai personnellement à ce que toute votre famille subisse à Kolyma un traitement spécial auprès duquel le régime " ultra-strict " normalement en vigueur aura l'air d'une suite pour lune de miel à l'hôtel Kempinski.

Jahn crut sentir ses entrailles plongées dans de la glace liquide. Aucun des « durs » de l'aile spéciale ne pouvait être comparé à cet homme. Il avala sa salive.

— Je le ferai, balbutia-t-il.

— Mon ami reviendra ici le dimanche 3 avril à six heures du soir, dit l'Allemand de l'Est. Pas de comité de réception de la police, s'il vous plaît. Ce ne serait pas du tout efficace. Nous avons l'un et l'autre des passeports diplomatiques sous des fausses identités. Nous serions à même de nier tout en bloc, et de nous en aller libres comme l'air. Arrangez-vous pour avoir l'uniforme et le laissez-passer.

Deux minutes plus tard ils avaient disparu. Ils avaient emporté leurs photographies. Il ne restait pas l'ombre d'une preuve. Mais peu importait : Jahn pourrait les revoir' jusqu'au moindre détail au cours de ses cauchemars.

Le 23 mars, la première vague de la flotte marchande en attente — plus de deux cent cinquante cargos — accosta dans une trentaine de ports échelonnés tout le long de la côte est de l'Amérique, depuis les bouches du Saint-Laurent au Canada, jusqu'à la Caroline. Le Saint-Laurent était encore pris par la glace, mais les brise-glaces la disloquaient en une sorte de mosaïque sans consistance, au milieu de laquelle les cargos céréaliers pouvaient naviguer sans mal. Ils accostaient au pied même des silos.

Une forte proportion de ces bateaux appartenait à la *Sovfracht*, mais en second rang venaient les cargos de vrac sec battant pavillon américain. En effet parmi les conditions de la vente, priorité avait été accordée aux affréteurs américains pour le transport du grain.

Dans dix jours ils seraient prêts à repartir vers l'est, à destination d'Arkhangelsk et de Mourmansk dans la mer de Barentz, de Léningrad au fond de la Baltique, et des ports en eau chaude de la mer Noire : Odessa, Simféropol et Novorossisk. Les pavillons de dix autres nations se mêleraient aux drapeaux russes et américains pour effectuer ce qui serait le plus important mouvement de cargos de vrac sec depuis la Seconde Guerre mondiale. Les pompes de plusieurs centaines de silos, de Winnipeg à Charleston, allaient cracher dans leurs entrailles une marée d'or — blé, seigle, avoine, orge et maïs — qui, un mois plus tard, sauverait de la faim les masses de l'Union soviétique.

Le 26, Andrew Drake termina le travail qu'il faisait sur la table de cuisine de l'appartement de Bruxelles et annonça qu'il était fin prêt.

Les explosifs étaient déjà rangés dans dix valises de moleskine. Les pistolets-mitrailleurs, roulés dans des serviettes de toilette, avaient trouvé place dans des sacs à dos. Azamat Krim conservait toujours les détonateurs par-devers lui, enveloppés dans du coton, à l'intérieur d'une boîte de cigares. A la nuit tombée, ils se relayèrent pour transporter le matériel dans la fourgonnette du groupe, achetée d'occasion en Belgique même. Ils partirent aussitôt pour Blankenberge.

La petite station balnéaire de la mer du Nord était silencieuse, le port presque désert, lorsqu'ils déchargèrent leur équipement dans la cale de leur vedette de pêche. Il faisait encore nuit, un homme qui promenait son chien sur le quai aperçut leur manège mais n'y trouva rien à redire : on était samedi et il était normal qu'un groupe de fanatiques de pêche en haute mer sorte pour le week-end, bien que l'on soit encore un peu trop tôt dans l'année, et que la température reste très fraîche.

Le dimanche 27, Miroslav Kaminsky leur fit ses adieux, prit la fourgonnette et rentra à Bruxelles. Il devait nettoyer de fond en comble l'appartement loué dans la banlieue, remettre les clés à l'agence, et conduire la fourgonnette à un lieu de rendez-vous connu de tous, dans les polders de Hollande. Il l'abandonnerait là, avec ses clés de contact cachées à l'endroit convenu, puis il prendrait le bac reliant Hoek van Holland à Harwich, et rentrerait à Londres. Il avait appris son itinéraire par cœur, et il était certain de bien tenir son rôle.

Les sept autres hommes quittèrent le port et remontèrent paisiblement la côte pour se perdre dans les îles de Zélande, vers Walcheren et Noord Beveland, de l'autre côté de la frontière hollandaise. Ils placèrent leurs cannes à pêche bien en évidence, se mirent en panne, et attendirent. Andrew Drake demeurait penché sur le puissant poste de radio installé dans la cabine, à l'écoute de la longueur d'onde de la salle de contrôle du trafic maritime sur l'estuaire de la Meuse, à Hoek van Holland, le *Maas Control*. Sans discontinuer, les bateaux entrant ou sortant de l'Europort et du port de Rotterdam lançaient leurs appels.

— Le colonel Koukouchkine réglera les choses lui-même dans la prison de Tegel pendant la nuit du 3 au 4 avril, dit Pétrov à Maxime Roudine le même dimanche matin. Un gardien-chef le fera entrer et le conduira aux cellules de Michkine et de Lazareff. Quand tout sera fini, il ressortira par l'entrée du personnel.

— Peut-on faire confiance à ce gardien ? C'est un homme de chez nous ? demanda Roudine.

— Non. Mais il a de la famille en Allemagne de l'Est. On l'a persuadé de faire ce qu'on lui dira. Koukouchkine assure qu'il ne parlera pas à la police. Il a trop à perdre.

— Il sait donc déjà pour qui il travaille... Cela revient à dire qu'il en sait trop.

— Koukouchkine le réduira lui aussi au silence, dès qu'il aura franchi la porte. Il ne restera aucune trace, répondit Pétrov.

— Huit jours ! grogna Roudine. Il a intérêt à ne pas faire d'erreur.

— Il n'en fera pas. Il a de la famille lui aussi. Lundi en huit, Michkine et Lazareff seront morts, emportant leur secret avec eux. Et ceux qui les ont aidés se tairont pour sauver leur peau. D'ailleurs, même s'ils parlent, ils ne convaincront personne. De simples allégations hystériques. Jamais on ne les croira.

Le matin du 29, quand le soleil se leva, ses premiers rayons effleurèrent la masse du *Freya* à vingt milles nautiques à l'ouest de l'Irlande, courant nord-nord-est par onze degrés de longitude, pour longer les Hébrides.

Son radar puissant avait repéré la flottille de pêche à travers les ténèbres, une heure plus tôt, et l'officier de quart l'avait noté consciencieusement. L'embarcation la plus proche était très à l'est du pétrolier, du côté de la terre.

Le soleil se mit à scintiller sur les rochers de Donegal, mince ligne au-dessus de l'horizon que les hommes de la dunette avaient du mal à distinguer bien que leur poste d'observation fût à plus de vingt mètres au-dessus des flots. La lumière baigna à contre-jour les petits bateaux de pêcheurs des Killybegs, qui dérivaient sur les eaux occidentales à la recherche du maquereau, du hareng et du merlan. Puis le soleil frappa la masse même du *Freya*, véritable île flottante surgie du sud, qui croisait maintenant à la hauteur des petits bateaux et de leurs filets dérivant doucement dans la houle.

Christy O'Byrne était dans la minuscule timonerie de la *Bernadette*, dont il était propriétaire avec son jeune frère. Il cligna des yeux à plusieurs reprises, posa son bol de cacao, et monta les trois marches conduisant de la timonerie au pont. Son bateau était le plus proche du pétrolier qui passait.

Derrière lui, lorsqu'ils aperçurent le *Freya*, les pêcheurs tirèrent sur la poignée de la corne de brume et tout un concert de minuscules coups de trompe troubla soudain l'aurore. Sur le pont du *Freya*, Thor Larsen fit un signe de tête à son officier subalterne.

Deux secondes plus tard le rugissement énorme du *Freya* répondit à la flottille des Killybegs.

Christy O'Byrne se pencha sur le bastingage et regarda le *Freya* emplir l'horizon, il entendit les vibrations de ses moteurs sous la mer, et il sentit que la *Bernadette* se mettait à rouler dans le sillage de plus en plus large du pétrolier.

— Sainte-mère de Dieu, murmura-t-il, quel morceau !

Sur la côte est de l'Irlande, à la même heure ce matin-là, des compatriotes de Christy O'Byrne se mirent au travail dans le château de Dublin qui avait été pendant sept cents ans le siège du pouvoir exercé sur l'Irlande par les Anglais. Lorsqu'il était enfant, perché sur les épaules de son père, Martin Donahue avait vu les dernières troupes anglaises quitter pour toujours l'enceinte du château, au lendemain de la signature du traité d'indépendance et de paix. Soixante-trois ans plus tard, à la veille de prendre sa retraite de la Fonction publique, il était « homme de ménage », et il poussait un aspirateur Hoover d'avant en arrière sur la moquette bleu électrique de la salle Saint-Patrick.

Il n'avait assisté à la cérémonie de prise de pouvoir d'aucun des présidents successifs de l'Irlande, sous le plafond magnifique peint en 1758 par Vincent Waldré, et il n'assisterait pas, douze jours plus tard, à la signature du traité de Dublin par les deux super-puissances, sous les bannières héraldiques figées des Chevaliers de Saint-Patrick, depuis longtemps disparus. Pendant quarante ans, il avait simplement enlevé la poussière...

A Rotterdam aussi on se préparait, mais pour une cérémonie différente. Harry Wennerström arriva le 30 et s'installa dans la meilleure suite de l'hôtel Hilton.

Il était venu dans son jet personnel, qu'il avait laissé à l'aéroport municipal de Schiedam, à quelques kilomètres du centre ville. Quatre secrétaires papillonnèrent autour de lui toute la journée pour préparer la réception des officiels scandinaves et néerlandais, des magnats du pétrole et de la marine marchande, et des nuées de journalistes venus du monde entier pour assister à la réception que l'armateur donnerait, le soir du 1er avril, en l'honneur du capitaine Thor Larsen et de ses officiers.

Un petit groupe choisi de notables et de grands reporters seraient ses hôtes sur la terrasse du centre de contrôle du trafic maritime, situé au bout de la plage de sable de Hoek van Holland. Là, protégés des brises fraîches de printemps, ils verraient depuis la rive nord de la Meuse les six remorqueurs tirer et pousser le *Freya* sur les derniers kilomètres de l'estuaire, puis sur le Caland Kanal et sur le Beer Kanal, avant de le faire accoster enfin au cœur de l'Europort, près de la nouvelle raffinerie de Clint Blake.

Dans l'après-midi, tandis que le *Freya* couperait tous ses appareils de navigation, le groupe repartirait vers le centre de Rotterdam pour la réception de la soirée. Le cortège des limousines franchirait les quarante kilomètres en suivant le fleuve. Une conférence de presse précéderait la réception, et Wennerström présenterait Thor Larsen à la presse mondiale.

Il savait que déjà les grands journaux et la télévision avaient loué des hélicoptères pour suivre le *Freya* pendant les derniers milles de son voyage et pour filmer les manœuvres de mise à quai.

Le 30 mars, aux petites heures, le *Freya* avait déjà franchi le détroit qui sépare les Orcades des Shetland. Il avait mis le cap au sud, et redescendait dans la mer du Nord. En entrant dans ces eaux très fréquentées, le *Freya* avait signalé sa présence au premier poste de contrôle côtier du trafic maritime, situé à Wick sur la côte du comté de Caithness, à l'extrême nord de l'Écosse.

En raison de sa taille et de son tirant d'eau, il était considéré comme « navire encombrant ». Il avait réduit sa vitesse à dix nœuds et suivait les instructions que lui envoyait Wick par radiotéléphone V.H.F. Tout autour de lui, invisibles, les divers centres de contrôle l'avaient repéré sur leurs écrans radar à haute définition, dont les opérateurs étaient tous des pilotes chevronnés. Tous ces centres étaient équipés de systèmes d'ordinateurs capables d'intégrer rapidement les données atmosphériques, les marées, les courants et la densité du trafic.

A l'avant du *Freya*, qui rampait en suivant la route maritime du sud, des bateaux plus petits recevaient l'un après l'autre l'ordre de s'écarter de son chemin. A minuit, il dépassa la pointe de Flamborough, sur la côte du Yorkshire puis s'écarta des côtes britanniques en direction de l'est, pour gagner la Hollande. Tout au long de la journée il avait suivi le chenal des eaux profondes de plus de vingt brasses. Dans la dunette, malgré les instructions fournies sans discontinuer par la côte, ses officiers surveillaient les indications de la sonde électronique, et regardaient les bancs de sable du fond de la mer du Nord glisser de chaque côté de sa coque.

Le 31 mars, juste avant le coucher du soleil, en un point situé à exactement quinze milles nautiques à l'est de la balise extérieure de Gabbard, à la vitesse réduite de cinq nœuds, au-dessous de laquelle il ne répondait plus à la barre, le géant vira doucement plein est et gagna le mouillage en eau profonde où il passerait la nuit, par 52° nord. Il se trouvait à vingt-sept milles nautiques à l'ouest de l'embouchure de la Meuse, à vingt-sept milles de sa destination — et de la gloire.

Il était minuit à Moscou. Adam Munro avait décidé de rentrer chez lui à pied après la réception diplomatique de l'ambassade. Il était venu avec le conseiller commercial et sa voiture était garée près de son appartement de la perspective Koutouzov.

Au milieu du pont Sérafimov, il s'arrêta pour regarder la Moskova. Il pouvait voir à sa droite la façade de stuc, crème et blanc, de son ambassade. A sa gauche, les murailles rouge sombre du Kremlin le dominaient de toute leur hauteur, et au-dessus d'elles, il apercevait l'étage supérieur et le dôme du Grand Palais des tsars.

Cela faisait environ dix mois qu'il avait quitté Londres pour ce nouveau poste. Et il avait déclenché le « gros coup » le plus extraordinaire depuis plusieurs dizaines d'années. Il contrôlait l'unique espion que l'Ouest ait jamais possédé au cœur même du Kremlin. Ils lui tiendraient rigueur d'avoir contrevenu à tous les principes et de leur avoir caché jusqu'au bout l'identité de sa source. Mais cela ne diminuait en rien la valeur des éléments qu'il avait obtenus.

Encore trois semaines, et Valentina serait sortie de leurs griffes, en sécurité à Londres. Il ne serait plus là, lui non plus, il aurait quitté le Service pour commencer une nouvelle vie, au loin, ailleurs, avec la seule personne au monde qu'il aimait, qu'il ait jamais aimée, et qu'il aimerait jamais.

Oui, il quitterait avec joie Moscou et ses secrets, son atmosphère éternellement furtive, sa grisaille déprimante. Dans dix jours, les Américains auraient leur traité sur la réduction des armes, le Kremlin ses céréales et sa technologie, et le Service recevrait les remerciements pleins de gratitude de Downing Street et de la Maison Blanche. Une semaine plus tard, il aurait, lui, sa future femme. Et Valentina, la liberté. Il rentra les épaules dans son manteau épais à col de fourrure, et il passa de l'autre côté du pont.

Quand il est minuit à Moscou, il est vingt-deux heures dans la mer du Nord. Et à 22 heures, le *Freya* était enfin immobile. Il avait parcouru 7 085 milles marins de Chita à Abou Dhabi, et 12 015 milles de plus entre Abou Dhabi et l'endroit où il se trouvait à présent, immobile, la proue tournée vers le courant de marée. A l'avant, une seule chaîne d'ancre sortait de l'étrave et tombait jusqu'au fond de la mer. Cent cinquante mètres de chaîne restaient en sécurité dans le puits. Chaque maillon de la chaîne capable de retenir un tel poids, mesurait près d'un mètre de long, et l'acier qui le constituait était plus gros que la cuisse d'un homme.

Étant donné les difficultés de navigation, le capitaine Larsen avait piloté le *Freya* lui-même depuis les Orcades, avec deux officiers et le timonier pour l'assister. Même au mouillage, pour la durée de la nuit, il demanda à son second, Stig Lundquist, à Tom Keller, un des officiers américains d'origine danoise, et à un jeune marin compétent, de ne pas quitter la dunette avant le lever du jour. Les officiers surveilleraient l'ancre en permanence, et le matelot ferait des rondes sur le pont à intervalles réguliers.

Les moteurs du *Freya* étaient à l'arrêt, mais ses turbines et ses groupes électrogènes bourdonnaient toujours au même rythme pour fournir l'énergie nécessaire au bon fonctionnement de tout son équipement.

Ses yeux électroniques enregistraient en permanence la variation des marées et les conditions météorologiques. Les prévisions à cet égard étaient rassurantes.

On aurait pu essuyer les bourrasques de mars, mais non : une zone de hautes pressions, inattendue pour la saison, semblait s'être installée, presque stationnaire, sur la Manche et la mer du Nord. Une sorte de printemps anticipé régnait sur les côtes. La mer était presque au calme plat, un courant de marée d'un nœud glissait vers le nord-est, vers les îles Frisonnes. Le ciel avait été bleu, presque sans nuages, toute la journée. On s'attendait à des gelées au lever du jour, mais il était probable que l'on aurait encore beau temps le lendemain.

Le capitaine Larsen souhaita bonne nuit à ses officiers, quitta la dunette et descendit d'un étage, jusqu'au pont D. C'était là, à tribord, que se trouvaient ses appartements. La cabine de jour, spacieuse et bien aménagée, avait deux fenêtres donnant à tribord et quatre fenêtres orientées vers l'avant, dominant le vaisseau sur toute sa longueur. A l'arrière de la cabine de jour venait sa chambre à coucher, suivie d'une salle de bain. La cabine de nuit avait, elle aussi, deux fenêtres donnant à tribord. Toutes les fenêtres étaient scellées, sauf une, située dans la cabine de jour, qui était fixée avec des écrous à oreilles que l'on pouvait dévisser à la main.

De l'autre côté de ces fenêtres scellées, vers l'avant, la façade de la superstructure tombait verticalement jusqu'au pont; vers tribord, les hublots donnaient sur un palier d'acier de trois mètres, dominant le bastingage de tribord — et au-delà, la mer. Cinq volées d'escalier d'acier montaient du pont A, le plus bas, jusqu'au cinquième étage, au-dessus de sa tête, où se trouvait la dunette. A chaque étage, les escaliers débouchaient sur un palier de métal. Ces escaliers et ces paliers étaient à l'air libre, exposés aux éléments. On les utilisait rarement, car les cages d'escalier intérieures étaient chauffées.

Thor Larsen ôta la serviette qui recouvrait le plat de poulet accompagné de salade que le chef steward avait déposé sur sa table, regarda avec envie la bouteille de scotch dans sa réserve d'alcool et mit en marche le percolateur pour se faire un café. Après son repas, il décida de passer la nuit à étudier une dernière fois les cartes marines du chenal qu'il allait suivre le lendemain jusqu'à sa mise à quai. La manœuvre s'annonçait difficile, et il voulait connaître le chenal aussi bien que les deux pilotes néerlandais qui arriveraient à 7 h 30 par hélicoptère depuis l'aéroport d'Amsterdam-Schiphol. C'est eux qui prendraient le *Freya* en charge, mais auparavant, à 7 heures, une vedette rapide amènerait de la côte une équipe de dix hommes, les « gabiers » spécialisés dont on aurait besoin pour assurer l'opération de mise à quai.

A minuit juste, il s'installa devant la grande table de sa cabine de jour, étala ses cartes, et se mit à les étudier.

Dix minutes avant trois heures du matin, il gelait déjà mais le ciel était clair. La mer, qui frissonnait à peine, scintillait sous la lune montante. Dans la dunette, Stig Lundquist et Tom Keller venaient de se verser du café. Le matelot surveillait les écrans qui palpitaient au-dessus de la console.

— Monsieur, dit-il, on dirait qu'une vedette vient vers nous.

Tom Keller se leva, et se dirigea vers l'écran radar que le marin montrait du doigt. Il vit une vingtaine de blips, certains immobiles, d'autres en mouvement, mais tous très à l'écart du *Freya*. Seul un blip minuscule semblait s'avancer, venant du sud-est.

— C'est sûrement un pêcheur qui veut être sûr d'arriver sur les bancs avant le lever du jour, dit Keller.

Lundquist regardait par-dessus son épaule. Il fit passer le radar en position de balayage rapproché.

— Il vient très près, dit-il.

Depuis la mer, la vedette ne pouvait manquer de voir la masse du *Freya*. Le pétrolier avait allumé ses feux d'ancrage au-dessus de l'étrave et à la poupe. Le pont était éclairé par des projecteurs, et la superstructure devait ressembler à un arbre de Noël illuminé car toutes les ampoules étaient allumées. La vedette, au lieu de virer de bord, infléchit sa marche vers la poupe du *Freya*.

— On dirait qu'il a envie de nous accoster, dit Keller.

— Il est impossible que ce soit l'équipe de « gabiers », répondit Lundquist. Nous ne les attendons qu'à sept heures.

— Ils ne devaient pas avoir sommeil, et ils avaient peur d'être en retard, dit Keller.

— Descends à la coupée, dit Lundquist au marin, et dis-moi ce que tu vois. Mets les écouteurs dès que tu arrives et garde le contact.

L'échelle de coupée était au milieu du bateau. Sur un vaisseau important, elle est si lourde que l'on utilise des câbles d'acier actionnés par un moteur électrique pour l'abaisser du bastingage au niveau de la mer ou pour la remonter parallèlement au bastingage. Sur le *Freya*, même en pleine charge, le bastingage était à neuf mètres au-dessus de l'eau — un saut impossible — et l'échelle était remontée.

Quelques secondes plus tard, les deux officiers virent le marin quitter la superstructure au-dessous d'eux et s'élancer sur le quai. Lorsqu'il parvint à la coupée, il monta sur une petite plate-forme en dévers au-dessus de l'eau, et regarda la mer. En même temps il prit un casque à écouteurs dans un caisson étanche et le posa sur sa tête. Dans la dunette, Lundquist pressa un bouton : une lumière puissante s'alluma, éclairant au loin le marin qui se penchait au-dessus des eaux noires. La vedette avait disparu de l'écran radar : elle était trop près pour être observée.

— Qu'est-ce que tu vois ? demanda Lundquist dans son micro.

La voix du marin parvint à la dunette.

— Rien, monsieur, dit-il.

Pendant ce temps, la vedette avait contourné l'arrière du *Freya* en se glissant sous la poupe en surplomb. Durant quelques secondes elle demeura hors de vue. De chaque côté de la poupe, le bastingage du pont A était à son point le plus proche de la mer, six mètres seulement au-dessus de l'eau. Les deux hommes debout sur le rouf de la cabine de la vedette n'étaient plus qu'à trois mètres. Lorsque la vedette émergea de l'ombre de l'arcasse les deux hommes lancèrent en même temps les deux grappins à trois pointes qu'ils tenaient. Les pointes étaient recouvertes de gaines de caoutchouc noir.

Chaque grappin, entraînant sa corde, s'éleva à près de quatre mètres, retomba par-dessus la rambarde du bastingage et s'accrocha. La vedette continua sa route et les deux hommes furent balayés du toit de la cabine : ils demeurèrent suspendus au bout des cordes, les chevilles traînant dans l'eau. Ils se mirent aussitôt à grimper à la force du poignet, très vite, sans se soucier des pistolets-mitrailleurs fixés dans leurs dos. Deux secondes plus tard, la vedette entrait dans la zone de lumière et glissait le long du *Freya* jusqu'à l'échelle de coupée.

— La voilà, je la vois ! dit le marin sur le pont. On dirait une vedette de pêche.

— N'abaisse pas l'échelle tant qu'ils ne se sont pas identifiés, ordonna Lundquist de la dunette.

Au-dessous de lui, à l'arrière, les deux hommes qui avaient abordé franchissaient le bastingage. Chacun d'eux décrocha son grappin et le laissa tomber à la mer, où il sombra, entraînant sa corde. Ils s'éloignèrent d'un pas vif, obliquèrent vers tribord et s'élancèrent sur les échelles d'acier. Leurs chaussures à semelles de caoutchouc ne faisaient aucun bruit.

La vedette s'immobilisa au-dessous de la coupée, qui dominait de huit mètres la cabine où s'entassaient quatre hommes accroupis. Un cinquième homme, à la barre, fixa le marin au-dessus de lui.

— Qui êtes-vous ? héla le marin. Identifiez-vous !

Pas de réponse. Au-dessous, dans le faisceau du projecteur, l'homme au passe-montagne de laine noire se borna à lui rendre son regard.

— Il ne répond pas, dit le marin dans son micro.

— Laisse le projecteur fixé sur eux, ordonna Lundquist. Je descends jeter un coup d'œil.

Tout au long de la scène, l'attention de Lundquist et de Keller s'était concentrée sur l'avant du bateau, côté bâbord. A tribord, la porte conduisant de la coursive dans la dunette s'ouvrit soudain, libérant une bouffée de vent glacé. Les deux officiers pivotèrent. La porte se referma. Devant eux se trouvaient deux hommes portant des passe-montagnes noirs, des chandails à col roulé noirs, des pantalons de drap noirs et des chaussures de pont à semelles de caoutchouc. Chacun d'eux braquait un pistolet-mitrailleur vers les officiers.

— Ordonne à ton marin d'abaisser l'échelle, dit l'un d'eux en anglais.

Les deux officiers se regardèrent, incrédules. C'était impossible. L'homme épaula son arme et visa Keller.

— Tu as trois secondes, dit-il à Lundquist. Ensuite je fait sauter la tête de ton copain.

Rouge de colère, Lundquist se pencha vers le micro.

— Abaisse l'échelle, dit-il au marin.

— Mais, monsieur..., commença la voix désincarnée.

— Tout va bien, petit, dit Lundquist. Fais ce que je te dis.

Le marin haussa les épaules, et appuya sur un bouton de la petite console de la coupée. Un moteur se mit à ronronner et l'échelle descendit lentement jusqu'à la mer. Deux minutes plus tard, quatre hommes tout de noir vêtus escortaient le marin vers la superstructure, tandis que le cinquième amarrait solidement la vedette au pétrolier. Et dans les minutes qui suivirent, ils entrèrent tous les six dans la dunette, du côté bâbord. Le marin avait les yeux dilatés par la peur.

— Mais comment?... s'écria-t-il en apercevant ses deux officiers tenus en respect par les deux autres hommes armés.

— Du calme, lui ordonna Lundquist.

Puis il se tourna vers celui des deux hommes qui avait parlé.

— Que voulez-vous? demanda-t-il en anglais.

— Parler à ton capitaine, répondit l'homme derrière le masque. Où est-il?

La porte de la timonerie s'ouvrit et Thor Larsen entra dans la dunette. Il regarda successivement ses trois hommes alignés, mains sur la tête, et les sept terroristes vêtus de noir. Lorsqu'il fixa l'homme qui avait posé la question, son regard bleu était aussi amical qu'un glacier en train de se rompre.

— Je suis le capitaine Thor Larsen, commandant du *Freya*, dit-il lentement. Et vous, qui êtes-vous?

— Peu importe qui nous sommes, dit le chef des terroristes. Nous venons de nous rendre maîtres de votre bateau. Si vos officiers et vos hommes n'exécutent pas nos ordres, nous commencerons par faire un exemple avec votre matelot. Quelle solution choisissez-vous ?

Larsen tourna lentement la tête. Trois pistolets-mitrailleurs étaient braqués sur le jeune marin de dix-huit ans. Il était blanc comme un linceul.

— Monsieur Lundquist, dit Larsen sur son ton officiel. Vous exé-cuterez les ordres de ces hommes... Que voulez-vous faire avec le *Freya* ? ajouta-t-il en se tournant vers le chef.

— Rien de bien compliqué, répondit le terroriste d'une voix ferme. Nous n'avons aucune envie qu'il vous arrive malheur, mais si l'on n'exécute pas à la lettre toutes nos requêtes, nous n'hésite-rons pas à faire ce qu'il faudra pour qu'elles soient satisfaites.

— Et ensuite ? demanda Lundquist.

— Dans trente heures, le gouvernement de l'Allemagne de l'Ouest relâchera deux de nos amis détenus dans une prison de Berlin-Ouest et assurera leur sécurité jusqu'à leur arrivée en Israël. S'il ne le fait pas, je vous ferai sauter, vous, votre équipage, votre bateau et votre million de tonnes de pétrole brut, en plein milieu de la mer du Nord.

11

De 03 heures à 09 heures

Le chef des sept terroristes masqués répartit les tâches entre ses hommes avec une précision méthodique qu'il avait manifestement mise au point dans sa tête pendant des heures. Il lança une série d'ordres rapides dans une langue que ne comprirent ni le capitaine Larsen, ni ses officiers, ni le jeune marin.

Cinq hommes masqués firent passer les deux officiers et le marin à l'arrière de la dunette, loin des consoles et des instruments, puis se postèrent autour d'eux. Du bout de son revolver le chef fit un signe au capitaine Larsen.

— Votre cabine, capitaine, je vous prie, dit-il en anglais.

En file indienne — Larsen en tête, puis le chef des terroristes et enfin son garde du corps armé d'un pistolet-mitrailleur — les trois hommes descendirent de la dunette au pont D, un étage au-dessous. A mi-étage, à l'endroit où l'escalier change de sens, Larsen se retourna pour jeter un regard à ses deux anges gardiens, évaluant les distances, calculant ses chances de maîtriser les deux hommes.

— Ne vous y risquez pas, dit la voix derrière le masque. Personne dans son bon sens ne peut discuter avec un pistolet-mitrailleur braqué à trois mètres de ses reins.

Larsen continua de descendre.

Le pont D était occupé par les cabines des officiers supérieurs. Comme toujours, les appartements du capitaine étaient à l'angle tribord avant de la superstructure. A leur suite, vers bâbord, se trouvait une petite salle des cartes dont la porte ouverte révélait des armoires de classement garnies de cartes marines de première qualité, qui permettaient de sillonner tous les océans, de relâcher dans toutes les baies et sur tous les mouillages du monde. C'étaient toutes des copies des originaux réalisés par l'Amirauté britannique, dont on dit que les relevés sont les meilleurs du monde.

A la suite se trouvait la salle de conférence, une cabine spacieuse où le capitaine (ou l'armateur) pouvait, s'il le désirait, recevoir en même temps un nombre assez important de visiteurs. Plus loin, la cabine de l'armateur, fermée et vide. Elle avait été prévue pour le cas où le président de la compagnie aurait envie de faire la traversée avec son bateau. La suite située à l'angle de bâbord, toujours vers l'avant, était identique à celle du capitaine, mais inversée. C'était la cabine du chef mécanicien.

A l'arrière des quartiers du capitaine se trouvaient les appartements, plus petits, du second. Et les cabines derrière la suite du chef mécanicien étaient occupées par le chef steward. L'ensemble constituait une sorte de rectangle creux dont le centre était occupé par l'escalier qui descendait en tournant jusqu'au pont A, trois étages plus bas.

Thor Larsen conduisit les deux hommes jusqu'à sa cabine et entra dans le salon de jour. Le chef des terroristes s'avança à son tour et passa rapidement en revue les autres pièces : chambre à coucher et salle de bains. Il n'y avait personne.

— Asseyez-vous, capitaine, dit-il, la voix légèrement étouffée par le masque. Vous resterez ici jusqu'à mon retour. Je vous prie de ne pas bouger. Posez les mains sur la table, les paumes vers le bas, et plus un geste.

Il y eut une autre série d'ordres dans une langue étrange, et l'homme au pistolet-mitrailleur prit position, le dos contre la cloison la plus éloignée de la cabine, face à Thor Larsen mais à quatre mètres de lui. Il braquait son arme vers le chandail à col roulé blanc que portait le capitaine. Le chef vérifia que tous les rideaux étaient bien tirés, puis s'en alla en refermant la porte derrière lui. Les deux autres occupants du pont D, endormis dans leurs cabines respectives, n'avaient rien entendu. Quelques minutes plus tard, le chef était revenu dans la dunette.

Il braqua son arme vers le jeune marin.

— Toi, dit-il, viens avec moi.

Le gamin jeta un regard suppliant à son officier supérieur, Stig Lundquist.

— Si vous touchez un seul cheveu de ce gosse, vous aurez affaire à moi, dit Tom Keller avec son accent américain. Les canons de deux pistolets-mitrailleurs se relevèrent légèrement dans les mains des hommes qui les surveillaient.

— Ton esprit chevaleresque est admirable, mais ton sens des réalités déplorable, répondit la voix derrière le masque du chef. Per-

sonne n'a rien à craindre ici. Sauf si quelqu'un se met à faire l'imbé-
cile. Dans ce cas, ce sera un bain de sang, et tu seras en plein sous
les robinets.

Lundquist fit un signe affirmatif au marin.

— Accompagne-le, dit-il, et fais ce qu'il te demande.

Le jeune marin, sous bonne escorte, descendit les escaliers. A la
hauteur du pont D, le terroriste l'arrêta.

— En dehors du capitaine, qui vit sur ce pont ? demanda-t-il.

— Le chef mécanicien, de ce côté-là, dit le marin. Le second, ici,
mais il est sur la dunette en ce moment. Et par là, le chef steward.

Aucun signe de vie derrière les portes.

— La réserve de peinture, où est-ce ? demanda le terroriste.

Sans un mot, le marin continua de descendre l'escalier. Ils passèrent le pont C et le pont B, où ils entendirent un murmure de voix
derrière la porte du poste de l'équipage : quatre hommes insom-
niaques devaient jouer aux cartes.

Ils parvinrent enfin au pont A, à la base de la superstructure. Le
marin ouvrit une porte donnant sur l'extérieur et sortit. Le terroriste
le suivit. Après la chaleur de l'intérieur, l'air glacé de la nuit les fit
frissonner. Ils étaient à l'arrière de la superstructure, sur la poupe.
D'un côté de la porte qu'ils venaient de franchir, la masse de la cheminée se dressait à trente mètres, comme une tour, vers les étoiles.

Le marin traversa la poupe jusqu'à un petit cube d'acier, de deux
mètres sur deux à la base et d'environ la même hauteur. Sur l'une
de ses faces se trouvait une porte métallique fermée à l'extérieur par
deux gros écrous-manivelles.

— Ici en bas, dit le marin.

— Descends, lui ordonna le terroriste.

Le gosse dévissa les deux écrous, les fit basculer pour libérer les
taquets, manœuvra le loquet de la porte et l'ouvrit. A l'intérieur, la
lumière était allumée et l'on apercevait un minuscule palier donnant
sur un escalier d'acier qui s'enfonçait dans les entrailles du navire.
Le revolver se souleva légèrement, le gamin pénétra à l'intérieur et
se mit à descendre, le terroriste derrière lui.

Ils dépassèrent plusieurs galeries fermées par des portes de fer
puis, vingt mètres plus bas, ils atteignirent les « fonds » du bateau,
bien au-dessous de la ligne de flottaison. Sous le plancher de fer où
ils venaient d'arriver, il n'y avait plus que la quille. Ils se trouvaient
sur un minuscule palier, fermé par quatre portes de métal. Le terroriste montra la porte donnant vers l'arrière.

— Où va-t-on par là ?

— Vers la machinerie du gouvernail.

— On va y jeter un coup d'œil.

La porte s'ouvrit sur une grande salle voûtée, bien éclairée, dont toutes les parois de métal étaient recouvertes de peinture vert pâle. La majeure partie de l'espace, au centre, était occupée par une montagne de machines ensevelies dans leurs caissons — l'appareillage qui actionnait le gouvernail sur les ordres des ordinateurs de la dunette. Les parois de cette sorte de caverne suivaient la courbure de la partie la plus basse de la coque du bateau. A l'arrière de cette salle, de l'autre côté de la paroi d'acier, l'énorme gouvernail du *Freya* pendait, inerte, dans les eaux noires de la mer du Nord. Le terroriste ordonna au marin de refermer et revisser la porte.

A bâbord et à tribord de la machinerie du gouvernail se trouvaient respectivement le magasin de produits chimiques et le magasin de peinture. Le terroriste ne s'occupa pas du magasin de produits chimiques : il n'avait pas l'intention d'enfermer des hommes dans une pièce où ils pourraient s'amuser avec des acides. Le magasin de peinture était une bien meilleure prison : assez vaste, aérée, bien ventilée. En outre, sa cloison extérieure était la coque même du bateau.

— A quoi sert la quatrième porte ? demanda le terroriste.

C'était la seule porte n'ayant ni poignée ni système de verrouillage.

— Elle conduit à l'arrière de la salle des machines, dit le marin. Elle est verrouillée par l'autre côté.

Le terroriste donna un coup d'épaule contre la porte de métal. Elle était solide comme un roc. Il parut satisfait.

— Combien d'hommes à bord ? demanda-t-il. Ou de femmes. Pas de blagues, hein ? S'il y en a un de plus que le chiffre que tu me donnes, nous te liquidons.

Le gosse fit passer sa langue sur ses lèvres.

— Il n'y a pas de femmes, dit-il. Il y en aura peut-être pour la prochaine traversée, mais pas pour le voyage inaugural. Il y a trente hommes, y compris le capitaine Larsen.

Sachant tout ce qu'il avait besoin de savoir, le terroriste bouscula le jeune homme effrayé dans la réserve de peinture, claqua la porte, et engagea l'un des écrous-manivelles dans les taquets. Puis il remonta l'escalier de fer.

Parvenu au niveau du pont, il évita d'utiliser l'escalier intérieur pour monter jusqu'à la dunette. Il gravit quatre à quatre l'escalier extérieur et n'entra qu'à l'endroit où il atteignit le pont supérieur.

Il fit un signe affirmatif à ses cinq compagnons, qui tenaient toujours les deux officiers en respect, et il lança une nouvelle série d'ordres. Quelques minutes plus tard, les deux officiers de la dunette, accompagnés du chef steward et du chef mécanicien que l'on avait tirés de leurs lits dans leurs cabines du pont D, étaient escortés jusqu'à la réserve de peinture. La majeure partie de l'équipage dormait au pont B où se trouvaient la plupart des cabines, beaucoup plus petites que les quartiers des officiers, au-dessus de leurs têtes, aux niveaux C et D.

Il y eut des protestations, des cris, des jurons et des grincements de dents lorsqu'on les fit descendre. Mais à chaque fois le chef des terroristes, le seul qui parlât, leur signalait en anglais que leur capitaine était prisonnier dans sa cabine, et qu'il serait abattu s'il se produisait la moindre résistance. Les officiers et les hommes obéirent à ses ordres.

Lorsque tout le monde fut enfermé dans la réserve de peinture, on compta l'équipage : vingt-neuf. Le premier cuisinier et deux stewards (sur quatre) eurent l'autorisation de remonter à la cambuse, sur le pont A, pour rapporter au magasin de peinture des plateaux de pains au lait et de croissants, et des caisses de limonade et de bière. Deux seaux servirent de toilettes.

— Mettez-vous à l'aise, dit le chef des terroristes aux vingt-neuf hommes en colère enfermés dans la réserve de peinture. Il n'y en a pas pour longtemps. Une trentaine d'heures tout au plus. Une dernière chose : votre capitaine demande le spécialiste des pompes. Qui est-ce ?

Un Suédois du nom de Martinsson se détacha du groupe.

— C'est moi, dit-il.

— Viens avec moi.

Il était quatre heures et demie du matin.

Le pont A, à l'étage inférieur de la superstructure, était entièrement occupé par les « salles de services » du géant de la mer. C'était là que se trouvaient la principale cambuse, la chambre de congélation, la chambre froide, d'autres réserves de vivres, le magasin des boissons, le magasin du linge sale, la laverie automatique, la salle de contrôle du fret (y compris le contrôle des gaz inertes) et la salle de contrôle de la lutte contre l'incendie, dite « salle de la mousse ».

Le pont B au-dessus abritait, outre les cabines des marins, la salle de cinéma, la bibliothèque, quatre salles de jeu et trois bars.

Le pont C était occupé par toutes les cabines des officiers (sauf celles des quatre officiers supérieurs, à l'étage au-dessus) ainsi que par la salle à manger des officiers, le fumoir et le club de l'équipage — comprenant solarium, piscine, sauna, et salle de gymnastique.

C'était la salle de contrôle du fret, sur le pont A, qui intéressait le terroriste, et il ordonna à l'homme des pompes de le conduire là-bas. Il n'y avait pas de hublots. Elle était chauffée par le chauffage central, possédait l'air conditionné, était insonorisée et bien éclairée. Derrière le masque, les yeux du chef des terroristes glissèrent sur les armoires de contacteurs avant de s'arrêter sur le cloisonnement arrière. Là, derrière la console de contrôle où venait de s'asseoir le spécialiste des pompes, un tableau de trois mètres de large sur un mètre vingt de haut, occupait le centre du mur. Il montrait comme sur un schéma en coupe la position du pétrole brut dans les réservoirs du *Freya*.

— Si tu essaies de me jouer un sale tour, dit-il au marin, un de mes hommes perdra peut-être la vie, mais je saurai que tu en es responsable. Je ne te tuerai pas, mon ami, non. Je tuerai ton capitaine Larsen. Maintenant, montre-moi où se trouvent les réservoirs de ballast et où sont les réservoirs de fret.

C'était la vie de son capitaine qui était en jeu, et Martinsson ne songea pas à discuter. Il avait vingt-cinq ans et Thor Larsen appartenait à une génération plus âgée que la sienne. Il avait déjà navigué deux fois avec Larsen et notamment lors de sa première traversée comme responsable des pompes. Ainsi que tout l'équipage, il éprouvait un énorme respect, et beaucoup d'affection pour le géant d'Alesund qui avait la réputation, non seulement d'être le meilleur marin de la Nordia, mais un homme plein de considération pour son équipage. Martinsson tendit l'index vers le diagramme.

Les soixante réservoirs se succédaient par rangées de trois tout au long du *Freya* : vingt rangées.

— Ici, à l'avant, dit Martinsson, les réservoirs de bâbord et de tribord sont pleins de brut. Celui du centre est le « réservoir des boues ». Il est vide en ce moment, et il fait fonction de réservoir de flottaison, parce que nous faisons notre premier voyage. Nous n'avons pas encore déchargé de pétrole, alors nous n'avons pas eu besoin de nettoyer les réservoirs de fret et de pomper les boues dans ce réservoir spécial. Les trois réservoirs de la rangée suivante sont des réservoirs de ballast. Ils sont restés pleins d'eau de mer depuis le Japon jusqu'au Golfe. Maintenant ils sont pleins d'air.

— Ouvre les vannes entre les trois réservoirs de ballast, et entre le réservoir de ballast du centre et le réservoir des boues, dit le terroriste.

Martinsson hésita.

— Vas-y. Fais ce que je te dis.

Martinsson appuya sur trois commandes carrées de matière plastique, sur la console devant lui. On entendit un léger bourdonnement derrière la console. A quatre cents mètres devant eux, très loin sous le pont d'acier, de grandes vannes de la taille d'une porte de garage s'ouvrirent. Les quatre réservoirs constituaient maintenant un ensemble unique, capable de contenir quatre fois vingt mille tonnes de liquide. Non seulement l'air, mais n'importe quel liquide pénétrant dans l'un des réservoirs, se répandrait librement dans les trois autres.

— Où sont les autres réservoirs de ballast ? demanda le terroriste.

Martinsson les lui montra du doigt, vers le milieu du bateau.

— Ici, dit-il, une rangée de trois, sur toute la largeur.

— D'accord, dit le terroriste. Laissons-les comme ils sont. Et les autres ?

— Il y a neuf réservoirs de ballast, dit Martinsson. Les trois derniers sont ici, sur un seul rang comme les autres, juste à la hauteur de la superstructure.

— Ouvre les vannes pour les faire communiquer.

Martinsson obéit.

— Très bien, dit le terroriste. Maintenant, est-ce que les réservoirs de ballast peuvent être reliés aux réservoirs de fret ?

— Non, dit Martinsson, ce n'est pas possible. Les réservoirs de ballast sont réservés en permanence au ballast, c'est-à-dire à l'eau de mer ou à l'air, jamais au pétrole. Et c'est l'inverse pour les réservoirs de fret. Les deux systèmes ne communiquent pas.

— Parfait, répondit l'homme masqué. Mais nous pourrons changer tout ça. Une dernière chose. Tu vas ouvrir toutes les vannes existant entre tous les réservoirs de fret, les vannes latérales et les vannes longitudinales, pour que les cinquante réservoirs communiquent.

Quinze secondes plus tard, Martinsson avait appuyé sur tous les boutons nécessaires à l'opération. Très loin, dans les ténèbres profondes des réservoirs de pétrole, plusieurs vingtaines de vannes gigantesques s'ouvrirent, le *Freya* ne constitua plus qu'un énorme réservoir unique contenant un million de tonnes de brut. Martinsson songea avec horreur à ce qu'il venait de faire.

— S'il sombre maintenant, avec un seul réservoir éventré, murmura-t-il, l'ensemble du pétrole se répandra dans la mer.

— Les autorités auront intérêt à faire en sorte qu'il ne sombre pas, répondit le terroriste. Où se trouve la prise d'énergie qui va de cette console de commande aux pompes hydrauliques actionnant les vannes?

Martinsson indiqua d'un geste une boîte de raccordements électriques encastrée dans le mur, près du plafond. Le terroriste leva la main, ouvrit la boîte et abaissa le coupe-circuit. Une fois le contact coupé, il ôta les dix fusibles et les mit dans sa poche. Le spécialiste lui lança un regard angoissé. Le processus d'ouverture des vannes était devenu irréversible. Il y avait évidemment des fusibles de rechange et le marin savait où ils se trouvaient. Mais il serait enfermé dans la réserve de peinture. Aucune autre personne entrant dans ce saint des saints ne les trouverait à temps pour refermer ces vannes d'une importance vitale.

Bengt Martinsson savait, parce que c'était son métier de le savoir, qu'un pétrolier ne peut pas être chargé ou déchargé sans précautions. Si l'on remplissait d'abord tous les réservoirs de fret de tribord en laissant les autres vides, le bateau chavirerait et coulerait à pic. Si l'on ne remplissait que les réservoirs de bâbord, il tournerait sur lui-même de la même façon. Si l'on remplissait les réservoirs de l'avant sans conserver l'équilibre en chargeant parallèlement la poupe, le bateau piquerait du nez et la poupe se soulèverait. L'inverse se produirait si l'on chargeait uniquement l'arrière.

Et si l'on emplissait d'eau les réservoirs de ballast de la proue et de la poupe en laissant la section centrale de ballast pleine d'air, le bateau se cambrerait comme un acrobate faisant « le pont ». Les pétroliers ne sont pas conçus pour supporter ce genre de contraintes. L'énorme épine dorsale du *Freya* se briserait net en son centre.

— Dis-moi encore, demanda le terroriste. Que se passerait-il si nous ouvrions les cinquante trappes de visite des réservoirs de fret.

Martisson songea un instant, non sans un malin plaisir, à laisser les terroristes s'y risquer. Mais il pensa au capitaine Larsen, enfermé dans sa cabine quatre étages au-dessus de lui, avec le canon d'un pistolet-mitrailleur braqué sur son visage. Il avala sa salive.

— Vous mourriez, dit-il, à moins d'être équipés d'un appareil respiratoire.

Il expliqua au terroriste debout à ses côtés que lorsque les réservoirs d'un pétrolier sont pleins, le liquide n'atteint jamais la paroi supérieure des réservoirs. Dans l'espace entre la surface du brut et le plafond du réservoir, le pétrole libère des gaz. Et ces gaz sont volatils et explosifs. Si on ne les évacuait pas, ils transformeraient le bateau en une véritable bombe flottante.

Quelques années plus tôt, le système utilisé pour l'évacuation de ces gaz était constitué par des conduites étanches se terminant par des valves à pression permettant aux gaz de se répandre dans l'atmosphère, au-dessus du pont. Étant très légers, ils s'élevaient très vite dans les airs. Mais on avait mis au point à une date récente un système beaucoup plus sûr. Des gaz inertes provenant de l'échappement du moteur principal du navire étaient pulsés dans les réservoirs pour chasser l'oxygène et empêcher toute évaporation à la surface du brut. Ces gaz inertes étaient essentiellement constitués par du monoxyde de carbone.

Comme ils créaient une atmosphère complètement dépourvue d'oxygène, aucun incendie, même pas une étincelle, ne pouvait se produire — toute combustion exige en effet de l'oxygène. Mais chaque réservoir avait une trappe de visite circulaire d'un mètre, s'ouvrant sur le pont principal. Si un imprudent se risquait à ouvrir l'une de ces trappes, il serait aussitôt enveloppé dans un tapis de gaz inertes s'élevant au-dessus de sa tête. Il mourrait étouffé, asphyxié dans une atmosphère sans oxygène.

— Merci, dit le terroriste. Et qui détient les appareils respiratoires ?

— C'est le second qui en a la responsabilité, répondit Martinsson, mais nous avons tous été entraînés à les utiliser.

Deux minutes plus tard, il avait rejoint le reste de l'équipage dans le magasin de peinture. Il était cinq heures.

Pendant que le chef des hommes masqués se trouvait dans la salle de contrôle du fret avec Martinsson, et qu'un autre membre de la bande surveillait Thor Larsen, prisonnier dans sa propre cabine, les cinq qui restaient avaient déchargé la vedette. Les dix valises contenant les explosifs étaient sur le pont, au milieu du bateau, en haut de l'échelle de coupée, attendant les instructions du chef pour être mises en place. Il donna ses ordres avec une précision laconique. Très loin vers l'avant, les trappes de visite des réservoirs de ballast de bâbord et de tribord furent dévissées et enlevées : une échelle d'acier descendait à près de vingt-cinq mètres en contrebas, dans le noir. Il régnait une odeur étrange de renfermé.

Azamat Krim ôta son masque, l'enfonça dans sa poche, saisit la lampe-torche et descendit dans le premier réservoir. Quand il arriva au fond, on lui fit descendre deux valises, accrochées à de longues cordes. A la lueur de sa lampe-torche, il plaça l'une des valises contre la coque même du *Freya* et l'attacha avec la corde à un des longerons verticaux. Il ouvrit la seconde valise et divisa le contenu en deux moitiés. Il plaça la première contre le cloisonnement de l'avant, au-delà duquel se trouvaient vingt mille tonnes de brut, et la seconde contre le cloisonnement de l'arrière, au-delà duquel se trouvaient également vingt mille tonnes de brut. Il déposa des sacs de sable (apportés eux aussi avec la vedette) tout autour des charges pour concentrer la déflagration. Il mit les détonateurs en place et les relia au dispositif de mise à feu. Ensuite, satisfait de son œuvre, il remonta à la lumière des étoiles.

Il répéta cette même manœuvre de l'autre côté du *Freya*, puis deux fois encore dans les réservoirs de ballast de bâbord et de tribord qui se trouvaient à la hauteur de la superstructure. Pour ces quatre réservoirs de ballast, il avait utilisé huit valises. Il plaça la neuvième dans le réservoir de ballast central de la rangée du milieu du bateau, non pour creuser un trou où pénétrerait l'eau, mais pour faciliter la rupture de l'armature axiale de la coque.

Il descendit enfin la dixième valise dans la salle des machines. Il la plaça près de la courbure de la coque du *Freya*, à l'angle de la cloison séparant la salle des machines de la réserve de peinture. La charge était assez puissante pour faire sauter en même temps la coque et la cloison. Il installa le détonateur. Si la charge sautait, à un centimètre et demi de là, derrière la cloison de métal du magasin de peinture, les hommes qui survivraient à la déflagration se noieraient à l'instant où la mer, dont la pression est énorme à vingt-quatre mètres au-dessous du niveau des vagues, jaillirait avec un fracas d'enfer par la brèche.

Il était six heures et quart, et l'aube commençait à poindre au-dessus des ponts silencieux du *Freya*, lorsque le Tatar de Crimée vint rendre compte à Andrew Drake.

— Les charges sont posées et amorcées, Andriy, dit-il. Je prie Dieu pour que nous n'ayons jamais à les mettre à feu.

— Ce ne sera pas nécessaire, répondit Drake. Mais il faut bien que je convainque le capitaine Larsen. Une fois qu'il aura vu, il comprendra. Et il saura persuader les autorités. Il faudra qu'ils fassent ce que nous voulons. Ils n'auront pas d'autre solution.

On fit sortir du magasin de peinture deux des membres de l'équipage. Ils revêtirent leurs combinaisons de protection, et leurs masques faciaux, prirent des bouteilles d'oxygène, puis on leur ordonna de descendre le pont depuis le gaillard d'avant jusqu'au gaillard d'arrière en ouvrant l'une après l'autre les cinquante trappes de visite des réservoirs de fret, pleins de brut. Quand ce fut fait, les hommes regagnèrent le magasin de peinture. On referma la porte d'acier, on revissa les deux écrous à manivelle placés à l'extérieur : elle ne serait ouverte de nouveau que lorsque les prisonniers seraient en sécurité en Israël.

A six heures trente, Andrew Drake, toujours masqué, retourna dans la cabine de jour du capitaine. A bout de forces, il s'assit en face de Thor Larsen et lui raconta sans rien omettre ce qui venait d'être fait. Le Norvégien, tenu en respect par le pistolet-mitrailleur braqué sur lui depuis l'angle de la pièce, ne trahit aucune émotion.

Quand il eut terminé, Drake sortit de sa poche un petit appareil de matière plastique noire et le montra à Larsen. L'objet n'était pas plus gros que deux paquets de cigarettes accolés l'un à l'autre. Au milieu, se trouvait un unique bouton rouge, et une antenne d'une dizaine de centimètres sortait du haut de la boîte.

— Vous savez ce que c'est, capitaine ? demanda Drake derrière son masque.

Larsen haussa les épaules. Il avait reconnu aussitôt un petit émetteur transistorisé.

— C'est un oscillateur, poursuivit Drake. Si l'on presse ce bouton rouge, il émet une seule note V.H.F., qui augmente constamment en tonalité et en intensité, puis se transforme en un hurlement que vos oreilles cesseront d'entendre. Mais chaque charge d'explosif mise en place dans ce bateau est reliée à un récepteur sensible justement à ce signal. Sur chaque récepteur, un cadran indique la tonalité. Quand le son s'élèvera vers les aigus, l'aiguille du cadran se mettra à tourner. Jusqu'à ce qu'elle ne puisse pas monter plus haut. A cet instant-là, les fusibles des récepteurs sauteront, ce qui interrompra le circuit électrique. Et l'interruption de ce circuit, dans chaque récepteur, provoquera le déclenchement instantané des détonateurs. Vous comprenez ce qui se passerait si j'appuyais ?

Thor Larsen fixa le visage masqué, de l'autre côté de la table. Son navire, son *Freya* auquel il tenait tant, était la proie de saboteurs et il n'y pouvait rien. Son équipage était entassé dans un cercueil d'acier, et à quelques centimètres, de l'autre côté de la cloison de métal, se trouvait une charge capable, et de les réduire tous en miettes, et de les recouvrir d'eau de mer glacée en quelques secondes.

Il chassa de son esprit cette vision d'enfer. Si les charges sautaient, de grands trous se creuseraient à bâbord et à tribord dans quatre de ses réservoirs de ballast. Des montagnes d'eau de mer se précipiteraient à l'intérieur en hurlant et rempliraient les réservoirs des flancs et celui du centre en l'espace de quelques minutes. Étant plus lourde que le pétrole brut, l'eau de mer exercerait une pression plus grande : elle pousserait le pétrole par les autres trous béants creusés par les charges dans les parois des réservoirs de fret voisins ; et le pétrole serait projeté vers le haut, par les trappes de visite ouvertes, de sorte que six réservoirs de plus s'empliraient aussitôt d'eau de mer. Et ceci se passerait d'une part tout à l'avant du bateau et d'autre part juste sous ses pieds. En quelques minutes, la salle des machines serait immergée dans des dizaines de milliers de tonnes d'eau verte. La poupe et la proue s'abaisseraient d'au moins trois mètres, mais la section médiane de réservoirs pleins d'air, intacte, s'élèverait aussitôt. *Freya*, la plus belle de toutes les déesses des sagas scandinaves, se cambrerait de douleur, puis se briserait les reins. Les deux moitiés couleraient à pic, sans chavirer, et se poseraient doucement sur le fond de la mer, à moins de dix mètres au-dessous de sa quille. Là, cinquante trappes de visite béantes, tournées vers le haut, continueraient de déverser un million de tonnes de pétrole brut, qui monterait en bouillonnant jusqu'à la surface de la mer du Nord.

La puissante déesse mettrait peut-être une heure à sombrer, mais ce serait irréversible. Dans des eaux si peu profondes, une partie de la dunette demeurerait peut-être au-dessus des flots, mais jamais le bateau ne pourrait être renfloué. Il faudrait environ trois jours pour que tout son fret parvienne à la surface, mais aucun homme-grenouille ne se risquerait à travailler au milieu de cinquante colonnes de pétrole brut s'élevant à la verticale. Personne ne refermerait jamais les trappes. La fuite du pétrole, comme la destruction de son navire, serait irréversible.

Il fixa l'homme masqué mais ne répondit rien. Une colère sourde bouillonnait au fond de lui, de plus en plus violente à chaque minute qui passait. Mais il n'en laissa rien paraître.

— Que voulez-vous ? dit-il entre ses dents.

Le chef des terroristes leva les yeux vers la pendule à cadran digital. Il était sept heures moins le quart.

— Nous allons dans la salle des transmissions, dit-il. Nous parlerons à Rotterdam. Ou plutôt, c'est vous qui parlerez.

A une quarantaine de kilomètres de là, vers l'est, le soleil levant caressait les hautes flammes jaunes qui s'élèvent jour et nuit au-dessus des raffineries de pétrole de l'Europort. Tout au long de la nuit on aurait pu voir depuis la dunette du *Freya* ces flammes s'élever dans le ciel noir au-dessus de Chevron, de Shell, de B.P. — et même, bien au-delà, le halo bleuté des lumières de la ville de Rotterdam formant comme une coupole claire dans la nuit.

Les raffineries et le labyrinthe de canaux et de darses de l'Europort — le plus grand port pétrolier du monde — se situent sur la rive sud de l'estuaire de la Meuse. A Hoek van Holland, sur la rive nord, se trouvent l'arrivée des bacs d'Angleterre, et le bâtiment de régulation du trafic à l'entrée de la Meuse — le *Maas Control* — dominé par l'antenne tournante de son radar.

Là, le matin du 1ᵉʳ avril à six heures quarante-cinq, l'officier de permanence Bernhard Dijkstraa bâilla en étirant ses membres. Il rentrerait chez lui, à Gravenzande, dans un petit quart d'heure et il prendrait aussitôt un petit déjeuner bien gagné. Plus tard, après un bon petit somme, il profiterait de ses heures de liberté pour revenir d'un coup de voiture voir le nouveau pétrolier géant s'engager dans l'estuaire. Quelle journée extraordinaire ce serait !

Comme pour répondre à ses pensées, le haut-parleur devant lui s'anima.

— Maas Control, Maas Control, ici le *Freya*.

Le superpétrolier appelait sur le canal 20, le canal utilisé par tous les pétroliers en mer pour appeler Maas Control par radiotéléphone. Dijkstraa se pencha en avant et poussa une clé.

— *Freya*, ici Maas Control. A vous.

— Maas Control, ici *Freya*. Capitaine Thor Larsen à l'appareil. Où se trouve la vedette avec l'équipe de mise à quai ?

Dijkstraa consulta le bloc posé à sa gauche près de la console.

— *Freya*, ici Maas Control. Ils ont quitté Hoek il y a plus d'une heure. Ils vous accosteront d'ici une vingtaine de minutes.

En entendant ce qui suivit, Dijkstraa bondit hors de son siège.

— *Freya* à Maas Control. Contactez la vedette immédiatement et dites-leur de rentrer au port. Nous ne pouvons pas les recevoir à bord. Demandez aux pilotes de ne pas décoller. Je répète : de ne pas décoller. Nous ne pouvons pas les recevoir à bord. Nous avons un imprévu, je répète : nous avons un imprévu.

Dijkstraa recouvrit le micro avec sa main et cria à son collègue de permanence de lancer le magnétophone. Dès que celui-ci se mit à tourner, enregistrant la conversation, Dijkstraa ôta sa main.

— *Freya*, ici Maas Control. Bien compris : vous ne désirez pas que l'équipage de mise à quai accoste à votre bord. Bien compris :

vous ne désirez pas que les pilotes décollent. Confirmez, je vous prie.

— Maas Control, ici *Freya*. Confirmé. Confirmé.

— *Freya*, veuillez donner des détails sur votre imprévu.

Il y eut dix secondes de silence, comme si là-bas, en pleine mer, dans la dunette du *Freya*, les personnes se consultaient. Ensuite la voix de Larsen retentit de nouveau dans la pièce.

— Maas Control, ici *Freya*. Je ne peux pas vous préciser la nature de l'imprévu. Mais si qui que ce soit tente de s'approcher du *Freya*, il sera tué. Je vous prie de tenir tout le monde à l'écart. Ne faites aucune tentative pour contacter le *Freya* par radio ou par téléphone. Le *Freya* reviendra en ligne à zéro-neuf-zéro-zéro heures exactement. Que le directeur général du port de Rotterdam soit présent dans la salle de contrôle du trafic. C'est tout.

La voix disparut et il y eut un déclic. Dijkstraa essaya de rappeler deux ou trois fois. Puis il se tourna vers son collègue.

— Qu'est-ce que cela signifie, bon Dieu ?

Son ami Schipper haussa les épaules.

— La voix ne m'a pas plu, dit-il. On aurait dit que le capitaine Larsen était en danger.

— Il a dit que les hommes qui s'approcheraient seraient tués, dit Dijkstraa. Comment ça « tués » ? Qu'est-ce qui s'est passé, une mutinerie ? Quelqu'un est devenu fou furieux à bord ?

— Il vaut mieux que nous fassions ce qu'il dit jusqu'à ce que tout soit tiré au clair, répondit Schipper.

— Tu as raison, convint Dijkstraa, appelle le directeur, je vais contacter la vedette en mer, et les deux pilotes à Schiphol.

La vedette conduisant l'équipe de mise à quai filait régulièrement ses dix nœuds. Les eaux étaient très calmes, et il leur restait encore trois milles à franchir avant d'atteindre le *Freya*. Une belle matinée de printemps s'annonçait, plutôt chaude pour la saison. A trois milles, la masse du pétrolier géant était déjà impressionnante et les dix Hollandais qui l'aideraient à accoster, mais qui ne l'avaient jamais vu auparavant, se haussaient sur la pointe des pieds et tendaient le cou pour mieux le voir.

Rien ne paraissait anormal à son bord lorsque le poste de radio, près de la barre, se mit à crachoter. Le patron décrocha l'écouteur et le porta contre son oreille. Il fronça les sourcils, mit son moteur au ralenti, et se fit répéter le message. Lorsqu'il eut bien vérifié ce qu'il avait entendu, il tourna la barre à tribord et la vedette se mit à décrire un large demi-cercle.

— On rentre, dit-il aux hommes qui le fixaient, stupéfaits. Il y a quelque chose qui ne tourne pas rond. Le capitaine Larsen n'est pas encore prêt à vous recevoir à bord.

Il mit le cap vers Hoek van Holland et le *Freya* disparut bientôt à l'horizon derrière lui.

A l'aéroport de Schiphol, au sud d'Amsterdam, les deux pilotes de l'estuaire s'avançaient vers l'hélicoptère du port de Rotterdam qui devait les déposer sur le pont du pétrolier. C'était une manœuvre de routine : ils rejoignaient toujours les bateaux en attente avec leur oiseau à hélices.

Le pilote le plus âgé, un vieux marsouin grisonnant ayant vingt ans de haute mer, son brevet de capitaine au long cours et quinze ans de pilotage sur la Meuse, portait sa « boîte brune », l'appareil qui lui permettait de piloter un bateau avec seulement un mètre d'eau de sécurité. Entre le tirant d'eau du *Freya* et la profondeur des hauts-fonds, la différence n'était que de six mètres, et comme le chenal intérieur avait à peine quinze mètres de plus que la largeur du *Freya*, sa « boîte magique » ne serait sûrement pas inutile ce matin-là.

Ils courbèrent l'échine pour passer sous les lames qui tournaient déjà. Le pilote de l'hélicoptère se pencha par la portière de l'habitacle et leur fit un signe d'avertissement.

— On dirait que quelque chose tourne mal, cria-t-il pour dominer le grondement du moteur. Il faut qu'on attende. Je coupe tout.

Une fois le moteur arrêté, les hélices ralentirent et s'immobilisèrent.

— Qu'est-ce que c'est que cette histoire ? demanda le second pilote.

L'homme de l'hélicoptère haussa les épaules.

— Ne me demande pas ça à moi, vieux, répondit-il. Je viens de recevoir l'ordre de Maas Control. Le bateau n'est pas encore prêt à vous recevoir.

Dans sa belle maison de campagne des environs de Vlaardingen, Dirk Van Gelder, le directeur général du port de Rotterdam était en train de prendre son petit déjeuner quand le téléphone sonna. Il était presque huit heures. Ce fut sa femme qui répondit.

— C'est pour toi ! cria-t-elle.

Et elle retourna dans la cuisine où le café était en train de passer. Van Gelder se leva de table, posa son journal sur sa chaise et s'éloigna vers le couloir en faisant traîner ses pantoufles de tapisserie.

— Van Gelder, dit-il au téléphone.

En entendant le message, il se raidit. Son front se creusa de rides.
— Tués ? demanda-t-il. Qu'est-ce qu'il veut dire ?
Il y eut un autre flot de paroles dans son oreille.
— D'accord, répliqua-t-il. Ne bougez pas. Je vous rejoins dans un quart d'heure.

Il raccrocha d'un coup sec, envoya valser ses pantoufles, enfila ses chaussures et passa sa veste. Deux minutes plus tard, il était à la porte de son garage. Il monta dans sa Mercedes, et tout en faisant sa manœuvre sur l'allée de gravier, il tenta de chasser ses pressentiments — mais le cauchemar persistait...

— Mon Dieu, faites que ce ne soit pas des terroristes...

Sur la dunette du *Freya*, après avoir remis en place le radiotéléphone V.H.F., le capitaine Thor Larsen avait fait, à la pointe du pistolet, une petite ronde sur son bateau. A la lueur des lampes-torches, il avait aperçu au fond des réservoirs de ballast de l'avant, les gros paquets d'explosifs fixés bien au-dessous de la ligne de flottaison.

Du pont, il avait vu la vedette amenant l'équipe de mise à quai faire demi-tour à environ trois milles et repartir vers la côte. Du côté du large, un petit cargo était passé, cap au sud. Il avait salué le léviathan à l'ancre d'un coup de sirène amical. Le *Freya* n'avait pas répondu.

Il avait vu l'unique charge placée dans le réservoir de ballast du centre, au milieu du bateau, et celles qui se trouvaient dans les réservoirs de ballast de la proue et de la poupe, tout près de la superstructure. Il ne demanda pas à voir la réserve de peinture. Il connaissait les lieux et il imaginait sans peine comment les charges étaient placées.

A huit heures et demie, tandis que Dirk Van Gelder marchait de long en large dans le bâtiment du Maas Control pour écouter les enregistrements, Thor Larsen regagnait sa cabine de jour. Il avait remarqué que l'un des terroristes, emmitouflé pour se protéger du froid, s'était perché tout en haut de la contre-étrave du *Freya*, pour surveiller le secteur de mer à l'avant du navire. Un second, posté sur le toit de la superstructure, dominait d'une trentaine de mètres la mer autour de lui. Un troisième, dans la dunette, contrôlait les écrans radar et, grâce aux instruments du *Freya*, pouvait surveiller la surface de la mer sur un rayon de quarante-huit milles nautiques — et pratiquement tout ce qui se trouvait au-dessous.

Il en restait quatre. Deux d'entre eux, le chef et un autre — étaient avec Larsen. Les deux autres devaient être quelque part dans les ponts inférieurs.

Le chef des terroristes força Larsen à s'asseoir à sa propre table, dans sa cabine. L'homme posa la main sur l'oscillateur agrafé à sa ceinture.

— Capitaine, j'espère sincèrement que vous ne me forcerez pas à appuyer sur ce bouton rouge. Mais vous pouvez être certain que je n'hésiterai pas une seconde à le faire, si mes requêtes ne sont pas satisfaites, ou si quelqu'un sur ce bateau s'avise de jouer au héros. Maintenant, lisez ceci, je vous prie.

Il tendit au capitaine Larsen trois feuilles de papier grand format couvertes d'un texte dactylographié en anglais. Larsen le parcourut rapidement.

— A neuf heures, vous lirez ce message par la radio du bord, au directeur général du port de Rotterdam. Pas un mot de plus, pas un mot de moins. Ne vous mettez pas à parler en néerlandais ou en norvégien. Aucune question supplémentaire. Le message et c'est tout. Compris ?

Larsen acquiesça. La porte s'ouvrit et un terroriste masqué entra. Il devait avoir fait un tour à la cambuse. Il apportait un plateau avec des œufs au plat, du beurre, de la confiture et du café. Il le posa sur la table entre les deux hommes.

— Breakfast ? dit le chef des terroristes en invitant Larsen d'un geste. Autant se sustenter un peu, non ?

Larsen secoua la tête, mais but le café. Il avait veillé toute la nuit, après s'être levé à sept heures la veille. Vingt-six heures sans sommeil — et combien d'autres en perspective ? Il fallait qu'il garde l'esprit en éveil, et il était persuadé que le café noir l'y aiderait. Il calcula que le terroriste en face de lui était probablement debout depuis aussi longtemps que lui.

Le terroriste congédia d'un geste le garde du corps qui restait. Lorsque la porte se referma, les deux hommes furent seuls, mais la largeur de la table mettait le terroriste hors de portée de Larsen. Son revolver était à quelques centimètres de la main droite de l'homme, et l'oscillateur pendait à sa taille.

— Je ne crois pas que nous abuserons de votre hospitalité pendant plus de trente heures, quarante au maximum, dit l'homme masqué. Mais si je garde ce masque pendant tout ce temps, je vais étouffer. Vous ne m'avez jamais vu auparavant et quand tout sera fini, vous ne me reverrez jamais.

Il ôta son passe-montagne noir avec sa main gauche. Larsen se trouva en face d'un homme venant tout juste de dépasser la trentaine, yeux marron, cheveux châtain foncé. Larsen le regarda, stupéfait. L'homme parlait comme un Anglais, se comportait comme un Anglais. Mais les Anglais ne s'emparent pas des pétroliers les armes à la main, sûrement pas. Un Irlandais, peut-être ? L'I.R.A. ? Mais il avait fait allusion à des amis dans une prison allemande. Un Arabe, dans ce cas ? Il y avait des terroristes de l'O.L.P. détenus en Allemagne. Et avec ses compagnons, il parlait une langue bizarre. Cela ne ressemblait pas à l'arabe, mais il y a des dizaines de dialectes arabes différents, et Larsen n'avait entendu parler que les Arabes du Golfe. Mais non, c'était plutôt un Irlandais.

— Comment puis-je vous appeler ? demanda-t-il à l'homme qu'il ne connaîtrait jamais sous son nom d'Andriy Drach ou d'Andrew Drake.

L'homme réfléchit un instant.

— Appelez-moi Svoboda, dit-il entre deux gorgées de café. C'est un nom courant dans mon pays. Mais c'est aussi un mot de ma langue. Il signifie " liberté ".

— Ce n'est pas arabe, dit Larsen.

Pour la première fois, l'homme sourit.

— Sûrement pas. Nous ne sommes pas arabes. Nous sommes des Ukrainiens combattant pour la liberté, et nous en sommes fiers.

— Et vous croyez que les autorités libéreront vos amis en prison ? demanda Larsen.

— Ils seront bien obligés, répondit Drake avec assurance. Ils n'ont pas le choix. Venez, il est presque neuf heures.

12

De 09 heures à 13 heures

— Maas Control, Maas Control, ici le *Freya*.

La voix de baryton du capitaine Thor Larsen retentit au centre de contrôle du trafic maritime de Hoek van Holland. Dans la salle du premier étage, cinq hommes attendaient. Les rideaux avaient été tirés devant les vastes baies ouvrant sur la mer du Nord, pour éviter les reflets du soleil sur les écrans radar.

Dijkstraa et Schipper n'avaient pas quitté leur poste : ils en avaient oublié leur petit déjeuner. Dirk van Gelder, debout derrière Dijkstraa, était prêt à intervenir dès que l'appel arriverait. Devant une autre console, l'un des hommes de l'équipe de jour s'occupait du reste du trafic de l'estuaire, faisant entrer et sortir les navires, mais sans leur permettre de s'approcher du *Freya*, dont le blip sur l'écran radar était en limite de portée, mais beaucoup plus gros que les autres. L'officier supérieur responsable de la sécurité maritime au Maas Control était également présent.

Lorsque l'appel survint, Dijkstraa quitta son siège devant les haut-parleurs, et Van Gelder s'assit à sa place. Il saisit la tige du micro d'ordres fixé à la table, s'éclaircit la gorge et abaissa la clé « émission ».

— *Freya*, ici Maas Control, à vous.

Très loin de l'autre côté des baies vitrées de ce bâtiment (que tout le monde aurait pris pour la tête d'une tour de contrôle de trafic aérien, décapitée et posée sur le sable) d'autres oreilles écoutaient. Au cours de la première liaison, deux autres bateaux avaient surpris une partie de la conversation, et au cours des quatre-vingt-dix minutes suivantes les commérages étaient allés bon train, de bateau à bateau, entre officiers radio. Maintenant une douzaine de postes étaient branchés sur la longueur d'onde.

268

A bord du *Freya*, Larsen savait qu'il aurait pu passer sur le canal 16, parler à la station-radio de Scheveningen et demander un relais pour le Maas Control. Cela leur aurait assuré une plus grande discrétion, mais les curieux n'auraient pas tardé à le rejoindre sur ce canal. Il avait donc préféré rester sur le canal 20.

— *Freya* à Maas Control. Je désire parler au directeur du port de Rotterdam en personne.

— Ici, Maas Control. Dirk Van Gelder à l'appareil. Je suis le directeur du port.

— Ici le capitaine Thor Larsen, commandant du *Freya*.

— Oui, capitaine Larsen. Nous avons reconnu votre voix. Quel est votre problème ?

De l'autre côté de la liaison hertzienne, sur la dunette du *Freya*, Drake fit un signe du bout de son arme vers la déclaration écrite, posée devant Larsen. Larsen acquiesça, poussa la clé « émission » et commença à lire devant le micro.

— Je vais lire une déclaration préparée. Je vous prie de ne pas m'interrompre et de ne pas poser de questions.

« *Ce matin à trois heures, un groupe d'hommes armés s'est emparé du* Freya. *Ils m'ont déjà donné de bonnes raisons de croire qu'ils sont résolus jusqu'à la mort et prêts à exécuter toutes leurs menaces si leurs requêtes ne sont pas satisfaites.*

Dans la tour de contrôle posée sur le sable, Van Gelder entendit quelqu'un retenir son souffle. Il ferma les yeux, ulcéré. Cela faisait des années qu'il insistait pour qu'on prenne des mesures de sécurité pour protéger des terroristes ces bombes flottantes que sont les pétroliers. Personne ne l'avait écouté et maintenant, c'était arrivé... La voix continuait de parler, et le magnétophone tournait, impassible.

— *Tout mon équipage est actuellement enfermé dans les fonds du bateau, derrière des portes de fer, et ne peut s'échapper. Jusqu'ici, aucun mal ne leur a été fait. Je suis moi-même sous la menace d'une arme, dans mon poste de commandement.*

« *Pendant la nuit, des charges explosives ont été placées en divers endroits stratégiques, à l'intérieur de la coque du* Freya. *Je les ai vues de mes yeux et je peux confirmer que si elles explosaient, elles détruiraient le* Freya *et tueraient instantanément son équipage, tandis qu'un million de tonnes de pétrole brut se répandraient dans la mer du Nord.*

— Oh, mon Dieu ! dit une voix derrière Van Gelder.

D'un geste impatient, il fit taire l'importun.

— *Voici les exigences immédiates des hommes qui se sont emparés du* Freya. *Premièrement : tout trafic maritime doit être interrompu dès maintenant dans un arc de quarante-cinq degrés au sud d'un relèvement plein est du* Freya, *et dans un arc de quarante-cinq degrés au nord de cette même ligne — c'est-à-dire dans un arc de quatre-vingt-dix degrés entre le* Freya *et la côte hollandaise.*

Deuxièmement : aucun bâtiment, de surface ou sous-marin, ne doit tenter d'approcher à moins de cinq milles du Freya *dans toute autre direction. Troisièmement, aucun avion ne doit survoler le* Freya *à une altitude inférieure à trois mille mètres dans un rayon de cinq milles. Est-ce clair ? Veuillez répondre.*

La main de Van Gelder se crispa sur le microphone.

— *Freya,* ici Maas Control. Dirk Van Gelder à l'appareil. Oui, tout est clair. Je ferai passer tout le trafic de surface en dehors de l'arc de quatre-vingt-dix degrés entre le *Freya* et la côte hollandaise, et en dehors d'un rayon de cinq milles marins dans les autres directions. Je demanderai au contrôle du trafic aérien de Schiphol d'interdire tous les déplacements aériens au-dessous de trois mille mètres dans un rayon de cinq milles. Terminé.

Il y eut un temps de silence et la voix de Larsen reprit.

— Je dois vous dire que toute tentative d'enfreindre ces ordres sera suivie d'une riposte immédiate sans autre avertissement. Ou bien le *Freya* déchargera 20 000 tonnes de pétrole brut, ou bien l'un de mes hommes sera... exécuté, ou bien les deux. Est-ce bien compris ? Veuillez répondre.

Dirk Van Gelder se tourna vers ses « aiguilleurs de la mer ».

— Nom de Dieu, sortez-moi tous les bateaux de cette zone, et vite ! Appelez Schiphol et prévenez-les. Pas de vols commerciaux, pas d'avions privés, pas d'hélicoptères pour prendre des photos, rien du tout. Grouillez-vous !

Il poussa la clé du microphone.

— Bien compris, capitaine Larsen, dit-il d'une voix calme. Y a-t-il quelque chose d'autre ?

— Oui, répondit la voix désincarnée. Il n'y aura plus aucun autre contact radio du *Freya* avant douze heures zéro zéro. A ce moment-là, le *Freya* vous rappellera. Je désire parler directement au Premier ministre des Pays-Bas et à l'ambassadeur d'Allemagne de l'Ouest. Ils devront être présents à vos côtés l'un et l'autre. C'est tout.

Le haut-parleur se tut. Dans la dunette du *Freya*, Drake ôta le micro des mains de Larsen et le remit en place. Puis il fit signe au Norvégien de rentrer dans sa cabine. Lorsqu'ils furent installés avec deux mètres de table entre eux, Drake abaissa son arme et se pencha en arrière. Son chandail se souleva, et Larsen aperçut l'oscillateur fixé à sa ceinture.

— Que faisons-nous à présent ? demanda Larsen.

— On attend, répondit Drake. Le temps que toute l'Europe s'affole un peu.

— Ils vous tueront, vous savez, dit Larsen. Vous êtes montés à bord, mais jamais vous n'en redescendrez. Ils feront peut-être ce que vous leur demanderez, mais quand ils l'auront fait, ils vous abattront.

— Je sais, dit Drake. Seulement voilà, je me fous de mourir. Je me battrai pour survivre, bien sûr, mais je mourrai, et je tuerai, plutôt que de laisser saboter mon plan.

— Vous avez vraiment envie à ce point de faire libérer ces deux hommes en Allemagne ? demanda Larsen.

— Oui, à ce point. Je ne peux pas vous expliquer pourquoi, et si je le faisais vous ne comprendriez pas. Mais depuis des années, mon peuple, mon pays, a été occupé, persécuté, emprisonné, assassiné. Et partout dans le monde, on ne s'en est pas plus soucié que d'une merde. Maintenant, je menace de tuer un seul homme, ou de frapper l'Europe occidentale au niveau de son portefeuille, et vous allez voir tout ce qu'ils vont faire ! Soudain, c'est un désastre. Mais pour moi, le vrai désastre, le seul désastre, c'est l'esclavage de mon pays.

— Mais quel est votre rêve, au juste ? demanda Larsen.

— Une Ukraine libre, répondit Drake le plus simplement du monde. Ce qui ne peut arriver que si plusieurs millions d'hommes se soulèvent.

— Un soulèvement populaire ? En Union soviétique ? C'est impossible. Cela ne se produira jamais.

— Oh si, c'est possible, répliqua Drake. Tout à fait possible. Cela s'est déjà produit en Allemagne de l'Est, en Hongrie, en Tchécoslovaquie. Seulement voilà : ces millions d'hommes sont convaincus qu'ils ne pourront jamais triompher, que leurs oppresseurs sont invincibles. C'est cette conviction qu'il faut briser en premier. Une fois ce résultat acquis, les vannes s'ouvriront toutes grandes.

— Personne ne croira jamais une chose pareille, dit Larsen.

— A l'Ouest, peut-être pas. C'est étrange : ici, à l'Ouest, les gens vont dire que mon calcul est inexact. Mais au Kremlin, les maîtres savent que j'ai raison.

— Et vous êtes prêt à mourir pour ce... soulèvement populaire ? demanda Larsen.

271

— S'il le faut. C'est le rêve de ma vie. Ce pays, ce peuple, je les aime davantage que la vie même. C'est cela, ma force. A plus de deux cents kilomètres à la ronde, je suis sûr que personne n'aime rien davantage que sa propre vie.

La veille, Thor Larsen aurait peut-être été d'accord avec le fanatique. Mais quelque chose venait de se passer au tréfonds de ce grand Norvégien aux réactions lentes — quelque chose qui le surprenait : pour la première fois de sa vie il haïssait un homme au point de le tuer. Dans sa tête, une petite voix disait : « Je me fous de ton rêve ukrainien comme de l'an quarante, mon petit monsieur Svoboda. Mais tu ne tueras pas mon équipage et tu ne détruiras pas mon bateau. »

A Felixstowe, sur la côte du Suffolk, l'officier des gardes-côtes anglais s'éloigna rapidement de son récepteur radio et décrocha le téléphone.

— Donnez-moi le ministère de l'Environnement à Londres, demanda-t-il à la standardiste.

— Mille dieux, ces fichus Hollandais vont en avoir jusqu'au cou ! s'écria son adjoint qui avait entendu lui aussi la conversation entre le *Freya* et Mass Control.

— Pas seulement les Hollandais, répondit son supérieur. Regarde un peu la carte...

La carte accrochée au mur représentait toute la moitié sud de la mer du Nord et le nord de la Manche. La côte du Suffolk se trouve juste en face de l'estuaire de la Meuse. Le garde-côtes avait marqué au crayon feutre la position du *Freya* : il était à égale distance des deux côtes.

— Si jamais il saute, mon petit père, il y aura trente centimètres de pétrole sur nos plages depuis Hull jusqu'à Southampton.

Quelques minutes plus tard, il parlait à un fonctionnaire de Londres, un des hommes du ministère qui s'occupait tout particulièrement du problème des marées noires. A la suite de ce que raconta le garde-côtes, plusieurs tasses de thé refroidirent, à Londres ce matin-là, avant d'être bues.

Dirk Van Gelder parvint à joindre le Premier ministre à son domicile, juste au moment où il partait à son bureau. L'insistance du directeur du port de Rotterdam avait eu finalement raison des scrupules du jeune assistant qui lui avait répondu au palais du Conseil.

— Jan Grayling, dit-il en décrochant.

Dès qu'il comprit de quoi il s'agissait, son visage s'assombrit.

— Qui est-ce ? demanda-t-il.

— Nous ne le savons pas, répondit Van Gelder. Le capitaine Larsen lisait une déclaration préalablement rédigée. Il ne pouvait rien y changer, ni répondre aux questions.

— S'il parlait sous la contrainte, peut-être ne pouvait-il faire autrement que de confirmer la mise en place des explosifs. Ce n'est peut-être qu'un bluff, dit Grayling.

— Je ne crois pas, monsieur le Premier ministre, lui dit Van Gelder. Désirez-vous que je vous apporte l'enregistrement magnétique ?

— Oui, tout de suite, dans votre voiture personnelle, répondit le Premier ministre. Venez directement au Palais du Conseil.

Il raccrocha et se dirigea vers sa limousine. Il lui fallait réfléchir très vite. Si la menace était réelle, cette belle matinée printanière allait voir naître la crise la plus grave depuis son entrée en fonctions. Lorsque sa voiture quitta le trottoir, suivie par l'inévitable véhicule de la police, il se pencha en arrière et tenta de définir un ordre des priorités. Une réunion extraordinaire du Conseil dans les délais les plus brefs, c'était évident. Et la presse ! Ils n'allaient pas tarder. Plus d'une oreille devait avoir écouté la conversation entre le bateau et la côte ; avant midi quelqu'un aurait tout raconté aux journaux.

Il allait être obligé d'informer toute une série de gouvernements étrangers par l'intermédiaire de leurs ambassades. Et organiser la réunion immédiate d'un « comité de crise » composé d'experts. Heureusement, il avait les coordonnées d'un certain nombre d'entre eux depuis les affaires des Sud-Moluquois quelques années plus tôt. Lorsque la voiture s'arrêta devant l'immeuble du Conseil, il regarda sa montre : il était neuf heures et demie.

A Londres, bien que l'expression « comité de crise » n'ait pas encore été prononcée, elle était déjà dans toutes les têtes des personnes concernées. Sir Rupert Mossbank, chef de cabinet du ministère de l'Environnement, appela le secrétaire de cabinet du Conseil des ministres, sir Julian Flannery.

— Il est encore un peu tôt, bien entendu, lui dit sir Rupert. Nous ne savons, ni qui ils sont, ni combien ils sont. Nous ignorons même si leur menace est sérieuse et s'il existe vraiment des bombes à bord. Mais si une aussi importante quantité de pétrole brut se répandait, ce serait une vraie catastrophe.

Sir Julian réfléchit pendant un instant, les yeux fixés sur Whitehall de l'autre côté des fenêtres.

— Je suis ravi que vous m'appeliez si vite, Rupert, répondit-il. Je crois qu'il vaut mieux informer le Premier ministre tout de suite. En attendant, on ne sait jamais, demandez donc à deux ou trois de vos meilleurs cerveaux de pondre un petit mémo sur les conséquences éventuelles d'une... euh... explosion, voulez-vous ? Tout ce qui se rapporte à la dispersion du pétrole, la surface marine recouverte, les courants de marée, la vitesse, les zones de nos côtes qui risquent d'être touchées. Ce genre de choses. Je suis à peu près sûr qu'elle va le demander.

— Ils sont déjà dessus, mon cher.

— Très bien, répondit sir Julian. Excellent. Aussi vite que possible. elle voudra tout savoir. Elle veut toujours tout savoir.

Il avait travaillé avec trois Premiers ministres, et la dernière en date était de loin la plus dure et la plus efficace. Depuis des années, on disait en matière de plaisanterie que le parti au gouvernement était plein de vieilles dames des deux sexes ; mais par bonheur son leader était un vrai homme, bien qu'il s'appelât Mme Joan Carpenter.

Le secrétaire de cabinet obtint son audience quelques minutes plus tard, et par cette belle matinée ensoleillée, il traversa la pelouse jusqu'au numéro 10, d'un pas décidé mais sans hâte, à son habitude.

Lorsqu'il entra dans le bureau privé du Premier ministre, Mme Carpenter était à sa table de travail, qu'elle n'avait pas quittée depuis huit heures. Sur une table basse toute proche se trouvait un service à café de porcelaine de Chine, et trois sacoches de dépêches, de couleur rouge, étaient étalées sur le sol, grandes ouvertes. Sir Julian admirait sincèrement cette femme qui avalait les documents comme un moulin à papier. A dix heures du matin, toute la paperasse était déjà réglée : les dossiers étaient soit acceptés, soit rejetés, à moins qu'ils ne portent, d'une plume nerveuse, une requête de complément d'information ou une série de questions pertinentes.

— Bonjour, sir Julian, quelle belle journée, répondit Mme Carpenter aux salutations de son secrétaire de cabinet.

— Certes, madame. Malheureusement, elle n'apporte pas que des choses agréables.

Il prit le siège qu'elle lui désignait d'un geste, et il lui exposa, de

274

façon aussi précise que possible, l'affaire de la mer du Nord telle qu'il la connaissait. Elle l'écouta attentivement, l'esprit en éveil.

— Si c'est exact, dit-elle, d'une voix neutre, ce bateau, le *Freya*, peut provoquer une catastrophe écologique.

— C'est certain, bien que nous ne sachions pas encore dans quelle mesure il est possible de couler un navire aussi gigantesque avec des explosifs d'origine probablement industrielle. Il existe bien entendu des hommes capables de fournir une évaluation technique.

— Au cas où tout ceci serait vrai, dit le Premier ministre, je crois que nous devrions constituer un « comité de crise » pour étudier les implications. Et si c'est sans fondement, ce sera une bonne occasion de faire une petite répétition générale.

Sir Julian écarquilla les yeux. L'idée de lancer des pétards sous les ronds-de-cuir d'une bonne douzaine de services ministériels pour faire une « petite répétition générale », ne lui serait pas venue spontanément à l'esprit, mais tout compte fait, elle lui semblait assez savoureuse.

Pendant une demi-heure, le Premier ministre et son secrétaire de cabinet dressèrent une liste des domaines dans lesquels ils auraient besoin d'experts compétents pour être informés avec précision des options à prendre dans « l'hypothèse » où un pétrolier géant serait pris par des terroristes au milieu de la mer du Nord.

En ce qui concernait le supertanker lui-même, il était assuré par la Lloyds, qui possédait sans aucun doute un plan complet de toutes les installations. Pour la structure même d'un bateau, la division maritime de la British Petroleum aurait un expert en construction de pétroliers qui pourrait étudier ces plans et fournir un jugement précis sur la validité de la menace.

Pour la nappe éventuelle, ils tombèrent d'accord pour convoquer le responsable de la recherche du laboratoire Warren Springs, installé à Stevenage, près de Londres, et qui dépendait conjointement du ministère de l'Industrie et du Commerce, et du ministère de l'Agriculture, de la Pêche et de l'Alimentation.

Au ministère de la Défense, on demanderait un officier du Génie, spécialiste en explosifs. Il évaluerait le problème sous cet angle. Et le ministère de l'Environnement détacherait des hommes capables de calculer l'étendue de la catastrophe pour l'écologie de la mer du Nord. A Trinity House, centre des services de pilotage responsables de toutes les côtes de Grande-Bretagne, on demanderait des rapports sur les courants de marée et leurs vitesses. Les relations et la liaison avec les gouvernements étrangers tombaient évidemment dans la chasse gardée du Foreign Office, qui déléguerait un observateur. A dix heures trente, la liste parut complète. Sir Julian se prépara à prendre congé.

— Croyez-vous que le gouvernement des Pays-Bas pourra régler seul cette affaire ? demanda le Premier ministre.

— Il est trop tôt pour répondre, madame. Pour l'instant les terroristes désirent présenter leurs exigences à M. Grayling lui-même, à midi, soit dans quatre-vingt-dix minutes. Je suis persuadé que La Haye sera en mesure de régler toute l'affaire. mais si leurs exigences ne peuvent pas être satisfaites, ou si le bateau saute malgré tout, nous serons de toute façon impliqués en tant que nation riveraine.

« Surtout, notre potentiel de lutte contre les marées noires est le plus perfectionné d'Europe, et nos alliés de l'autre côté de l'eau risquent de nous demander de les aider.

— Dans ce cas, plus tôt nous serons prêts et mieux cela vaudra, dit le Premier ministre. Une dernière chose, sir Julian. On n'en viendra probablement jamais là, mais si les exigences ne pouvaient pas être satisfaites, nous serions peut-être amenés à étudier la possibilité d'attaquer le pétrolier pour libérer l'équipage et désamorcer les explosifs.

Pour la première fois depuis le début de l'entretien, sir Julian se sentit mal à l'aise. Toute sa vie, depuis qu'il avait quitté Oxford après des études brillantes, il avait été un « grand commis de l'État », et il croyait que les mots, écrits et parlés, sont capables de résoudre la plupart des problèmes — avec l'aide du temps. Toute forme de violence lui faisait horreur.

— Euh... oui, madame. Ce pourrait être effectivement un dernier recours. C'est ce qu'on appelle, je crois, « l'option dure ».

— Les Israéliens ont pris d'assaut un avion de ligne à Entebbe, dit Mme Carpenter à mi-voix. Les Allemands ont fait de même à Mogadiscio. Les Hollandais se sont emparés du train à Assen. Lorsque aucune autre solution ne leur restait. Supposons que cela se produise...

— Peut-être le feraient-ils, madame.

— Les fusiliers marins néerlandais sont-ils capables d'exécuter une mission de cet ordre ?

Sir Julian choisit ses mots avec soin. Il avait devant les yeux l'image de fusiliers marins taillés en armoires à glaces traînant leurs grosses godasses sur les tapis de Whitehall. Mieux valait laisser ces gens jouer à leurs jeux de vilains le plus loin possible, du côté d'Exmoor.

— Si l'on devait en venir à donner l'assaut à un vaisseau en pleine mer, dit-il, je crois qu'un atterrissage en hélicoptère serait impossible. Les hommes de garde sur le pont le repéreraient, et puis le bateau a un radar, bien entendu. Toute embarcation qui s'approcherait serait aussitôt aperçue. Nous n'avons affaire, ni à un avion de ligne sur une piste de béton, ni à un train sur une voie de garage, madame. Il s'agit d'un bateau, à plus de quarante kilomètres de la terre.

Il espérait que cela mettrait un terme à toute tentative d'assaut.

— Et si le bateau était abordé par des plongeurs ou des hommes-grenouilles armés ? demanda Mme Carpenter.

Sir Julian ferma les yeux. Des hommes-grenouilles armés, vraiment ! Les hommes — et les femmes — politiques lisent trop de romans d'aventures, se dit-il.

— Des hommes-grenouilles armés, madame ? répéta-t-il.

— Si j'ai bien compris, dit-elle, notre potentiel dans ce domaine est l'un des plus efficaces d'Europe.

— J'en suis persuadé, madame.

— Et qui sont ces experts sous-marins ?

— Le Service spécial de la marine, madame le Premier ministre.

— Qui, à Whitehall, assure la liaison avec ce service ? demanda-t-elle.

— Il y a un colonel des fusiliers marins de la Reine au ministère de la Défense, dit-il à regret. Le colonel Holmes.

Tout cela finirait mal. Il voyait venir les choses comme si elles étaient déjà là. On avait fait appel à l'équivalent du Service spécial de la marine, le Service spécial de l'air (le S.A.S., beaucoup plus célèbre) pour aider les Allemands à Mogadiscio, ainsi qu'au cours du siège de Balcombe Street. Harold Wilson se faisait toujours raconter par le menu les jeux mortels auxquels ces vrais durs se livraient avec leurs adversaires. Et voici qu'on songeait encore à lancer ces gaillards dans une de leurs aventures fantastiques.

— Demandez au colonel Holmes de participer au « comité de crise ». A titre uniquement consultatif, bien entendu.

— Bien entendu, madame.

— Et préparez la Licorne. Je tiens à ce que vous soyez en séance à midi lorsque l'on connaîtra les exigences des terroristes.

A quatre cent cinquante kilomètres de là, de l'autre côté de la mer du Nord, les Pays-Bas bourdonnaient déjà d'une activité frénétique.

Depuis son bureau de La Haye, le Premier ministre Jan Grayling et son équipe mettaient sur pied un « comité de crise » semblable à celui auquel songeait Mme Carpenter à Londres. Il fallait avant tout connaître les perspectives exactes de la tragédie humaine et écologique que déclencherait la destruction en mer d'un bateau comme le *Freya*. A partir de là, on pourrait définir les options entre lesquelles le gouvernement néerlandais aurait à choisir.

Pour obtenir ces éléments, il fallait réunir les experts spécialistes de chacun des domaines impliqués, construction navale, fret pétrolier, marées, vitesses et directions de dérivation des nappes, conditions météorologiques probables... L'option militaire fut envisagée elle aussi.

Après avoir remis l'enregistrement magnétique du message lancé par le *Freya* à neuf heures, Dirk Van Gelder était revenu au Maas Control et, sur l'ordre de Jan Grayling, il attendait près du radio-téléphone V.H.F., au cas où le *Freya* rappellerait avant midi.

Ce fut lui qui, à 10 h 30, prit l'appel de Harry Wennerström. Le vieil armateur milliardaire qui venait de terminer son petit déjeuner dans son duplex du Rotterdam Hilton, ignorait encore la catastrophe dont son bateau était victime. Parce que, tout bonnement, personne n'avait songé à le prévenir.

Wennerström appelait pour prendre des nouvelles de l'entrée au port du *Freya* qui, à cette heure-là, aurait dû être engagé depuis longtemps dans le chenal extérieur, en train d'avancer, lentement mais sûrement, vers le chenal intérieur, à plusieurs milles après l'euro-balise Un, en suivant le cap précis de zéro-huit-deux et demi degrés. Il comptait quitter Rotterdam avec son convoi de notables pour assister à l'arrivée du *Freya* en vue des côtes vers l'heure du déjeuner, au moment où la marée serait à son niveau le plus élevé.

Van Gelder s'excusa de ne pas l'avoir appelé au Hilton et lui expliqua avec ménagement ce qui s'était passé à sept heures et demie et à neuf heures. A l'autre bout du fil, le silence. Le premier mouvement de Wennerström aurait pu se rapporter aux cent soixante-dix millions de dollars que valait son bateau, tombé entre les mains des terroristes de l'autre côté de l'horizon avec dans sa coque cent quarante millions de dollars de pétrole brut. Mais non, il s'inquiéta aussitôt des hommes.

— Il y a trente marins à bord, monsieur Van Gelder. Et avant toute chose, permettez-moi de vous dire que si quoi que ce soit arrive à l'un d'entre eux parce que les exigences des terroristes ne sont pas satisfaites, je tiendrai les autorités néerlandaises pour directement responsables.

— Monsieur Wennerström, nous faisons tout ce que nous pouvons, lui répondit Van Gelder qui avait été capitaine au long cours lui aussi. Nous avons exécuté à la lettre toutes les exigences des terroristes concernant la zone sans trafic maritime autour du *Freya*. Mais leur requête principale n'a pas encore été présentée. Le Premier ministre est actuellement dans son bureau de La Haye et il fait tout ce qui est en son pouvoir. Il sera ici à midi pour le nouveau message du *Freya*.

Harry Wennerström raccrocha et à travers les baies du salon regarda le ciel du côté du couchant, vers l'endroit où le bateau de ses rêves était à l'ancre, en pleine mer, avec à son bord des terroristes armés.

— Annulez le cortège de Hoek van Holland, dit-il soudain à l'une de ses secrétaires. Annulez le buffet au champagne. Annulez la réception de ce soir. Annulez la conférence de presse. Je m'en vais.

— Où, monsieur Wennerström ? demanda la jeune femme stupéfaite.

— Au Maas Control. Seul. Que ma voiture soit prête quand j'arriverai au garage.

Et le vieil homme partit à grands pas vers l'ascenseur.

Autour du *Freya*, la mer était presque déserte. Travaillant en liaison étroite avec leur collègue de Flamborough Head et de Felixstowe, les hommes contrôlant le trafic maritime près des côtes hollandaises détournaient les bateaux vers de nouvelles routes maritimes, à l'ouest du *Freya*. Aucun ne franchirait la zone des cinq milles.

Du côté de l'est, tout le trafic côtier concerné reçut l'ordre de s'arrêter ou de faire demi-tour. Tous les mouvements d'entrée et de sortie de l'Europort et de Rotterdam furent interrompus. Aux capitaines en colère, dont les voix se déversaient sans arrêt par les haut-parleurs du Maas Control, exigeant des explications, on se borna à répondre qu'une urgence s'était produite et qu'ils devaient éviter à tout prix la zone maritime dont on leur donnait les coordonnées.

Mais il était impossible de dissimuler l'affaire du *Freya*. Plusieurs vingtaines de journalistes appartenant à des publications maritimes et techniques, ainsi que les rédacteurs spécialisés dans les problèmes de la marine marchande de tous les grands quotidiens des pays voisins, étaient déjà à Rotterdam pour la réception organisée à l'occasion de l'arrivée triomphale du *Freya*. A onze heures du matin, leur curiosité commença à s'éveiller : non seulement le déplacement à Hoek van Holland pour voir le *Freya* apparaître à l'horizon et s'engager dans le chenal intérieur venait d'être annulé, mais leurs rédactions leur faisaient part de rumeurs étranges provenant de radios amateurs ayant surpris une étrange conversation sur la longueur d'onde du Mass Control.

Peu après onze heures, les coups de fil commencèrent à pleuvoir dans la suite de Harry Wennerström, mais il n'était pas là et ses secrétaires n'étaient au courant de rien. Certains journalistes appelèrent alors le Maas Control, mais on les orienta vers La Haye. Dans la capitale néerlandaise, M. Grayling avait donné l'ordre aux standardistes de passer tous les appels à son attaché de presse personnel. Le jeune homme harcelé fit de son mieux pour détourner la meute.

Cette absence d'informations ne fit qu'intriguer davantage les hommes de la presse, et ils signalèrent donc à leurs rédacteurs en chef qu'il se tramait quelque chose de grave concernant le *Freya*. Les rédacteurs en chef envoyèrent d'autres reporters, qui se présentèrent en rangs serrés à l'entrée du bâtiment du Maas Control, où ils se virent refuser l'entrée des services, protégés par une haute clôture de grillage. D'autres enfin se rendirent à La Haye pour harceler tel ou tel ministère, et surtout le bureau du Premier ministre.

Un passionné des ondes courtes révéla au rédacteur en chef de *Die Telegraaf* qu'il y avait des terroristes à bord du *Freya* et qu'ils formuleraient leurs exigences à midi. Le journaliste ordonna aussitôt une écoute radio permanente du canal 20, avec magnétophone pour enregistrer le message.

Jan Grayling téléphona personnellement à l'ambassadeur d'Allemagne de l'Ouest, Konrad Voss, et lui apprit en confidence ce qui s'était passé. Voss appela Bonn aussitôt, et répondit au Premier ministre néerlandais, dans la demi-heure qui suivit, qu'il l'accompagnerait à Hoek van Holland à midi comme les terroristes l'avaient demandé : le gouvernement fédéral, déclara-t-il, ferait tout ce qui serait en son pouvoir.

Le ministère des Affaires étrangères néerlandais informa par courtoisie les ambassadeurs de tous les pays directement ou indirectement concernés. La Suède, puisque le *Freya* battait pavillon suédois et qu'il y avait un grand nombre de Suédois à bord ; la Norvège, la Finlande et le Danemark, qui avaient eux aussi des ressortissants dans l'équipage ; les États-Unis, parce que quatre de ces marins étaient des Scandinaves américains, ayant un passeport des États-Unis et la double nationalité ; la Grande-Bretagne, en tant que pays riverain de la mer du Nord, et parce qu'une de ses institutions, la Lloyds, assurait à la fois le bateau et son fret ; Bruxelles, Paris et l'Allemagne de l'Ouest enfin, en tant que nations riveraines.

Dans neuf capitales européennes, les téléphones se mirent à sonner entre ministères et secrétariats d'État, entre cabines publiques et salles de rédaction, dans les compagnies d'assurances, les agences de fret et les domiciles privés. Pour toutes les personnes touchant de près ou de loin au gouvernement, à la banque, à la marine marchande, aux assurances, aux forces armées et à la presse, la perspective de passer un week-end tranquille s'évanouit brusquement ce vendredi matin-là, dans les flots impassibles d'une mer bleue où, sous un beau soleil de printemps, une bombe d'un million de tonnes portant le nom de *Freya* attendait, immobile et silencieuse.

A mi-chemin entre Rotterdam et Hoek van Holland, Harry Wennerström eut une idée. Il venait de dépasser l'embranchement de Schiedam et se dirigeait vers Vlaardingen par l'autoroute, lorsqu'il se souvint que justement son jet privé était à l'aéroport municipal de Schiedam. Il décrocha son téléphone et appela sa première secrétaire — toujours en train d'écarter les journalistes harcelant la suite de l'armateur au Hilton. Lorsqu'après trois appels infructueux il parvint enfin à l'avoir en ligne, il lui donna une série d'ordres pour son pilote.

— Une dernière chose, dit-il, je veux le nom et le numéro de téléphone du chef de la police d'Alesund. Oui, Alesund, en Norvège. Dès que vous l'avez, vous l'appelez et vous lui dites de ne pas bouger de l'endroit où il se trouve jusqu'à ce que je le rappelle. Et vous me rappelez.

L'unité de renseignement de la Lloyds avait été mise au courant peu après dix heures. Lorsque le *Freya* avait appelé Mass Control à neuf heures, un cargo anglais de vrac sec se préparait à entrer dans l'estuaire de la Meuse à destination de Rotterdam. L'officier radio avait entendu toute la conversation, l'avait relevée mot pour mot en sténo et l'avait montrée au capitaine. Quelques minutes plus tard, celui-ci la dictait à l'agent du bateau à Rotterdam, qui la transmettait au siège social à Londres. Le siège avait aussitôt appelé Colchester dans l'Essex, et transmis la nouvelle à la Lloyds. L'un des présidents des vingt-cinq sociétés séparées de contre-assurances maritimes avait été joint et informé. Le consortium qui avait assuré les cent soixante-dix millions de dollars que représentait la coque du *Freya*, était forcément énorme ; de même que le groupe de sociétés couvrant pendant la traversée le million de tonnes de brut appartenant à Clint Blake, le Texan. Mais malgré la taille du *Freya* et l'importance de son fret, la police séparée la plus importante était l'assurance « *Protection et Indemnité* », qui couvrait les membres de l'équipage et les dommages à verser en cas de pollution. Si le *Freya* sautait, ce serait cette police *P. and I.* qui coûterait le plus cher aux assureurs.

Peu avant midi, le président de la Lloyds, dans son bureau dominant la City de Londres, posa les yeux sur les quelques chiffres alignés sur son bloc.

— Si les choses tournent au pire, fit-il observer à son assistant personnel, la perte sera de l'ordre de mille millions de dollars. Qui sont donc ces gens ?

Le chef de « ces gens » était immobile à l'épicentre d'un cyclone en train de se déchaîner, en face d'un capitaine norvégien barbu, dans la cabine de jour, au-dessous de l'aile tribord de la dunette du *Freya*. Les rideaux avaient été ouverts et un soleil chaud baignait la pièce. Par les vastes hublots, on apercevait la plage avant du pétrolier, entièrement déserte jusqu'à la pointe de l'étrave, à quatre cents mètres de là.

Et l'on distinguait très haut sur la contre-étrave, la minuscule silhouette emmitouflée d'un homme qui surveillait tout autour de lui les eaux bleues scintillantes. De chaque côté du vaisseau, s'étendaient les mêmes eaux calmes et plates dont un doux zéphyr ridait à peine la surface. Tout au long de la matinée, cette brise avait dispersé lentement les nuages invisibles de gaz inertes mortels qui s'étaient échappés des réservoirs au moment où l'on avait ouvert les trappes de visite. On pouvait maintenant marcher sur le pont sans danger, sinon l'homme de l'étrave n'aurait pas été à son poste d'observation.

La température de la cabine était toujours la même, l'air conditionné avait pris le relais du chauffage central dès que le soleil s'était mis à frapper le double vitrage des fenêtres.

Thor Larsen, toujours au bout de sa grande table en face d'Andrew Drake, semblait ne pas avoir bougé un muscle de toute la matinée.

Depuis leur discussion à la suite de l'appel radio de neuf heures, ils étaient demeurés silencieux. La tension de l'attente commençait à se faire sentir. Ils savaient tous les deux que, de l'autre côté de l'eau, tout le monde se préparait : on cherchait à évaluer au plus juste ce qui s'était passé à bord du *Freya* pendant la nuit, et surtout on se demandait ce qui pourrait être tenté pour résoudre le problème.

Larsen était certain que personne ne ferait rien, ne prendrait aucune initiative, avant que la requête des terroristes ne soit diffusée, à midi. Le jeune homme passionné assis en face de lui ne manquait pas d'intelligence. Il avait laissé les autorités en suspens. En forçant Larsen à parler à sa place, il n'avait fourni aucun indice sur son identité ou ses origines. Personne ne connaissait ses motivations en dehors de la cabine où ils se trouvaient. Or les autorités avaient besoin d'en savoir davantage, d'analyser les enregistrements des conversations, d'identifier les habitudes syntaxiques et les origines ethniques du porte-parole, avant de se lancer dans l'action. Mais l'homme qui se faisait appeler Svoboda, en leur refusant ces renseignements, ébranlait la confiance en eux-mêmes de ces hommes et les mettait au défi de l'attaquer.

Il donnait également à la presse tout le temps qu'il lui fallait pour apprendre le désastre — mais non les conditions imposées ; il leur permettait de mesurer l'étendue de la catastrophe au cas où le *Freya* coulerait : leurs moyens de pression sur les autorités seraient prêts à s'exercer, avant même que les exigences ne soient formulées. Et lorsque ces exigences seraient enfin révélées, elles paraîtraient insignifiantes par rapport à l'autre terme de l'alternative. Les autorités subiraient donc la pression des journaux avant même d'avoir pu étudier la requête.

Larsen, qui savait ce que serait cette requête, ne voyait pas comment les autorités pourraient refuser. Un refus entraînerait des conséquences trop horribles pour tout le monde. Si Svoboda avait simplement enlevé un homme politique — comme la bande à Baader-Meinhoff avait kidnappé Hans-Martin Schleyer, ou les Brigades rouges, Aldo Moro — on aurait pu lui refuser la liberté de ses amis. Mais il avait choisi autre chose : l'anéantissement des côtes de cinq pays, d'une mer, de trente vies et d'un milliard de dollars.

— Pourquoi ces deux hommes sont-ils si importants pour vous ? demanda soudain Larsen.

Le jeune homme leva les yeux vers lui.

— Ce sont des amis, dit-il.

— Non, répliqua Larsen. Je me souviens d'avoir lu en janvier dernier l'histoire de ces deux Juifs de Lvov. Ils ont détourné un avion russe parce qu'on leur avait refusé l'autorisation d'émigrer en Israël, et ils l'ont forcé à atterrir à Berlin-Ouest. Comment une chose pareille peut-elle provoquer votre soulèvement populaire ?

— Ne vous tracassez pas, répondit Drake. Il est midi moins cinq. Nous remontons dans la dunette.

Rien n'avait changé, sauf qu'un terroriste s'était allongé dans un coin pour dormir, la main toujours crispée sur son arme. Il était masqué, comme celui qui surveillait les écrans du radar et du sonar. Svoboda posa à l'homme quelques questions en ukrainien. L'homme secoua la tête et répondit dans la même langue. Sur un ordre de Svoboda, l'homme masqué braqua son pistolet-mitrailleur vers Larsen.

Svoboda s'avança vers les écrans et les étudia. Les eaux étaient désertes tout autour du *Freya* sur un rayon de cinq milles, à l'ouest, au sud et au nord. Vers l'est, la mer était libre jusqu'à la côte hollandaise. Il se dirigea vers la porte conduisant à l'échelle extérieure, sortit et appela quelqu'un. Larsen entendit l'homme de faction sur le toit de la superstructure répondre à son chef. Svoboda rentra dans la dunette.

— Venez, dit-il au capitaine. Votre public vous attend. Et si vous essayez de me jouer le moindre tour, je fais tuer un de vos marins, comme prévu.

Larsen prit le micro et abaissa la clé d'émission.

— Maas Control, Maas Control, ici *Freya*.

Il l'ignorait, mais plus de cinquante services différents recevaient son appel. Cinq grands services de Renseignements étaient à l'écoute, et captaient le canal 20 dans l'éther avec leurs récepteurs sophistiqués. Les paroles étaient écoutées et relayées en direct à l'Agence de la sécurité nationale de Washington, par le S.I.S. anglais. Le S.D.E.C.E. français, le B.N.D. d'Allemagne de l'Ouest, l'Union soviétique et les divers services des Pays-Bas, de Belgique et de Suède, enregistraient eux aussi.

Des dizaines d'officiers radio de bateaux, de radios amateurs et de journalistes étaient également à l'écoute. La voix de Hoek van Holland répondit.

— *Freya*, ici Maas Control. A vous.

Thor Larsen se mit à lire le message dactylographié.

— Ici le capitaine Thor Larsen. Je désire parler personnellement au Premier ministre des Pays-Bas.

Une nouvelle voix répondit en anglais par la radio de Hoek.

— Capitaine Larsen, ici Jan Grayling. Je suis Premier ministre du Royaume des Pays-Bas. Est-ce que tout va bien?

A bord du *Freya*, Svoboda plaqua sa main sur le micro du radio-téléphone.

— Pas de questions, dit-il à Larsen. Demandez si l'ambassadeur d'Allemagne de l'Ouest est là, et faites-vous donner son nom.

— Je vous prie de ne pas poser de questions, monsieur le Premier ministre. Je ne suis pas autorisé à y répondre. L'ambassadeur d'Allemagne de l'Ouest est-il avec vous?

Au Mass Control, Konrad Voss s'approcha du microphone.

— Ici, Konrad Voss, dit-il, ambassadeur de la République fédérale d'Allemagne.

A bord du *Freya*, Svoboda fit un signe affirmatif à Larsen.

— Parfait, dit-il. Allez-y. Lisez jusqu'au bout.

Les sept hommes groupés autour de la console du Mass Control écoutèrent en silence — un Premier ministre, un ambassadeur, un psychiatre, un ingénieur radio en cas de panne d'émission, Van Gelder du port de Rotterdam, et l'officier de permanence. Tout le reste du trafic maritime avait été détourné sur une longueur d'onde de secours. Les deux magnétophones tournaient sans bruit. Le niveau d'écoute était au maximum et la voix de Larsen résonnait dans la pièce.

— Je répète ce que je vous ai dit à neuf heures ce matin. Le *Freya* est entre les mains de partisans. Des engins explosifs ont été placés de façon à faire sauter le bateau s'ils sont mis à feu. Ces engins peuvent être déclenchés en appuyant sur un seul bouton. Je répète, en appuyant sur un seul bouton. Rien ne devra donc être tenté pour s'approcher du bateau, l'aborder ou l'attaquer de quelque manière que ce soit. Si cela se produisait, les explosifs seraient instantanément mis à feu. Les hommes qui se sont emparés du *Freya* sont prêts à mourir plutôt qu'à renoncer.

« Je continue : en cas de tentative d'approche du bateau, par embarcation de surface ou par avion léger, ou bien un de mes marins sera exécuté, ou bien vingt mille tonnes de pétrole brut seront déversées dans la mer, ou bien les deux. Voici la requête des partisans :

« Les deux prisonniers de conscience David Lazareff et Lev Michkine, actuellement détenus dans la prison de Tegel à Berlin-Ouest,

285

seront libérés. Ils quitteront Berlin-Ouest à destination d'Israël dans un avion civil ouest-allemand. Auparavant, le Premier ministre de l'Etat d'Israël garantira publiquement qu'ils ne seront ni rapatriés en Union soviétique, ni réextradés en Allemagne de l'Ouest, ni réincarcérés en Israël.

« Leur libération devra avoir lieu demain matin à l'aube. La garantie israélienne de liberté et de sécurité devra être fournie avant ce soir minuit. Si cette requête n'est pas satisfaite, la République fédérale d'Allemagne et l'État d'Israël seront pleinement responsables des conséquences. C'est tout. Il n'y aura plus aucun contact avant que ces demandes ne soient agréées.

Un déclic. Le radiotéléphone se tut. Dans le bâtiment de contrôle du trafic maritime, le silence se prolongea. Jan Grayling se tourna vers Konrad Voss. Le représentant de l'Allemagne de l'Ouest haussa les épaules.

— Il faut que j'entre en rapport avec Bonn de toute urgence, dit-il.

— Je peux vous affirmer que le capitaine Larsen est en état de tension extrême, avança le psychiatre.

— Merci beaucoup, répondit Grayling. Moi aussi. Messieurs, ce qui vient d'être dit sera forcément connu du public d'ici une heure. Je suggère que nous retournions dans nos bureaux. Je préparerai une déclaration pour le bulletin d'informations de treize heures. Monsieur l'ambassadeur, j'ai bien peur qu'à partir de maintenant les pressions ne s'exercent davantage du côté de Bonn que sur nous.

— Certes, dit Voss. Il faut que je rentre à l'ambassade au plus tôt.

— Accompagnez-moi à La Haye, dit Grayling. J'ai des motards de la police, et nous pourrons parler dans la voiture.

On leur remit les deux bandes magnétiques et le groupe prit la route de La Haye, à quinze minutes de Hoek van Holland, vers le nord. Lorsqu'ils furent partis, Dirk Van Gelder monta sur le toit plat où Harry Wennerström avait prévu de servir son buffet (avec l'autorisation de Gelder) : tout en dégustant le champagne et les toasts au saumon fumé, tout le monde aurait guetté à l'horizon la première apparition du léviathan...

Et maintenant, peut-être le *Freya* n'apparaîtrait-il jamais, songea Van Gelder en fixant au loin les eaux bleues. Il avait, lui aussi, son brevet de capitaine et il avait commandé de nombreux bâtiments de la marine marchande hollandaise, avant qu'on ne lui offre cet emploi à terre qui lui permettait de mener une vie régulière avec sa femme et ses enfants. Oui, c'était en marin qu'il songeait à l'équipage du *Freya*, séquestré loin au-dessous des vagues, attendant désespérément des secours ou la mort. Mais ce n'était pas à un marin que l'on confierait la négociation. Tout lui échappait désormais. D'autres hommes avaient pris l'affaire en main, des hommes peut-être moins rudes, mais qui voyaient les choses en termes politiques et non du point de vue humain.

Il pensa au capitaine du *Freya*, ce géant norvégien dont il avait vu la photo mais qu'il n'avait jamais rencontré, soudain confronté à des fanatiques armés de pistolets et de dynamite, et il se demanda comment il aurait réagi, lui, si pareille chose lui était arrivée. Il avait averti tout le monde que ce genre d'attaques se produirait un jour, il avait crié à tous les vents que les superpétroliers étaient insuffisamment protégés et extrêmement dangereux. Mais l'argent avait eu le dernier mot. L'argument qui avait triomphé, c'était le supplément d'investissement que représenteraient les équipements de sécurité. Oui, on aurait pu rendre les pétroliers aussi sûrs qu'une banque ou un magasin d'explosifs — et n'étaient-ils pas en réalité à la fois l'une et l'autre ? Personne ne l'avait écouté, et personne ne l'aurait jamais écouté. Les gens s'intéressent aux avions de ligne parce qu'ils peuvent s'écraser sur le toit de leur maison, mais qui se préoccupe des tankers, que personne ne voit jamais ? Les politiciens n'avaient donc pas insisté, et pourquoi les marchands auraient-ils été plus royalistes que le roi ? Mais maintenant, parce que le premier terroriste venu pouvait mettre la main sur un superpétrolier comme sur une vulgaire tirelire, un capitaine et son équipage de vingt-neuf marins risquaient de mourir comme des rats, dans un tourbillon de pétrole et d'eau claire.

Il écrasa une cigarette sous son talon, contre le revêtement goudronné du toit, puis se retourna une dernière fois vers l'horizon vide.

— Bande de salopards, dit-il. Bande de putains de salopards. Si seulement on m'avait écouté...

13

De 13 heures à 19 heures

Doutant de la validité de leurs informateurs, les médias avaient réagi à la déclaration de neuf heures par la modération et les hypothèses. Mais après la déclaration de midi, ils se déchaînèrent.

A partir de midi, aucun doute ne subsista, ni sur ce qui était arrivé au *Freya*, ni sur le contenu du message lu par le capitaine Thor Larsen au radio-téléphone. Il y avait eu trop de gens à l'écoute.

Les premières pages des éditions de midi des journaux du soir, prêtes depuis dix heures, furent jetées au panier. Les titres mis sous presse à midi et demi furent plus gros et plus violents. Plus de points d'interrogation à la fin des phrases. On refondait les éditoriaux à la hâte, et l'on sommait tous les journalistes spécialisés dans les problèmes de la marine marchande et de l'environnement, de « pondre des papiers » dans l'heure.

Les programmes de radio et de télévision furent interrompus ce vendredi-là dans toute l'Europe à l'heure du déjeuner, pour diffuser un bref communiqué expliquant la situation.

A midi cinq exactement, à Londres, un homme portant un casque de motocycliste, de grosses lunettes et un cache-nez sur le bas de son visage, entra d'un pas très calme dans le hall du numéro 85, Fleet Street, et déposa une enveloppe adressée au rédacteur de l'actualité de l'Association de la presse. Plus tard, personne ne se rappela cet homme : chaque jour des dizaines de coursiers dans le même costume défilent dans ce hall.

A midi quinze, le rédacteur de l'actualité ouvrait l'enveloppe. Elle contenait mot pour mot la déclaration lue par le capitaine Larsen quinze minutes plus tôt — ce qui démontrait qu'elle avait été préparée de longue main. Le rédacteur de l'actualité informa aussitôt son rédacteur en chef, qui informa à son tour la police métropolitaine. Mais cela n'empêcha pas le texte de courir sur les téléscripteurs — à l'Association de la presse et chez ses cousins de l'étage au-dessus, Reuter, qui le diffusa dans le monde entier.

Au bout de Fleet Street, Miroslav Kaminsky jeta son casque, ses lunettes et son cache-nez dans une poubelle, prit un taxi pour l'aéroport d'Heathrow et arriva largement assez tôt pour l'avion de Tel-Aviv, à 14 h 15.

Vers deux heures, les pressions de la presse commençaient déjà à se faire sentir sur le gouvernement néerlandais et sur le gouvernement allemand. Ni l'un ni l'autre n'avaient eu le temps d'étudier dans le calme et la sérénité les réponses qu'ils allaient être obligés de faire à l'ultimatum. Mais déjà les coups de téléphone se succédaient pour les presser d'accepter de libérer Michkine et Lazareff plutôt que d'exposer l'Europe au désastre que représentait la destruction du *Freya* au large des côtes.

Vers une heure, l'ambassadeur allemand à La Haye avait parlé directement à Klaus Hagowitz, son ministre des Affaires étrangères, qui interrompit aussitôt le déjeuner du Chancelier. Deux exemplaires du texte de midi étaient déjà à Bonn, l'un grâce au service de Renseignements (B.N.D.) et l'autre sur le téléscripteur de Reuter. Tous les journaux d'Allemagne avaient eux aussi le texte de Reuter, et les lignes téléphoniques du service de presse de la Chancellerie étaient embouteillées par les appels.

A une heure quarante-cinq, la Chancellerie annonça dans un communiqué officiel que le Conseil des ministres se réunirait en séance extraordinaire à trois heures pour étudier l'ensemble de la situation. Les ministres abandonnèrent leurs projets de quitter Bonn pour passer le week-end dans leurs circonscriptions électorales. Un grand nombre de déjeuners eurent du mal à passer.

Ce fut avec un geste plein de déférence que le gouverneur de la prison de Tegel raccrocha son téléphone à deux heures deux minutes ce vendredi-là — c'était bien la première fois que le ministre fédéral de la Justice, coupant court à tout protocole, l'appelait directement sans passer par le maire-gouverneur de Berlin-Ouest.

Il appuya sur l'interphone et donna un ordre à sa secrétaire. Le Sénat de Berlin serait mis au courant en bonne et due forme de la même requête, mais du moment que le maire-gouverneur était impossible à joindre à l'heure du déjeuner, il n'avait aucune raison de refuser ce que lui demandait le ministre depuis Bonn.

Trois minutes plus tard, l'un de ses gardiens-chefs entra dans son bureau.

— Vous avez écouté les informations de deux heures? lui demanda le gouverneur de la prison.

Il n'était que deux heures cinq. Le gardien-chef lui répondit qu'il faisait une ronde lorsque, dans sa poche intérieure, le « blipeur » s'était mis à bourdonner. Il s'était aussitôt dirigé vers un des téléphones muraux pour appeler le standard. Non, il n'avait pas écouté les informations. Lorsque le gouverneur le mit au courant de l'ultimatum lancé à midi par les terroristes du *Freya*, le gardien-chef en resta bouche bée.

— Un drôle de coup, non? dit le gouverneur. J'ai bien l'impression que nous allons faire partie de l'actualité d'une minute à l'autre. Alors, bouclez les écoutilles, hein? J'ai donné des ordres à l'entrée principale : personne n'entrera en dehors du personnel. Tous les curieux de la presse seront renvoyés aux autorités de l'Hôtel de Ville.

« En ce qui concerne Michkine et Lazareff, je veux qu'à leur étage et notamment dans leur couloir, la garde soit triplée. Annulez toutes les permissions et toutes les périodes de repos pour réunir suffisamment d'hommes. Transférez tous les prisonniers de ce couloir dans d'autres cellules ou à d'autres étages. Bouclez tout. Un groupe d'agents de renseignements arrive en avion de Bonn pour leur demander qui sont leurs amis de la mer du Nord. D'autres questions ?

Le gardien-chef avala sa salive et secoua la tête.

— Nous ne savons pas combien de temps cet état d'urgence va durer, reprit le gouverneur. Quand finissez-vous votre service ?

— Ce soir à six heures, monsieur.

— Pour revenir lundi matin à huit heures ?

— Non monsieur. Dimanche soir à minuit. Je suis de nuit la semaine prochaine.

— Je suis obligé de vous demander de continuer de travailler tout le week-end, dit le gouverneur. Bien entendu, vous récupérerez vos heures plus tard, avec une gratification. Mais j'aimerais que vous restiez sur la brèche jusqu'à ce que tout soit terminé. C'est d'accord ?

— Oui, monsieur. Je suis à vos ordres. Je vais m'en occuper tout de suite.

Le gouverneur, qui se plaisait à adopter une attitude amicale à l'égard de ses hommes, fit le tour du bureau et prit l'homme par l'épaule.

— Vous êtes vraiment très bien, Jahn. Je ne sais pas ce que nous ferions sans vous.

Le chef d'escadrille Mark Latham fixa la piste devant lui, entendit la tour de contrôle lui donner le feu vert pour décoller et fit un signe de tête à son copilote. La main gantée du jeune homme ouvrit lentement les quatre manettes d'accélération. A l'arrière des ailes, les quatre moteurs Rolls Royce Spey se mirent à gronder, libérant leurs vingt tonnes de poussée, et le Nimrod Mark II s'éleva au-dessus de la base aérienne de la R.A.F., à Kinross en Écosse, puis obliqua vers le sud-est, en direction de la mer du Nord.

L'avion que pilotait ce chef d'escadrille de trente et un ans appartenant au *Coastal Command* (l'aviation côtière), était l'un des meilleurs appareils du monde pour la surveillance maritime, sousmarine et de surface. Avec son équipage de douze hommes, ses moteurs spéciaux, ses équipements de navigation et de surveillance perfectionnés, le Nimrod pouvait, soit raser les vagues à vitesse lente et constante pour écouter avec ses oreilles électroniques les bruits trahissant des mouvements sous les eaux, soit croiser en altitude, heure après heure (après avoir coupé deux de ses moteurs pour économiser le carburant), pour étudier une immense région océanique au-dessous de lui.

Ses radars pouvaient repérer le moindre mouvement d'une substance métallique à la surface des flots. Ses caméras pouvaient photographier de nuit comme de jour. Rien ne le troublait jamais, ni l'orage ni la neige, ni la grêle ni le givre, ni la brume ni le vent, ni la lumière ni les ténèbres. Son ordinateur Datalink traitait toutes les données reçues, identifiait tout ce que le Nimrod voyait sans la moindre erreur, puis transmettait le résultat, sous forme visuelle ou chiffrée, à la base ou à un vaisseau de la Royal Navy en liaison hertzienne avec le Datalink.

Par ce beau vendredi ensoleillé de l'avant-printemps, ses instructions étaient de prendre position à quatre mille cinq cents mètres au-dessus du *Freya* et de décrire des cercles jusqu'à ce qu'on vienne le relever.

— Il arrive sur l'écran, commandant, dit l'opérateur radar de Latham dans l'interphone.

A l'arrière, dans le fuselage du Nimrod, l'opérateur fixait son écran de balayage. La partie nord de la zone sans bateau tout autour du *Freya* commençait à s'avancer, et il voyait maintenant le gros blip du pétrolier s'avancer de la périphérie vers le centre de l'écran.

— Mettez les caméras en marche, dit Latham d'une voix calme.

Dans le ventre du Nimrod la caméra de jour F 126 pivota comme un canon, repéra le *Freya* et s'accrocha à lui. Elle régla automatiquement sa distance de mise au point pour obtenir la plus grande définition possible. Enfermés dans leur fuselage aveugle comme des taupes dans leurs terriers, les membres de l'équipage virent le *Freya* surgir sur leurs écrans vidéo. Dès cet instant, quelle que soit la position de l'avion dans le ciel, les caméras demeureraient braquées sur le *Freya*, régleraient leurs diaphragmes et leurs distances, et pivoteraient sur leurs bases pour compenser les déplacements du Nimrod. Même si le *Freya* se déplaçait, elles resteraient braquées sur lui, comme un œil qui ne cillerait jamais, jusqu'à ce qu'elles reçoivent un autre ordre.

— Émettez, dit Latham.

Le Datalink se mit à envoyer les images en Grande-Bretagne et de là, à Londres même. Quand le Nimrod fut à l'aplomb du *Freya*, il se pencha sur la gauche et le chef d'escadrille Latham, sur son siège de gauche, regarda vers le bas. Mais la caméra derrière lui était infiniment plus sensible que l'œil humain. A la plus longue focale de son objectif variable, elle parvint à cadrer la silhouette du terroriste solitaire sur la plate-forme de l'étrave. Il leva son visage masqué vers l'hirondelle d'argent volant à quatre kilomètres et demi au-dessus de lui. Elle parvint à cadrer le second terroriste debout sur le toit de la superstructure et l'image grossit jusqu'à ce que le passe-montagne noir emplisse l'écran. Le pistolet-mitrailleur que l'homme tenait dans ses bras luisait sous le soleil.

— Les voilà, ces salopards, dit l'opérateur vidéo.

Le Nimrod traça un cercle parfait au-dessus du *Freya*, se mit en pilotage automatique, coupa deux moteurs, réduisit la puissance des deux autres pour obtenir le maximum de durée de vol et se mit à faire son travail : tourner, observer et attendre, tout en transmettant tout à sa base. Mark Latham ordonna à son copilote de rester aux instruments, déboucla sa ceinture et quitta la cabine de pilotage. Il se dirigea vers le coin-repas (prévu pour quatre personnes), s'arrêta aux toilettes pour se laver les mains, puis s'assit avec un « plateau-repas » réchauffé par micro-ondes. C'était, se dit-il, une manière plutôt confortable de faire la guerre.

Dans le quartier de Bogneset, à vingt minutes du centre ville, la Volvo étincelante du chef de la police d'Alesund remonta l'allée de gravier de la maison de rondins, dans le style « ranch ». Il s'arrêta près du porche de granit brut.

Trygve Dahl était de la génération de Thor Larsen. Ils avaient grandi ensemble à Alesund, et Dahl s'était engagé dans les forces de police à peu près à l'époque où Larsen était entré dans la marine marchande. Il connaissait Lisa Larsen depuis le jour où son ami avait ramené sa jeune épouse d'Oslo, au lendemain de leur mariage. Ses enfants fraternisaient avec Kurt et Kristina Larsen, ils avaient joué ensemble à l'école et fait de la voile sur le fjord pendant les grandes vacances d'été.

« Bon Dieu, pensa-t-il en sortant de la Volvo, qu'est-ce que je vais pouvoir lui raconter ? »

Personne n'avait répondu au téléphone, ce qui signifiait sûrement qu'elle était sortie. Les enfants devaient être au lycée. Si elle faisait des courses, peut-être quelqu'un l'avait-il déjà mise au courant. Il sonna à la porte. N'obtenant pas de réponse, il fit le tour de la maison.

Lisa Larsen aimait s'occuper de son grand jardin potager, et Dahl la trouva en train de donner des fanes de carottes au lapin apprivoisé de Kristina. Elle leva les yeux en entendant ses pas, et lui sourit aussitôt.

« Elle n'est pas au courant », se dit-il.

Elle poussa le reste des carottes à travers le grillage du clapier et s'avança à sa rencontre en retirant ses gants de jardin.

— Trygve, quel plaisir de vous voir ! Qu'est-ce qui vous amène dans ce coin ?

— Lisa, vous n'avez pas écouté les informations à la radio, ce matin ?

Elle réfléchit.

— J'ai écouté le bulletin de huit heures en prenant le petit déjeuner et je n'ai pas quitté le jardin depuis.

— Vous n'avez pas répondu au téléphone ?

Pour la première fois, une ombre traversa les yeux clairs de la jeune femme. Son sourire s'effaça.

— Non. Je ne l'aurais pas entendu. Il a sonné ?

— Voilà, Lisa. Il faut que vous gardiez votre calme. Il est arrivé quelque chose. Non, pas aux enfants. A Thor.

Elle pâlit sous son hâle couleur de miel. Avec ménagement, Trygve Dahl lui raconta ce qui s'était passé depuis les petites heures du matin, très loin dans le sud, en face de Rotterdam.

— Pour autant que je sache, il se porte parfaitement bien. Rien ne lui est arrivé et rien ne lui arrivera. Les Allemands vont libérer ces deux hommes et tout finira pour le mieux.

Elle ne pleura pas. Elle resta debout, très calme, au milieu de ses laitues de printemps, puis elle dit:

— Je veux le rejoindre.

Le chef de la police respira plus librement. Il se doutait bien qu'elle réagirait ainsi, mais il était soulagé tout de même. Il s'agissait maintenant d'organiser des choses pratiques, et c'était un domaine où il était plus habile.

— Le jet privé de Harold Wennerström doit arriver à l'aéroport dans vingt minutes, dit-il. Je vais vous y conduire. Il m'a appelé il y a une heure. Il se doutait que vous auriez envie d'aller à Rotterdam pour être plus près. Ne vous inquiétez pas pour les enfants. Je vais les faire prendre au lycée tout de suite. Nous nous en occuperons: ils resteront chez nous, bien entendu.

Vingt minutes plus tard, elle était avec Dahl sur le siège arrière de la voiture, qui repartait à toute allure en direction de la ville. Le chef de la police demanda par radio de retarder le départ du bac desservant l'aéroport, dans son île. Peu après une heure et demie, le Jetstream de la Nordia Line aux couleurs bleu de glace et argent, glissa sur la piste d'envol, s'élança au-dessus des eaux de la baie et, prenant de l'altitude, vira vers le sud.

Depuis les années soixante et surtout au cours des années soixante-dix, la recrudescence du terrorisme a suscité des procédures de routine que le gouvernement britannique applique systématiquement pour résoudre les affaires délicates. La plus importante de ces procédures de routine est ce qu'on appelle le « comité de crise ».

Lorsque la crise est assez grave pour impliquer un grand nombre de services et de départements, le comité — constitué par des antennes de chacun de ces services — se réunit en un lieu central, proche du cœur du pouvoir, pour mettre en commun les renseignements et coordonner les décisions et l'action. Ce lieu central est une pièce bien protégée de Whitehall, deux étages au-dessous du bureau du Conseil, et à deux pas du 10 Downing Street, de l'autre côté de la pelouse. C'est dans cette pièce que se réunit le Groupe interministériel de réflexion sur les problèmes d'urgence nationale, en anglais : *United Cabinet Office Review Group (National Emergency)*, abrégé familièrement en UNICORNE — la Licorne.

La salle de réunion est entourée de bureaux plus petits et un standard téléphonique autonome relie la Licorne avec chaque ministère par des lignes directes prioritaires et protégées. Une salle de téléscripteurs recueille les dépêches des principales agences de presse. La Licorne possède également une salle de télex, une salle radio, et bien entendu une pièce pourvue de machines à écrire et à photocopier pour les secrétaires. Il y a même une petite cuisine où un traiteur de confiance prépare du café et des en-cas.

Les hommes qui se réunirent ce vendredi-là en début d'après-midi sous la présidence du secrétaire de cabinet sir Julian Flannery représentaient tous les services qui risquaient, à son avis, d'être concernés.

A ce stade, aucun ministre n'était présent, mais ils s'étaient fait représenter par un de leurs proches collaborateurs (au moins du niveau de sous-secrétaire de cabinet). Les ministères des Affaires étrangères, de l'Intérieur, de la Défense, de l'Industrie et du Commerce, de l'Environnement, de l'Agriculture et de la Pêche, et de l'Énergie, constituaient l'ossature du groupe.

Pour les assister, tout un essaim de spécialistes et d'experts, dont trois savants compétents en matière d'explosifs, de navires et de pollution ; le vice-chef d'état-major de la Défense (un vice-amiral), un homme des services de renseignements de la Défense, un homme du M-15, un homme du S.I.S., un Group Captain de la Royal Air Force, et un vieux colonel de fusiliers marins portant le nom de Tim Holmes.

— Messieurs, commença sir Julian Flannery, nous avons tous eu le temps de prendre connaissance du texte de la déclaration lue à midi par le capitaine Larsen. Tout d'abord, je crois que nous devrions étudier les faits indiscutables. Pouvons-nous commencer par ce bateau, le... euh... *Freya*. Que savons-nous de lui ?

Tous les regards se tournèrent vers l'expert en construction navale appartenant aux services de l'Industrie et du Commerce.

— Je suis allé chercher les plans du *Freya* à la Lloyds ce matin, dit-il aussitôt. Je les ai là. Ils sont précis jusqu'au moindre rivet et jusqu'au dernier boulon.

Il poursuivit pendant une dizaine de minutes après avoir étalé le plan sur la table, puis il exposa en termes compréhensibles à tous la taille du *Freya*, sa capacité de fret et le principe de sa construction.

Lorsqu'il eut terminé, l'expert du ministère de l'Énergie fut invité à prendre la parole. Un secrétaire apporta sur la table le modèle réduit d'un superpétrolier.

— J'ai emprunté ceci à la British Petroleum ce matin, dit-il. C'est le modèle réduit de leur super-pétrolier *British Princess*. Il n'est conçu que pour un quart de million de tonnes, mais les différences de conception sont minimes. Le *Freya* est simplement beaucoup plus gros.

Il montra sur le modèle réduit du *Princess* l'endroit où se trouvait la dunette, où devait être la cabine du capitaine, où seraient probablement les réservoirs de charge et les réservoirs de ballast, ajoutant que l'on connaîtrait l'emplacement exact de ces réservoirs dès que la Nordia Line le communiquerait à Londres.

Tout le monde écoutait et regardait sa démonstration attentivement, mais personne autant que le colonel Holmes. De tous les hommes présents, ce serait lui qui aurait peut-être la responsabilité d'organiser l'assaut du bateau avec ses fusiliers marins, et d'éliminer les terroristes. Il savait que ses hommes auraient besoin de connaître jusqu'au dernier recoin du *Freya* avant de se lancer à l'abordage.

— Un dernier point, dit le savant du ministère de l'Énergie. Il est plein de Mubarraq.

— Bon Dieu! s'écria l'un des autres hommes autour de la table.

Sir Julian Flannery lui adressa un sourire aimable.

— Oui, docteur Henderson ?

L'homme qui avait parlé était le savant du laboratoire Warren Springs, qui accompagnait le représentant du ministère de l'Agriculture et de la Pêche.

— Ce que je veux dire, répondit le docteur avec un accent écossais non recyclé, c'est que ce Mubarraq, d'une variété de brut venant d'Abou Dhabi, possède à peu près les mêmes propriétés que le carburant diesel.

Il expliqua que lorsque le pétrole brut se répand sur la mer, une partie — les « fractions légères » — s'évapore dans l'atmosphère tandis que les « fractions lourdes », non volatiles, constituent la boue noire épaisse que l'on peut voir déferler sur les plages.

— Ce que je veux dire, conclut-il, c'est que cette saloperie de Mubarraq s'étalera partout. Il se tartinera d'un côté à l'autre avant que les " fractions légères " ne s'évaporent. Il empoisonnera toute la mer du Nord pendant des semaines et des semaines, enlevant à tous les êtres vivants de la mer l'oxygène dont ils ont besoin pour subsister.

— Je vois, dit sir Julian. Je vous remercie, docteur.

Les explications des experts se succédèrent. L'homme des explosifs, un officier du génie, expliqua comment, placées aux bons endroits, des charges de dynamite industrielle en nombre restreint pouvaient détruire un navire de cette taille.

— Il faut tenir compte, dit-il, de l'énorme puissance latente que représente le poids d'un million de tonnes — qu'il s'agisse de pétrole ou de quoi que ce soit. Si l'on fait les trous là où il faut, la masse déséquilibrée du bateau suffira à le briser. Souvenez-vous d'une chose : le message lu par le capitaine Larsen contenait la phrase " en appuyant sur un bouton ". Et il l'a répétée. A mon avis, il doit y avoir environ une douzaine de charges en place. Et la phrase " en appuyant sur un bouton " semble indiquer que la mise à feu doit se faire par signal radio.

— Est-ce possible ? demanda sir Julian.

— Tout à fait possible, répondit le spécialiste des explosifs.

Et il expliqua le fonctionnement d'un oscillateur.

— N'aurait-il pas été plus simple de relier chaque charge avec des fils électriques, et de se servir d'un déclencheur classique ? demanda sir Julian.

— C'est de nouveau une question de poids, répondit l'ingénieur. Il aurait fallu que les fils soient imperméabilisés, revêtus de nylon. Le poids des kilomètres de fil souple nécessaire aurait sûrement fait sombrer la vedette avec laquelle ils sont arrivés à bord.

On évoqua ensuite les dommages écologiques provoqués par le pétrole, les chances minimes de sauver l'équipage prisonnier, et l'homme du S.I.S. reconnut ne posséder aucun renseignement permettant d'identifier les terroristes : aucun élément provenant de groupes étrangers douteux ne correspondait.

L'homme du M-15, qui était en fait le directeur-adjoint du service C-4, la section qui s'occupe exclusivement du terrorisme affectant directement la Grande-Bretagne, souligna le caractère étrange de la requête des inconnus du *Freya*.

— Ces hommes, Michkine et Lazareff, sont des Juifs. Ils ont détourné un avion pour s'enfuir d'U.R.S.S. et ils ont eu le malheur de tuer le pilote. Il faut supposer que ceux qui cherchent à obtenir leur libération sont des amis ou des admirateurs. Ce qui nous oriente naturellement vers d'autres Juifs. Les seuls à entrer dans cette catégorie sont ceux de la *Jewish Defence League*. Mais jusqu'ici, ils se sont bornés à faire des manifestations et à lancer des pavés. Nous n'avons eu dans nos dossiers aucun Juif ayant menacé de faire sauter des gens en morceaux pour qu'on libère ses amis, depuis l'époque de l'Irgoun et de la bande Stern.

— Seigneur, espérons qu'ils ne vont pas recommencer ! s'écria sir Julian. Si ce ne sont pas des Juifs, qui est-ce ?

L'homme du C-4 haussa les épaules.

— Nous l'ignorons, reconnut-il. Nous n'avons remarqué l'absence prolongée d'aucune personne fichée dans nos dossiers, et le texte du capitaine Larsen ne nous permet pas de remonter jusqu'aux origines des terroristes. Ce matin, je croyais que nous avions affaire à des Arabes ou des Palestiniens, et j'ai même pensé pendant un moment à des Irlandais. Mais ni les uns ni les autres ne lèveraient le petit doigt pour des Juifs incarcérés à Berlin. Nous sommes dans le noir absolu.

On apporta des photographies prises par le Nimrod une heure plus tôt. Certaines représentaient les hommes masqués montant la garde. Tout le monde les examina avec la plus grande curiosité.

— MAT49, dit le colonel Holmes après avoir étudié le pistolet-mitrailleur que l'un des hommes tenait dans ses bras. C'est une arme française.

— Ah ! s'écria sir Julian. Nous tenons peut-être quelque chose. Ces individus seraient donc des Français ?

— Pas forcément, répondit Holmes, on peut acheter ces trucs-là dans la pègre. Les truands de Paris ont une prédilection bien connue pour les " mitraillettes ".

A trois heures et demie, sir Julian Flannery leva la séance. On convint de maintenir le Nimrod au-dessus du *Freya* jusqu'à nouvel ordre. Sur proposition du vice-chef d'état-major de la Défense, on décida de détourner un vaisseau de guerre et de lui faire prendre position à la limite de la zone des cinq milles du *Freya*, pour surveiller les abords au cas où les terroristes tenteraient de quitter le pétrolier sous le couvert de l'obscurité. Le Nimrod les repérerait et transmettrait leurs coordonnées à la marine. Le vaisseau de guerre n'aurait aucun mal à rattraper la vedette de pêche actuellement amarrée au *Freya*.

Le représentant du Foreign Office accepta de demander à l'Allemagne de l'Ouest et à Israël de l'informer sans délai de toute décision prise au sujet de l'ultimatum des terroristes.

— Il ne semble pas que le gouvernement de Sa Majesté puisse

faire grand-chose en ce moment même, fit observer sir Julian. La décision appartient au Premier ministre israélien et au Chancelier d'Allemagne fédérale. Personnellement, je ne vois pas comment ils pourraient faire autrement que de laisser partir ces deux maudits jeunes gens en Israël, si répugnante que puisse être l'idée de céder au chantage.

Tout le monde quitta la pièce, à l'exception du colonel Holmes des fusiliers marins, qui s'attarda un peu. Il se rassit en face du modèle réduit du pétrolier B.P., d'un quart de million de tonnes, et se mit à l'examiner.

— Supposons qu'ils ne cèdent pas au chantage..., dit-il à mi-voix.

Et il commença à mesurer la distance de la ligne de flottaison au bastingage de poupe.

Le pilote suédois du Jetstream, à cinq mille mètres au-dessus des îles Frisonnes, se préparait à descendre sur l'aérodrome de Schiedam, dans la banlieue de Rotterdam. Il se tourna et demanda quelque chose au petit bout de femme qu'il avait embarquée à Alesund. Elle déboucla sa ceinture et s'avança vers le siège avant.

— Je vous demandais si vous vouliez voir le *Freya*, répéta le pilote.

La femme acquiesça.

Le Jetstream vira vers la mer et cinq minutes plus tard se pencha doucement sur l'aile. Depuis son siège, le visage pressé contre le hublot de gauche, Lisa Larsen regarda vers le bas. Très loin au-dessous d'elle, au milieu d'une mer d'un bleu profond, comme une sardine grise clouée sur les flots, le *Freya* était à l'ancre. Autour de lui, pas un bateau. Il était complètement seul dans sa prison sans murailles.

L'atmosphère était assez claire pour que même depuis une altitude de cinq mille mètres, Lisa Larsen puisse distinguer l'emplacement de la dunette, et le côté tribord de cette dunette. Elle savait que son mari était exactement là, un étage au-dessous, avec un revolver braqué sur sa poitrine, avec de la dynamite placée sous ses pieds. Elle ne savait pas si l'homme qui tenait le revolver était fou, violent, ou cruel. Mais il fallait que ce fût un fanatique, à n'en pas douter.

Deux larmes perlèrent dans ses yeux et glissèrent le long de sa joue. Elle poussa un soupir et le verre du hublot se couvrit de buée.

« Thor, mon amour, je t'en supplie, reviens-moi vivant! »

Le Jetstream vira de nouveau et commença sa longue descente vers Schiedam. Le Nimrod, à des kilomètres de là dans le ciel, le regarda s'éloigner.

— Qui était-ce ? demanda l'opérateur radar à personne en particulier.

— Qui était-ce ? répliqua l'opérateur sonar, qui n'avait rien à faire.

— Un petit jet privé qui est venu se balader au-dessus du *Freya* pour jeter un coup d'œil. Il rentre à Rotterdam, dit l'homme du radar.

— C'est le proprio qui vérifie que son coffre-fort plein de merde est toujours là, dit le boute-en-train du bord installé à la console radio.

Sur le *Freya*, les deux sentinelles aperçurent par la fente de leur passe-montagne la minuscule écharde de métal plantée très haut dans le ciel, qui s'éloignait maintenant vers la côte hollandaise, à l'est. Ils ne le signalèrent pas à leur chef : l'appareil était à plus de trois mille mètres.

Le conseil des ministres d'Allemagne fédérale se réunit peu après trois heures à la Chancellerie, sous la présidence de Dietrich Busch. Le Chancelier avait l'habitude d'aller droit au fait.

— Je veux tout d'abord préciser un point : ceci n'est pas un nouveau Mogadiscio. Nous n'avons pas affaire à un avion allemand, avec un équipage allemand et la plupart des passagers allemands, sur une piste d'atterrissage dont les autorités responsables étaient disposées à coopérer avec nous. Cette fois-ci, il s'agit d'un navire suédois, avec un capitaine norvégien, dans des eaux internationales. Son équipage dépend de cinq pays, y compris les États-Unis, son fret appartient à une société américaine et est assuré par une compagnie britannique, et sa destruction toucherait au moins cinq pays riverains, dont nous-mêmes. Monsieur Hagowitz ?

Le ministre des Affaires étrangères apprit à ses collègues qu'il avait déjà reçu de la Finlande, de la Norvège, de la Suède, du Danemark, des Pays-Bas, de la Belgique, de la Grande-Bretagne et de la France, des requêtes polies concernant la décision que le gouvernement fédéral serait appelé à prendre. Après tout, Michkine et Lazareff étaient détenus sous la responsabilité de l'Allemagne.

— Ils ont eu la courtoisie de ne pas exercer de pressions pour influencer notre décision, mais je suis sûr qu'un refus de laisser partir Michkine et Lazareff en Israël susciterait de leur part les plus vives inquiétudes.

— Dès qu'on commence à céder à ce chantage au terrorisme, cela n'a plus de fin, intervint le ministre de la Défense.

— Écoutez, nous avons cédé dans l'affaire Peter Lorentz, il y a des années, et cela nous a coûté cher. Les terroristes que nous avions libérés sont revenus provoquer des désordres. A Mogadiscio, nous avons tenu bon et nous avons gagné. Dans l'affaire Schleyer nous avons tenu bon également, or nous n'avons gagné qu'un cadavre. Mais de toute façon c'étaient des affaires entièrement allemandes ou presque. Aujourd'hui, ce n'est pas le cas. Les vies en jeu ne sont pas allemandes, les biens non plus. Surtout, les détenus de Berlin n'appartiennent pas à un groupe terroriste allemand. Ce sont des Juifs qui ont quitté la Russie par le seul moyen à leur portée. Franchement, cela nous place dans une situation très délicate, conclut Hagowitz.

— Y a-t-il une chance pour que tout ceci ne soit qu'un bluff, un numéro d'esbroufe ? Peut-être ne sont-ils pas en mesure de faire sauter le *Freya* et de tuer l'équipage, avança quelqu'un.

Le ministre de l'Intérieur secoua la tête.

— Nous ne pouvons pas prendre pour base une hypothèse de ce genre. Les photographies que les Anglais viennent de nous faire parvenir montrent que ces hommes armés et masqués sont bien réels. Je les ai transmises au chef du GSG-9 pour voir ce qu'il en pense. Mais l'ennui, c'est que l'abordage d'un vaisseau protégé par un système de radar et de sonar balayant tout l'espace autour, au-dessus et au-dessous de lui, ne fait pas partie de leurs compétences. Il faudrait des scaphandriers ou des hommes-grenouilles.

Le GSG-9 auquel il faisait allusion est l'unité d'élite des commandos ouest-allemands, dépendant des troupes de frontière. C'était cette unité qui, cinq ans plus tôt, avait pris d'assaut l'avion détourné à Mogadiscio.

La discussion se poursuivit pendant une heure : devait-on accéder aux exigences des terroristes en raison du caractère international des victimes probables d'un refus — et donc subir les inévitables protestations de Moscou ? Fallait-il refuser, et relever le défi des terroristes ? Ou bien n'était-il pas plus sage de consulter les alliés anglais en vue d'un assaut éventuel du *Freya* ? Une solution de compromis parut bientôt gagner du terrain : on pouvait adopter une tactique d'atermoiements, gagner du temps, mettre à l'épreuve la détermination des terroristes. A quatre heures et quart, quelqu'un frappa discrètement à la porte. Le chancelier Bush fronça les sourcils : il n'aimait pas les interruptions.

— *Herein !* cria-t-il.

Un assistant entra dans la pièce et murmura quelques phrases à l'oreille du Chancelier.

Le chef du gouvernement fédéral blêmit.

— *Du lieber Gott!* s'écria-t-il à mi-voix.

On apprit ultérieurement que l'avion léger était un Cessna loué à un particulier pour la circonstance et qu'il avait décollé de l'aéroport du Touquet, sur la côte française de la Manche. Dès qu'il commença à s'approcher du *Freya*, trois centres de contrôle du trafic aérien le repérèrent : celui d'Heathrow près de Londres, celui de Bruxelles, et celui d'Amsterdam-Schiphol. Il volait plein nord et les radars le signalaient à une altitude de quinze cents mètres. Il se dirigeait droit sur le pétrolier. Les appels rageurs commencèrent à crépiter.

— Appareil non identifié, répondez. Faites-vous connaître et rebroussez chemin. Vous pénétrez dans une zone interdite...

On appela en anglais et en français, puis en hollandais. Ce fut sans effet. Ou bien le pilote avait coupé sa radio, ou bien il était sur une mauvaise longueur d'ondes. Les opérateurs au sol se mirent à diffuser sur toutes les bandes passantes.

Le Nimrod qui faisait des cercles au-dessus du *Freya* le repéra sur son radar et essaya de le contacter.

A bord du Cessna, le pilote au désespoir se tourna vers son passager.

— Ils vont me piquer ma licence, cria-t-il. Ils deviennent vraiment mauvais...

— Coupe la radio, répondit le passager. Et ne t'en fais pas. Il n'arrivera rien. Tu n'as rien entendu, pigé ?

Le passager prit son appareil de photo et mit en place le téléobjectif. Il commença à viser dès qu'il aperçut le pétrolier à l'horizon. Sur la plate-forme de l'étrave, la sentinelle masquée se redressa et cligna des yeux vers le soleil, déjà au sud-ouest. L'avion venait du sud.

Il le regarda pendant plusieurs secondes puis sortit son talkie-walkie de son anorak et se mit à parler d'une voix hachée.

Dans la dunette, l'un des terroristes entendit le message, jeta un coup d'œil par la baie vitrée, puis sortit précipitamment sur le palier extérieur. Il perçut aussitôt le bruit du moteur. Il rentra dans la dunette, réveilla son coéquipier endormi et jeta plusieurs ordres en ukrainien. L'homme descendit en courant jusqu'à la cabine de jour et frappa à la porte.

Dans la cabine, Thor Larsen et Andriy Drach, plus mal rasés et plus épuisés que jamais, étaient toujours assis aux deux bouts de la table. L'Ukrainien n'avait pas lâché son revolver. Son transistor puissant, posé à quelques centimètres de lui, lui donnait les dernières nouvelles. L'homme masqué entra et dit quelques mots en ukrainien. Le visage de son chef s'assombrit. Il donna l'ordre à l'homme de prendre sa place dans la cabine.

Drake quitta rapidement la cabine, courut jusqu'à la dunette et sortit sur la passerelle. Il avait remis son masque noir. Il fixa le Cessna qui planait à environ trois cents mètres de hauteur. L'appareil décrivit une large courbe au-dessus du *Freya* puis repartit vers le sud en reprenant de l'altitude. Drake avait aperçu le long objectif braqué vers lui.

A l'intérieur de l'appareil, le photographe indépendant exultait.

— Fabuleux ! cria-t-il au pilote. Une exclusivité totale. Les journaux vont payer les yeux de la tête pour avoir ces clichés.

Andriy Drach rentra dans la dunette et donna quelques ordres d'une voix sèche. Il prit le talkie-walkie pour dire à l'homme de la proue de continuer sa surveillance. Il envoya la sentinelle du toit réveiller deux hommes qui dormaient aux étages inférieurs. Lorsqu'ils revinrent, il leur donna des instructions détaillées. Et quand il rentra dans la cabine, il ne renvoya pas l'autre garde.

— Je crois qu'il est temps d'apprendre à tous ces salopards stupides, partout en Europe, que je n'ai pas envie de plaisanter, dit-il à Thor Larsen.

Cinq minutes plus tard l'opérateur de prises de vues du Nimrod appela son capitaine par l'interphone.

— Il se passe quelque chose là-dessous, commandant.

Le chef d'escadrille Latham quitta la cabine de pilotage et se dirigea vers la partie centrale du fuselage, où se trouvait l'écran reproduisant ce que les caméras enregistraient. Deux hommes marchaient sur le pont du *Freya*. Ils s'éloignaient du mur de fer de la superstructure, vers l'étendue déserte du pont. L'un des hommes, celui de derrière, était en noir de la tête aux pieds, et tenait un pistolet-mitrailleur. Celui de devant portait des espadrilles, un pantalon ordinaire et un anorak de nylon avec trois raies noires dans le dos. Le capuchon de l'anorak, remonté sur sa tête, le protégeait de la brise, qui fraîchissait en cette fin d'après-midi.

— On dirait que celui de derrière est un terroriste et celui de devant un marin, dit l'opérateur de vidéo.

Latham acquiesça. Il ne pouvait pas voir les couleurs, les images étaient en noir et blanc.

— Passe en gros plan, dit-il, et envoie à l'antenne.

Le champ se resserra, l'objectif ne voyait plus qu'une dizaine de mètres du pont du *Freya*. Les deux hommes marchaient au centre de l'image.

Le capitaine Larsen, en revanche, pouvait voir les couleurs. Sans en croire ses yeux, il regardait le pont à travers les larges fenêtres de sa cabine. Le garde au pistolet-mitrailleur se tenait à plusieurs mètres derrière lui et braquait le canon de son arme au milieu du chandail blanc du Norvégien.

Au loin sur le pont avant, le marin et le terroriste ne semblaient pas plus gros que des allumettes. Au milieu du bateau, l'homme en noir s'arrêta, leva son pistolet-mitrailleur et visa le dos du marin devant lui. Malgré l'épaisseur du vitrage, on entendit nettement le crépitement de la rafale. La silhouette en anorak rouge vif se cassa en deux comme si elle avait reçu un coup de pied dans les reins. Ses bras jaillirent vers le haut, elle bascula en avant, fit un demi-tour sur elle-même puis s'immobilisa, à moitié dissimulée sous la coursive d'inspection.

Thor Larsen ferma lentement les yeux. Lorsque les terroristes s'étaient emparés du bateau, son troisième officier, le Danois-Américain Tom Keller portait le même pantalon beige et un ciré léger de nylon rouge clair avec trois raies noires dans le dos. Larsen appuya son front contre le dos de sa main posée à plat sur la vitre. Puis il se redressa, se tourna vers l'homme qu'il connaissait sous le nom de Svoboda, et le regarda dans les yeux.

Andriy Drach lui rendit son regard.

— Je les avais prévenus, dit-il d'une voix pleine de colère. Je leur avais dit exactement ce qui se passerait et ils ont cru qu'ils pouvaient jouer au plus fin. Maintenant ils savent qu'ils ne peuvent pas.

Vingt minutes plus tard, les photographies représentant la scène qui venait de se dérouler sur le pont du *Freya* sortaient d'une machine, dans le cœur de Londres. Et vingt minutes plus tard encore, un récit détaillé de la même scène s'imprimait sur le téléscripteur de la Chancellerie fédérale à Bonn. Il était quatre heures et demie.

Le chancelier Bush regarda ses ministres.

— J'ai le regret de vous informer, dit-il, qu'il y a une heure, un avion privé semble avoir cherché à prendre des photos du *Freya* à basse altitude, à environ trois cents mètres. Dix minutes plus tard, les terroristes ont fait monter sur le pont l'un des hommes de l'équipage, et, devant les caméras du Nimrod anglais qui survole le pétrolier, l'ont exécuté. Son corps est encore très nettement visible bien qu'à demi dissimulé sous une coursive.

— A-t-on pu l'identifier ? demanda l'un des ministres à mi-voix après un long silence.

— Non, son visage était presque entièrement recouvert par le capuchon de son ciré.

— Les salauds ! dit le ministre de la Défense. Maintenant trente familles, d'un bout à l'autre de la Scandinavie, vont mourir d'angoisse au lieu d'une seule. Ils retournent vraiment le fer dans la plaie.

— Les quatre gouvernements scandinaves vont faire de même, dit Hagowitz. Et je n'aurai aucune réponse à donner à leurs ambassadeurs. Je ne crois vraiment pas que nous ayons le choix.

Lorsque les mains se levèrent, elles étaient en majorité pour la proposition de Hagowitz : il ordonnerait à l'ambassadeur d'Allemagne en Israël de solliciter une audience urgente du Premier ministre israélien pour lui demander, au nom de la République fédérale allemande, de fournir les garanties exigées par les terroristes. Ensuite, si ces garanties étaient confirmées, le gouvernement fédéral annoncerait qu'afin d'épargner des souffrances à des hommes et des femmes innocents, hors des frontières de l'Allemagne fédérale, il se voyait contraint, à regret, de remettre Michkine et Lazareff aux autorités israéliennes.

— Les terroristes ont laissé au Premier ministre israélien jusqu'à minuit pour donner cette garantie, dit le chancelier Busch. Et nous avons nous-mêmes jusqu'à l'aube pour mettre ces deux détenus dans un avion. Nous tairons notre décision jusqu'à ce que Jérusalem donne son accord. De toute façon, sans cet accord, nous avons les mains liées.

Par suite d'un accord entre les alliés de l'O.T.A.N., le Nimrod de la R.A.F. demeura le seul avion dans le ciel au-dessus du *Freya*. Il poursuivit sa ronde sans fin, observant tout, prenant note de tout, et envoyant des images à la base chaque fois que quelque chose de particulier se produisait. Ces images étaient aussitôt transmises à Londres et dans les capitales des pays concernés.

A cinq heures de l'après-midi, les sentinelles furent relevées. L'homme du gaillard d'avant et celui du toit de la superstructure, qui n'avaient pas cessé leur faction depuis dix heures consécutives, rentrèrent dans la dunette, engourdis par le froid et l'immobilité, puis descendirent aux étages inférieurs pour s'alimenter, se réchauffer et dormir. Les deux hommes qui les remplacèrent pour la garde de nuit étaient équipés de torches puissantes en plus de leurs talkies-walkies.

Mais l'accord des alliés à propos du Nimrod ne concernait pas les navires de surface. Chaque pays riverain de la mer du Nord avait envie d'avoir sur place un observateur de sa propre marine. En fin d'après-midi, le croiseur léger français *Montcalm* s'avança du sud sans un bruit, et mit en panne à tout juste cinq milles nautiques du *Freya*. Venant du nord, où elle croisait au large des îles Frisonnes, la frégate lance-missiles néerlandaise *Breda* arrêta ses machines à six milles nautiques au nord du pétrolier immobile.

La frégate lance-missiles allemande *Brunner* ne tarda pas à la rejoindre, et les deux frégates restèrent à cinq encâblures l'une de l'autre, en vue de la silhouette sombre se détachant sur l'horizon, en plein sud. Le vaisseau de Sa Majesté britannique *Argyll*, en visite de courtoisie dans le port de Leith en Écosse, prit soudain la mer et lorsque la première étoile du soir parut dans le ciel sans nuages, il était en position à l'ouest du *Freya*.

C'était un croiseur léger porteur de missiles téléguidés, de type DLG, jaugeant un peu moins de six mille tonneaux, armé avec plusieurs batteries de missiles *Exocet*. Sa turbine à essence de conception révolutionnaire et ses moteurs à vapeur lui permettaient de prendre la mer à tout instant. Au fond de sa coque, l'ordinateur Datalink dont il était équipé se mit en liaison avec le Datalink du Nimrod en train de patrouiller à quatre mille cinq cents mètres au-dessus de lui, dans le ciel envahi par la nuit. Vers la poupe, sur une plate-forme rehaussée par rapport au pont, se trouvait son hélicoptère Westland Wessex.

Sous les eaux, les oreilles sonar des vaisseaux de guerre encerclaient le *Freya* sur trois côtés. Au-dessus des flots, les antennes radar balayaient la mer sans discontinuer. Le Nimrod, tout en haut, montait la garde : le *Freya* était littéralement enveloppé dans un cocon invisible de surveillance électronique. Tout était immobile et silencieux à son bord lorsque le soleil se coucha au loin, derrière les côtes de l'Angleterre.

Il était cinq heures en Europe occidentale, mais déjà sept heures en Israël, lorsque l'ambassadeur d'Allemagne de l'Ouest sollicita une audience privée du Premier ministre Benyamin Golen. On lui fit remarquer aussitôt que le sabbat avait débuté une heure plus tôt et que, juif dévot, le Premier ministre se reposait dans sa résidence privée. Le message fut cependant transmis, car ni le secrétariat personnel du Premier ministre, ni bien sûr lui-même, n'ignoraient ce qui s'était produit dans la mer du Nord. En fait, depuis le message diffusé par Thor Larsen à neuf heures du matin, le service de renseignement israélien, le *Mossad Aliyah Beth*, avait tenu Jérusalem régulièrement informé. A la suite des exigences formulées à midi — et qui concernaient directement Israël — on avait préparé des rapports de situation très circonstanciés. Le Premier ministre Golen en avait pris connaissance avant le début officiel du sabbat, à six heures.

— J'ai répondu au téléphone mais je n'ai pas l'intention de rompre le sabbat en allant au bureau en voiture, dit-il au collaborateur qui lui fit part de la démarche de l'ambassadeur allemand. Et c'est trop loin pour que j'y aille à pied. Demandez à l'ambassadeur de passer chez moi.

Dix minutes plus tard, la voiture de l'ambassade d'Allemagne s'arrêtait devant la maison, d'une simplicité ascétique, que le Premier ministre occupait dans les faubourgs de Jérusalem. Dès son entrée, l'ambassadeur se confondit en excuses.

— Monsieur le Premier ministre, dit-il après le traditionnel *Shabbath Shalom*, je ne vous aurais dérangé pour rien au monde pendant ces heures de fête, mais des vies humaines sont en jeu et je crois que dans ces circonstances il est permis de rompre le sabbat.

Benyamin Golen inclina la tête.

— C'est effectivement permis lorsqu'une vie humaine est en jeu ou en danger.

— C'est justement le cas, dit l'ambassadeur. Vous n'ignorez certainement pas ce qui s'est passé à bord du superpétrolier *Freya* dans la mer du Nord, au cours des douze dernières heures.

Non seulement le Premier ministre ne l'ignorait pas, mais il en était plus que préoccupé. Car depuis l'ultimatum de midi, il était manifeste que les terroristes ne pouvaient pas être des Palestiniens ou des Arabes comme on l'avait cru tout d'abord. Et on risquait de découvrir qu'il s'agissait de Juifs fanatiques. Pourtant, ses agences de renseignement, le *Mossad* (pour les affaires extérieures), et le *Shérouth Bitachon*, désigné communément par ses initiales *Shin-Beth* (pour les affaires intérieures) lui avaient assuré qu'aucun fanatique fiché dans leurs dossiers n'avait quitté son repaire habituel.

— Je ne l'ignore pas, monsieur l'Ambassadeur, et la mort de ce marin m'a causé une profonde douleur. Que désire obtenir d'Israël la République fédérale d'Allemagne ?

— Monsieur le Premier ministre, le gouvernement de mon pays a réfléchi à toutes les solutions possibles pendant plusieurs heures. Il éprouve une répugnance extrême à la perspective de céder au chantage des terroristes. Si l'affaire relevait exclusivement de la juridiction intérieure allemande, il serait certainement enclin à résister, mais dans les circonstances présentes, il sent qu'il doit renoncer.

« Mon gouvernement demande donc à l'État d'Israël d'accepter la venue sur son territoire de Lev Michkine et de David Lazareff, et de garantir comme l'exigent les terroristes que ces hommes ne seront ni poursuivis en justice, ni extradés.

Benyamin Golen avait préparé depuis plusieurs heures la réponse qu'il ferait à cette requête, qui ne le surprenait nullement. Son gouvernement était une coalition en équilibre instable, et il savait mieux que personne qu'une bonne partie de son peuple (pour ne pas dire la majorité) était tellement exaspérée par les persécutions incessantes des Juifs et de la religion juive en U.R.S.S., que pour eux, Michkine et Lazareff ne pourraient jamais être considérés comme des terroristes du même acabit que la bande à Baader-Meinhoff ou l'O.L.P. En fait, bien des Israéliens n'éprouvaient que sympathie pour leur tentative de passer en Israël en détournant un avion soviétique, et ils croyaient sincèrement que le revolver était parti tout seul dans la cabine de pilotage.

— Il faut que vous compreniez deux choses, monsieur l'Ambassadeur. Tout d'abord, bien que Michkine et Lazareff soient juifs, l'État d'Israël n'a rien à voir avec les délits qu'ils ont commis, ni avec la requête qui est faite aujourd'hui en vue d'obtenir leur libération...

« Si jamais il s'avère que les terroristes sont des Juifs, songea-t-il, combien de personnes au monde vont-elles le croire ? »

— Enfin, l'État d'Israël n'est directement concerné ni par la situation tragique de l'équipage du *Freya*, ni par les conséquences de la destruction éventuelle de ce bateau. Aucune pression n'est exercée contre l'État d'Israël, et il ne subit aucun chantage.

— C'est certain, monsieur le Ministre, répondit l'Allemand.

— En conséquence, si Israël accepte de recevoir ces deux hommes, il faut qu'il soit clairement et publiquement annoncé qu'il agit ainsi à la requête expresse du gouvernement de l'Allemagne fédérale.

— Je vous adresse cette requête, monsieur le Premier ministre, au nom de mon gouvernement.

Quinze minutes plus tard, une procédure était arrêtée. L'Allemagne de l'Ouest annoncerait publiquement qu'elle formulait la requête à Israël de sa propre initiative. Aussitôt après, l'État d'Israël annoncerait qu'il avait, non sans réticences, accédé à la requête allemande. A la suite de quoi, le gouvernement fédéral pourrait annoncer la libération des prisonniers à huit heures le lendemain matin, heure européenne. Les annonces seraient faites à partir de Bonn et de Jérusalem, et synchronisées à dix minutes d'intervalle, la première ayant lieu une heure plus tard. Il était sept heures trente en Israël, cinq heures trente en Europe.

D'un bout à l'autre de ce continent, les dernières éditions des journaux de l'après-midi étaient happées dès leur arrivée dans les rues par un public de trois cents millions de personnes, qui suivait le drame depuis le milieu de la matinée. Les dernières manchettes donnaient des détails sur le meurtre du marin non identifié et sur l'arrestation, à l'aéroport du Touquet, d'un photographe français indépendant et d'un pilote amateur.

Les bulletins d'information radiodiffusés annoncèrent que l'ambassadeur d'Allemagne fédérale en Israël avait rendu visite au Premier ministre Golen à sa résidence privée au cours du sabbat, et l'avait quitté trente-cinq minutes plus tard. On ne possédait aucune information sur le résultat de cette entrevue, et tout le monde s'interrogeait. La télévision passait des images de toute personne disposée à pérorer, et de bien d'autres qui auraient préféré se faire oublier (ces dernières étant évidemment les mieux informées). Les autorités ne révélèrent aucune des photos du Nimrod représentant le cadavre du marin.

Les quotidiens du matin, qui lançaient leurs premières éditions à minuit, gardaient leur première page en réserve jusqu'à la dernière minute, attendant une déclaration de Jérusalem et de Bonn, et peut-être un nouvel appel du *Freya*. Les articles de fond des pages intérieures, sur le *Freya* lui-même, son fret, les conséquences d'un éventuel écoulement du pétrole et l'identité présumée des terroristes, occupaient la majeure partie du journal avec, bien entendu, des éditoriaux insistant sur la nécessité de libérer les deux détenus de Berlin.

Cette magnifique journée de printemps s'achevait en un crépuscule d'une douceur exquise lorsque sir Julian Flannery acheva son rapport au Premier ministre, dans son bureau du 10 Downing Street. Il était à la fois exhaustif et succinct, un chef-d'œuvre de rédaction administrative.

— Nous devons donc supposer, sir Julian, répondit Mme Carpenter, qu'ils existent certainement, qu'ils ont incontestablement pris possession du *Freya* et qu'ils pourraient bien être en mesure de le faire sauter et de le couler, qu'ils ne reculeraient pas devant un tel acte et que les conséquences financières, écologiques et humaines constitueraient une catastrophe de dimensions effarantes.

— Je dirais que c'est là l'interprétation la plus pessimiste, madame. Mais le comité de crise estime qu'il serait imprudent de voir les choses sous un meilleur jour.

« On n'a vu que quatre terroristes, poursuivit le secrétaire de cabinet. Les deux sentinelles et ceux qui sont venus les relever. Nous estimons qu'il faut en compter un autre dans la dunette, un pour surveiller les prisonniers, et le chef. Cela fait sept au minimum. Ils ne sont donc peut-être pas assez nombreux pour arrêter un groupe armé tentant d'aborder le bateau, mais nous ne pouvons pas en être certains. Il se peut qu'il n'y ait à bord aucune dynamite, ou trop peu, ou que les charges aient été mal placées, mais nous ne pouvons pas en être certains. Enfin, il est bien possible qu'ils ne soient pas vraiment assez résolus pour faire sauter le *Freya* et mourir avec lui, mais nous ne pouvons pas non plus en être certains. Votre comité estime qu'il serait dangereux de ne pas considérer pour probable tout ce qui est possible. Or le pire est possible.

Le téléphone du secrétariat privé de Mme Carpenter se mit à bourdonner et elle répondit aussitôt. En raccrochant, elle adressa à sir Julian un sourire fugitif.

— Tout compte fait, il semble bien que nous n'aurons pas de catastrophe, dit-elle. Le gouvernement de l'Allemagne de l'Ouest vient d'annoncer qu'il a présenté la requête à Israël. Israël a répondu qu'il accède à la requête allemande. Et Bonn a répliqué en annonçant la libération de ces deux hommes à huit heures demain matin.

Il était sept heures moins vingt.

La même nouvelle passa aussitôt sur le transistor de Drake, dans la cabine de jour du capitaine Thor Larsen. Une heure plus tôt, sans cesser de le maintenir sous la menace de son arme, Drake avait allumé les lumières de la cabine et tiré les rideaux. La cabine était très bien éclairée, chaude, presque gaie. Le percolateur à café s'était vidé et rempli cinq fois. Il continuait à chanter. Les deux hommes, le marin comme le fanatique, étaient hirsutes et épuisés. Mais l'un d'eux était rongé de chagrin par la mort d'un ami — de chagrin et de colère — tandis que l'autre triomphait.

— Ils ont accepté, s'écria Drake. Je le savais. L'enjeu était trop élevé, les conséquences trop mauvaises.

Thor Larsen aurait dû être soulagé à l'idée que son bateau allait bientôt lui être rendu. Mais sa colère contenue était trop ardente pour qu'il se laisse aller à ce réconfort.

— Ce n'est pas encore terminé, grogna-t-il.

— Bientôt, répondit Drake, vous verrez... Si mes amis sont libérés à huit heures, ils seront à Tel-Aviv vers une heure de l'après-midi, ou deux heures au plus tard. Comptons une heure pour l'identification et l'annonce de la nouvelle à la radio, donc demain vers trois ou quatre heures, nous serons au courant. Après la tombée de la nuit, nous vous quitterons, tous sains et saufs.

— Sauf Tom Keller sur le pont, répondit le Norvégien d'un ton sec.

— Je suis désolé. Mais il fallait démontrer que nous ne parlions pas à la légère. Ils ne m'ont laissé aucun autre choix.

La requête de l'ambassadeur soviétique était inhabituelle — à un degré extrême : elle était sèche, insistante, et il la répéta deux fois. Bien que représentant un pays réputé « révolutionnaire », les ambassadeurs soviétiques observent en général méticuleusement les formes diplomatiques, conçues à l'origine par les nations capitalistes occidentales.

David Lawrence, de nouveau, demanda au téléphone pourquoi l'ambassadeur Constantin Kirov ne pouvait pas lui parler, à lui, ministre des Affaires étrangères des États-Unis. Kirov répondit que son message était adressé au président Matthews en personne, qu'il était extrêmement urgent, et enfin qu'il se rapportait à un sujet que le président Maxime Roudine voulait personnellement soumettre à l'attention du président Matthews.

Le Président accorda à Kirov son audience privée, et la longue limousine noire portant le fanion rouge orné de la faucille et du marteau glissa sur les allées de la Maison Blanche.

Il était sept heures moins le quart en Europe, mais seulement deux heures moins le quart à Washington. David Lawrence accompagna directement l'ambassadeur jusqu'au Bureau Ovale, où l'accueillit un président déconcerté, intrigué et curieux. On observa les formalités d'usage, mais aucun des trois hommes ne s'en souciait vraiment.

— Monsieur le Président, dit Kirov, j'ai reçu l'ordre personnel du président Maxime Roudine de solliciter de vous cette audience urgente. J'ai reçu l'ordre de vous transmettre son message personnel sans en changer un mot. Le voici :

« '' Au cas où les détourneurs d'avion et meurtriers Lev Michkine et David Lazareff seraient libérés de prison et échapperaient à leur juste châtiment, l'Union des Républiques socialistes soviétiques ne serait pas en mesure de signer le traité de Dublin dans quinze jours, ni à aucune date ultérieure. L'Union soviétique rejetterait le traité de façon permanente. ''

Le président Matthews adressa à l'envoyé soviétique un regard stupéfait. Il demeura sans voix pendant quelques secondes.

— Vous voulez dire que Maxime Roudine va purement et simplement déchirer les accords ?

Kirov demeura très raide, très officiel, comme s'il n'avait rien entendu.

— Monsieur le Président, c'était la première partie du message que j'ai reçu l'ordre de transmettre. Il se poursuit ainsi : « Au cas où la nature ou le contenu de ce message seraient révélés, l'U.R.S.S. réagirait de la même façon. »

Dès qu'il eut quitté la pièce, William Matthews, au désespoir, se tourna vers Lawrence.

— David, que se passe-t-il, bon Dieu ? Nous ne pouvons pas forcer le gouvernement allemand à revenir sur sa décision sans lui expliquer pourquoi.

— Monsieur le Président, je crois bien qu'il va falloir le faire malgré tout. Maxime Roudine ne vous a laissé aucun autre choix.

14

De 19 heures à minuit

La brutalité de la réaction soviétique, aussi inattendue que soudaine, ne laissait pas de déconcerter le président Matthews. Il convoqua aussitôt Robert Benson, le directeur de la C.I.A., et son conseiller pour les questions de sécurité nationale, Stanislas Poklewski.

A l'arrivée des deux hommes dans le Bureau Ovale, Matthews leur exposa l'objet de la visite de l'ambassadeur Kirov.

— Où veulent-ils en venir, nom de Dieu ? demanda le Président.

Pas plus que le ministre des Affaires étrangères, ses conseillers ne purent proposer de réponse. On avança diverses hypothèses — notamment que Maxime Roudine avait subi un revers au sein du Politburo et n'était plus en mesure de faire ratifier le traité de Dublin : l'affaire du *Freya* ne serait dans ce cas qu'un simple prétexte pour éluder la signature.

Cette idée fut aussitôt rejetée sans discussion : si le traité n'était pas signé, les Soviétiques ne recevraient pas de blé, or ils en étaient à leurs dernières poignées. On suggéra que la mort du pilote d'Aeroflot, le capitaine Roudenko, avait fait perdre la face au Kremlin et que les dirigeants se sentaient profondément humiliés. Mais cette hypothèse fut écartée à son tour : on ne déchire pas un traité international à cause de la mort d'un pilote de ligne.

Ce fut le directeur de la *Central Intelligence Agency* qui, après une heure de discussion, résuma l'impression de tout le monde.

— Cela n'a pas de sens, et pourtant il faut que cela en ait un. Maxime Roudine ne réagirait pas avec autant d'énergie s'il n'avait pas une bonne raison... Et cette raison, nous ne la connaissons pas.

— Nous n'en sommes pas moins contraints de choisir entre deux solutions épouvantables, répondit le président Matthews. Ou bien nous laissons l'Allemagne libérer Michkine et Lazareff, et nous per-

313

dons le traité de désarmement le plus important de notre génération, avec pour conséquence directe la guerre dans moins d'un an.
Ou bien nous mettons tout notre poids dans la balance pour empêcher la libération des deux détenus et nous infligeons à l'Europe
occidentale la plus grave catastrophe écologique que l'on puisse
imaginer.

— Il nous faut trouver une troisième solution, dit David
Lawrence, mais du diable si je vois laquelle !

— Il n'y a qu'un seul endroit où regarder, répondit Poklewski. Au
cœur de Moscou. La réponse se trouve à Moscou, quelque part au
sein du Kremlin. Je ne crois pas que nous puissions formuler une
politique permettant d'éviter les deux solutions catastrophiques,
tant que nous ne saurons pas pourquoi Maxime Roudine a réagi de
cette façon.

— Je devine que vous pensez au Rossignol, intervint Benson.
Mais le temps nous manque. Nous n'avons pas des semaines devant
nous, ni même des jours. C'est une question d'heures. Je crois, monsieur le Président, que vous devriez chercher à parler personnellement à Maxime Roudine sur la ligne directe. Demandez-lui, de président à président, pourquoi il a pris une position aussi étonnante à
propos de deux détourneurs d'avion juifs.

— Et s'il refuse de donner ses raisons ? demanda Lawrence. Il
aurait pu les donner par l'intermédiaire de Kirov. Ou envoyer une
lettre personnelle...

Le président Matthews prit sa décision.

— Je vais appeler Maxime Roudine, dit-il. Mais s'il refuse de
répondre à mon appel, ou s'il ne me donne aucune explication, nous
devrons supposer qu'il subit des pressions insoutenables à l'intérieur même de son propre cercle. Aussi, tout en attendant la communication, je vais confier à Mme Carpenter le secret de ce qui s'est
passé ici, et demander son aide, c'est-à-dire celle de sir Nigel Irvine
et du Rossignol. Enfin, j'appellerai le chancelier Busch à Bonn et je
lui demanderai de m'accorder un peu plus de temps.

Lorsque la voix au téléphone demanda à parler personnellement
à Ludwig Jahn, la standardiste de la prison de Tegel faillit raccro-
cher aussitôt. Ce n'était pas le premier appel émanant de journalistes désireux de parler à tel ou tel gardien de service pour obtenir
des détails exclusifs sur Michkine et Lazareff. La standardiste avait
des ordres précis : aucun appel.

Mais l'homme expliqua qu'il était le cousin de Jahn, et que Jahn devait assister aux noces de sa fille le lendemain midi. La standardiste revint donc à de meilleurs sentiments. La famille, c'était autre chose. Elle passa l'appel au bureau de Jahn.

— Vous vous souvenez certainement de moi, dit la voix à Jahn.

Le gardien-chef s'en souvenait parfaitement : c'était le Russe au regard aussi glacial qu'un camp de travail sibérien.

— Vous n'auriez pas dû m'appeler ici, murmura-t-il d'une voix blanche. Je ne peux pas vous aider. La garde a été triplée, les équipes et les horaires ont été modifiés. Je suis de service en permanence à partir de maintenant et je dors dans mon bureau. Jusqu'à nouvel ordre. Il n'y a rien à faire. Il est impossible d'approcher ces deux hommes en ce moment.

— Trouvez-vous une excuse pour sortir pendant un moment, dit la voix du colonel Koukouchkine. Il y a un bar à quatre cents mètres de l'entrée du personnel.

Il lui indiqua le nom du bar et son adresse. Jahn ne le connaissait pas, mais il savait où se trouvait la rue.

— Dans une heure, dit la voix. Ou sinon...

Il y eut un déclic.

Il était huit heures du soir à Berlin et il faisait déjà nuit noire.

Le Premier ministre britannique était en train de dîner tranquillement avec son mari dans ses appartements privés, à l'étage supérieur du 10 Downing Street, lorsqu'on lui demanda de répondre à un appel téléphonique personnel du président Matthews. Lorsque l'appel lui parvint, elle avait déjà regagné son bureau. Les deux chefs de gouvernement se connaissaient très bien et ils s'étaient souvent rencontrés depuis l'entrée en fonctions de Mme Carpenter. En tête à tête, ils s'appelaient par leurs prénoms, mais leur conversation serait enregistrée pour les archives, et bien que personne ne puisse les écouter sur la ligne transatlantique particulièrement bien défendue contre toute forme d'espionnage électronique, ils conservèrent un ton officiel.

Le président Matthews expliqua rapidement, en termes prudents, le message que lui avait adressé Maxime Roudine par l'intermédiaire de son ambassadeur à Washington. Joan Carpenter ne dissimula pas sa stupeur.

— Mais pourquoi, au nom du ciel ? demanda-t-elle.

— C'est là le problème, madame, répondit avec son accent du

Sud l'homme d'outre-Atlantique. Il n'y a pas d'explication. Pas la moindre. Deux autres choses. L'ambassadeur Kirov m'a averti que si le contenu du message de Roudine était rendu public, le traité de Dublin ne serait pas signé non plus. Puis-je compter sur votre discrétion ?

— Cela va sans dire, répliqua-t-elle. La deuxième chose ?

— J'ai essayé d'appeler Maxime Roudine sur le téléphone rouge. Il est impossible de le joindre. Je suis donc amené à supposer qu'il a des difficultés au cœur même du Kremlin, et qu'il ne peut pas se permettre d'en parler. Sincèrement, cela me met dans une situation impossible. Mais je suis absolument résolu sur un point : je ne veux pas laisser déchirer ce traité. Il est beaucoup trop important pour l'ensemble du monde occidental. Il faut que je me batte pour le sauver. Je ne peux pas permettre que deux voyous dans une prison de Berlin réduisent tous nos efforts à néant. Je ne peux pas permettre qu'une poignée de terroristes sur un pétrolier en mer du Nord déclenchent un conflit armé entre l'Est et l'Ouest. Car c'est cela qui est en jeu.

— Je suis entièrement d'accord avec vous, monsieur le Président, dit Mme Carpenter dans son bureau de Londres. Que puis-je faire pour vous ? Je suis persuadée que vous avez plus d'influence que moi sur le chancelier Busch.

— Ce n'est pas cela, madame. Deux choses. Nous possédons une certaine quantité d'éléments sur les conséquences pour l'Europe de la destruction du *Freya*, mais je suis certain que vous en détenez davantage. J'ai besoin de connaître toutes les conséquences possibles et toutes les options, dans le cas où les terroristes à bord se résoudraient au pire.

— Certainement, dit Mme Carpenter. Nos spécialistes ont passé la journée à réunir un dossier très complet sur le bateau, son fret, les possibilités de limiter l'écoulement du pétrole, etc. Jusqu'ici nous n'avons pas étudié de près l'option d'une prise d'assaut. Maintenant, il va nous falloir l'envisager. Je vous fais envoyer toute notre documentation disponible dans l'heure qui suit. Quoi d'autre ?

— C'est le plus délicat, et je ne sais vraiment pas comment vous poser la question, répondit William Matthews. Nous estimons qu'il existe forcément une explication logique au comportement de Roudine. Et tant que nous ne la connaissons pas, nous pataugeons dans le noir. Pour pouvoir résoudre cette crise, il me faut un minimum de lumière. J'ai besoin de connaître cette explication. J'ai besoin de savoir s'il n'existe pas une troisième option. J'aimerais beaucoup que vous demandiez à vos services de faire appel au Rossignol une dernière fois, et de découvrir cette réponse.

Joan Carpenter hésita. Elle s'était toujours donné pour règle de ne jamais intervenir dans la manière dont sir Nigel Irvine faisait fonctionner son service. A l'inverse de plusieurs de ses prédécesseurs, elle s'était refusée à mettre son nez dans les services secrets pour satisfaire sa curiosité. Depuis son entrée en fonctions, elle avait doublé les budgets des directeurs du S.I.S. et du M-15, et désigné des professionnels chevronnés à ces postes. Elle en avait été récompensée par une loyauté à toute épreuve. Et forte de cette loyauté, elle leur faisait une confiance absolue : jamais ils ne l'abandonneraient. Ni l'un ni l'autre.

— Je ferai ce que je peux, répondit-elle enfin. Mais il s'agit d'une affaire au cœur même du Kremlin, et nous n'avons que quelques heures devant nous. Si c'est possible, ce sera fait. Vous avez ma parole.

Quand le téléphone se tut, elle appela son mari pour le prévenir de ne pas l'attendre. Elle resterait à son bureau toute la nuit. Puis elle demanda aux cuisines de lui apporter une grande cafetière. Une fois réglé le côté pratique des choses, elle appela sir Julian Flannery à son domicile personnel. Comme la ligne n'était pas protégée, elle lui dit simplement qu'une nouvelle crise était survenue, et elle l'invita à regagner son bureau sans délai. Pour son dernier appel, la ligne était plus secrète : la personne qui répondit était l'officier de permanence au quartier général de la Firme. Elle demanda qu'on contacte sir Nigel Irvine où qu'il soit, et qu'on l'invite à se rendre aussitôt au numéro 10. L'attente ne serait pas longue, mais elle alluma cependant le récepteur de télévision de son bureau, à l'instant où commençait le bulletin d'informations de neuf heures sur la B.B.C. La longue nuit commençait.

Ludwig Jahn se glissa dans l'une des stalles du café. Il transpirait légèrement. De l'autre côté de la table, le Russe lui lança un regard froid. Rien dans son comportement ne pouvait indiquer au gardien de prison bedonnant que cet homme redoutable se battait pour sa peau.

Impassible, il écouta Jahn lui énumérer les nouvelles dispositions, en vigueur depuis deux heures de l'après-midi. En réalité, il n'avait aucune couverture diplomatique, il se cachait dans une planque de la S.S.D. à Berlin-Ouest, que lui avaient indiquée ses collègues d'Allemagne de l'Est.

— Vous voyez bien que je ne peux rien faire, conclut Jahn. Je ne peux absolument pas vous faire entrer dans ce couloir. Il y a, jour et nuit, au minimum trois hommes de garde. Il faut montrer son laissez-passer chaque fois que l'on entre dans la section, même moi. Et nous nous connaissons tous très bien, nous travaillons ensemble depuis des années, on ne laisserait entrer aucun nouveau visage sans appeler le gouverneur pour vérification.

Koukouchkine hocha lentement la tête. Jahn se mit à respirer plus à l'aise. Ils allaient le laisser partir ; ils allaient le laisser tranquille ; ils ne feraient aucun mal à sa famille. Tout était terminé.

— Mais vous, vous entrez dans le couloir, bien entendu, dit le Russe. Vous pouvez entrer dans les cellules.

— Mais... Oui. Je suis l'*Oberwachtmeister*. Je dois vérifier à intervalles réguliers que les prisonniers vont bien.

— Cette nuit, ils dormiront ?

— Peut-être. Ils ont entendu parler de ce qui s'est passé en mer du Nord. On leur a enlevé leurs radios juste après les informations de midi, mais un des autres détenus au secret leur a crié la nouvelle avant le transfert de tous les prisonniers du couloir. Peut-être dormiront-ils, et peut-être pas.

Le Russe acquiesça, le visage sombre.

— Il faudra que vous fassiez le travail vous-même.

Jahn sentit que sa mâchoire se mettait à trembler.

— Non, non, balbutia-t-il. Vous ne comprenez pas. Je ne peux pas me servir d'une arme. Je ne peux pas tirer sur quelqu'un.

Pour toute réponse, le Russe posa entre eux, sur la table, deux tubes minces comme des stylographes.

— Pas d'armes, dit-il. Ça. Vous placerez le bout ouvert, celui-ci, à quelques centimètres de la bouche et du nez de l'homme endormi. Et vous presserez le bouton sur le côté, là. La mort survient en trois secondes. L'inhalation de cyanure de potassium gazeux provoque une mort instantanée. Au bout d'une heure, les effets sont identiques aux symptômes d'un arrêt du cœur. Quand tout est terminé, vous fermez les cellules, vous revenez au foyer des gardiens, vous nettoyez les tubes et vous les mettez dans l'armoire d'un autre gardien ayant accès au même couloir. C'est très simple, très propre. Et cela vous laisse hors de soupçon.

Ce que Koukouchkine avait posé sous les yeux horrifiés du gardien-chef, était une version améliorée des pistolets à gaz mortels avec lesquels les « affaires mouillées » du K.G.B. avaient assassiné les deux leaders nationalistes ukrainiens Stepen Bandera et Lev Rebet en Allemagne, vingt ans plus tôt. Le principe était toujours aussi simple, mais l'efficacité du gaz avait augmenté à la suite de recherches récentes. A l'intérieur des tubes se trouvaient des capsules de verre contenant de l'acide prussique. Le système de détente libérait un ressort actionnant un marteau, et le verre se brisait. Simultanément, l'acide était vaporisé par une capsule d'air comprimé que libérait le même système de détente. Sous la pression de l'air comprimé, le gaz sortait du tube en un nuage invisible qui se répandait dans les voies respiratoires. Une heure plus tard, l'odeur d'amandes amères révélatrice de l'acide prussique avait disparu, les muscles du corps se relâchaient de nouveau et tout indiquait que le défunt avait succombé à une crise cardiaque.

Bien entendu, personne ne croirait jamais que deux crises cardiaques simultanées avaient terrassé les deux jeunes détenus. On ferait une enquête. Les deux pistolets à gaz, découverts dans l'armoire de l'un des gardiens, incrimineraient celui-ci de façon presque certaine.

— Je... je ne peux pas faire ça, murmura Jahn.

— Mais je peux, moi, envoyer tous les membres de votre famille dans un camp de travail de l'Arctique pour le reste de leurs jours. Et je le ferai, affirma le Russe. C'est un choix très simple, Herr Jahn. Il vous suffira de dominer vos scrupules pendant une dizaine de minutes, en échange de toute la durée de leurs vies. Réfléchissez.

Koukouchkine saisit la main de Jahn, la tourna vers le haut et posa les deux tubes dans sa paume.

— Réfléchissez, répéta-t-il, mais pas trop longtemps. Ensuite, entrez dans ces cellules et faites-le. C'est tout.

Il se glissa hors de la banquette et sortit. Quelques minutes plus tard, Jahn referma sa main sur les pistolets à gaz, les glissa dans la poche de son imperméable et rentra à la prison de Tegel. A minuit, dans trois heures, il relèverait le responsable de la garde de nuit. A une heure du matin, il entrerait dans les cellules et il agirait. Il savait qu'il n'avait pas le choix.

Lorsque les derniers rayons du soleil abandonnèrent le ciel, le Nimrod au-dessus du *Freya* changea de caméra. A la F 126 de jour succéda la version F 135 pour la nuit. Rien d'autre ne changea. La

caméra de vision nocturne, braquée vers le bas avec ses viseurs à infrarouge, pouvait apercevoir à peu près tout ce qui se passait à quatre mille cinq cents mètres au-dessous. Si le commandant du Nimrod le désirait, il pouvait prendre des photographies à l'aide du flash électronique incorporé à la F 135 ou bien abaisser l'interrupteur du projecteur de poursuite de son avion, qui fournissait une intensité lumineuse d'un million de candelas.

La caméra de nuit ne remarqua pas que la silhouette dans l'anorak, immobile depuis le milieu de l'après-midi s'était mise à bouger lentement. Elle glissa jusqu'à la coursive d'inspection, et là, à l'abri des regards, elle rampa jusqu'à la superstructure. Lorsque l'homme passa enfin par-dessus le seuil de la porte entrouverte, puis se releva à l'intérieur, nul ne s'en aperçut. A l'aube, on supposa que le corps avait été jeté à la mer.

L'homme à l'anorak descendit à la cambuse en se frottant les mains. Il ne pouvait contenir les frissons qui le secouaient. Dans la cambuse, il trouva l'un de ses amis et se servit un café brûlant. Lorsqu'il l'eut avalé, il monta dans la dunette chercher ses vêtements — le pantalon et le chandail noirs avec lesquels il était monté à bord.

— Bordel! dit-il avec son accent américain à l'homme de la dunette. Tu ne m'as pas loupé, vieux. J'ai senti les impacts de ces cartouches à blanc dans le dos du ciré.

La sentinelle de la dunette sourit.

— Andriy avait dit qu'il fallait faire vrai, répliqua-t-il. Ça a marché. Michkine et Lazareff vont sortir de taule à huit heures demain matin. Ils seront à Tel-Aviv dans l'après-midi.

— Formidable, dit l'Ukrainien-Américain. Espérons que le plan d'Andriy pour nous faire quitter ce rafiot marchera aussi bien que le reste.

— C'est sûr, répondit l'autre. Tu ferais mieux de remettre ton masque et de rendre ces fringues au Yankee dans le magasin de peinture. Et puis de roupiller un brin. Tu es de garde à partir de six heures du matin.

Sir Julian Flannery reconvoqua le comité de crise dans l'heure qui suivit son entretien privé avec le Premier ministre. Elle lui avait révélé la raison pour laquelle la situation s'était modifiée, mais il devait rester le seul, avec sir Nigel Irvine, à être au courant des faits. Et ils ne parleraient pas. Aux membres du comité, on dirait simplement que, pour raison d'État, la libération de Michkine et Lazareff à l'aube risquait d'être retardée ou annulée, selon la réaction du chancelier allemand.

Dans une autre pièce de Whitehall, toutes les données concernant le *Freya*, son équipage, son fret et la catastrophe écologique en puissance, étaient tranmises photographiquement, page après page, de l'autre côté de l'Atlantique.

Sir Julian avait eu de la chance ; la plupart des principaux experts du comité résidaient à moins d'une heure de voiture de Whitehall. La plupart dînaient chez eux, personne n'était parti en week-end, deux furent dérangés au restaurant, un troisième au théâtre. A neuf heures et demie, la plupart d'entre eux siégeaient déjà au sein de la Licorne.

Sir Julian leur expliqua que leur tâche consistait maintenant à considérer que toute l'affaire était passée du stade de l'exercice théorique à celui de la crise urgente.

— Nous sommes obligés de supposer que le chancelier Busch retardera la libération jusqu'à ce que d'autres problèmes soient tirés au clair. S'il agit ainsi, nous sommes obligés de supposer que les terroristes risquent d'exécuter au moins leur première menace : répandre la cargaison de pétrole du *Freya*. Nous devons donc prévoir comment maîtriser et détruire une première " nappe " éventuelle de vingt mille tonnes de pétrole ; et deuxièmement, envisager que ce chiffre soit multiplié par cinquante.

Le tableau était sombre. L'indifférence du public au cours des années précédentes avait provoqué une négligence certaine de la part des pouvoirs politiques. Néanmoins, les Anglais disposaient de stocks d'émulsifiants pour pétrole brut, plus importants que ceux de tous les autres pays d'Europe réunis. Et ils avaient également les moyens de transport permettant de conduire ces émulsifiants à pied d'œuvre.

— Nous sommes obligés de supposer que c'est sur nous que retombera la principale responsabilité de la lutte contre le désastre écologique, dit l'homme de Warren Springs. Dans l'affaire de l'*Amoco Cadiz* en 1978, les Français ont refusé notre aide alors que nous avions de meilleurs émulsifiants et de meilleurs systèmes d'épandage qu'eux. Leurs pêcheurs ont payé cette stupidité très cher. Les détergents complètement dépassés qu'ils ont utilisés au lieu de nos concentrés émulsifiants ont fait autant de dégâts toxiques que le pétrole lui-même. Et non seulement ils n'en avaient pas assez, mais leurs systèmes d'épandage n'étaient pas adaptés.

C'était comme essayer de tuer une pieuvre avec une sarbacane à petits pois.

— Je suis persuadé que les Allemands, les Hollandais et les Belges n'hésiteront pas à demander une opération conjointe dans cette affaire, dit l'homme du Foreign Office.

— Nous devons donc être prêts, répondit sir Julian. De quoi disposons-nous ?

Le Dr Henderson, de Warren Springs, reprit la parole.

— Le meilleur émulsifiant, sous sa forme concentrée, peut émulsifier, c'est-à-dire rompre en globules minuscules permettant aux bactéries naturelles d'achever la destruction du pétrole, vingt fois son propre volume. Un litre d'émulsifiant, pour vingt litres de pétrole brut. Nous avons en stock environ mille tonnes.

— Suffisamment pour une nappe de vingt mille tonnes, fit observer sir Julian. Mais pour un million de tonnes ?

— Pas une chance, répondit Henderson d'un ton sombre. Pas le moindre espoir. En commençant la production à l'instant, nous pouvons fabriquer environ mille tonnes tous les quatre jours. Pour un million de tonnes de brut, il nous faudrait cinquante mille tonnes d'émulsifiant. Sincèrement, ces maniaques en capuchons noirs sont capables d'effacer à peu près toute vie sous-marine dans la mer du Nord et la Manche, et de souiller toutes les plages de Hull à la Cornouailles de notre côté, et de Brême à Ouessant de l'autre.

Le silence dura plusieurs secondes.

— Envisageons la première nappe, dit sir Julian sur un ton calme. L'autre dépasse l'entendement.

Le comité convint de lancer l'ordre immédiat de mise à la disposition, durant la nuit, de tout l'émulsifiant conservé dans la réserve du Hampshire ; de réquisitionner tous les camions-citernes des compagnies de pétrole par l'intermédiaire du ministère de l'Énergie ; de diriger l'ensemble des véhicules pleins sur la vaste esplanade de Lowestoft, sur la côte est ; et d'envoyer ou de détourner vers Lowestoft jusqu'au dernier bateau disposant d'un matériel de pulvérisation, y compris les bâtiments de lutte contre le feu du port de Londres et leurs équivalents de la Royal Navy. On escomptait qu'en fin de matinée toute la flottille serait au port de Lowestoft, en train de remplir ses réservoirs d'émulsifiant.

— Si la mer demeure calme, dit le Dr Henderson, la nappe dérivera doucement vers le nord-est du *Freya*, poussée par le courant de marée. Elle se dirigera vers le nord de la Hollande à une vitesse d'environ deux nœuds. Cela nous donne du temps. A la renverse des marées elle dérivera en sens opposé. Mais si le vent se lève, elle peut se déplacer plus vite, dans n'importe quelle direction, en fonction du vent qui, en surface, aura plus d'influence que le courant de marée. Nous devrions être capables de maîtriser une nappe de vingt mille tonnes.

— Nous ne pouvons pas envoyer de bateaux dans un rayon de cinq milles autour du *Freya*, ni entre le *Freya* et la côte hollandaise, fit observer le chef d'état-major adjoint de la Défense.

— Mais nous pouvons observer la nappe à partir du Nimrod, répondit le Group Captain de la R.A.F. Si elle dérive hors de la zone interdite autour du *Freya*, nos amis les marins pourront se mettre à asperger.

— Parfait pour les premières vingt mille tonnes, dit l'homme du Foreign Office. Mais que se passe-t-il après ?

— Rien, dit le Dr Henderson. Après, nous avons terminé, tout sera répandu.

— Eh bien, ce sera tout, messieurs, conclut sir Julian. Un énorme travail administratif nous attend.

— Il existe une autre option, dit le colonel Holmes des fusiliers marins. L'option dure.

Il y eut autour de la table un silence gêné. Seul le vice-amiral et le Group Captain ne partageaient pas cette gêne : ils étaient intéressés. Les savants et les bureaucrates étaient habitués aux problèmes techniques et administratifs, qui se résolvent par des mesures et des contre-mesures. Ils soupçonnaient en leur for intérieur que ce colonel en civil, aux traits taillés à coups de serpe, voulait en réalité parler de faire des trous dans la peau des gens.

— Cette option n'a pas l'air de vous plaire, dit Holmes d'une voix modérée, mais ces terroristes ont tué un marin de sang-froid. Ils sont tout à fait capables d'en tuer vingt-neuf autres. Le bateau coûte 170 millions de dollars, le fret 140 millions de dollars, et l'opération de nettoyage risque de tripler la mise. Si, pour une raison ou pour une autre, le chancelier Busch ne peut pas, ou ne veut pas, libérer les deux détenus de Berlin, la seule solution qui nous restera, sera peut-être de tenter l'assaut du navire et de mettre l'homme au détonateur hors d'état de nuire avant qu'il ait pu porter sa menace à exécution.

— Que proposez-vous exactement, colonel Holmes ? demanda sir Julian.

— Je propose que nous demandions au major Fallon de remonter le plus vite possible du Dorset pour nous donner son avis.

On accepta la proposition du colonel et on ajourna la séance jusqu'à trois heures du matin. Il était dix heures moins dix.

Pendant que se déroulait cette réunion, le Premier ministre avait reçu sir Nigel Irvine.

— Voilà où nous en sommes, sir Nigel, conclut-elle. Si nous ne sommes pas en mesure d'imaginer une troisième solution, ou bien ces hommes sont libérés et Maxime Roudine fait sauter le traité de Dublin, ou bien ils restent en prison et leurs amis font sauter le *Freya*. Dans le dernier cas, il est évidemment possible qu'il s'agisse d'un bluff et qu'ils renoncent, mais c'est un espoir bien précaire. Il est peut-être possible de prendre le pétrolier d'assaut, mais les chances de succès sont minces. La seule possibilité que nous ayons de définir une troisième solution, c'est de découvrir pourquoi Maxime Roudine a adopté cette attitude. Est-ce qu'il surestime les cartes qu'il a en main ? Est-ce qu'il tente de bluffer l'Ouest en l'obligeant à subir des pertes économiques importantes pour contrebalancer les difficultés que lui crée son problème céréalier ? Ira-t-il vraiment jusqu'au bout de sa menace ? Nous avons besoin de savoir.

— De combien de temps disposez-vous, madame ? demanda le directeur-général du S.I.S. De combien de temps dispose le président Matthews ?

— Si les deux détenus ne sont pas libérés à l'aube, les terroristes réagiront, mais je crois que nous pourrons tout de même les faire traîner, gagner du temps. Il faudrait avoir quelque chose pour le Président dans l'après-midi de demain.

— J'ai une longue expérience du renseignement, madame, et je devrais vous répondre que ce n'est pas possible. Moscou est déjà en pleine nuit. Il est pratiquement impossible de joindre le Rossignol, sauf au cours de rendez-vous prévus longtemps à l'avance. Tenter une rencontre improvisée, c'est griller cet agent de façon irréversible.

— Je connais vos règles, sir Nigel, et je les respecte. La sécurité d'un agent dans le Froid doit passer avant tout. Mais il en est de même des affaires d'État. La destruction du traité, ou la destruction du *Freya*, sont des affaires d'État. Détruire le traité, ce serait saboter la paix pour des années, et permettre peut-être à Ephraïm Vichnaïev de prendre le pouvoir avec toutes les conséquences que vous savez. Si le *Freya* sautait et polluait la mer du Nord, les pertes financières subies par la Lloyds et, à travers la Lloyds, par l'économie britannnique, constitueraient à elles seules une véritable catastrophe — et je ne parle pas des trente marins. Je ne vous donne pas d'ordres, sir Nigel : je vous demande de soupeser les conséquences et de les comparer aux risques courus par un seul et unique espion russe.

— Je ferai tout ce qui est en mon pouvoir, madame. Vous avez ma parole, répondit sir Nigel en se levant pour regagner son quartier général.

Dans un bureau du ministère de la Défense, le colonel Holmes téléphonait au quartier général d'un autre service, le S.B.S. (*Special Boat Service*), situé à Poole dans le Dorset. On trouva le major Simon Fallon au mess des officiers en train d'écluser une pinte de bière, et il prit aussitôt la communication. Les deux fusiliers marins se connaissaient très bien.

— Tu as suivi l'affaire du *Freya* ? demanda Holmes.

A l'autre bout du fil il entendit un gloussement.

— Je me doutais bien que tu frapperais à ma boutique à un moment ou un autre, répondit Fallon. Qu'est-ce que je te sers ?

— Les choses tournent au vinaigre, dit Holmes. Les Allemands risquent de changer d'avis et de garder ces deux zozos au frais à Berlin. Je viens de passer une heure avec le comité de crise. Ça n'a pas l'air de leur plaire, mais il va bien falloir qu'ils envisagent les choses sous notre angle. Tu as une petite idée ?

— Et comment ! répondit Fallon. J'y pense même depuis ce matin. Mais il me faut un modèle réduit et un plan. Et puis le matériel...

— D'accord, dit Holmes. J'ai le plan ici et un joli petit modèle d'un autre bateau qui lui ressemble. Rassemble tes hommes. Fais sortir le matériel des magasins : combinaisons sous-marines, aimants, l'équipement lourd, les grenades paralysantes, tu fais ta liste. Le grand jeu. On pourra toujours rendre ce qui n'aura pas servi. Je demande à la marine d'envoyer des vedettes de Portland prendre le matériel et les hommes. Tu laisses un responsable s'occuper de tout, tu sautes dans ta voiture et tu montes à Londres. Je t'attends à mon bureau. Dès que tu pourras.

— T'en fais pas, répondit Fallon. Le matériel est déjà classé et dans des sacs. Débrouille-toi pour que les rafiots arrivent ici en vitesse. Je suis déjà parti.

Lorsque le major à la carrure d'athlète retourna au bar, tout le monde se tut. Ses hommes savaient qu'il venait de répondre à un appel de Londres. Quelques minutes plus tard, toute l'équipe, sous-officiers et simples soldats mêlés, quittait ses casernements. Les costumes civils qu'ils portaient au foyer avaient fait place au treillis noir et au béret vert de leur unité. Avant minuit, ils attendaient sur la jetée de pierre, au bout de la zone complètement entourée de grilles qu'ils occupaient dans la base des fusiliers marins. Ils attendaient l'arrivée de la marine, qui emmènerait leur équipement à l'endroit où l'on en avait besoin.

La lune se levait, lumineuse au-dessus des collines de Portland, quand trois patrouilleurs rapides, le *Sabre*, le *Coutelas* et le *Cimeterre* sortirent du port et mirent le cap à l'est, vers Poole. Dès que l'on passa enfin à pleine vitesse, les trois proues se soulevèrent, les poupes s'enfoncèrent dans l'eau écumante et le tonnerre des moteurs se répercuta d'un bout à l'autre de la baie.

La même lune paisible illuminait le long ruban de l'autoroute du Hampshire, tandis que la berline Rover du major Fallon grillait les kilomètres en direction de Londres.

— Et maintenant, que vais-je bien pouvoir dire au chancelier Busch ? demanda le président Matthews à ses conseillers.

Il était cinq heures de l'après-midi à Washington. La nuit avait depuis longtemps enseveli l'Europe, mais le soleil brillait encore de l'autre côté des fenêtres à la française, dans la roseraie où les premiers boutons témoignaient de la chaleur printanière.

— Je ne crois pas que vous puissiez lui révéler la teneur du message de Kirov, dit Robert Benson.

— Et pourquoi pas ? Je l'ai dit à Joan Carpenter et elle a sans doute été amenée à le révéler à Nigel Irvine.

— Ce n'est pas la même chose, insista le chef de la C.I.A. Pour les Anglais, il s'agit uniquement d'un problème technique. Ils vont prendre les précautions qui s'imposent à la veille d'une catastrophe écologique au large de leurs côtes. Joan Carpenter va convoquer ses experts sans avoir besoin de réunir un conseil des ministres. Nous allons lui demander de maintenir en détention Michkine et Lazareff, au risque de provoquer une catastrophe pour ses voisins européens. Il devra très certainement consulter ses ministres...

— Et c'est un homme d'honneur, intervint Lawrence. S'il sait que le prix est le traité de Dublin, il se sentira obligé de partager cette information avec ses ministres.

— Et c'est là tout le problème, conclut Benson. Quinze personnes de plus, au bas mot, seront mises au courant. Certains se confieront à leurs collaborateurs ou à leurs femmes. Nous nous souvenons tous de l'affaire Günther Guillaume. Il y a beaucoup trop de fuites à Bonn. Et si le bruit se répand, le traité de Dublin sera perdu de toute façon, quoi qu'il se passe dans la mer du Nord.

— Je vais être en ligne d'une minute à l'autre. Mais que vais-je donc lui dire ? répéta Matthews.

— Dites-lui que vous avez des éléments d'information qui ne peuvent pas être révélés au téléphone, même sur une ligne transatlantique à l'abri des écoutes, suggéra Poklewski. Dites-lui que libérer Michkine et Lazareff provoquerait un désastre plus grave que faire traîner les terroristes du *Freya* pendant quelques heures. A ce stade, demandez-lui simplement de vous accorder un peu de temps.

— Combien ? demanda le Président.

— Le plus possible, dit Benson.

— Et quand le délai sera terminé ?

On lui passa Bonn. Le chancelier Busch était chez lui. Aucun traducteur n'était nécessaire, car Dietrich Busch parlait couramment anglais. Le président Matthews lui exposa la situation pendant une dizaine de minutes, et à chaque phrase, l'étonnement du chef du gouvernement allemand ne fit qu'augmenter.

— Mais pourquoi ? dit-il enfin. L'affaire ne touche pratiquement pas les États-Unis.

Matthews fut tenté de répondre, mais Robert Benson agita l'index en signe de dénégation.

— Dietrich, je vous en prie, croyez-moi ! Je vous demande de me faire confiance. Sur cette ligne, sur n'importe quelle ligne transatlantique, je ne peux pas être aussi explicite que je le voudrais. Quelque chose s'est produit, une chose de dimensions énormes. Écoutez, je vais être aussi clair que je peux l'être. Nous avons découvert ici quelque chose sur ces deux hommes. Leur libération serait une catastrophe à ce stade, pendant les heures qui viennent. Je vous demande du temps, mon cher Dietrich, seulement un petit peu de temps. Un délai, pour que nous puissions nous occuper de certaines choses.

Le chancelier allemand était debout dans son bureau. La musique de Beethoven se glissait jusqu'à lui par la porte du salon — où quelques minutes plus tôt il écoutait un concert sur sa chaîne haute

327

fidélité en terminant son cigare. Dire qu'il avait des doutes serait rester bien au-dessous de la vérité. A sa connaissance, la ligne transatlantique établie des années auparavant pour assurer la liaison entre les chefs de gouvernement de l'O.T.A.N., était vérifiée régulièrement et parfaitement sûre. De plus, les États-Unis avaient des moyens de communication parfaits avec leur ambassade à Bonn, et Matthews aurait pu lui envoyer, s'il le désirait, un message personnel par cette voie. Il ne songea pas un seul instant que Washington n'avait pas suffisamment confiance en ses ministres pour lui confier un secret de cette amplitude. Et pourtant, on avait découvert trop d'agents est-allemands dans l'entourage du gouvernement fédéral...

D'un autre côté, se dit-il, le président des États-Unis n'avait pas l'habitude de téléphoner tard dans la soirée, ou d'appeler pour rien. Il avait ses raisons. C'était évident et Busch le savait. Mais ce qu'on lui demandait ne dépendait pas uniquement de lui. Il lui était impossible de prendre une décision sans consulter ses ministres.

— Il n'est que dix heures du soir ici, répondit-il au président Matthews. Nous avons jusqu'à l'aube pour nous décider. Rien de nouveau ne se passera d'ici-là. Je vais reconvoquer mon cabinet pendant la nuit et nous délibérerons. Je ne peux pas vous promettre davantage.

Le président William Matthews dut se contenter de cette réponse.

Après avoir raccroché, Dietrich Busch demeura pensif pendant de longues minutes. Quelque chose se préparait, se dit-il, et cela concernait Michkine et Lazareff, dans leurs cellules de la prison de Tegel à Berlin-Ouest. Si quelque chose leur arrivait, jamais son gouvernement ne se relèverait de la tempête que cela susciterait en Allemagne même, dans la presse et dans l'opposition. Et avec les élections régionales imminentes...

Son premier appel fut pour Ludwig Fischer, son ministre de la Justice, qu'il trouva chez lui dans la capitale. Les ministres étaient convenus de ne pas partir en province pendant le week-end. Fischer tomba aussitôt d'accord avec la suggestion du Chancelier. Transférer les deux détenus de la vieille maison d'arrêt de Tegel à la prison de Moabit, beaucoup plus récente et beaucoup plus sûre, était une précaution qui s'imposait. Aucun agent de la C.I.A. ne pourrait jamais les atteindre à Moabit. Fischer téléphona aussitôt à Berlin des instructions dans ce sens.

Il existe une phrase innocente qui, dans la bouche du responsable du chiffre de l'ambassade britannique à Moscou, parlant par téléphone avec le « résident » du S.I.S. dans la capitale soviétique, signifie en réalité : « Arrive ici sans traîner, il y a quelque chose d'urgent en provenance de Londres. » Ce fut cette phrase qui tira Adam Munro de son lit à minuit et lui fit traverser la ville jusqu'au quai Maurice-Thorez.

Pendant le trajet de Downing Street à son bureau, sir Nigel Irvine avait pris sa décision : le Premier ministre avait parfaitement raison. Comparé à la destruction du traité de Berlin ou à la destruction du *Freya*, de son équipage et de son fret, exposer un agent russe au risque d'être découvert était un moindre mal. Ce qu'il allait demander à Munro de faire à Moscou, et la façon dont il allait être obligé de le lui demander, était loin de lui plaire. Mais lorsqu'il arriva à l'immeuble du S.I.S., il savait que c'était nécessaire.

Au dernier sous-sol, la salle des télécommunications s'occupait des liaisons de routine, et l'entrée soudaine du directeur général stupéfia la permanence de nuit. Mais cinq minutes plus tard, le télex brouillé était déjà à Moscou. Nul ne doutait que le Maître eût le droit de parler directement à son résident à Moscou au milieu de la nuit. Et trente minutes plus tard, le télex de la salle du chiffre de Moscou se mit à crépiter son message : Munro était arrivé et attendait.

De chaque côté de la ligne, les opérateurs étaient des hommes de grande expérience, à qui l'on pouvait confier les secrets de la plus haute importance. Ils auraient transmis des messages capables de renverser des gouvernements avec le même calme que des dépêches anodines. Depuis le sous-sol de Londres, le télex envoyait son texte brouillé, impossible à intercepter, jusqu'à une forêt d'antennes située aux environs de Cheltenham, plus célèbre pour ses courses de chevaux et son collège de jeunes filles. Là, les mots seraient convertis automatiquement en signal binaire codé impossible à décrypter, puis traverseraient toute l'Europe endormie jusqu'à une antenne du toit de l'ambassade. Quatre secondes après avoir été dactylographiés à Londres, ils apparaîtraient, en clair, sur le télex du sous-sol de l'ancien magnat du sucre, quai Maurice-Thorez, à Moscou.

L'employé du chiffre se tourna vers Munro debout près de lui.

— C'est le Maître en personne, dit-il en lisant l'indicatif codé du message, il doit y avoir de l'eau dans le gaz.

Sir Nigel était contraint d'apprendre à Munro la teneur du message transmis par Kirov au président Matthews trois heures plus tôt. Sinon, comment Munro aurait-il pu demander au Rossignol la réponse au « pourquoi ? » du président des États-Unis ?

Le télex crépita pendant plusieurs minutes. Munro lut le message au fur et à mesure, par-dessus l'épaule de l'employé du chiffre. Il était atterré.

— Je ne peux pas faire ça, dit-il à l'opérateur impassible.

Le message de Londres s'acheva.

— Répondez ceci, dit-il à l'employé. " Impossible, je répète : impossible d'obtenir une réponse de cet ordre dans les délais. " Envoyez.

Sir Irvine et Adam Munro échangèrent des messages pendant quinze minutes. N'existe-t-il pas un moyen de contacter R. en cas d'urgence ? suggéra Londres. Si, mais uniquement en cas d'urgence extrême, répliqua Munro. Il ne peut pas exister d'urgence plus extrême que celle-là, crépita la machine de Londres. Mais R. n'est pas en mesure d'obtenir la réponse avant peut-être plusieurs jours, répondit Munro. La prochaine réunion régulière du Politburo n'aura lieu que jeudi prochain. Et les minutes de la réunion de jeudi dernier ? demanda Londres. Le *Freya* n'était pas aux mains des terroristes jeudi dernier, répliqua Munro. Et finalement, sir Nigel dut se résoudre à faire ce qu'il aurait aimé éviter.

— Je regrette, tapa la machine. Ordre du Premier ministre impossible à refuser. Si aucune tentative n'est faite pour éviter ce désastre, l'opération de transfert de R. à l'Ouest devra être annulée.

Munro regarda, sans en croire ses yeux, le flot de papier sortir du télex. Pour la première fois il était victime de son souci de cacher à ses supérieurs de Londres que le Rossignol était en réalité la femme qu'il aimait. Pour Nigel Irvine, ce n'était qu'un traître russe aigri nommé Anatoly Krivoï, le bras droit du vautour Vichnaïev.

— Répondez ceci à Londres, dit-il à l'employé d'une voix résignée. " Essaierai cette nuit, stop. Décline toute responsabilité si R. refuse, ou est démasqué au cours de la tentative, stop. "

La réponse du Maître fut brève. « D'accord. Allez-y. » Il était une heure et demie du matin à Moscou, et il faisait très froid.

Dix-huit heures trente à Washington, et le crépuscule tombait sur les pelouses s'étendant au-delà des fenêtres blindées, derrière le fauteuil du Président. On alluma les lumières. Le groupe du Bureau

Ovale attendait : une réponse du Chancelier Busch, un agent anonyme à Moscou, un terroriste masqué d'origine inconnue assis sur une bombe d'un million de tonnes au large de l'Europe, avec un détonateur accroché à sa ceinture... Le groupe du Bureau Ovale attendait une troisième solution.

Le téléphone sonna, c'était pour Stanislas Poklewski. Il écouta, posa la main sur le combiné et dit au Président que c'était le ministère de la Marine, en réponse à la requête qu'il avait formulée une heure plus tôt.

Il y avait effectivement un vaisseau de la marine des États-Unis dans le secteur du *Freya*. Il venait de rendre une visite de courtoisie au port danois d'Esbjerg et il rejoignait son unité de la Force navale permanente de l'Atlantique (STANFORLANT), en train de patrouiller à l'ouest de la Norvège. Il était au large des côtes danoises et se dirigeait vers le nord-ouest pour faire sa liaison avec ses alliés de l'O.T.A.N.

— Déroutez-le, dit le Président.

Poklewski transmit au ministère de la Marine les ordres du commandant en chef. Aussitôt, par l'intermédiaire de l'état-major de STANFORLANT, le message parvint au navire américain.

Peu après une heure du matin, le *Moran* qui se trouvait alors à mi-chemin entre le Danemark et les Orcades, vira de bord, lança ses moteurs à pleine puissance et se mit à glisser sous la lune, vers le sud, vers la Manche. C'était un vaisseau lance-missiles de près de huit mille tonneaux, et malgré sa jauge plus importante que celle du croiseur léger britannique *Argyll*, il était classé dans la catégorie des destroyers, ou DD. A pleine puissance en eaux calmes, il filait près de trente nœuds. A huit heures du matin, il prendrait position à cinq milles marins du *Freya*.

Il y avait très peu de voitures dans le parking de l'hôtel Mojarsky, juste après le rond-point qui se trouve au bout de la perspective Koutouzov. Elles étaient toutes sans lumières. Et toutes vides sauf deux.

Munro regarda les lumières de l'autre voiture s'allumer un instant puis s'éteindre. Il descendit de son véhicule et traversa l'étendue de macadam. Lorsqu'il s'assit sur le siège du passager à côté de Valentina, la jeune femme frissonna d'inquiétude.

— Qu'est-ce qu'il y a, Adam ? Pourquoi m'as-tu appelée à l'appartement ? L'appel a sûrement été enregistré.

Il la prit dans ses bras. Malgré l'épaisseur du tissu de son manteau, il la sentit trembler.

— C'était d'une cabine publique, dit-il. Et c'était anodin. Un ami Grégor ne pouvait pas dîner avec toi. Personne ne soupçonnera rien.

— A deux heures du matin! répliqua-t-elle d'un ton de reproche. Personne ne fait des appels comme ça à deux heures du matin. Et le gardien de nuit m'a vue quand je suis sortie de l'immeuble. Il le signalera.

— Mon amour, je te demande pardon. Écoute-moi.

Il lui raconta la visite de l'ambassadeur Kirov au président Matthews quelques heures plus tôt. Il lui expliqua comment la nouvelle avait été transmise à Londres, et comment on avait exigé de lui qu'il tente de découvrir pourquoi le Kremlin avait pris cette attitude étrange au sujet de Michkine et Lazareff.

— Je ne sais pas, dit-elle simplement. Je n'en ai pas la moindre idée. Peut-être parce que ces deux vermines ont assassiné le capitaine Roudenko, un homme marié et père de famille.

— Valentina, nous avons suivi les délibérations du Politburo au cours des neuf derniers mois. Le traité de Dublin est d'une importance vitale pour l'Union soviétique. Pourquoi Roudine le saboterait-il maintenant, à cause de ces deux hommes?

— Il ne l'a pas saboté, répondit Valentina. L'Ouest a toujours la possibilité de résorber la nappe de pétrole si le bateau saute. L'Ouest est riche, il a les moyens de supporter la dépense.

— Mais, mon amour, il y a trente hommes à bord de ce bateau. Et ils sont, eux aussi, mariés et pères de famille pour la plupart. Trente vies humaines contre l'emprisonnement de deux " vermines " comme tu dis? Il y a forcément une autre raison, une raison plus sérieuse.

— Je ne la connais pas, répéta-t-elle. Rien n'a été mentionné au cours des séances du Politburo. Tu le sais aussi bien que moi.

Munro se détourna vers le pare-brise, découragé, malheureux. Il avait espéré contre tout espoir qu'elle lui fournirait une réponse pour Washington, quelque chose qu'elle aurait pu entendre dans les bureaux du Comité central.

Et finalement, il décida qu'il fallait tout lui dire...

Quand il s'arrêta de parler, elle détourna son regard vers la nuit. Dans ses yeux agrandis, la lune fit scintiller pendant un instant la perle d'une larme.

— Ils avaient promis, murmura-t-elle. Ils avaient promis qu'ils me feraient sortir avec Sacha, dans deux semaines, à partir de la Roumanie.

— Ils ont repris leur parole, avoua-t-il. Ils veulent cette dernière faveur.

Elle posa le front sur ses mains gantées, crispées sur le volant.

— Ils vont me prendre, balbutia-t-elle. J'ai tellement peur.

Il tenta de la rassurer.

— Ils ne te prendront pas, le K.G.B. agit beaucoup plus lentement que ne le croient les gens. Et plus leur suspect est haut placé, plus il leur faut être prudents. Si tu peux obtenir cet élément d'information pour le président Matthews, je crois que je pourrai les convaincre de te faire sortir d'ici, avec Sacha, dans quelques jours, sans attendre la date prévue. Essaie, mon amour, je t'en supplie. C'est la seule chance que nous ayons d'être ensemble.

Valentina se détourna vers la portière.

— Il y a eu une réunion du Politburo ce soir, dit-elle enfin. Je n'y ai pas assisté. C'était une réunion spéciale, à l'improviste. Normalement, le vendredi soir, ils partent tous à la campagne. La transcription des minutes se fera demain, c'est-à-dire aujourd'hui, à dix heures du matin. Le personnel a dû se priver de week-end pour que tout soit prêt lundi. Ils y ont peut-être fait allusion.

— As-tu la possibilité de voir les notes, d'écouter les bandes ? demanda-t-il.

— Au milieu de la nuit ? On me poserait des questions.

— Trouve une excuse, mon amour. N'importe quelle excuse. Tu as envie de prendre de l'avance sur ton travail pour pouvoir t'en aller plus tôt, que sais-je ?

— J'essaierai, dit-elle enfin. J'essaierai pour toi, Adam, pas pour les hommes de Londres.

— Je connais les hommes de Londres, répondit Adam Munro. Ils te feront sortir d'ici, avec Sacha, si tu les aides aujourd'hui. Ce sera le dernier risque, le tout dernier.

Elle parut ne pas l'avoir entendu, ou peut-être avait-elle vaincu pendant un instant sa crainte du K.G.B., le danger qu'elle courait si l'on apprenait ce qu'elle avait fait, les conséquences terribles si elle était prise avant de pouvoir s'enfuir. Lorsqu'elle parla, sa voix était presque normale.

— Tu connais *Dyetsky Mir* ? Au comptoir des jouets de peluche. A dix heures ce matin.

Debout sur l'asphalte noir, il regarda ses feux rouges arrière disparaître au loin. Il l'avait fait. On lui avait demandé de le faire, on avait exigé qu'il le fasse, et il l'avait fait. Il avait, lui, sa couverture diplomatique pour le protéger de la Loubianka. Le pire qui pouvait lui arriver serait une convocation de son ambassadeur aux Affaires étrangères soviétiques lundi matin : Dmitri Rykov lui remettrait une note de protestation glaciale et exigerait que Munro soit renvoyé à Londres. Mais Valentina ?... Valentina qui allait entrer tout droit dans les archives secrètes, sans même la couverture d'un comportement normal, habituel, justifié ? Il regarda sa montre. Trois heures. Encore sept heures à attendre, sept heures avec tous les muscles de l'estomac noués et toutes les extrémités des nerfs à vif. Il regagna sa voiture.

Debout près de la grille grande ouverte de la prison de Tegel, Ludwig Jahn regarda disparaître au bout de la rue les feux arrière du fourgon blindé qui emportait Michkine et Lazareff.

A la différence de Munro, pour lui, il n'y aurait plus d'angoisse, pas de tension insupportable durant les longues heures du petit matin. Pour lui, l'attente était terminée.

Il revint à pas lents dans son bureau du premier étage et il ferma la porte. Il demeura quelques instants devant la fenêtre ouverte, puis il retira sa main de sa poche et lança au loin dans la nuit, le premier pistolet au cyanure.

Jahn était gros, lourd, obèse. On conclurait à une crise cardiaque si l'on ne trouvait aucun indice prouvant le contraire.

Il se pencha au-dessus de l'appui de la fenêtre et songea à ses nièces de l'autre côté du Mur, à l'Est — à leurs visages rieurs quand l'oncle Ludo leur avait apporté les cadeaux pour Noël, quatre mois plus tôt. Il ferma les yeux, plaça l'autre tube au-dessous de ses narines et appuya sur la détente.

La douleur le frappa dans la poitrine comme le coup d'un marteau géant. Ses doigts engourdis lâchèrent le tube qui heurta le trottoir avec un petit bruit de métal. Jahn s'effondra tout à coup, heurta le rebord de la fenêtre et tomba à la renverse dans son bureau, déjà mort. Quand on le découvrit, on supposa qu'il avait ouvert la fenêtre pour respirer une bouffée d'air frais au moment où les premières douleurs l'avaient saisi. Koukouchkine n'aurait pas son triomphe. Le carillon de minuit fut étouffé par le grondement d'un camion qui, au passage, écrasa le tube dans le caniveau.

La prise du *Freya* par les terroristes avait fait sa première victime.

15

De minuit à 8 heures

Le conseil des ministres de l'Allemagne de l'Ouest se réunit de nouveau à la Chancellerie à une heure du matin. Lorsque les ministres apprirent de la bouche de Dietrich Busch la requête de Washington, leurs réactions s'échelonnèrent de l'exaspération à la violence.

— Pourquoi refuse-t-il de nous donner une explication ? demanda le ministre de la Défense. N'a-t-il pas confiance en nous ?

— Il affirme qu'il a une raison de la plus haute importance, mais qu'il ne peut pas la révéler, même sur le téléphone rouge, répondit le chancelier Busch. Il ne nous reste qu'à le croire sur parole, ou à le traiter de menteur. Or, à ce stade, rien ne m'autorise à supposer qu'il ment.

— Se doute-t-il de ce que feront les terroristes en apprenant que Michkine et Lazareff ne seront pas libérés à l'aube ? demanda une voix.

— Certainement. En tout cas, il a entre les mains le texte de toutes les conversations échangées entre le *Freya* et le Maas Control. S'ils s'en tiennent à ce qu'ils ont dit, soit ils tueront un autre marin, soit ils répandront dans la mer vingt mille tonnes de pétrole, soit les deux à la fois.

— Dans ce cas qu'il en porte la responsabilité, dit le ministre de l'Intérieur. Pourquoi le blâme devrait-il retomber sur nos épaules, si jamais cela se produit ?

— Je n'ai pas la moindre intention de laisser retomber le blâme sur nous, répondit Busch, mais cela ne répond pas à la question. Accédons-nous, oui ou non, à la requête du président Matthews ?

Le silence se prolongea. Ce fut le ministre des Affaires étrangères qui le rompit.

— Combien de temps ? demanda-t-il.

335

— Le plus possible, répondit le Chancelier. Il m'a donné l'impression d'avoir un plan pour sortir de l'impasse, pour trouver une troisième solution. Mais ce que représente ce plan, ce que sera cette troisième solution, il est le seul à le savoir. Lui, et bien entendu les quelques personnes qu'il a jugées dignes de ce secret, ajouta-t-il non sans amertume. Et nous ne sommes pas du nombre pour l'instant.

— Personnellement, j'estime que c'est tirer un peu trop fort sur nos liens d'amitié, dit le ministre des Affaires étrangères. Mais je crois tout de même que nous devrions lui accorder un délai — tout en précisant sans ambiguïté, au moins de manière officieuse, que le retard dans la libération des deux détenus a été décidé à sa requête, et non de notre propre initiative.

— Peut-être a-t-il résolu de prendre d'assaut le *Freya* ? suggéra le ministre de la Défense.

— Nos spécialistes estiment que ce serait extrêmement risqué, répliqua le ministre de l'Intérieur. Il faudrait s'approcher du bateau sous l'eau sur au moins les deux derniers milles. Puis grimper sur une paroi verticale de métal lisse, depuis la mer jusqu'au pont. Pénétrer dans la superstructure sans être vu de la sentinelle postée au-dessus de la dunette. Et tomber juste sur la cabine où se trouve le chef des terroristes. Si, comme nous le soupçonnons, cet homme a entre les mains un mécanisme de mise à feu à distance, il faudra le tuer avant qu'il n'ait le temps d'appuyer sur le bouton.

— De toute façon, il est trop tard pour tenter l'opération avant l'aube, dit le ministre de la Défense. Il faudrait attendre l'obscurité : dix heures du soir au plus tôt. Dans une vingtaine d'heures.

A trois heures et quart, le Conseil des ministres allemand accepta enfin d'accéder à la requête du président Matthews. On ne définit pas le délai accordé avant de libérer Michkine et Lazareff, mais on se réservait le droit de réexaminer à tout moment les conséquences, et de revenir sur cette décision s'il s'avérait impossible de continuer à maintenir les deux hommes en prison.

En même temps, on demandait au porte-parole du gouvernement de laisser filtrer discrètement auprès de deux de ses contacts les plus sûrs dans les médias, que seules des pressions insistantes de Washington avaient provoqué cette volte-face de Bonn.

Il était onze heures du soir à Washington, et quatre heures du matin en Europe, lorsque la nouvelle de la décision de Bonn parvint au président Matthews. Il adressa aussitôt ses remerciements les plus chaleureux au chancelier Busch.

— Aucune réponse de Jérusalem ? demanda-t-il à David Lawrence.

— Non. Nous savons seulement que Benyamin Golen a accordé une audience personnelle à notre ambassadeur.

Lorsque le Premier ministre israélien fut dérangé pour la seconde fois au milieu de cette nuit du sabbat, sa patience, déjà fort capricieuse en temps normal, ne tenait plus qu'à un fil. Il reçut l'ambassadeur des États-Unis en robe de chambre, et l'accueil fut glacial. Il était trois heures du matin en Europe, mais déjà cinq heures à Jérusalem et les lueurs de l'aurore effleuraient les collines de Judée.

Impassible, il écouta jusqu'au bout la requête personnelle que lui présentait l'ambassadeur au nom du président Matthews. Le seul objet de ses craintes était l'identité des terroristes à bord du *Freya*. Aucune action terroriste visant à faire libérer des Juifs détenus en prison n'avait été entreprise depuis l'époque de sa jeunesse, au temps où il combattait, ici même, pour créer le pays où il voulait vivre. A ce moment-là, il s'agissait de faire libérer des partisans juifs condamnés, détenus dans une prison britannique d'Acre, et il avait participé en personne à l'opération. Mais c'était trente-cinq ans plus tôt, les perspectives n'étaient plus les mêmes. Maintenant, Israël condamnait sans exception le terrorisme, la prise d'otages et le chantage politique. Et pourtant...

Et pourtant, par centaines de millions ses citoyens devaient sympathiser en secret avec les deux jeunes gens qui avaient tenté d'échapper à la terreur du K.G.B. par l'unique moyen qu'ils avaient pu imaginer. Bien entendu, tous ces électeurs ne proclameraient pas ouvertement que Michkine et Lazareff étaient des héros, mais aucun d'eux n'accepterait qu'on les condamne comme de vulgaires assassins. Quant aux hommes masqués du *Freya*, il y avait une chance que ce soient des Juifs eux aussi, et peut-être même (que Dieu nous en préserve !) des Israéliens. La veille au soir, il avait espéré que toute l'affaire serait réglée à la fin du sabbat, samedi au coucher du soleil : les prisonniers de Berlin en sécurité en Israël, et les terroristes du *Freya* capturés ou morts. Cela aurait fait pas mal de bruit, mais avec le temps, tout s'apaise.

Et maintenant, il apprenait que la libération n'aurait pas lieu. Cette nouvelle ne l'incitait guère à accéder à la requête américaine —

qui de toute façon était inacceptable. Lorsque l'ambassadeur cessa de parler, il secoua la tête.

— Je vous prie de bien vouloir présenter à mon bon ami William Matthews mes vœux les plus chaleureux pour que cette affaire épouvantable s'achève sans qu'aucune autre vie ne soit sacrifiée, répliqua-t-il. Mais en ce qui concerne Michkine et Lazareff, ma position est la suivante : au nom du gouvernement et du peuple d'Israël, et à la requête pressante de l'Allemagne de l'Ouest, j'ai juré solennellement et publiquement de ne pas les emprisonner ici, et ne pas les renvoyer à Berlin. Il m'est donc impossible de me dégager de ce serment. Je regrette, mais je ne peux pas les renvoyer en Allemagne dès que le *Freya* sera libéré, comme vous me le demandez.

Il n'avait pas besoin d'expliquer ce que l'ambassadeur américain savait déjà : en dehors de toute question d'honneur national, il n'était pas question de se réfugier derrière le principe qu'un serment arraché par la contrainte ne compte pas. L'indignation du Parti religieux national, des extrémistes *Goush Emounim*, de la *Jewish Defence League* et des cent mille électeurs israéliens émigrés d'U.R.S.S. au cours des dix dernières années, suffisait à empêcher n'importe quel Premier ministre israélien de répudier son engagement international de libérer Michkine et Lazareff.

— De toute façon, ça ne coûtait rien d'essayer, dit le président Matthews lorsque le câble parvint à Washington une heure plus tard.

— Une " troisième solution " possible n'existe plus, fit observer David Lawrence. D'ailleurs je ne pense pas que Maxime Roudine l'aurait acceptée.

Il était onze heures du soir à Washington. Les lumières brillaient encore dans cinq ministères disséminés dans la capitale, tout comme dans le Bureau Ovale et dans une vingtaine d'autres pièces, çà et là dans la Maison Blanche. Des hommes et des femmes, devant des téléphones et des téléscripteurs, attendaient des nouvelles d'Europe. Dans le Bureau Ovale même, les quatre hommes s'installèrent confortablement pour attendre la réaction du *Freya*.

Certains médecins disent que c'est à trois heures du matin que l'esprit humain est au plus bas de sa courbe. C'est l'heure de l'épuisement, des réactions les plus lentes et des dépressions les plus angoissées. Pour les deux hommes face à face dans la cabine du *Freya*, c'était le terme des vingt-quatre heures : le soleil et la lune venaient d'achever un cycle complet.

Ils n'avaient dormi ni cette nuit-là, ni la nuit précédente. Après quarante-quatre heures sans repos, ils avaient les traits tirés et les yeux injectés de sang.

A l'épicentre d'un cyclone tourbillonnant d'activité internationale — conseils de cabinet et comités de crise, ambassades et conférences, complots et consultations — qui tenait éveillés trois continents de Jérusalem à Washington, Thor Larsen jouait ses propres cartes : sa résistance au sommeil contre la volonté du fanatique en face de lui, avec pour enjeu, s'il échouait, son équipage et son bateau.

Larsen savait que l'homme qui se faisait appeler Svoboda — plus jeune, consumé par sa flamme intérieure, les nerfs bandés à craquer par la combinaison du café noir et de la tension de son défi lancé au monde entier — aurait pu faire ligoter le capitaine norvégien le temps de prendre quelques heures de repos. Mais le marin barbu, sous la menace du revolver, demeurait assis, yeux grands ouverts, défiant l'orgueil de son adversaire, espérant bien que l'homme répondrait à son défi, et refuserait de se déclarer vaincu au jeu de la lutte contre le sommeil.

Ce fut Larsen qui proposa, l'une après l'autre, les tasses de café noir très fort — alors qu'il ne prenait jamais de café sans lait et sans sucre, et uniquement deux ou trois fois par jour. Ce fut lui qui parla, tout au long de la journée et de la nuit, provoquant l'Ukrainien en évoquant les conséquences d'un échec, opérant un repli chaque fois que l'homme, devenant trop irascible, mettait en danger sa sécurité. De nombreuses années d'expérience, les longues veilles passées à lutter contre le sommeil (la bouche pâteuse) au cours de son apprentissage de capitaine au long cours, avaient enseigné au géant barbu l'art de rester éveillé et l'esprit vif tout au long des quarts de nuit, aux heures où les blancs-becs somnolent et où les matelots s'assoupissent.

Il jouait donc un jeu solitaire, sans armes ni munitions, sans téléscripteurs ni caméras nyctalopes, sans compagnie et sans renforts. Toute la magnifique technique que les Japonais avaient construite dans son nouveau navire ne lui servait guère plus, maintenant, qu'une poignée de clous rouillés. S'il bousculait un peu trop fort l'homme de l'autre côté de la table, celui-ci risquait de perdre son sang-froid, et de tuer. Si l'homme rencontrait une opposition trop vive, il pouvait par dépit ordonner l'exécution d'un autre marin. S'il sentait le sommeil le gagner, il pouvait se faire relever par un autre terroriste, plus en forme que lui, et prendre un peu de repos — ruinant du même coup tout le travail de sape dans lequel Larsen s'était lancé.

Larsen avait encore toutes raisons de croire que Michkine et Lazareff seraient libérés à l'aurore. Lorsqu'ils seraient arrivés à Tel-Aviv sains et saufs, les terroristes se prépareraient à quitter le *Freya*. Le feraient-ils ? Le pourraient-ils ? Les vaisseaux de guerre en position tout autour les laisseraient-ils partir aussi facilement qu'ils étaient venus ? Svoboda avait la possibilité d'appuyer sur le bouton à bonne distance du *Freya* et de réduire le pétrolier en miettes s'il était attaqué par les marins de l'O.T.A.N.

Mais ce n'était pas tout : cet homme en noir avait tué un de ses marins, et pour cette mort, Thor Larsen voulait sa peau. Alors, toute la nuit, il parla à l'homme en face de lui, le privant de sommeil...

Whitehall ne dormait pas non plus. Le comité de crise était en séance depuis trois heures du matin, et à quatre heures on acheva de faire le bilan de la situation.

Dans le sud de l'Angleterre, les camions-citernes réquisitionnés auprès de la Shell, de la British Petroleum et d'une dizaine de sociétés de transport, se remplissaient de concentré émulsifiant stocké à Hampshire. Des chauffeurs aux yeux endoloris sillonnaient la nuit, à vide vers Hampshire, en charge vers Lowestoft, pour amener dans ce port du Suffolk des centaines de tonnes de concentré. A quatre heures du matin, le dépôt serait vide. Les mille tonnes de la réserve nationale seraient en route vers la côte de la mer du Nord.

Il en serait de même des pannes de barrage gonflables avec lesquelles on essaierait de protéger les côtes de la nappe de pétrole, le temps que les produits chimiques fassent effet. L'usine fabriquant l'émulsifiant avait été mise en pleine production jusqu'à nouvel ordre.

A trois heures et demie, on avait appris de Washington que le Conseil des ministres d'Allemagne fédérale avait accepté de maintenir Michkine et Lazareff en prison pendant quelque temps encore.

— Est-ce que Matthews sait vraiment ce qu'il fait ? demanda quelqu'un.

Le visage de sir Julian Flannery demeura impassible.

— Nous devons le supposer, dit-il d'une voix égale. Nous devons également supposer que le *Freya* réagira en déversant du pétrole à la mer. Nos efforts ne seront pas vains. Au moins, nous sommes maintenant presque prêts.

— Nous devons également supposer, dit le haut fonctionnaire des Affaires étrangères, que la France, la Belgique et les Pays-Bas solliciteront notre concours pour lutter contre toute marée noire éventuelle dès que la nouvelle sera publique.

— Nous serons prêts à faire tout ce qui est en notre pouvoir, dit sir Julian. Qu'en est-il des avions de pulvérisation et des bateaux-pompes ?

Le rapport était, dans la salle de la Licorne, le reflet de ce qui se passait en mer. De l'estuaire de la Humber, les bateaux-pompes piquaient vers le sud, en direction du port de Lowestoft, tandis que de l'estuaire de la Tamise et d'aussi loin que la base navale de Lee sur la Manche, d'autres bateaux capables de pulvériser du liquide à la surface de la mer, remontaient vers leur point de rendez-vous sur la côte du Suffolk. Et ce n'étaient pas les seuls bâtiments à franchir le Pas-de-Calais vers la mer du Nord cette nuit-là.

Au large des hautes falaises du cap Beachy Head, le *Coutelas*, le *Cimeterre*, et le *Sabre*, transportant l'équipement spécial, complexe et meurtrier, de l'équipe d'hommes-grenouilles de choc réputée la plus dure du monde, braquaient leurs étraves à l'est-nord-est, pour longer les côtes du Sussex et du Kent avant de rejoindre les eaux où le croiseur *Argyll*, à l'ancre, les attendait.

Le grondement de leurs moteurs se répercutait sur les murailles calcaires des falaises de la côte sud et à Eastbourne tous ceux qui dormaient d'un sommeil léger entendirent comme un roulement de tonnerre lointain du côté de la mer.

Douze fusiliers marins du Service spécial de la marine, les mains crispées sur les bastingages, surveillaient leurs précieux kayaks, et les caisses de matériel de plongée, d'armes et d'explosifs insolites qui constituaient leur outillage professionnel. Tout était sur le pont.

Le jeune lieutenant qui commandait le *Coutelas* se tourna vers le fusilier marin à ses côtés.

— J'espère que vos feux d'artifice ne vont pas nous péter dans la gueule, dit-il.

— Sûrement pas, répondit d'une voix rassurante le commandant en second du détachement. Ça ne s'use que si l'on s'en sert.

Son commandant en chef, dans un bureau attenant à la salle de conférence de la Licorne, était en train d'étudier des photos du *Freya* prises de nuit et de jour. Il comparait les images enregistrées par les caméras du Nimrod au plan à l'échelle remis par la Lloyds, et au modèle réduit du superpétrolier *British Princess*, prêté par B.P.

— Messieurs, disait au même instant le colonel Holmes aux hommes rassemblés dans la pièce voisine, je crois qu'il est temps de prendre en considération l'une des options les moins agréables que nous ayons à envisager.

— Bien sûr, dit sir Julian à regret. L'option dure.

— Si le président Matthews continue de s'opposer à la libération de Michkine et Lazareff, poursuivit Holmes, et si l'Allemagne de l'Ouest continue à accéder à sa requête, les terroristes comprendront à un moment ou à un autre que la partie est finie, que leur chantage ne va pas fonctionner. A ce moment-là, ils peuvent très bien aller jusqu'au bout de leur menace et faire sauter le *Freya*. Personnellement, je suis persuadé que cela ne se produira pas avant la tombée de la nuit, ce qui nous laisse environ seize heures.

— Pourquoi la tombée de la nuit, colonel? demanda sir Julian.

— A moins que ce ne soient tous des candidats au suicide, ce qui est toujours possible, nous devons supposer qu'ils chercheront à assurer leur fuite au milieu de la confusion. Or, s'ils veulent se réserver une chance de survie, ils peuvent très bien quitter le bateau et grâce à leur oscillateur, déclencher les explosions à une certaine distance en mer.

— Quelle est votre proposition, colonel?

— Elle est double, monsieur. Tout d'abord, leur vedette. Elle est encore amarrée près de l'échelle de coupée. Dès la tombée de la nuit un plongeur pourrait s'approcher de cette embarcation et y fixer un engin explosif à retardement. En cas d'explosion du *Freya*, toute embarcation à moins d'un demi-mille marin serait en danger. Les terroristes devront donc franchir avec leur vedette au moins cette distance. Je propose de faire déclencher la charge explosive placée sous la vedette par un détonateur sensible à la pression de l'eau. Dès que la vedette s'éloignera du bateau, la poussée de son moteur provoquera un courant relatif important sous la quille. Ce courant déclenchera le mécanisme, et soixante secondes plus tard, la vedette sautera, bien avant que les terroristes aient franchi la distance de sécurité, et donc avant qu'ils aient actionné leur détonateur.

— L'explosion de leur vedette ne risque-t-elle pas de déclencher les charges placées sur le *Freya* ? demanda quelqu'un.

— Non. S'ils ont un détonateur commandé à distance, il s'agit forcément d'un engin électronique. Notre explosif réduira la vedette des terroristes en miettes. Personne ne survivra.

— Mais si le détonateur des terroristes tombe à la mer, la pression de l'eau ne pourrait-elle pas appuyer sur le bouton ? demanda une autre voix.

— Certes, mais une fois sous l'eau, l'oscillateur ne pourra plus envoyer son message radio aux détonateurs placés dans les réservoirs du bateau.

— Excellent, dit sir Julian. Ce plan ne peut-il pas être exécuté avant l'obscurité ?

— Non, répondit Holmes. Un homme-grenouille laisse dans son sillage une traînée de bulles. Si la mer était agitée, cela pourrait peut-être passer inaperçu, mais par calme plat, on le remarquerait aussitôt. Une des deux sentinelles repérerait les bulles, et cela provoquerait ce que nous essayons d'éviter.

— Ce sera donc pour la tombée de la nuit, dit sir Julian.

— Mais à mon sens, poursuivit Holmes, nous ne devons pas nous borner à saboter leur moyen de fuite. Il est tout à fait possible que le chef soit prêt à mourir avec le *Freya*, et qu'il ne quitte pas le navire avec le reste de la bande. Nous serons peut-être amenés à attaquer le bateau de nuit, pour nous rendre maîtres du chef avant qu'il puisse se servir de son engin.

Le secrétaire de cabinet poussa un soupir résigné.

— Je vois. Et vous avez certainement un plan prévu pour cela aussi ?

— Personnellement, non. Mais j'aimerais vous présenter le major Simon Fallon, commandant en chef du Service spécial de la marine.

Les cauchemars de sir Julian devenaient réalité. Le major des fusiliers marins ne mesurait guère plus d'un mètre soixante-douze, mais sa largeur d'épaules était spectaculaire, et il était manifestement de ces hommes qui parlent de réduire d'autres humains en pièces détachées avec autant d'aisance que lady Flannery parlait de découper en petits dés les légumes de l'une de ses fameuses salades provençales.

Le pacifique secrétaire de cabinet avait eu l'occasion de rencontrer à trois reprises des officiers du S.A.S., mais c'était son premier contact avec le commandant de l'autre « unité spéciale », beaucoup moins importante. Ils étaient taillés, remarqua-t-il, sur le même modèle.

Le Service spécial de la marine (*Special Boat Service* ou S.B.S.) avait été constitué à l'origine pour la guerre conventionnelle. C'étaient des spécialistes de l'attaque d'installations côtières à partir de la mer. Pour cette raison, le service dépendait toujours des commandos de fusiliers marins. On exigeait d'eux qu'ils soient dans une forme physique parfaite à tous égards et d'une compétence hors pair en matière de natation, de sports nautiques, de plongée sous-marine, d'alpinisme, et bien sûr, d'arts martiaux.

C'était la base. A partir de là on leur faisait suivre une formation de parachutistes et d'artificiers, puis on leur enseignait les techniques apparemment sans limites permettant de couper les gorges et de rompre les cous, avec des coutelas, des lacets de cuir, ou simplement les quatre doigts et le pouce. A cet égard, et pour leur capacité de vivre de façon complètement autonome dans la nature, ou plutôt hors de la nature, pendant des périodes prolongées et sans laisser aucune trace de leur présence, ils partageaient purement et simplement les compétences de leurs cousins du S.A.S.

C'était dans le domaine des compétences sous-marines que les hommes du S.B.S. étaient différents. Avec leur équipement d'homme-grenouille, ils pouvaient nager sur des distances étonnantes pour mettre en place des charges explosives, ou bien se débarrasser de leur équipement pour marcher au fond de l'eau sans qu'une seule ride à la surface ne trahisse leur présence, puis émerger enfin de la mer, avec leur arsenal d'armes spéciales tout autour de leur corps.

Certaines de leurs armes étaient des plus banales : des coutelas et des fils à couper le beurre. Mais depuis la recrudescence du terrorisme à la fin des années soixante, ils avaient reçu de nouveaux jouets qui faisaient leurs délices.

Tous étaient des tireurs d'élite, avec leur fusil Finlanda de haute précision, usiné à la main en Norvège, et que l'on tenait pour le meilleur fusil du monde. Il pouvait être — et il était très souvent — équipé d'un intensificateur d'image, d'un viseur à lunette de la taille d'un lance-roquettes, d'un silencieux parfaitement efficace, et d'un dispositif dissimulant l'éclair lumineux du coup de feu.

Pour faire sauter les portes en une demi-seconde, ils utilisaient de préférence, comme les hommes du S.A.S., des pistolets à air comprimé, à canon court, tirant des charges explosives puissantes. Jamais ils ne visaient la serrure car il risquait d'y avoir d'autres verrous : ils tiraient deux coups simultanés pour faire sauter les paumelles, puis ils enfonçaient aussitôt la porte d'un cou d'épaule et balayaient la pièce avec leurs pistolets-mitrailleurs Ingram à silencieux.

Faisaient également partie de l'arsenal ayant permis au S.A.S. de donner un coup de main aux Allemands à Mogadiscio, les grenades dites *flash-bang-crash*, plus perfectionnées que les grenades *stun* car elles ne se bornaient pas à « hébéter » l'adversaire (*stun*, en anglais) : elles le paralysaient. Une demi-seconde après avoir ôté la goupille, ces grenades lancées dans un espace clos contenant à la fois des terroristes et des otages avaient trois effets : le *flash* aveuglait pendant trente secondes toute personne regardant dans la direction, le *bang* crevait les tympans, occasionnant une douleur instantanée et une perte de concentration, et le *crash* était un son particulier qui pénétrait dans l'oreille moyenne et provoquait une paralysie de tous les muscles pendant dix secondes.

Au cours des essais, un de leurs hommes avait tenté d'appuyer sur la détente d'un revolver braqué dans le dos d'un de ses compagnons au moment de la déflagration de la grenade. C'était impossible. Les terroristes et les otages perdaient leurs tympans, mais les tympans repoussent — ce qui n'est pas le cas des otages tués.

Pendant le temps que dure l'effet de paralysie, les sauveteurs tirent en rafale à dix centimètres au-dessus des têtes, tandis que leurs compagnons font plonger les otages au sol. Aussitôt après, les tireurs règlent leur tir à quinze ou vingt centimètres plus bas.

La position exacte de l'otage et du terroriste dans une pièce close peut être déterminée en appliquant un stéthoscope électronique à l'extérieur de la porte. Il n'est pas nécessaire que les hommes parlent dans la pièce : le bruit des respirations suffit à les localiser de façon précise. Les sauveteurs communiquent entre eux grâce à un langage par gestes très élaboré qui ne donne lieu à aucun malentendu.

Le major Fallon posa le modèle réduit de la *British Princess* sur la table, et il sentit l'attention de tout le monde se concentrer sur lui.

— Je propose, commença-t-il, de demander au croiseur *Argyll* de se tourner de façon à présenter ce flanc au *Freya*. Avant l'aurore, nous rangerons les bateaux d'attaque contenant mes hommes et leur équipement à l'abri de l'*Argyll*, de façon que le guetteur ne puisse les apercevoir, même avec des jumelles, de son poste sur le toit de la superstructure. Cela nous permettra de faire nos préparatifs au cours de l'après-midi à l'abri des regards. Je crains également le passage d'avions loués par la presse, j'aimerais donc que le ciel soit complètement dégagé et que l'on fasse taire tous les bateaux de pulvérisation de détergents à portée de vue.

Personne ne discuta. Sir Julian prit quelques notes.

— Je crois qu'il faudrait s'avancer vers le *Freya* avec quatre kayaks de deux hommes, qui s'arrêteraient à une distance de trois milles, dans le noir, avant le lever de la lune. Les radars du *Freya* ne peuvent pas repérer les kayaks. Ils sont trop petits, trop bas sur l'eau, et constitués de bois et de toile, qui ne renvoient pas efficacement les ondes du radar. Les pagayeurs seront vêtus de caoutchouc, de cuir, de sous-vêtement de lainage, etc., et toutes les boucles seront en plastique. Rien ne "marquera" sur les écrans radar du *Freya*.

« Les hommes des sièges arrière seront des hommes-grenouilles. Leurs bouteilles d'oxygène seront forcément en métal, mais à trois milles de distance, le signal ne sera pas plus gros sur le radar que celui d'un bidon d'huile à la dérive. Pas assez en tout cas pour déclencher l'alarme dans la dunette du *Freya*. A la distance de trois milles, les plongeurs prendront à la boussole le relèvement de la poupe du *Freya*, qu'ils verront très bien car elle est éclairée, et ils quitteront les kayaks. Ils possèdent tous des boussoles de poignet luminescentes qui leur pemettront de garder le cap.

— Pourquoi ne pas chercher à atteindre l'étrave ? demanda le Groupe Captain de l'aviation. L'avant sera plus sombre.

— Tout d'abord parce qu'il faudrait éliminer l'homme de garde sur la contre-étrave, répondit Fallon. Or il risque d'être en contact permanent par talkie-walkie avec la dunette. Ensuite, parce que longer le pont sur toute sa longueur représente une longue promenade, surtout si l'on considère qu'ils ont un projecteur de poursuite susceptible d'être manœuvré de la dunette. Et enfin, parce que la superstructure, vers l'avant, est un mur d'acier de la hauteur de cinq étages. Nous pourrions y grimper bien sûr, mais la superstructure est pleine de fenêtres, et certaines cabines risquent d'être occupées.

« Les quatre plongeurs, dont je ferai partie, se donneront rendez-vous à la poupe du *Freya*. Il y a un dévers relativement faible, de l'ordre d'un mètre. Mais la sentinelle sera sur le toit de la superstructure à trente et quelques mètres au-dessus de nous : quand un homme se trouve à cette hauteur, il a tendance à regarder dans le lointain et non à ses pieds. Et pour l'aider à maintenir ses regards au loin, je désirerais que l'*Argyll* se mette à éclairer un autre vaisseau, non loin de là, avec son projecteur de poursuite : cela donnerait au guetteur un peu de spectacle à admirer. Nous monterons sur la poupe après nous être débarrassés des palmes, des masques, des bouteilles d'oxygène et des ceintures lestées. Nous serons tête nue, pieds nus, en combinaison de caoutchouc trempées, c'est tout. Nos armes se trouveront dans de larges sangles autour de la taille.

— Comment parviendrez-vous à escalader la coque du *Freya* en portant vingt kilos de métal, après avoir nagé sous l'eau pendant trois milles ? demanda l'un des hommes du ministère de l'Intérieur.

Fallon sourit.

— Le bastingage n'est même pas à dix mètres. Au cours d'exercices sur les plates-formes de forage de pétrole de la mer du Nord, nous avons grimpé en quatre minutes près de cinquante mètres de paroi d'acier verticale.

Il ne vit pas l'utilité d'évoquer la puissance physique nécessaire à un exploit de ce genre, ni de décrire le matériel permettant de le réaliser.

Les grosses têtes des laboratoires avait mis au point depuis longtemps pour le S.B.S., un matériel d'ascension tout à fait remarquable. Il comprenait notamment des ventouses magnétiques spéciales, de la taille d'une assiette plate, pourvues d'un rebord de caoutchouc pour pouvoir s'appliquer aux surfaces métalliques sans bruit. L'assiette elle-même était bordée d'acier sous le caoutchouc, et cet anneau d'acier pouvait recevoir des flux magnétiques très puissants.

La force magnétique pouvait être mise en circuit ou coupée à l'aide d'un interrupteur déclenché par le pouce de l'homme qui tenait la poignée fixée au dos de la plaque. L'énergie électrique provenait d'une batterie au nickel-cadmium, de faible taille mais très fiable, située à l'intérieur même de la ventouse.

Les plongeurs étaient entraînés à sortir de l'eau, tendre le bras vers le haut, poser la première ventouse puis mettre le courant. L'aimant collait la ventouse à la paroi d'acier. Suspendus à cette première ventouse, ils lançaient l'autre bras plus haut et accrochaient la seconde plaque. Dès qu'ils s'étaient assurés de la bonne « prise » de cette seconde ventouse, ils coupaient le courant de la première, s'arc-boutaient sur la seconde et fixaient la première plus haut. Une main après l'autre, à la force de leurs poings, de leurs poignets et de leurs avant-bras, ils sortaient de la mer et grimpaient, littéralement à la force du poignet, tandis que leur corps, leurs jambes, leurs pieds et leur équipement se balançaient librement derrière eux.

Si puissants étaient les aimants, et si puissants étaient les bras et les épaules, que les membres de ces commandos pouvaient, s'il le fallait, grimper sur une paroi en dévers de quarante-cinq degrés.

— Le premier homme monte avec les ventouses spéciales, une

corde accrochée à sa ceinture. Si tout est calme sur la poupe, il fixe la corde et dix secondes plus tard les trois autres peuvent être sur le pont. Maintenant, ici, à l'aplomb de la superstructure, dit Fallon en montrant l'endroit sur le plan du *Freya*, cet habitacle de turbine devrait projeter une ombre dans la lumière de la lampe allumée au-dessus de la porte du niveau A. Nous nous regroupons dans cette ombre. Nos combinaisons seront noires, et nous nous serons noirci les mains, les pieds et le visage.

« Le premier risque majeur est la traversée de ce bout d'arrière-pont entre l'ombre de la turbine et la superstructure principale où se trouvent toutes les cabines.

— Et comment tournez-vous la difficulté ? demanda le vice-amiral fasciné par ce retour rapide de la technique la plus moderne à des tactiques datant de l'époque de Nelson.

— Nous ne la tournons pas, répondit Fallon. Nous serons du côté de la superstructure le plus éloigné par rapport au croiseur *Argyll*. Avec un peu de chance, le guetteur du toit de la dunette nous tournera le dos pour suivre les jeux lumineux de l'*Argyll*. Depuis l'ombre de la turbine, nous traversons, en contournant l'angle de la superstructure jusqu'à cet endroit, derrière la fenêtre du magasin de linge sale. Nous coupons le châssis de la fenêtre sans bruit avec un chalumeau miniature alimenté par une petite bouteille de gaz, et nous entrons par la fenêtre. Il y a de grandes chances pour que la porte ne soit pas fermée à clé. Personne ne vole le linge sale, donc personne ne ferme ce genre de portes. Nous serons à ce moment-là au sein de la superstructure, dans un corridor situé à quelques mètres de l'escalier principal desservant les pont B, C, D, et la dunette.

— Où trouverez-vous le chef des terroristes ? demanda sir Julian Flannery. L'homme au détonateur ?

— En remontant l'escalier, nous écoutons les bruits de voix à toutes les portes, dit Fallon. S'il y en a, nous ouvrons la porte et nous éliminons tous ceux qui se trouvent dans la pièce avec des automatiques à silencieux. Deux hommes entrent dans la cabine, deux hommes font le guet dehors. De bas en haut, dans toute la superstructure. Toute personne rencontrée dans l'escalier, même procédure. Nous devrions arriver ainsi jusqu'au pont D sans avoir été remarqués. Là, il nous faut prendre un risque calculé. Première option, la cabine du capitaine. Un homme prendra cette option : ouvrir la porte, franchir le seuil et tirer sans poser de question. Un autre homme prendra la cabine du chef mécanicien sur le même étage, de l'autre côté du bateau. Même procédure. Les deux derniers hommes prendront la dunette. Le premier à la grenade, le second avec l'Ingram. Elle est beaucoup trop vaste, cette dunette, pour que l'on puisse viser. Nous serons obligés d'arroser avec l'Ingram et de faire prisonniers ceux qui seront dans les lieux, quand la grenade les aura paralysés.

— Et si l'un d'eux est le capitaine Larsen ? demanda un haut-fonctionnaire.

Fallon baissa les yeux vers la table.

— Je regrette, il n'y a aucun moyen d'identifier les cibles, dit-il.

— Supposons que le chef ne soit ni dans les cabines, ni dans la dunette. Supposons que l'homme au détonateur électronique soit quelque part ailleurs. Sur le pont en train de prendre l'air ? Aux toilettes ? Endormi dans une autre cabine ?

Fallon haussa les épaules.

— Boum ! dit-il simplement. Un gros boum !

— Il y a vingt-neuf hommes d'équipage enfermés dans la cale, protesta un savant. Ne pouvez-vous les sauver ? Ou au moins les faire monter sur le pont pour qu'ils aient une chance de fuir à la nage ?

— Non. J'ai étudié tous les moyens possibles de descendre à la réserve de peinture — à supposer qu'ils soient effectivement dans la réserve de peinture. Tenter de descendre par le capot du pont compromettrait l'ensemble de l'opération : les écrous grinceraient, et en ouvrant la porte on inonderait de lumière le pont de la poupe. Descendre par la superstructure jusqu'à la salle des machines et essayer de les faire sortir par cette voie m'obligerait à diviser mes forces. Surtout, la salle des machines est très vaste. Elle occupe trois étages, comme la nef d'une cathédrale. S'il y a là un seul homme, et qu'il communique avec son chef avant que nous ayons pu le réduire au silence, tout sera perdu. Non, je crois que notre meilleure chance, c'est d'éliminer en priorité l'homme au détonateur.

— Si le *Freya* saute avec vous et vos hommes dans les hauts du navire, je présume que vous pouvez plonger par-dessus bord et nager jusqu'à l'*Argyll ?* avança un autre haut fonctionnaire du ministère.

Le major Fallon tourna son visage hâlé vers l'homme. Ses yeux brillaient de colère.

— Monsieur, dit-il, si le *Freya* saute, tout marin dans un rayon de deux cents mètres sera happé dans les courants d'eau pénétrant par les brèches.

— Je suis désolé, major Fallon, se hâta de dire le secrétaire de cabinet. Je suis sûr que notre collègue se souciait simplement de votre sécurité. Maintenant, la question est la suivante : vos chances réelles d'abattre le porteur du détonateur sont extrêmement problématiques. Et en cas d'échec, si vous ne pouvez pas arrêter l'homme, le déclenchement des charges provoquerait le désastre même que nous essayons d'éviter...

— Je voudrais vous faire très respectueusement observer, coupa le colonel Holmes, que les terroristes risquent, pendant la journée qui vient, de menacer de faire sauter le *Freya* à une certaine heure, ce soir. Si le chancelier Busch refuse malgré tout de libérer Michkine et Lazareff, nous serons certainement contraints d'appliquer la solution du major Fallon, avec tous les risques qu'elle comporte. A ce moment-là, nous y serons acculés ! Nous n'aurons plus d'autre choix.

Un murmure d'assentiment fit le tour de la table. Sir Julian céda.

— Très bien. Le ministère de la Défense se mettra donc en liaison avec l'*Argyll*. Le croiseur se tournera de flanc par rapport au *Freya* pour fournir un abri aux bateaux du major Fallon à leur arrivée. Le ministère de l'Environnement ordonnera aux aiguilleurs du ciel de repérer et de détourner tous les avions s'approchant de l'*Argyll* à quelque altitude que ce soit ; les services responsables ordonneront aux bateaux de pulvérisation croisant dans les parages de l'*Argyll* de ne pas trahir les préparatifs du major Fallon. Et vous personnellement, major Fallon ?

Le fusilier marin regarda sa montre. Il était cinq heures et quart.

— La marine m'emmènera sur l'arrière-pont de l'*Argyll* avec un hélicoptère de l'héliport de Battersea, répondit-il. Je serai à bord lorsque mes hommes et leur équipement arriveront par mer. A condition de partir tout de suite...

— Dans ce cas, nous ne vous retenons pas. Et nous vous souhaitons bonne chance.

Les membres de la Licorne se levèrent tandis que le major, plutôt gêné, rassemblait son modèle réduit, ses plans et ses photos, avant de partir avec le colonel Holmes vers la piste de décollage des hélicoptères, près des quais de la Tamise.

Ce fut un sir Julian Flannery préoccupé qui quitta la pièce pleine de fumée pour aller rendre compte à son Premier ministre. On était à l'heure la plus froide de la nuit, juste avant l'aurore, et une nouvelle journée printanière s'annonçait.

A six heures du matin, Bonn diffusa une simple déclaration annonçant, qu'après mûre considération de tous les facteurs impliqués, le gouvernement d'Allemagne fédérale en était arrivé à la conclusion que ce serait, tout bien pesé, une erreur de céder au chantage, et que par conséquent l'on avait décidé d'annuler la libération de Michkine et de Lazareff à huit heures du matin.

Au lieu de cela, poursuivait la déclaration, le gouvernement fédéral ferait tout ce qui était en son pouvoir pour entrer en négociations avec les terroristes du *Freya*, et formulerait des contre-propositions en vue d'obtenir la libération du navire et de son équipage.

Les alliés européens de l'Allemagne de l'Ouest avaient été informés de cette décsion une heure environ avant sa diffusion. En son for intérieur, chaque Premier ministre s'était posé la même question :

— Mais qu'est-ce qu'ils ont derrière la tête, bon Dieu ?

Londres faisait exception, on était déjà au courant. Mais officieusement, chaque gouvernement fut bientôt informé que ce renversement d'attitude avait pour origine des pressions insistantes exercées par les Américains au cours de la nuit. Chaque gouvernement apprit également que Bonn n'avait accepté que de surseoir à la libération, dans l'attente de nouveaux éléments que l'on espérait plus favorables.

A peine la nouvelle s'était-elle répandue, que le porte-parole du gouvernement de Bonn prit successivement deux petits déjeuners de travail, rapides et très privés, avec deux journalistes allemands influents. A chacun d'eux, à mots couverts, il donna à entendre que ce changement de politique n'était dû qu'à des pressions très vives de Washington.

Les premières informations radiodiffusées de la journée révélèrent à tous la nouvelle déclaration de Bonn, au moment où les auditeurs ouvraient leur journal du matin pour y lire que les deux détenus de Berlin « devaient être » libérés à l'heure du petit déjeuner. Cela ne fit pas sourire les rédacteurs en chef, et ils se mirent à bombarder de questions les services de presse du gouvernement. Aucune des explications données ne pouvait les satisfaire. Les journaux du dimanche, que l'on commence à mettre en pages le samedi, se préparèrent à sortir un numéro explosif le lendemain matin.

La décision de Bonn parvint au *Freya* à six heures et demie : Drake avait réglé sa radio portative sur **BBC** International. Comme la plupart des autres personnes concernées en Europe ce matin-là, l'Ukrainien écouta la nouvelle en silence puis explosa :

— Mais qu'est-ce qu'ils ont dans la tête, nom de Dieu ! Que croient-ils obtenir ?

— Quelque chose a mal tourné, dit Thor Larsen d'une voix neutre. Ils ont changé d'avis. Ça ne va pas marcher.

Drake se pencha par-dessus la table et braqua son revolver entre les yeux du Norvégien.

— Tu as tort de te marrer ! cria-t-il. Ce n'est pas seulement à mes copains de Berlin qu'ils jouent un tour de cochon. Ni à moi. C'est avec ton beau rafiot et tes précieux marins qu'ils s'amusent. Tu as intérêt à ne pas l'oublier.

Il réfléchit pendant plusieurs minutes puis appela l'un des hommes de la dunette par l'interphone du capitaine. A son entrée dans la cabine, l'homme était toujours masqué. Il parla à son chef en ukrainien, mais le ton de sa voix trahissait une certaine inquiétude. Drake lui demanda de surveiller Larsen et disparut pendant un quart d'heure. Lorsqu'il revint, il ordonna sèchement au commandant du *Freya* de l'accompagner dans la dunette.

L'appel parvint au Maas Control une minute avant sept heures. Le canal 20 était encore réservé uniquement au *Freya*, et l'opérateur s'attendait à quelque chose depuis qu'il avait appris la décision de Bonn. Dès que l'appel arriva, il lança les magnétophones.

La voix de Larsen paraissait fatiguée, mais il lut la déclaration des terroristes sans trahir la moindre émotion.

— A la suite de la décision stupide du gouvernement de Bonn de revenir sur son engagement de libérer Lev Michkine et David Lazareff à zéro-huit-zéro-zéro heures ce matin, les hommes qui détiennent le *Freya* déclarent ce qui suit : au cas où Michkine et Lazareff ne seraient pas libérés et déjà en route vers Tel-Aviv aujourd'hui à midi, le *Freya* déverserait, à midi juste, vingt mille tonnes de pétrole brut dans la mer du Nord. Toute tentative pour éviter cette opération ou pour y mettre obstacle, de même que toute tentative pour pénétrer, par bateau ou par avion, dans la zone d'eaux libres autour du *Freya*, provoquerait la destruction immédiate du bateau, de son équipage et de son fret.

La voix se tut, le canal 20 demeura muet. Personne ne posa de questions. Une centaine de postes environ avaient écouté le message, et quinze minutes plus tard il était transmis par toutes les radios d'Europe au cours des bulletins d'information du petit déjeuner.

Longtemps avant l'aurore, le Bureau Ovale du président Matthews commençait à ressembler à un conseil de guerre.

Les quatre hommes qui ne l'avaient pas quitté avaient ôté leurs vestes et dénoué leurs cravates. Des assistants faisaient la navette entre la salle des transmissions et le bureau, apportant des messages pour l'un ou l'autre des conseillers du Président. Les salles des transmissions de Langley et du ministère des Affaires étrangères avaient été reliées à la Maison Blanche. Il était 7 h 15, heure européenne, mais 2 h 15 du matin à Washington, lorsque Robert Benson reçut le message lui annonçant l'ultimatum de Drake. Il le tendit sans un mot au président Matthews.

— Il fallait s'y attendre, dit le Président d'un ton soucieux. Mais cela fait toujours un coup quand on l'a sous les yeux.

— Croyez-vous qu'il va le faire ? demanda David Lawrence.

— Jusqu'ici, ce maudit salopard a fait tout ce qu'il a promis, répondit Stanislas Poklewski.

— Je suppose que Michkine et Lazareff sont sous bonne garde à Tegel ? dit Lawrence.

— Ils ne sont plus à Tegel, répliqua Benson. On les a transférés à Moabit juste avant minuit, heure de Berlin. C'est une prison plus moderne et beaucoup plus sûre.

— Comment le savez-vous, Bob ? demanda Poklewski.

— J'ai fait mettre Tegel et Moabit sous surveillance depuis le message de midi du *Freya*, répondit Benson.

Lawrence, le diplomate à l'ancienne mode, ne dissimula pas son exaspération.

— On espionne même nos alliés ? C'est la nouvelle politique ? dit-il d'un ton aigre.

— Ce n'est pas vraiment nouveau, répondit Benson. Nous l'avons toujours fait.

— Pourquoi ce changement de prison, Bob ? demanda Matthews. Dietrich Busch croit-il que les Russes essaieront d'éliminer Michkine et Lazareff ?

— Non, monsieur le Président, c'est de moi qu'il veut les protéger, répondit Benson.

— Il me semble qu'il y a là une possibilité à laquelle nous avons peut-être eu tort de ne pas songer, intervint Poklewski. Si les terroristes du *Freya* ne reculent pas, s'ils répandent vingt mille tonnes de brut et menacent de répandre cinquante mille tonnes de plus dans le courant de la soirée, Busch sera soumis à des pressions insoutenables...

— C'est évident, remarqua Lawrence.

— Ce que je veux dire, c'est que Busch peut simplement décider de faire cavalier seul, et libérer les deux hommes de façon unilatérale. N'oubliez pas qu'il ignore qu'un tel acte coûterait au monde occidental l'annulation du traité de Dublin.

Le silence dura plusieurs secondes.

— Je n'ai aucun moyen de l'empêcher d'agir ainsi, dit le président Matthews d'une voix calme.

— En réalité, il en existe un, dit Benson.

Aussitôt l'attention des trois autres hommes se concentra sur lui. A la fin de l'explication qu'il leur donna, les visages de Matthews, de Lawrence et de Poklewski trahirent leur dégoût.

— Je ne pourrai jamais donner cet ordre, dit le Président.

— C'est une chose assez horrible, avoua Benson, mais c'est le seul moyen de prendre le chancelier Busch de vitesse. Et nous saurons à l'avance s'il tente de préparer secrètement la libération prématurée des deux hommes. Peu importe comment, mais nous le saurons à temps. L'autre option serait l'annulation du traité et les conséquences qui s'ensuivraient. La course aux armements reprendrait, nous ne laisserions pas partir les cargaisons de blé en Russie, Roudine serait probablement renversé...

— Mais pourquoi a-t-il réagi de façon aussi démente dans toute cette affaire ! s'écria Lawrence.

— Démente ou pas, sa réaction est un fait. Tant que nous n'en connaîtrons pas les raisons, nous ne serons pas en mesure de juger son attitude, reprit Benson. Et jusque-là, si nous informions en privé le chancelier Busch de la proposition que je viens de faire, je suis persuadé que cela le retiendrait d'agir un peu plus longtemps.

— Vous voulez dire que nous pourrions faire planer la menace au-dessus de la tête de Busch sans être obligés de le faire vraiment ? demanda Matthews plein d'espoir.

A cet instant arriva de Londres un message personnel du Premier ministre Carpenter pour le Président.

— Quelle femme ! dit-il après l'avoir lu. Les Anglais estiment pouvoir venir à bout de la première nappe de pétrole de vingt mille tonnes, mais pas davantage. Ils préparent un plan pour prendre d'assaut le *Freya* avec des hommes-grenouilles spécialisés après la tombée du jour, et pour réduire à l'impuissance l'homme au détonateur. Ils croient avoir plus de cinquante chances sur cent de réussir.

— Si seulement nous pouvions retenir le chancelier allemand pendant douze heures de plus, dit Benson. Monsieur le Président, j'insiste pour que vous preniez les mesures que je viens de proposer. Il y a de grandes chances pour que nous n'ayons jamais à aller jusqu'au bout.

— Mais si c'était le cas, Bob ? S'il fallait le faire ?

— Ce serait nécessaire.

William Matthews posa ses mains à plat sur ses joues et fit doucement glisser le bout de ses doigts sur ses yeux fatigués.

— Mon Dieu ! dit-il. Jamais un homme ne devrait être contraint à donner un ordre pareil. Mais s'il le faut... Bob, donnez l'ordre.

Le soleil s'élevait lentement derrière l'horizon, du côté de la côte hollandaise. Depuis l'arrière-pont du croiseur *Argyll*, orienté de façon à présenter le flanc au *Freya*, le major Fallon regardait les trois vedettes rapides d'attaque rangées le long du bordage du vaisseau. Elles étaient hors de vue de la sentinelle postée au-dessus de la superstructure du *Freya*. Personne ne pouvait remarquer ce qui se passait sur leurs ponts, où le commando de fusiliers marins de Fallon préparait les kayaks et ôtait des sacs étanches ses accessoires insolites. C'était un lever de soleil lumineux, sans nuages, qui permettait d'escompter une autre journée chaude et ensoleillée. En mer, le calme plat. Le capitaine Richard Preston, commandant de l'*Argyll*, s'approcha de Fallon.

Ils regardèrent longuement les trois magnifiques lévriers de la mer qui avaient apporté les hommes et le matériel depuis Poole en huit heures. Les trois embarcations se mirent à se balancer dans la houle soulevée par un vaisseau de guerre qui passait à plusieurs encablures vers l'ouest. Fallon leva les yeux.

— Qu'est-ce que c'est ? demanda-t-il en désignant de la tête le bâtiment gris dont le pavillon portait les étoiles et les bandes des États-Unis.

— La marine américaine a envoyé un observateur, lui répondit le capitaine Preston. Le *Moran*. Il se dirige vers le sud pour prendre position entre nous et le *Montcalm*.

Il regarda sa montre.

— Sept heures trente. Le petit-déjeuner est servi dans la salle de quart. Si vous désirez vous joindre à nous...

Ce fut à sept heures cinquante que l'on frappa à la porte de la cabine du capitaine Mike Manning, commandant du *Moran*.

Le destroyer venait de jeter l'ancre après sa longue course à travers les ténèbres, et Manning qui était resté dans la dunette toute la nuit, faisait glisser son rasoir sur sa barbe raide. Lorsque le télégraphiste entra, Manning prit le message et jeta un coup d'œil dessus sans cesser de se raser. Il s'interrompit et se tourna vers le matelot.

— Mais vous n'avez pas décodé ! s'étonna-t-il.

— Non, commandant. L'indicatif précise que vous êtes le seul à pouvoir en prendre connaissance.

Manning renvoya l'homme, se dirigea vers son armoire forte, et en sortit son chiffre personnel. C'était assez inhabituel, mais cela arrivait parfois. Il commença à faire courir la pointe de son crayon le long des colonnes de chiffres, cherchant les groupes du message devant lui, et les combinaisons de lettres correspondantes. Lorsqu'il eut fini de décoder, il s'assit à sa table et fixa le message, à la recherche d'une erreur. Il vérifia le début du message espérant jusqu'au bout qu'il s'agissait d'un canular. Mais ce n'était pas un canular. Le message lui était bien adressé, via STANFORLANT, et par l'intermédiaire du ministère de la Marine, à Washington. Et c'était un ordre présidentiel, destiné à lui-même personnellement, et émanant du commandant en chef des forces armées des États-Unis, à la Maison Blanche, Washington D.C.

— Il ne peut pas me demander de faire ça, murmura-t-il. Aucun homme ne peut demander à un marin de faire ça.

Mais le message le faisait, et il ne laissait place à aucune ambiguïté :

« A supposer que le gouvernement d'Allemagne de l'Ouest décide de libérer les détenus de Berlin de façon unilatérale, l'*USS Moran* doit couler le superpétrolier *Freya* par obus incendiaires, en utilisant toutes mesures à sa disposition pour incendier le fret et minimiser ainsi les dégâts écologiques. Cette action sera lancée à la réception par le *Moran* du signal THUNDERBOLT, je répète THUNDERBOLT. Détruire ce message. »

Mike Manning avait quarante-trois ans. Il était marié et père de quatre enfants qui vivaient avec leur mère dans les environs de Norfolk en Virginie. Cela faisait vingt et un ans qu'il servait comme officier dans la marine des États-Unis, et jamais l'idée ne lui était venue de discuter un ordre de service.

Il s'avança jusqu'au hublot et regarda, au-delà des cinq milles d'océan vide, la ligne du *Freya* sur l'horizon entre lui-même et le soleil levant. Il songea à ses obus spéciaux au magnésium, et il les imagina en train de percer la peau sans protection du *Freya*, pour pénétrer dans le pétrole brut volatil contenu dans ses flancs. Il imagina les vingt-neuf hommes accroupis très loin au-dessous de la ligne de flottaison, en train de songer à leurs familles angoissées dans les forêts de Scandinavie. Il froissa le papier dans sa main.

— Monsieur le Président, murmura-t-il, je ne sais pas si je suis capable d'une chose pareille.

16

De 08 heures à 15 heures

Dyetsky Mir signifie « Le Monde des Enfants », et c'est le magasin de jouets le plus important de Moscou : quatre étages de poupées et d'amusettes, de marionnettes et de passe-temps. Par rapport à un magasin occidental équivalent, la présentation est insipide et le stock très banal, mais c'est ce qui se fait de mieux dans la capitale soviétique, hormis les magasins Bériozka fréquentés surtout par les étrangers, car on ne peut payer qu'en devises fortes.

Par une ironie bien involontaire, Dyetsky Mir se trouve place Dzerjinsky, en face du quartier général du K.G.B. — qui est tout sauf un « monde des enfants ». Adam Munro arriva au comptoir des jouets en peluche, au rez-de-chaussée, juste avant dix heures du matin, heure de Moscou. Il se mit à examiner un ours de nylon comme s'il hésitait à l'acheter pour un de ses gosses.

A dix heures deux, il sentit quelqu'un s'avancer vers le rayon, tout près de lui. Du coin de l'œil, il remarqua qu'elle était pâle. Ses lèvres, d'habitude si pleines, étaient serrées, crispées, couleur de cendre de cigarette.

Elle lui fit un signe de tête affirmatif.

La voix de Valentina lui parut aussi aiguë que la sienne propre était basse, détendue, banale.

— J'ai réussi à voir le texte, Adam. C'est grave.

Elle saisit une marionnette à gaine représentant un petit singe en peluche artificielle, et elle le fit tourner au bout de ses doigts tout en lui racontant ce qu'elle avait découvert.

— C'est impossible, murmura-t-il. Il a eu une crise cardiaque et il est toujours en clinique.

— Non. Il a été assassiné le 31 octobre dernier au milieu de la nuit, dans une rue de Kiev.

Deux vendeuses appuyées au mur à sept ou huit mètres d'eux, leur jetèrent un regard distrait puis reprirent leur bavardage. L'un des avantages des magasins de Moscou, c'est que l'on est certain de ne jamais voir les vendeurs et les vendeuses vous importuner de leur aide.

— Et par les deux hommes de Berlin ? demanda Munro.

— On dirait, dit-elle d'une voix sombre. S'ils parviennent en Israël, ils tiendront une conférence de presse. Ils infligeront à l'Union soviétique une humiliation intolérable. C'est ce que l'on craint.

— Et cela provoquerait la chute de Roudine, murmura Munro. Rien d'étonnant à ce qu'il s'oppose de toutes ses forces à leur libération. Il ne peut pas faire autrement. Lui non plus n'a pas d'autre choix. Et toi, mon amour, es-tu en sécurité ?

— Je ne sais pas. Je ne crois pas. J'ai senti qu'ils avaient des soupçons. Ils n'ont rien dit mais... Le rapport de l'homme du central téléphonique va bientôt leur apprendre que tu m'as appelée. Le portier de l'immeuble signalera que je suis sortie en voiture au milieu de la nuit. Ils feront le rapprochement.

— Écoute, Valentina, je t'emmènerai loin d'ici. Très vite, dans les jours qui viennent.

Pour la première fois, elle se tourna vers lui. Il s'aperçut qu'elle avait les yeux noyés de larmes.

— C'est fini, Adam. J'ai fait ce que tu m'as demandé et maintenant c'est trop tard.

Elle se souleva sur la pointe des pieds et l'embrassa rapidement — sous le regard stupéfait des vendeuses.

— Adieu, mon amour. Je regrette tant...

Elle se retourna, s'arrêta un instant, le temps de se reprendre, puis elle s'éloigna et franchit les portes de verre donnant sur la rue, comme autrefois la dernière brèche du Mur, vers le Froid. De l'endroit où il se trouvait — avec à la main une poupée au visage de plastique dur — il la vit longer un instant le trottoir, puis s'écarter et disparaître. Un homme en imperméable gris qui astiquait le pare-brise d'une voiture en stationnement se redressa aussitôt, fit un signe de tête à son collègue derrière le pare-brise, puis partit à grands pas dans la même direction.

Adam Munro sentit la douleur et la rage lui monter à la gorge comme une boule d'acide. Tous les bruits du grand magasin s'effacèrent soudain tandis qu'un grondement sourd envahissait ses oreilles. Sa main se resserra autour de la tête de la poupée. Le petit visage rose coiffé de dentelle craqua, se fendit, puis s'écrasa sous ses doigts. Une vendeuse surgit aussitôt devant lui.

— Vous l'avez cassée, dit-elle. Ce sera quatre roubles.

Par rapport à la tempête de protestations dont les médias et le public avaient assailli le chancelier d'Allemagne fédérale au cours de l'après-midi précédent, les récriminations qui se déversèrent sur Bonn ce samedi matin-là furent un véritable cyclone.

Les ambassadeurs de Finlande, Norvège, Suède, Danemark, France, Pays-Bas et Belgique, déposèrent au ministère des Affaires étrangères des demandes d'audience incessamment renouvelées, et dans des termes de plus en plus pressants. Leurs désirs furent exaucés et chaque ambassadeur, dans la phraséologie courtoise du monde diplomatique, posa la même question : « Que se passe-t-il ? »

Les journaux et les émissions spéciales de la télévision et de la radio rappelèrent tous leurs collaborateurs partis en week-end pour tenter de « couvrir » l'affaire de manière exhaustive, ce qui n'était pas facile. Aucune photo du *Freya* n'avait été prise depuis qu'il était aux mains des terroristes — sauf par le journaliste indépendant français, mais on lui avait saisi ses clichés au moment de son arrestation. En fait, ces photos étaient à Paris pour étude, mais les images prises par les différents Nimrod qui s'étaient succédé au-dessus du pétrolier étaient tout aussi explicites — et le gouvernement français les avait reçues.

N'ayant pas de nouvelles solides à se mettre sous la dent, les journalistes étaient à l'affût de n'importe quoi. Deux Anglais entreprenants soudoyèrent le personnel de l'hôtel Hilton de Rotterdam pour qu'on leur prête des uniformes, et ils essayèrent d'atteindre la suite où Harry Wennerström et Lisa Larsen étaient assiégés.

D'autres sollicitèrent l'opinion d'anciens Premiers ministres, de hauts fonctionnaires ou de capitaines de pétroliers. On proposa des sommes extraordinaires aux épouses des membres de l'équipage (que l'on avait presque toutes dénichées), pour qu'elles se laissent photographier en train de prier pour la liberté de leurs maris.

Un ancien commandant de mercenaires offrit de prendre le *Freya* d'assaut, tout seul, pour un million de dollars. Quatre archevêques et dix-sept parlementaires de diverses obédiences et d'ambitions plus ou moins légitimes s'offrirent comme otages en échange du capitaine Larsen et de son équipage.

— Séparément, ou en équipe ? s'écria Dietrich Busch, furieux, lorsqu'on le lui apprit. Je voudrais bien que ce soit William Matthews qui aille à bord à la place de ces trente marins ! Je tiendrai bon jusqu'à Noël.

Au milieu de la matinée, les « fuites » dont avaient bénéficié les deux ténors de la presse allemande commencèrent à faire de l'effet. Leurs commentaires à la télévision et à la radio allemande furent repris par les agences de presse et par les correspondants étrangers en Allemagne. La nouvelle se répandit largement, et l'on commença à laisser entendre partout que la décision prise par Dietrich Busch quelques heures avant l'aurore était le fruit d'importantes pressions américaines.

Bonn refusa de le confirmer, mais n'apporta aucun démenti. Les réponses évasives du porte-parole du gouvernement allemand ne trompèrent personne.

Lorsque le jour se leva à Washington, cinq heures plus tard qu'en Europe, ce fut la Maison Blanche qui se trouva dans le collimateur. Dès six heures du matin, les correspondants de presse de Washington réclamaient déjà à cor et à cri une conférence de presse du Président. Ils durent se contenter — mais ne se contentèrent pas — d'une déclaration d'un porte-parole officiel aussi évasif que harcelé. D'autant plus évasif, d'ailleurs, qu'il ne savait pas quoi dire. Toutes ses questions au Bureau Ovale avaient reçu la même réponse : dire aux chasseurs de nouvelles que l'affaire étant strictement européenne, il appartenait aux Européens de faire ce qu'ils estimaient le plus sage. Ce qui renvoyait la balle à un chancelier d'Allemagne de plus en plus excédé.

— Combien de temps ceci pourra-t-il encore durer ? cria à ses conseillers un William Matthews fortement ébranlé en repoussant un plat d'œufs brouillés qu'on venait de lui servir.

Il était six heures cinq du matin, heure de Washington.

Et ce samedi matin-là, la même question fut cent fois posée dans des centaines de bureaux d'Europe et d'Amérique. Pour rester finalement sans réponse.

Dans son bureau du Texas, le propriétaire du million de tonnes de Mubarraq qui reposait, paisible mais menaçant, sous le pont du *Freya*, eut enfin la Maison Blanche au bout du fil.

— Je me fous de l'heure qu'il est, cria-t-il à la secrétaire du responsable de la campagne présidentielle au sein du Parti, appelez-le tout de suite à l'appareil et dites-lui que je suis Clint Blake, vous m'avez compris ?

Quand le directeur de la campagne électorale du Parti auquel appartenait le Président arriva enfin au bout du fil, ce n'était pas un homme heureux. Mais quand il raccrocha, il était carrément au désespoir. Une contribution pour la campagne électorale d'un million de dollars n'est pas de la petite bière. Et lorsque Clint Blake menaçait de cesser son soutien au Parti pour remettre ce million de dollars à l'opposition, il n'y avait pas lieu de pavoiser.

Le fait que le fret était assuré contre toute perte par la Lloyds ne semblait pas du tout calmer Clint Blake. Il n'était ce matin-là qu'un Texan très en colère.

Harry Wennerström passa la plus grande partie de la matinée à téléphoner de Rotterdam à Stockholm, appelant l'un après l'autre tous ses amis et toutes ses relations dans les cercles de la marine marchande, de la banque et du gouvernement, pour qu'ils exercent des pressions sur le Premier ministre suédois. Ces pressions furent efficaces, et Bonn en subit le contre-coup.

A Londres, sir Murray Kelso, président de la Lloyds, trouva à son bureau de Whitehall le sous-secrétaire permanent du ministère de l'Environnement. Il était anormal que l'on trouve un haut fonctionnaire britannique à son bureau le samedi, mais ce samedi-là, rien ne semblait normal. Sir Rupert Mossbank s'était hâté de rentrer de sa maison de campagne avant l'aurore lorsque Downing Street lui avait appris que Michkine et Lazareff ne seraient pas libérés. Il indiqua un siège à son visiteur.

— Mauvaise affaire, dit sir Murray.

— Épouvantable, convint sir Rupert.

Il lui présenta les petits fours, et les deux aristocrates trempèrent leurs lèvres dans le thé au lait.

— Pour tout vous dire, commença sir Murray au bout d'un moment, les sommes impliquées sont vraiment très importantes. Près de mille millions de dollars. Même si les pays victimes de l'écoulement du pétrole, au cas où le *Freya* sauterait, devaient poursuivre l'Allemagne de l'Ouest plutôt que nous-mêmes, il nous faudrait cependant supporter la perte du bateau, du fret et de l'équipage. Cela représente environ quatre cent millions de dollars.

— Vous seriez bien entendu en mesure de les verser, dit sir Rupert d'un ton où perçait une certaine inquiétude.

La Lloyds n'est pas seulement une compagnie d'assurances, c'est une institution. Et comme le ministère de sir Rupert contrôlait la marine marchande, il était directement concerné.

— Oh oui, nous les verserions. Il le faudrait bien, répondit sir

Murray. Le problème, c'est que la perte d'une telle somme se réper-cuterait sur les profits invisibles du pays cette année. Pour tout dire, cela compromettrait la balance des paiements. Et faire en ce moment une nouvelle demande de crédits auprès du Fonds moné-taire international...

— Toute cette affaire est uniquement allemande, vous savez, dit Mossbank. Cela ne dépend pas vraiment de nous.

— Certes, mais on pourrait cependant presser un peu les Alle-mands, pour une fois. Les preneurs d'otages sont de sales individus, je ne le conteste pas, mais dans les circonstances présentes, pour-quoi ne pas laisser partir ces deux vauriens de Berlin ? Bon débar-ras, après tout.

— Laissez-moi m'en occuper, répondit Mossbank. Je verrai ce que je peux faire.

Il savait pertinemment qu'il n'aurait même pas l'occasion d'inter-venir. La note confidentielle enfermée dans son coffre lui avait appris que le major Fallon partirait avec ses kayaks dans moins de onze heures, et jusque-là, les ordres du Premier ministre étaient sans équivoque : il fallait tenir bon.

Au milieu de la matinée, au cours d'une audience en tête à tête avec l'ambassadeur britannique, le chancelier Busch apprit le pro-jet d'attaque du *Freya* par les hommes-grenouilles. Il se radoucit tant soit peu.

— C'était donc ça, dit-il après avoir pris connaissance des détails du plan. Pourquoi ne me l'a-t-on pas dit plus tôt ?

— Nous n'étions pas certains de pouvoir tout mener à bien, répondit l'ambassadeur, fidèle à ses instructions. Il a fallu tout l'après-midi d'hier et toute la nuit pour mettre le plan au point. Et c'est seulement à l'aurore que l'opération s'est révélée parfaitement réalisable.

— Quelles chances de succès vous donnez-vous ? demanda Die-trich Busch.

L'ambassadeur s'éclaircit la gorge.

— Nous estimons les chances à trois contre un en notre faveur, dit-il. Le soleil se couche à sept heures et demie. A neuf heures il fait nuit noire. Les hommes attaqueront ce soir à dix heures.

Le chancelier regarda sa montre. Encore douze heures ! Si les Anglais réussissaient, une grande partie de la gloire reviendrait à leurs tueurs-grenouilles, mais il en rejaillirait aussi beaucoup sur lui-même, en raison de sa fermeté. Et s'ils échouaient, toute la responsabilité de l'échec retomberait sur leurs épaules.

— Tout dépend donc désormais de ce major Fallon, dit-il, manifestement soulagé. Très bien, monsieur l'Ambassadeur, je continuerai à jouer mon rôle jusqu'à dix heures ce soir.

Outre ses batteries de missiles téléguidés, le *Moran* était armé de deux canons de marine type 45 de cinq pouces, un à l'avant et l'autre à l'arrière. C'était le modèle le plus moderne en service, à visée réglée par radar et contrôlée par ordinateur.

Chacun d'eux pouvait tirer un magasin complet de vingt obus en succession rapide sans opération de recharge, et l'ordre de tir des obus de différents modèles pouvait être prédéterminé sur l'ordinateur.

On avait depuis longtemps oublié les temps anciens où les munitions des canons de marine devaient être sorties à la main des fonds de la cale, pour être montés jusqu'à la tourelle du canon par un système pneumatique à vapeur, puis installés dans la culasse par des artilleurs en sueur. A bord du *Moran*, c'était l'ordinateur qui choisissait dans les magasins de munitions le modèle de l'obus en fonction des performances de tir désirées ; les obus étaient ensuite amenés automatiquement jusqu'aux tourelles et les canons de cinq pouces étaient chargés, mis à feu, vidés, rechargés et prêts pour un autre tir, sans aucune intervention humaine.

C'était le radar qui pointait. Les yeux invisibles du bateau recherchaient la cible selon les instructions programmées, corrigeaient en fonction du vent, de la distance et des mouvements éventuels de la cible ou de la plate-forme de tir, puis une fois « verrouillés », maintenaient le canon pointé sur cette cible jusqu'à nouvel ordre. L'ordinateur fonctionnait en liaison avec les yeux du radar, et compensait en quelques fractions de seconde le moindre changement survenant dans la position du *Moran*, dans celle de la cible, ou dans la force du vent entre les deux. Une fois le système verrouillé, la cible pouvait se déplacer, le *Moran* la suivait partout : les canons bougeraient sans bruit sur leurs affûts, mais leurs bouches meurtrières demeuraient braquées vers l'endroit exact où les obus devraient éclater. Par gros temps, le *Moran* pouvait tanguer et rouler, la cible pouvait danser et se balancer, cela ne faisait aucune différence : l'ordinateur compensait. Même le rythme dans lequel devraient tomber les obus voyageurs pouvait être prédéterminé.

Par sécurité, l'officier-artilleur pouvait étudier la cible de façon visuelle, à l'aide d'une caméra située très haut sur le bateau. Et quand il voulait changer de cible, il lui suffisait de donner de nouvelles instructions au radar et à l'ordinateur.

Le capitaine Mike Manning examinait le *Freya* à partir du bastingage du *Moran*. Il était sombre, tendu. Le conseiller du Président avait bien calculé son coup, se dit-il. Les risques écologiques inhérents à la mort du *Freya* étaient liés à l'écoulement de son fret d'un million de tonnes sous forme de pétrole brut. Mais si ce fret était enflammé alors qu'il se trouvait encore dans les réservoirs, ou quelques secondes après que le bateau serait éventré, il brûlerait. En fait, il ferait plus que brûler, il exploserait.

A l'état normal, le pétrole brut est particulièrement difficile à enflammer, mais s'il est suffisamment chauffé, il atteint inévitablement son point d'inflammabilité, et il prend feu. Le brut Mubarraq que transportait le *Freya* est le plus léger de tous les pétroles, et plonger dans sa masse des éclats de magnésium en flammes, brûlant à plus de mille degrés centigrades, résoudrait le problème avec une bonne marge de sécurité. Environ quatre-vingt-dix pour cent du fret du *Freya* n'atteindrait jamais la mer sous forme de pétrole brut. Tout flamberait, et la colonne de feu s'élèverait à plus de trois mille mètres de haut.

Il ne resterait de toute la cargaison que des scories dérivant à la surface des eaux et un manteau de fumée noire aussi fabuleux qu'autrefois le nuage au-dessus d'Hiroshima. Du bateau lui-même, il ne subsisterait rien, mais le problème écologique aurait été ramené à des dimensions satisfaisantes. Mike Manning fit appeler son officier artilleur, le commandant Chuck Olsen.

— Je désire que vous fassiez charger et mettre en batterie le canon de la proue, dit-il d'une voix neutre.

Olsen se prépara à noter les instructions.

— Ordre de tir : trois perforants de semi-blindage, cinq incendiaires au magnésium, deux ultra-explosifs. Total dix obus. Séquence répétée. Total vingt.

— Oui, commandant. Trois P.S.B., cinq magnésium, deux U.E. Quel dispositif de pointage ?

— Premier obus sur la cible, le suivant deux cents mètres plus loin, le troisième deux cents mètres au-delà. Retour au plus court avec les cinq incendiaires en lâchant un obus tous les quatre-vingts mètres. Puis vous allongez le tir pour les explosives, à cent mètres d'intervalle.

Le commandant Olsen nota le dispositif de pointage que désirait son capitaine. Manning regarda au loin. A cinq milles devant lui, le *Freya* présentait son étrave juste en face du *Moran*. Le dispositif qu'il venait de dicter ferait tomber les obus perforants en ligne depuis sa proue jusqu'au pied de la superstructure, puis en sens inverse pour les incendiaires, et de nouveau dans le même sens pour les explosifs. Les obus perforants de semi-blindage éventreraient les réservoirs d'un bout à l'autre du pont d'acier comme autant de coups de scalpel. Les incendiaires au magnésium tomberaient en ligne dans les plaies ouvertes. Et les explosifs feraient jaillir le pétrole déjà en flammes hors de tous les réservoirs du bateau.

— C'est noté, capitaine. Le point de chute du premier obus ?

— Dix mètres au-delà de l'étrave du *Freya*.

Le stylo d'Olsen s'arrêta sur son bloc-notes. Il relut ce qu'il venait d'écrire, puis leva les yeux vers le *Freya* à cinq milles de là.

— Capitaine, dit-il lentement, si vous faites ça, il ne va pas seulement sombrer ; il ne va pas seulement brûler ; il ne va pas seulement exploser. Il va se volatiliser.

— Ce sont mes ordres, monsieur Olsen, dit Manning d'une voix glaciale.

A ses côtés, le jeune Américain d'origine suédoise devint très pâle.

— Bonté divine, mais il y a trente marins scandinaves sur ce bateau !

— Monsieur Olsen, j'en suis parfaitement conscient. Ou bien vous exécutez mes ordres et vous mettez ce canon en batterie, ou bien vous me signifiez votre refus.

L'officier artilleur se mit au garde-à-vous.

— Je chargerai le canon et je le mettrai en batterie pour vous, capitaine Manning, dit-il. Mais je ne tirerai pas. Si le bouton de mise à feu doit être pressé, il faudra que vous le fassiez vous-même.

Après un salut impeccable, il fit demi-tour et se dirigea vers le poste de contrôle du tir.

« Tu n'auras pas de problème, songea Manning toujours accoudé au bastingage. Si le Président m'en donne l'ordre, je tirerai. Puis je démissionnerai de la marine. »

Une heure plus tard, l'hélicoptère Westland Wessex du croiseur anglais *Argyll* s'immobilisa au-dessus du pont du *Moran* et un officier de la Royal Navy descendit au bout du câble. Il demanda à parler en privé au capitaine Manning et on le conduisit à la cabine de l'Américain.

— Avec les compliments du capitaine Preston, commandant, dit l'enseigne en tendant à Manning une lettre de Preston.

Lorsqu'il eut terminé de la lire, Manning se laissa aller dans son fauteuil comme un homme soulagé d'un grand poids. La lettre lui apprenait que les Anglais envoyaient à l'assaut du *Freya*, à dix heures ce soir-là, un groupe d'hommes-grenouilles armés. Et que tous les gouvernements étaient convenus de n'entreprendre aucune action indépendante dans l'intervalle.

Tandis que les deux officiers bavardaient à bord du *Moran*, l'avion de ligne ramenant Adam Munro à l'Ouest survolait la frontière russo-polonaise.

En quittant le magasin de jouets de la place Dzerjinsky, Munro s'était rendu dans une cabine publique pour appeler le chef de la chancellerie à son ambassade. A demi-mot, il avait appris au diplomate stupéfait qu'il avait découvert ce que ses supérieurs désiraient savoir, mais qu'il ne retournerait pas à l'ambassade. Il partait sur-le-champ à l'aéroport pour prendre l'avion de midi.

Le temps que le diplomate informe le Foreign Office, que le Foreign Office transmette la décision de Munro au S.I.S. et que l'on envoie à Munro l'ordre de câbler ses renseignements, il était trop tard. Munro était déjà à bord de l'avion.

— Qu'est-ce qui lui est passé par la tête ? demanda sir Nigel à Barry Ferndale en apprenant que son oiseau des tempêtes rentrait au pigeonnier.

— Je n'en ai pas la moindre idée, répondit le directeur de la Section soviétique. Peut-être le Rossignol a-t-il été découvert. Munro a été contraint de rentrer d'urgence avant qu'un incident diplomatique n'éclate. Faut-il que j'aille l'attendre à l'aéroport ?

— Quand arrive-t-il ?

— A une heure quarante-cinq, heure de Londres, répondit Ferndale. Je crois qu'il vaut mieux aller à sa rencontre. On dirait qu'il a la réponse à la question du président Matthews. Franchement, je suis curieux d'apprendre de quoi il s'agit.

— Moi aussi, dit sir Nigel. Prenez une voiture équipée d'un téléphone brouillé et restez en contact avec moi.

A midi moins le quart, Drake demanda à l'un de ses hommes de faire monter le spécialiste des pompes à la salle de contrôle du fret du pont A. Laissant Thor Larsen sous la garde d'un autre terroriste, Drake descendit lui aussi au pont A, sortit les fusibles de sa poche et les remit en place. Les pompes de fret furent de nouveau sous tension.

— Quand tu veux décharger le fret, que fais-tu ? demanda-t-il au marin. Ton capitaine a toujours un pistolet-mitrailleur braqué sur lui, n'oublie pas. Et si tu me joues un sale tour, c'est lui qui paiera.

— Toutes les conduites de pétrole du bateau aboutissent au même endroit. Elles forment un bouquet de tuyaux que nous appelons l'arbre de Noël, dit le spécialiste des pompes. Les tuyaux des installations des docks s'adaptent à cet arbre de Noël. Ensuite, on ouvre les principales vannes et le bateau se met à pomper.

— Quelle est la cadence de déchargement ?

— Vingt mille tonnes à l'heure, répondit le marin. Au cours du déchargement, on maintient l'équilibre du bateau en déchargeant parallèlement des réservoirs situés en différents endroits du bateau.

Drake avait remarqué la présence d'un courant de marée d'environ un nœud en direction du nord-est, vers les îles Frisonnes. Il indiqua un réservoir au milieu du *Freya* sur bâbord.

— Ouvre la vanne principale de celui-ci, dit-il.

L'homme se figea pendant une seconde, puis obéit.

— Très bien, dit Drake. Quand j'en donnerai l'ordre, tu mettras les pompes en marche et tu videras tout le réservoir.

— Dans la mer ? demanda le marin, se refusant à en croire ses oreilles.

— Dans la mer, répondit Drake d'une voix sombre. Le chancelier Busch va apprendre jusqu'où les pressions internationales peuvent aller.

Tandis que midi s'approchait, en ce samedi 2 avril 1983, toute l'Europe retenait son souffle. On savait, ou plutôt on croyait savoir, que les terroristes avaient déjà exécuté un marin parce que l'espace aérien au-dessus d'eux avait été violé. Et ils avaient menacé de recommencer, ou de déverser du pétrole brut à la mer, sur le coup de midi.

Le Nimrod qui avait relevé le chef d'escadrille Latham la veille à minuit s'était trouvé à court de carburant vers onze heures du matin, aussi Latham était-il de nouveau à son poste, et ses caméras enregistraient tandis que les minutes précédant midi s'égrenaient lentement.

A Londres, dans la salle de conférence du Conseil des ministres, on présentait à des hauts personnages de l'État rassemblés autour d'un récepteur, les images prises par le Nimrod, qui émettait en continu depuis midi moins cinq. Il transmettait ce que voyaient ses caméras au Datalink de l'*Argyll*, au-dessous de lui, et les images étaient renvoyées à Whitehall.

Le long des bastingages du *Montcalm*, du *Breda*, du *Brunner*, de l'*Argyll* et du *Moran*, les marins de cinq nations se passaient des jumelles de main en main. Leurs officiers étaient aussi hauts qu'ils pouvaient monter sur les œuvres mortes des vaisseaux, les yeux vissés à leurs télescopes.

Sur BBC International, le carillon de Big Ben sonna midi. Dans la salle de conférence du Conseil, à deux cents mètres de Big Ben et au deuxième sous-sol, quelqu'un cria :

— Bon Dieu, le pétrole coule !

A près de cinq mille kilomètres de là, quatre Américains en manches de chemise dans le Bureau Ovale, regardaient le même spectacle.

Du flanc du *Freya*, à bâbord vers le milieu du bateau, jaillissait une colonne de pétrole brut épais, couleur ocre rouge.

Elle avait le diamètre d'un torse d'homme. Refoulé par les pompes puissantes du *Freya*, le pétrole bondissait par-dessus le bastingage de bâbord, tombait en une parabole de huit mètres, puis s'écrasait dans la mer avec un bruit de tonnerre. Le pétrole remontait aussitôt à la surface en bouillonnant, une flaque commença à s'étendre, puis s'éloigna de la coque du bateau, emportée par le courant de marée.

L'opération se poursuivit pendant soixante minutes avant que le contenu de cet unique réservoir ne s'épuise. La nappe qui s'était formée avait la forme d'un œuf, plus large du côté de la côte hollandaise et se rétrécissant du côté du bateau. Finalement la masse du pétrole se détacha du *Freya* et se mit à dériver. La mer étant très calme, la nappe ne se divisa pas mais s'étala de plus en plus à mesure que le pétrole léger glissait à la surface des eaux. A deux heures de l'après-midi, une heure après la fin du pompage, la nappe mesurait plus de seize kilomètres de long et atteignait onze kilomètres à son endroit le plus large.

Le satellite Condor s'éloigna et, à Washington, la nappe sortit de l'écran. Stanislas Poklewski coupa le récepteur.

— Et c'est seulement le cinquantième de ce qu'il transporte, dit-il. Les Européens vont devenir fous.

Robert Benson reçut un message.

— Londres vient d'appeler Langley, dit-il au président Matthews.

Leur homme à Moscou a câblé qu'il connaît la réponse à notre question. Il affirme savoir pourquoi Maxime Roudine menace d'annuler le traité de Dublin si Michkine et Lazareff sont libérés. Il rentre par avion de Moscou à Londres pour apporter la nouvelle en personne. Il doit atterrir dans une heure.

Matthews haussa les épaules.

— Si ce major Fallon et ses plongeurs attaquent dans neuf heures, peut-être cela n'a-t-il plus aucune importance, dit-il. En tout cas, je suis curieux de savoir.

— Il doit rendre compte à Nigel Irvine, qui transmettra à Mme Carpenter. Peut-être pouvez-vous lui demander de vous appeler par le téléphone rouge dès qu'elle sera informée ? suggéra Benson.

— C'est bien ce que je compte faire, répondit le Président.

Il n'était que huit heures du matin à Washington mais une heure de l'après-midi en Europe, lorsque Andrew Drake qui était demeuré immobile, perdu dans ses pensées, pendant que le pétrole se déversait, décida de reprendre contact.

A une heure vingt, le capitaine Thor Larsen parlait de nouveau au Maas Control. Il demanda tout d'abord qu'on le relie au Premier ministre néerlandais, Jan Grayling. La liaison avec La Haye fut instantanée : on avait prévu l'éventualité qu'à un moment ou un autre, le Premier ministre aurait l'occasion de parler au chef des terroristes lui-même, et de lui demander d'ouvrir des négociations au nom des Pays-Bas et de l'Allemagne.

— Je vous écoute, capitaine Larsen, dit le Néerlandais au Norvégien. Jan Grayling à l'appareil.

— Monsieur le Premier ministre, avez-vous assisté à la mise à la mer de vingt mille tonnes de pétrole brut de mon bateau ? demanda Larsen.

Le canon du revolver de Drake était à deux doigts de son oreille.

— A mon plus grand regret, oui, répondit Grayling.

— Le chef des partisans propose une conférence.

La voix du capitaine résonna longtemps dans le bureau du Premier ministre. Grayling lança un regard interrogateur aux deux hauts fonctionnaires à ses côtés. Le magnétophone continuait à tourner, impassible.

— Je vois, dit Grayling, qui ne voyait rien du tout mais tentait de gagner du temps. Quel genre de conférence ?

— Une conférence avec les représentants des nations riveraines et toutes les autres instances concernées, dit Larsen en suivant le texte de Drake posé devant lui.

Jan Grayling posa la main sur le combiné.

— Le salopard veut discuter, dit-il avec animation.

Puis, de nouveau au téléphone :

— Au nom du gouvernement des Pays-Bas, j'accepte de recevoir cette conférence. Veuillez en informer le chef des partisans.

Dans la dunette du *Freya*, Drake secoua la tête et plaça sa main sur le micro. Il échangea quelques répliques rapides avec Larsen.

— Pas à terre, dit Larsen dans le micro. Ici, en mer. Quel est le nom du croiseur britannique ?

— *Argyll*, répondit Grayling.

— Il possède un hélicoptère, dit Larsen sur l'ordre de Drake. La conférence aura lieu à bord de l'*Argyll*. A trois heures. Les personnes présentes comprendront : vous-même, l'ambassadeur d'Allemagne, et les cinq capitaines des vaisseaux de guerre de l'O.T.A.N. Personne d'autre.

— Entendu, répondit Grayling. Le chef des partisans y assistera-t-il en personne ? Je suis obligé de consulter les Anglais pour assurer sa sécurité.

Il y eut un silence et un autre conciliabule dans la dunette du *Freya*.

— Non, le chef des partisans n'y assistera pas. Il enverra un représentant. A trois heures moins cinq, l'hélicoptère aura la possibilité de survoler le *Freya*. Il n'y aura à bord ni soldats, ni marins. Seuls le pilote et l'homme qui manœuvre le treuil, sans armes. La scène sera observée de la passerelle. Il n'y aura pas de caméras. L'hélicoptère ne descendra pas à moins de six mètres du pont. L'homme du treuil fera descendre un harnais et l'émissaire quittera le pont du bateau au bout du filin, et sera déposé à bord de l'*Argyll*. Est-ce bien compris ?

— Parfaitement, dit Grayling. Puis-je demander qui sera ce représentant ?

— Un instant, dit Larsen.

Il coupa la communication et se tourna vers Drake.

— Eh bien, monsieur Svoboda, si ce n'est pas vous-même, qui allez-vous envoyer ?

Drake lui adressa un sourire fugitif.

— Vous, dit-il. C'est vous qui me représenterez. Personne ne pourra les convaincre mieux que vous que je ne plaisante pas. Ni avec ce bateau, ni avec son équipage, ni avec le fret. Et vous pourrez leur dire que ma patience est à bout.

Le téléphone se remit à bourdonner entre les mains de Jan Grayling.

— On vient de m'apprendre que ce serait moi, dit Larsen.

La liaison fut coupée aussitôt. Le Premier ministre regarda sa montre.

— Une heure quarante-cinq, dit-il. Dans soixante-quinze minutes. Faites venir Konrad Voss ici. Préparez un hélicoptère sur le terrain le plus proche de ce bureau. Je veux une ligne directe avec Mme Carpenter à Londres.

A peine avait-il terminé sa phrase que sa secrétaire personnelle lui apprenait que Harry Wennerström était en ligne. Le vieux milliardaire dans son duplex du Hilton de Rotterdam s'était fait installer un récepteur radio pendant la nuit, et montait la garde en permanence sur le canal 20.

— Vous allez vous rendre à bord de l'*Argyll*, en hélicoptère, dit-il au Premier ministre sans préambule. Je vous saurais gré de bien vouloir emmener Mme Lisa Larsen avec vous.

— Eh bien... Je ne sais pas si..., hésita Grayling.

— Bonté divine ! tonna le Suédois. Les terroristes ne le sauront jamais. Et si toute l'affaire devait tourner mal, ce serait peut-être la dernière fois qu'elle verrait son mari.

— Qu'elle soit ici dans quarante minutes, répondit Grayling. Nous décollons à deux heures et demie.

Tous les réseaux de renseignement et la plupart des agences de presse avaient écouté la conversation sur le canal 20. Les lignes téléphoniques ne chômaient pas entre Rotterdam et neuf capitales d'Europe. A Washington, la N.S.A. avait aussitôt transmis le texte sur le téléscripteur de la Maison-Blanche, à l'attention du président Matthews. A Londres, un jeune attaché avait traversé comme une flèche la pelouse séparant le bureau du secrétaire du cabinet, de celui du Premier ministre, 10 Downing Street. L'ambassadeur israélien à Bonn pria instamment le chancelier Busch de faire demander au capitaine Larsen si les terroristes étaient juifs ou non. Le chef du gouvernement allemand promit de transmettre aussitôt la nouvelle au Premier ministre Golen.

Dans toute l'Europe, les journaux de l'après-midi et les bulletins de radio et de télévision préparaient leurs éditions de cinq heures et l'on fit le siège des quatre ministères de la Marine pour obtenir des comptes rendus de la conférence dès qu'elle aurait lieu.

A l'instant où Jan Grayling raccrochait après sa conversation téléphonique avec Thor Larsen, l'avion de ligne ramenant Adam Munro de Moscou se posait sur le tarmac de la piste Zéro Un à l'aéroport de Londres-Heathrow.

Le laissez-passer du Foreign Office dont s'était muni Barry Ferndale lui avait permis de s'avancer jusqu'au pied de la passerelle, et il entraîna son collègue de Moscou — le visage blême — sur le siège arrière de sa voiture. Elle était mieux équipée que la plupart des voitures de la Firme : elle possédait un écran de séparation entre le chauffeur et les passagers, et elle était reliée au quartier général par radio-téléphone.

Dès qu'ils franchirent le tunnel de l'aéroport, avant même de s'engager sur l'autoroute M-4, Ferndale rompit le silence.

— Un rude voyage, vieux ?

Il ne faisait pas allusion au retour en avion.

— Un désastre, lança Munro d'une voix cinglante. Je crois que le Rossignol est grillé. En tout cas, il est filé par l'Opposition. A l'heure qu'il est, ils l'ont peut-être arrêté.

Ferndale répondit par un grognement de sympathie.

— Une sacrée malchance, dit-il. C'est toujours terrible de perdre un agent. Ça vous retourne les nerfs. J'en ai perdu deux ou trois moi aussi, vous savez. L'un d'eux est mort d'une façon salement déplaisante. Mais cela fait partie du métier, Adam. Cela fait partie de ce que Kipling appelait le Grand Jeu.

— Sauf que ce n'est pas un jeu, répondit Munro. Et ce que le K.G.B. fera au Rossignol n'est pas une plaisanterie.

— Certainement pas. Je suis désolé. Je n'aurais pas dû dire ça.

Ferndale s'interrompit et fixa Munro d'un air interrogateur tandis que la voiture se joignait au flot de la circulation de l'autoroute.

— Mais vous avez obtenu la réponse à nos questions, poursuivit-il enfin. Pourquoi Roudine s'oppose-t-il avec tant d'énergie à la libération de Michkine et Lazareff ?

— La réponse à la question de Mme Carpenter ? dit Munro d'un ton sombre. Oui, je l'ai obtenue.

— Et de quoi s'agit-il ?

— C'est elle qui a posé la question, dit Munro, c'est elle qui aura la réponse. J'espère qu'elle lui plaira. Elle a coûté une vie.

— Ce ne serait peut-être pas très sage, mon cher Adam, dit Ferndale. Vous ne pouvez pas entrer comme ça dans le bureau du Premier ministre, vous savez. Même le Maître prend rendez-vous.

— Alors, demandez-lui d'en prendre un, répondit Munro en montrant le téléphone.

— J'ai bien peur d'y être obligé, dit Ferndale à mi-voix.

Quel dommage, songea-t-il, de voir un homme de talent mettre sa carrière en miettes de cette façon-là. Mais de toute évidence Munro était au bout du rouleau et Ferndale n'avait nulle envie de lui faire obstacle. Le Maître lui avait demandé de rester en contact, et c'est exactement ce qu'il fit.

Dix minutes plus tard, Mme Joan Carpenter écoutait attentivement la voix de sir Nigel dans le téléphone brouillé.

— Me donner la réponse à moi personnellement, sir Nigel ? demanda-t-elle. N'est-ce pas plutôt insolite ?

— Tout à fait insolite, madame. En fait, cela ne s'est jamais vu. Je crains que le service ne soit amené à se priver de la collaboration de M. Munro. Mais à moins de demander à des spécialistes de lui extraire ces renseignements par la force, je ne vois pas comment le contraindre à nous les fournir. Vous comprenez, il a perdu un agent avec qui il semble avoir noué des liens d'amitié assez vifs au cours des neuf derniers mois, et il est vraiment au bout du rouleau.

Joan Carpenter réfléchit pendant quelques secondes.

— Je suis profondément désolée d'avoir été la cause d'une aussi grande détresse, dit-elle. J'aimerais présenter mes excuses à M. Munro pour ce que j'ai été contrainte de lui demander. Veuillez dire à son chauffeur de le conduire directement au numéro 10. Et venez dans mon bureau aussitôt après.

Elle raccrocha. Sir Nigel Irvine fixa l'appareil pendant un instant. Cette femme ne cessera jamais de m'étonner, songea-t-il. D'accord Adam, mon petit vieux, tu as voulu ton moment de gloire, et tu l'auras. Mais ce sera le dernier. Il te faudra bientôt brouter sur de nouveaux pâturages. Pas de *prima donna* dans le Service.

Tout en descendant jusqu'à sa voiture, sir Nigel se dit que, si intéressante que puisse être l'explication de Munro, elle était désormais purement académique, ou le deviendrait bientôt. Dans sept heures, le major Fallon se glisserait à bord du *Freya* avec trois de ses hommes et éliminerait les terroristes. Après quoi, ce Michkine et ce Lazareff resteraient où ils étaient pendant quinze ans.

A deux heures, de retour dans la cabine de jour, Drake se pencha vers Larsen.

— Vous vous demandez probablement pourquoi j'ai organisé cette conférence sur l'*Argyll*. Je sais que pendant que vous serez là-bas vous leur direz qui nous sommes et combien nous sommes. Quelles sont nos armes et où les charges sont placées. Maintenant, écoutez-moi bien si vous voulez sauver votre équipage et votre bateau d'une destruction instantanée.

Il parla pendant plus de trente minutes. Thor Larsen l'écouta, impassible, analysant ses paroles et tout ce qu'elles impliquaient. Lorsqu'il eut terminé, le capitaine norvégien répondit simplement :

— Je le leur dirai. Peu m'importe que vous sauviez ou non votre peau, monsieur Svoboda. Mais vous ne tuerez pas mon équipage et vous ne détruirez pas mon bateau.

L'interphone bourdonna dans la cabine insonorisée. Drake décrocha et se tourna vers les fenêtres donnant vers l'étrave. L'hélicoptère Wessex de l'*Argyll*, dont on distinguait nettement l'écusson de la Royal Navy sur la queue, s'approchait lentement, prudemment, du côté du large.

Cinq minutes plus tard, sous les yeux des caméras du Nimrod qui envoyait aussitôt les images dans le monde entier, observé par des hommes et des femmes dans des bureaux souterrains à des centaines et même des milliers de kilomètres de là, le capitaine Thor Larsen, commandant du plus grand navire jamais construit, quitta la superstructure et sortit à l'air libre. Il avait insisté pour mettre son pantalon noir, et par-dessus son chandail blanc, il avait boutonné sa veste de la marine marchande portant les quatre galons dorés de capitaine au long cours. Il s'était coiffé de la casquette à visière ornée du casque de Viking, emblème de la Nordia Line. C'était l'uniforme qu'il aurait dû revêtir pour la première fois la veille au soir, à la réception de la presse mondiale. Il redressa ses larges épaules, et commença sa longue marche solitaire sur l'immense pont de son bateau, vers l'endroit où le harnais et le câble pendaient de l'hélicoptère, à trois cent mètres devant lui.

17

La conduite intérieure personnelle de sir Nigel Irvine qui ramenait Barry Ferndale et Adam Munro de l'aéroport, s'arrêta devant le 10 Downing Street. Lorsque les deux hommes furent introduits dans l'antichambre du bureau du Premier ministre, sir Nigel était déjà là. Il accueillit Munro assez fraîchement.

— J'espère sincèrement, dit-il, que votre insistance à rendre compte au Premier ministre en personne a des raisons justifiant tout ces tracas, Munro.

— J'en suis persuadé, sir Nigel, répliqua Munro.

Le directeur général du S.I.S. adressa à son collaborateur un regard critique. Cet homme était manifestement à bout de forces et il venait de passer de mauvais moments sur cette affaire Rossignol, mais aucune excuse ne peut justifier que la discipline soit transgressée... La porte du bureau privé s'ouvrit et sir Julian Flannery parut.

— Veuillez entrer, messieurs, dit-il.

Adam Munro n'avait jamais rencontré le Premier ministre. Cela faisait deux jours que Mme Carpenter n'avait pas dormi, mais elle avait l'air frais et dispos. Elle salua d'abord sir Nigel, puis serra la main des deux hommes qu'elle n'avait pas rencontrés auparavant.

— Monsieur Munro, dit-elle, permettez-moi avant toute chose de vous présenter mes profonds regrets personnels pour les risques que j'ai dû vous faire courir, ainsi qu'à votre agent à Moscou. Je n'avais sincèrement aucun désir d'agir de la sorte, mais la réponse à la question du président Matthews était d'une extrême importance internationale, et je n'emploie pas cette expression à la légère.

— Merci de me le dire, madame, répondit Munro.

Elle expliqua ensuite qu'en ce moment même le capitaine du *Freya*, Thor Larsen, atterrissait sur l'arrière-pont du croiseur *Argyll* pour une conférence. Et qu'à dix heures le soir même, un groupe d'assaut d'hommes-grenouilles du S.B.S. allait aborder le *Freya* pour tenter d'éliminer les terroristes et détruire un détonateur.

En entendant cela, le visage de Munro se fit de pierre.

— Si ce commando réussit, madame, dit-il d'une voix âpre, le *Freya* sera libéré, les deux prisonniers de Berlin resteront où ils sont et mon agent aura été perdu pour rien.

Elle eut l'élégance de paraître extrêmement mal à l'aise.

— Je ne peux que vous répéter mes excuses, monsieur Munro. Le plan d'attaque du *Freya* n'a été mis au point que ce matin à l'aurore, huit heures après que Maxime Roudine eut remis son ultimatum au président Matthews. A ce moment-là, vous étiez déjà en train de consulter le Rossignol. Il était impossible de revenir en arrière.

Sir Julian entra dans la pièce.

— La liaison est établie, madame, dit-il au Premier ministre.

Mme Carpenter demanda à ses trois hôtes de s'asseoir. Dans un angle de son bureau, on avait installé un haut-parleur et des fils couraient depuis une antichambre voisine.

— Messieurs, la conférence à bord de l'*Argyll* commence. Écoutons-la. M. Munro nous apprendra ensuite les raisons de l'ultimatum imprévisible de Maxime Roudine.

Lorsque Thor Larsen ôta son harnais à la fin de sa traversée de cinq milles suspendu dans le ciel au-dessous du Wessex, il était tout étourdi. Sur la plage arrière du croiseur britannique, les sirènes de bienvenue dominèrent le grondement des moteurs au-dessus de sa tête.

Le capitaine de l'*Argyll* fit un pas en avant, salua et lui tendit la main.

— Richard Preston, dit-il.

Larsen lui rendit son salut et lui serra la main.

— Bienvenue à bord, capitaine Larsen, dit Preston.

— Merci.

— Voulez-vous vous donner la peine de descendre dans la salle de quart ?

Les deux capitaines quittèrent le pont et gagnèrent la plus vaste cabine du croiseur, la salle de quart des officiers. Aussitôt le capitaine Preston fit les présentations officielles.

— Son Excellence Jan Grayling, Premier ministre des Pays-Bas. Vous lui avez déjà parlé au téléphone... Son Excellence Konrad

Voss, ambassadeur de République fédérale d'Allemagne... Les capitaines Desmoulins de la Marine française, de Jong de la Marine néerlandaise, Hasselmann de la Marine allemande, et le capitaine Manning de la Marine américaine.

Mike Manning tendit la main et regarda le Norvégien barbu droit dans les yeux.

— Très heureux de faire votre connaissance, capitaine Larsen.

Mais les mots avaient du mal à sortir de sa gorge. Thor Larsen le fixa une fraction de seconde de plus que les autres commandants, puis se détourna.

— Enfin, dit le capitaine Preston, puis-je vous présenter le major Simon Fallon des commandos de fusiliers marins ?

Larsen regarda le petit major aux épaules carrées et sentit la poigne dure de l'homme dans sa main. Tout compte fait, songea-t-il, Svoboda avait raison...

A l'invitation du capitaine Preston, ils s'assirent autour de la vaste table.

— Capitaine Larsen, je dois vous signaler que notre conversation sera enregistrée et transmise sous une forme impossible à intercepter, directement de cette cabine au bureau de Whitehall où le Premier ministre britannique est à l'écoute.

Larsen acquiesça. Son regard se tourna vers l'Américain : tous les autres fixaient le Norvégien avec intensité, seul l'homme de la Marine des États-Unis étudiait l'acajou de la table.

— Avant que nous ne commencions, puis-je vous offrir quelque chose ? demanda Preston. Un alcool peut-être ? Avez-vous faim ? Du thé, du café ?

— Un café, c'est tout. Noir et sans sucre, merci.

Le capitaine Preston fit un signe au steward qui attendait près de la porte.

— Il a été convenu que pour commencer, je poserai les questions qui intéressent et préoccupent tous nos gouvernements, poursuivit le capitaine Preston. MM. Grayling et Voss l'ont très aimablement accepté. Bien entendu, tout le monde peut poser une question qui m'aurait échappé. Tout d'abord, pouvons-nous vous demander, capitaine Larsen, ce qui s'est passé aux petites heures de la journée d'hier ?

Oui, ce n'était qu'hier ! songea Larsen. Vendredi à trois heures du matin, et l'on n'était que samedi après-midi... Trois heures cinq : seulement trente-six heures, et il avait l'impression qu'il s'était écoulé une semaine entière.

En quelques phrases claires et rapides, il décrivit la prise du *Freya* pendant la nuit et expliqua comment les attaquants avaient pu monter à bord sans effort et enfermer l'équipage dans la réserve de peinture.

— Ils sont donc sept ? demanda le major des fusiliers marins. Vous êtes absolument certain, qu'ils ne sont pas davantage ?

— Absolument certain, répondit Larsen: Sept, c'est tout.

— Et savez-vous qui ils sont ? demanda Preston. Des Juifs ? Des Arabes ? Des Brigades rouges ?

Larsen ne dissimula pas sa surprise. Il avait oublié qu'à l'extérieur du *Freya* nul ne savait qui étaient les terroristes.

— Non, dit-il. Ce sont des Ukrainiens. Des nationalistes ukrainiens. Le chef se fait appeler simplement Svoboda. Il m'a dit que cela signifiait '' liberté '' en ukrainien. Entre eux, ils parlent une langue qui semble être l'ukrainien. En tout cas, c'est sûrement une langue slave.

— Dans ce cas, pourquoi veulent-ils faire libérer deux Juifs russes détenus à Berlin ? demanda Jan Grayling exaspéré.

— Je l'ignore, répondit Larsen. Le chef prétend qu'il s'agit d'amis.

— Un instant, dit l'ambassadeur Voss. Nous nous sommes laissé aveugler par le fait que Michkine et Lazareff étaient juifs et désiraient émigrer en Israël. Mais ils viennent tous les deux d'Ukraine, de la ville de Lvov. Mon gouvernement n'a pas songé qu'ils puissent être en même temps des nationalistes ukrainiens.

— Pourquoi estiment-ils que la libération de Michkine et de Lazareff aidera la cause du nationalisme ukrainien ? demanda Preston.

— Je ne sais pas, dit Larsen. Svoboda a refusé de me le dire. Je le lui ai demandé. Il a failli répondre, mais il s'est tu aussitôt. Il a simplement déclaré que la libération de ces deux hommes porterait au Kremlin un coup si terrible que cela provoquerait probablement un vaste soulèvement populaire.

Les visages des hommes autour de lui exprimèrent une incompréhension totale. Les dernières questions sur la situation du bateau, l'endroit où Svoboda et Larsen se trouvaient, les postes occupés par les terroristes, prirent encore une dizaine de minutes. Finalement le capitaine Preston interrogea du regard les représentants des Pays-Bas et de l'Allemagne, puis les autres capitaines de vaisseau. Tout le monde acquiesça de la tête. Preston se pencha en avant.

— Capitaine Larsen, le moment est venu de vous dire que ce soir, le major Fallon et un groupe de ses hommes s'approcheront du

Freya sous l'eau, escaladeront ses flancs et élimineront Svoboda et ses complices.

Il s'enfonça dans son siège pour juger de l'effet produit.

— Non, dit Thor Larsen lentement. Sûrement pas.

— Je vous demande pardon ?

— Il n'y aura pas d'attaque d'hommes-grenouilles, à moins que vous ne souhaitiez voir le *Freya* sauter et couler par le fond. C'est ce que Svoboda m'a envoyé vous dire.

Et phrase après phrase, le capitaine Larsen exposa le message de Svoboda. Avant le coucher du soleil, toutes les lumières du *Freya* seraient allumées. L'homme de l'étrave serait relevé de sa faction. L'ensemble de l'avant-pont, de la proue à la base de la superstructure serait baigné de lumière.

A l'intérieur des installations, toutes les portes conduisant vers l'extérieur seraient fermées et verrouillées du dedans. Toutes les portes intérieures seraient également fermées pour interdire tout accès par une fenêtre.

Svoboda lui-même, avec son détonateur, resterait dans la superstructure mais choisirait l'une des cabines au hasard — il y en avait plus de cinquante. Toutes les lumières de toutes les cabines seraient allumées, et tous les rideaux tirés.

Un des terroristes resterait dans la dunette, en contact par talkie-walkie avec l'homme sur le toit. Les quatre autres patrouilleraient sans cesse le long du bastingage de la plage arrière du *Freya*, avec des lampes-torches puissantes. A la moindre trace de bulles dans l'eau, ou si quiconque essayait de grimper sur les bordages du navire, le terroriste tirerait un coup de feu. L'homme au-dessus de la superstructure alerterait celui de la dunette, qui préviendrait aussitôt Svoboda par téléphone dans la cabine où il serait. Ils resteraient en liaison téléphonique toute la nuit. En entendant le signal d'alarme, Svoboda appuyerait sur le bouton rouge.

Lorsqu'il eut terminé, le silence se prolongea autour de la table.

— Le salopard, s'écria le capitaine Preston d'une voix contenue.

Tous les regards se tournèrent vers le major Fallon qui fixait Larsen sans ciller.

— Eh bien, major ? demanda Grayling.

— Nous monterons à bord par la proue et non par l'arrière, dit Fallon.

Larsen secoua la tête.

— L'homme de garde dans la dunette vous apercevra dans les lumières, dit-il. Jamais vous ne dépasserez le milieu du pont avant.

— Nous pourrons de toute façon piéger leur vedette, dit Fallon.

— Svoboda y a également songé, dit Larsen. Ils vont la haler vers la proue où elle sera éclairée par les lumières du pont.

Fallon haussa les épaules.

— Cela ne nous laisse qu'une possibilité, dit-il. L'attaque de front. Sortir de l'eau en tirant, employer davantage d'hommes et aborder malgré la résistance, faire sauter une des portes et faire le tour des cabines l'une après l'autre.

— Vous n'aurez pas la moindre chance, répondit Larsen d'un ton ferme. Svoboda vous entendra avant que vous ne sautiez par-dessus le bastingage et il nous enverra tous dans l'autre monde.

— Je suis obligé, à mon plus grand regret, de me rendre aux raisons du capitaine Larsen, dit Jan Grayling. Je ne pense pas que le gouvernement des Pays-Bas puisse donner son accord à une mission-suicide de ce genre.

— Ni le gouvernement d'Allemagne de l'Ouest, dit Voss.

Fallon fit une dernière tentative.

— Vous êtes seul avec Svoboda la plupart du temps, capitaine Larsen. Accepteriez-vous de le tuer ?

— Bien volontiers, dit Larsen. Mais si vous songez à me donner une arme, il vaut mieux que vous y renonciez. A mon retour, je subirai une fouille en règle. Jusqu'à la peau. Et à bonne distance de Svoboda. Si l'on découvre une arme quelconque, un autre homme de mon équipage sera exécuté. Je ne ramènerai rien à bord. Ni armes ni poison.

— J'ai bien peur qu'il faille tirer un trait, major Fallon, dit le capitaine Preston à mi-voix. L'option dure n'est plus envisageable.

Il se leva.

— Eh bien, messieurs, si personne n'a d'autres questions à poser au capitaine Larsen, je crois que nous ne pouvons plus faire grand-chose ici. Il nous appartient maintenant de rendre compte aux gouvernements concernés. Capitaine Larsen, merci pour votre temps et pour votre patience. Il y a dans ma cabine une personne qui aimerait vous parler.

Thor Larsen sortit de la salle de quart où tout le monde se taisait. Mike Manning le regarda s'éloigner avec angoisse. Maintenant que le plan d'attaque du major Fallon était éliminé, il y avait de grandes chances pour que l'on en revienne à la solution terrible envisagée à Washington dans la matinée. Et c'était lui, Manning, qui avait reçu l'ordre de l'exécuter.

Le steward accompagna le capitaine norvégien jusqu'à la porte de la cabine privée de Preston. Lisa Larsen se leva aussitôt de la couchette où elle s'était assise pour regarder par le hublot la silhouette à peine perceptible du *Freya* dans le lointain.

— Thor, dit-elle.

Larsen referma la porte d'un coup de pied. Il ouvrit les bras et saisit au vol la jeune femme qui s'élançait.

— Ma petite souris des neiges...

A Downing Street, dans le bureau privé du Premier ministre, la transmission de la conférence de l'*Argyll* venait de s'achever.

Sir Nigel lâcha un juron qui exprimait l'opinion de tout le monde. Le Premier ministre se tourna vers Munro.

— On dirait, monsieur Munro, que la nouvelle que vous apportez n'est plus aussi dénuée d'intérêt pratique. Si votre explication est susceptible de nous aider tant soit peu à sortir de l'impasse, vous n'aurez pas couru de risques en vain. Pourquoi Maxime Roudine a-t-il adopté cette attitude ?

— Nous savons tous, madame, que sa suprématie sur le Politburo ne tient qu'à un fil, et cela depuis plusieurs mois...

— Certainement, mais uniquement sur la question des concessions aux Américains en matière d'armement, dit Mme Carpenter. C'est pour éviter ces concessions que Vichnaïev désire le renverser.

— Madame, Ephraïm Vichnaïev a abattu ses cartes et ne peut plus reculer. Ce qui est en jeu c'est le pouvoir suprême en Union soviétique. Il tentera de renverser Roudine par tous les moyens, parce que s'il ne réussit pas, Roudine le détruira au lendemain de la signature du traité de Dublin, dans huit jours. Or ces deux hommes à Berlin peuvent fournir à Vichnaïev le levier dont il a besoin pour qu'un ou deux autres membres du Politburo modifient leur vote et rejoignent la faction des vautours.

— Comment cela ? demanda sir Nigel.

— En parlant. En révélant ce qu'ils savent. En parvenant en Israël sains et saufs, et en donnant une conférence de presse internationale. En infligeant à l'Union soviétique une humiliation publique très grave.

— Tout de même pas pour avoir tué un pilote d'avion dont personne n'avait jamais entendu parler ? demanda le Premier ministre.

— Non. Pas pour cela. Le meurtre du capitaine Roudenko dans cette cabine de pilotage a vraiment été un accident. Leur départ à l'Ouest était indispensable pour pouvoir donner à leur véritable exploit la publicité mondiale qu'il méritait. Parce que, madame, Michkine et Lazareff ont assassiné Youri Ivanenko, le chef du K.G.B.

Sir Nigel Irvine et Barry Ferndale sursautèrent.

— Ainsi, voilà donc ce qui lui est arrivé, murmura Ferndale, le spécialiste de l'Union soviétique. Je le croyais en disgrâce.

— Pas en disgrâce, dans sa tombe, dit Munro. Le Politburo est évidemment au courant, et au moins un, et peut-être deux membres de la faction Roudine ont menacé de changer de camp si les assassins s'en tirent indemnes et infligent un camouflet public à l'Union soviétique.

— Cela a-t-il un sens profond, dans la psychologie russe ? demanda le Premier ministre à Barry Ferndale.

Le mouchoir de Ferndale se mit à tournoyer sur ses verres de lunettes tandis qu'il polissait avec rage.

— Absolument, madame, dit-il avec chaleur. Sur le plan intérieur et sur le plan extérieur. En période de crise, et la pénurie de céréales constitue une crise, il est impératif que le K.G.B. inspire une crainte respectueuse à tout le peuple, et surtout aux nationalités non russes, pour les tenir en échec. Si cette crainte disparaissait, si le redoutable K.G.B. devenait la risée de tous, les répercussions seraient épouvantables — du point de vue du Kremlin, bien entendu.

« A l'extérieur, et surtout dans le tiers monde, pour que Moscou conserve ses positions et continue de gagner du terrain, il est essentiel que le pouvoir du Kremlin garde son apparence de forteresse imprenable.

« Oui, conclut-il, ces deux hommes sont une bombe à retardement pour Maxime Roudine. Le détonateur a été déclenché par l'affaire du *Freya* et le temps est de plus en plus court.

— Pourquoi ne pas informer le chancelier Busch de l'ultimatum de Roudine ? demanda Munro. Il comprendrait que le traité de Dublin, qui concerne son pays au plus haut point, est plus important que le *Freya*.

— Parce que l'ultimatum de Roudine doit demeurer secret, coupa sir Nigel. En cas de fuite, tout le monde comprendrait que l'affaire ne concerne pas seulement un pilote de ligne.

— Messieurs, dit Mme Carpenter, tout ceci est très intéressant, passionnant même. Mais cela ne nous aide pas à résoudre le problème. Le président Matthews a deux solutions possibles : ou bien permettre au chancelier Busch de libérer Michkine et Lazareff et perdre le traité, ou bien exiger que ces deux hommes demeurent en prison et perdre le *Freya*, avec en prime la malédiction d'une bonne dizaine de gouvernements européens et la condamnation du monde entier.

« Jusqu'ici, il a essayé une troisième solution : demander au Premier ministre Golen de renvoyer les deux hommes en prison en Allemagne après la libération du *Freya*. L'objectif était de chercher à satisfaire Maxime Roudine. Peut-être cela lui aurait-il convenu, peut-être pas. De toute façon Benyamin Golen a refusé. Et l'on en est resté là.

« Ensuite, nous avons nous-mêmes proposé une troisième solution : attaquer le *Freya* et le libérer. Maintenant, c'est devenu impossible. J'ai bien peur qu'il n'y ait pas d'autre " troisième solution ", en dehors de ce que les Américains semblent avoir en tête.

— De quoi s'agit-il ? demanda Munro.

— Faire exploser le *Freya* avec des obus incendiaires, dit sir Nigel Irvine. Nous n'en avons aucune preuve, mais les canons du *Moran* sont braqués droit sur le *Freya*.

— En fait, il existe bel et bien une troisième solution, dit Munro. Elle satisferait certainement Maxime Roudine et elle ne poserait aucun problème.

— Je vous prie de nous l'exposer, lui ordonna le Premier ministre.

Munro s'expliqua. Cela lui prit cinq minutes. Puis le silence se fit.

— Je trouve cette idée extrêmement répugnante, dit finalement Mme Carpenter.

— Sauf votre respect, madame, j'ai eu la même réaction à l'idée de livrer mon agent au K.G.B., répliqua Munro d'une voix glaciale.

Ferndale lui lança un regard d'avertissement.

— Est-ce que nous disposons de choses aussi diaboliques ? demanda Mme Carpenter à sir Nigel.

Le directeur du S.I.S. se mit à examiner ses ongles.

— Je crois que le service spécialisé pourra mettre la main sur tout ce qu'il faut, dit-il d'un ton calme.

Joan Carpenter prit une respiration profonde.

— Dieu merci, il ne m'appartient pas de prendre une décision pareille. C'est au président Matthews de décider. Je pense qu'il faut le lui suggérer. Mais il vaudrait mieux le lui expliquer de vive voix. Dites-moi, monsieur Munro, seriez-vous prêt à exécuter ce plan ?

Munro songea à Valentina s'éloignant dans la rue de Moscou, et aux deux hommes en imperméable gris qui l'attendaient.

— Oui, répondit-il. Sans le moindre scrupule.

— Le temps presse, dit-elle. Il faut que vous soyez à Washington ce soir. Sir Nigel, avez-vous une idée ?

— Il y a le Concorde de cinq heures, la nouvelle ligne Londres-Boston. On pourrait le dérouter vers Washington si le Président le souhaitait.

Mme Carpenter regarda sa montre. Il était quatre heures.

— Partez, monsieur Munro, dit-elle. Je vais apprendre au président Matthews la nouvelle que vous nous avez rapportée de Moscou et lui demander de vous recevoir. Vous lui expliquerez vous-même votre proposition plutôt macabre. S'il accepte de vous recevoir aussi rapidement.

Lisa Larsen étreignait encore son mari de toutes ses forces cinq minutes après son entrée dans la cabine. Il lui demanda des nouvelles de la maison et des enfants. Elle leur avait parlé deux heures plus tôt : ils n'avaient pas cours le samedi et ils étaient chez les Dahl. Ils allaient très bien, lui dit-elle. Ils rentraient de soigner les lapins à Bogneset...

Mais bientôt la conversation prit un tour plus grave.

— Thor, que va-t-il se passer ?

— Je ne sais pas. Je ne comprends pas pourquoi les Allemands se refusent à libérer ces deux hommes. Je ne comprends pas pourquoi les Américains ne veulent pas le permettre. Je viens de parler à un premier ministre et à un ambassadeur, et ils n'ont pas pu me le dire eux non plus.

— S'ils ne libèrent pas les deux hommes, est-ce que ce terroriste va... le faire ? demanda-t-elle.

— Peut-être, dit Larsen songeur. Je crois qu'il essaiera. Et s'il essaie, je ferai tout pour l'en empêcher. Il le faudra.

— Et tous ces capitaines, là-haut, pourquoi ne t'aident-ils pas ?

— Ils ne peuvent pas, ma souricette. Personne ne peut m'aider. Il faudra que je me débrouille tout seul. Personne d'autre n'agira.

— Je n'ai pas confiance en ce capitaine américain, murmura-t-elle. Je l'ai vu à mon arrivée à bord avec M. Grayling. Il ne m'a pas regardée en face.

— Non, il ne peut pas. Et moi non plus, il ne me regarde pas dans les yeux. Tu sais, il doit avoir reçu l'ordre de faire sauter le *Freya*.

Elle s'éloigna de lui et le regarda, les yeux agrandis par l'angoisse.

— Ce n'est pas possible, dit-elle. Aucun homme ne peut faire une chose pareille à d'autres hommes.

— Il le fera, s'il en a le devoir. Je n'en suis pas certain, mais je le suppose. Les canons de son bateau sont pointés vers nous. Si les Américains estiment que c'est leur devoir de le faire, ils le feront. Incendier le pétrole du *Freya* réduirait au minimum les dégâts et détruirait l'arme du chantage.

Elle frissonna et s'accrocha à lui. Elle était en larmes.

— Je le hais, dit-elle.

Thor Larsen posa sa main sur les cheveux de sa femme. Sa large paume recouvrait presque la tête menue de Lisa.

— Il ne faut pas le haïr, murmura-t-il. Il a ses ordres. Ils ont tous des ordres. Ils feront tout ce que des hommes au loin, dans les chancelleries d'Europe et d'Amérique, leur diront de faire.

— Ça m'est égal. Je les hais tous.

Il ne put s'empêcher de rire, tout en la rassurant d'une caresse douce.

— Tu vas faire quelque chose pour moi, souricette.

— Tout ce que tu voudras.

— Tu vas rentrer à la maison. A Alesund. Tu vas partir d'ici. Tu vas veiller sur Kurt et Kristina. Préparer la maison pour mon retour. Quand tout ça sera terminé, je rentre à la maison pour toujours. Tu peux en être certaine.

— Rentre avec moi. Maintenant.

— Tu sais bien qu'il faut que je reparte. Le temps passe...

— Ne retourne pas sur le bateau, le supplia-t-elle. Ils vont te tuer.

Elle sanglotait nerveusement en essayant de retenir ses larmes pour ne pas lui faire davantage de peine.

— C'est mon bateau, dit-il doucement. C'est mon équipage. Tu sais qu'il faut que je reparte.

Il la souleva dans ses bras puis la déposa dans le fauteuil du capitaine Preston.

Au même instant, la voiture emportant Adam Munro sortait en trombe de Downing Street au milieu de la foule des badauds qui espéraient, en ce moment de crise, entrevoir un instant les grands et les puissants de ce monde. Puis la voiture contourna Parliament Square, et s'enfonça dans Cromwell Road, vers l'autoroute conduisant à Heathrow.

Cinq minutes plus tard, deux marins de la Royal Navy bouclaient le harnais autour de la ceinture de Thor Larsen. Les rotors du Wessex faisaient voler leurs cheveux sur leurs têtes.

Le capitaine Preston avec six officiers de son bord et les quatre capitaines de l'O.T.A.N., étaient en rang à quelques mètres de là. Le Wessex commença à s'élever.

— Messieurs ! dit le capitaine Preston.

Cinq mains se levèrent simultanément vers les casquettes pour saluer le capitaine norvégien.

Mike Manning leva les yeux vers le marin barbu qui s'éloignait dans les airs. Il était déjà à plus de trente mètres, mais c'était toujours lui, Manning, que le Norvégien regardait.

« Il sait, songea Manning avec horreur. Oh, mon Dieu !... Il sait. »

Un pistolet-mitrailleur braqué dans son dos, Thor Larsen entra dans sa cabine de jour. Svoboda était à sa place habituelle. Il indiqua à Larsen la chaise située à l'autre bout de la table.

— Ils vous ont cru ? demanda l'Ukrainien.

— Oui, répondit Larsen. Ils m'ont cru. Et vous aviez raison : ils préparaient une attaque d'hommes-grenouilles pour la tombée de la nuit. Elle a été annulée.

Drake sourit.

— Tant mieux, dit-il. S'ils avaient essayé, j'aurais appuyé sur ce bouton sans la moindre hésitation, suicide ou pas. Je n'avais pas le choix.

A midi moins dix, le président William Matthews raccrocha après une conversation de quinze minutes avec le Premier ministre britannique. Il se tourna vers ses trois conseillers qui avaient suivi la conversation dans le haut-parleur jumelé.

— Les dés sont jetés, dit-il. Les Anglais ne lanceront pas leur attaque de nuit. Une autre solution qui nous échappe. Cela ne nous laisse plus qu'une possibilité : faire sauter le *Freya* nous-mêmes. Le navire de guerre est-il en position ?

— Prêt à intervenir, canons chargés et pointés, confirma Stanislas Poklewski.

— A moins que ce Munro ait une idée capable de résoudre le

dilemme, avança Robert Benson. Acceptez-vous de le recevoir, monsieur le Président ?

— Bob, je recevrai le diable en personne, s'il me proposait un moyen de sortir de cette impasse, répondit Matthews.

— Il y a en tout cas une chose dont nous sommes maintenant certains, dit David Lawrence. La réaction de Maxime Roudine n'était pas injustifiée. Tout compte fait, il ne pouvait rien faire d'autre. Il n'avait plus un seul atout en main pour contrer Ephraïm Vichnaïev. Comment ces deux hommes de la prison de Moabit ont-ils pu assassiner Youri Ivanenko, bon Dieu ?

— Le chef du groupe qui a pris le *Freya* a dû les aider, dit Benson. Cela me paraît logique. J'aimerais beaucoup que ce Svoboda me tombe entre les mains.

— Je sais bien ce que vous en feriez, dit Lawrence avec répugnance. Vous le tueriez.

— Erreur, répliqua Benson. Je l'engagerais. Il est dur, habile et implacable. Il a pris à la gorge dix gouvernements d'Europe et il les fait danser comme des pantins.

Il était midi à Washington, cinq heures de l'après-midi à Londres, lorsque le Concorde fit glisser ses pattes d'échassier sur le béton de Heathrow, tendit son long bec acéré vers le ciel d'Occident et s'élança vers le soleil couchant pour franchir le mur du son.

Sur l'ordre de Downing Street, on avait fait une entorse aux règlements d'usage, interdisant le passage en vol supersonique avant d'avoir quitté les côtes. La flèche mince comme un crayon, soulevée par ses quatre moteurs Olympus portés à leur pleine puissance aussitôt après le décollage, jaillit vers la stratosphère avec une poussée de soixante-quinze tonnes.

Le capitaine avait estimé à trois heures la durée du trajet jusqu'à Washington. Il gagnerait deux heures sur le soleil. Au milieu de l'Atlantique, il apprit à ses passagers à destination de Boston qu'à son grand regret, le Concorde devrait faire une escale de quelques secondes au *Dulles International Airport* de Washington avant de se poser à Boston. Il invoqua comme de coutume des « raisons techniques ».

Il était sept heures en Europe occidentale mais neuf heures à Moscou, lorsque Ephraïm Vichnaïev obtint enfin une audience personnelle — tout à fait exceptionnelle un samedi soir — avec Maxime Roudine. Il l'avait sollicitée toute la journée.

Le vieux dictateur de la Russie soviétique accepta de rencontrer le théoricien du Parti dans la salle de réunion du Politburo, au troisième étage du bâtiment de l'Arsenal.

Vichnaïev arriva, flanqué du maréchal Nicolas Kérensky. Mais Roudine avait près de lui ses alliés Dmitri Rykov et Vassili Pétrov.

— Je m'aperçois que personne ne semble profiter de ce merveilleux week-end de printemps pour se rendre à la campagne, dit Vichnaïev d'une voix acide.

Roudine haussa les épaules.

— J'étais en train de profiter d'un merveilleux dîner avec deux amis, dit-il. Qu'est-ce qui vous amène au Kremlin à cette heure, camarades Vichnaïev et Kérensky ?

Il n'y avait dans la pièce ni gardes, ni secrétaires. Seuls les cinq hommes les plus puissants de l'U.R.S.S., s'affrontant avec rage sous les globes du plafond.

— Une trahison, répliqua Vichnaïev. Une trahison, camarade secrétaire général.

Le silence qui suivit était lourd de menaces.

— Quelle trahison ? demanda Roudine.

Vichnaïev se pencha au-dessus de la table. Son visage était à cinquante centimètres de celui de Roudine.

— La trahison des deux sales Juifs de Lvov, répondit Vichnaïev, les lèvres serrées. La trahison des deux hommes actuellement emprisonnés à Berlin. De deux hommes dont une bande de meurtriers sur un pétrolier dans la mer du Nord exigent la liberté. La trahison de Michkine et Lazareff.

— Il est exact, répondit prudemment Roudine, que le meurtre du capitaine Roudenko de l'Aeroflot par ces deux hommes, en décembre dernier, constitue...

— N'est-il pas également exact, demanda Vichnaïev, que ces deux meurtriers ont assassiné Youri Ivanenko ?

Maxime Roudine aurait aimé pouvoir lancer un regard fugitif à Vassili Pétrov près de lui. Quelque chose avait dû tourner mal. Il y avait eu une fuite.

Les lèvres de Pétrov ne formaient plus qu'une ligne dure. Il savait lui aussi, puisqu'il contrôlait le K.G.B. par l'entremise du général Abrassov, que le nombre des personnes au courant de la vérité était limité, très limité. Qui avait parlé ? Certainement le colonel Koukouchkine, qui n'avait pas réussi à protéger son maître, puis qui n'avait pas réussi à liquider les assassins de son maître. Il tentait maintenant de sauver sa carrière, et peut-être sa vie, en changeant de camp et en se confiant à Vichnaïev.

— Des soupçons..., répondit Roudine. Mais ce n'est pas un fait démontré.

— J'ai appris que c'est bel et bien un fait démontré, lança Vichnaïev d'un ton sec. Ces deux hommes ont été identifiés comme les assassins de notre bien-aimé camarade Youri Ivanenko.

Roudine songea à la haine implacable de Vichnaïev pour Ivanenko lorsque celui-ci était encore en vie. Combien de fois n'avait-il pas désiré sa mort !

— Toute cette discussion est académique, répondit Roudine. Du seul fait qu'ils ont tué le capitaine Roudenko, les deux meurtriers seront liquidés dans leur prison de Berlin.

— Peut-être pas, dit Vichnaïev avec une indignation feinte. Ils risquent d'être libérés par l'Allemagne fédérale et envoyés en Israël. L'Ouest est faible. Il ne résistera pas longtemps aux menaces des terroristes du *Freya*. Si ces deux hommes parviennent en Israël vivants, ils parleront. Je crois, mes amis... Oh oui, je crois sincèrement que nous savons tous ce qu'ils diront.

— Où voulez-vous en venir ? dit Roudine.

Vichnaïev se leva. Kérensky l'imita aussitôt.

— J'exige une séance plénière extraordinaire du Politburo ici, dans cette pièce, demain soir à la même heure ; neuf heures. Sur un problème national d'urgence exceptionnelle. N'en ai-je pas le droit, camarade secrétaire général ?

La crinière grise de Roudine s'inclina affirmativement. Puis il leva la tête vers Vichnaïev et le regarda entre ses paupières mi-closes.

— Oui, gronda-t-il. C'est votre droit.

— Dans ce cas, à demain à la même heure, lança le théoricien du Parti.

Il quitta la pièce à grands pas. Roudine se tourna vers Pétrov.

— Le colonel Koukouchkine ? demanda-t-il.

— C'est probable. De toute façon, Vichnaïev est au courant.

— Aucune chance d'éliminer Michkine et Lazareff à l'intérieur de Moabit ?

Pétrov secoua la tête.

— Pas d'ici demain. Jamais nous ne pourrons monter une nouvelle opération, avec un autre homme, dans un délai aussi bref. N'y a-t-il aucun moyen de faire pression sur l'Ouest pour qu'ils ne les libèrent pas ?

— Non, répondit Roudine aussitôt. J'ai déjà exercé sur Matthews toutes les pressions possibles. Je ne peux rien faire de plus. Tout est entre ses mains, maintenant. Et entre celles de ce fichu chancelier allemand, à Bonn.

— Demain, dit Rykov, d'une voix neutre, Vichnaïev et sa clique vont amener Koukouchkine et exiger que nous l'entendions. Et si, à ce moment-là, Michkine et Lazareff sont en Israël...

A vingt heures, heure européenne, Andrew Drake lança son dernier ultimatum du *Freya*, par la bouche du capitaine Thor Larsen.

Le lendemain matin à neuf heures, soit treize heures plus tard, si Michkine et Lazareff n'étaient pas dans l'avion les amenant en Israël, le *Freya* déverserait dans la mer du Nord cent mille tonnes de pétrole brut. A huit heures du soir, s'ils n'étaient pas en Israël et identifiés sans ambiguïté, le *Freya* sauterait.

— C'est vraiment trop fort ! tempêta Dietrich Busch lorsqu'il prit connaissance de l'ultimatum, dix minutes après l'appel du *Freya* au radio-téléphone. Pour qui William Matthews se prend-il donc ? Personne, absolument personne, ne peut contraindre le chancelier de la République fédérale allemande à continuer cette mascarade. C'est terminé.

A vingt heures vingt, le gouvernement fédéral allemand annonça qu'il avait décidé unilatéralement de libérer Michkine et Lazareff le lendemain matin à huit heures.

A vingt heures trente, un message personnel codé parvint au *Moran* à l'intention du capitaine Mike Manning. Une fois décodé, il disait simplement : « Préparez-vous à recevoir l'ordre de tir à sept heures demain matin. »

Il froissa le papier en boule à l'intérieur de son poing et il regarda le *Freya* à travers le hublot. Il était illuminé comme un arbre de Noël. Des projecteurs à arc et à incandescence dessinaient une auréole de lumière blanche autour de sa superstructure. Il était immobile sur les flots, à cinq milles vers l'horizon, condamné, impuissant, attendant que l'un ou l'autre de ses bourreaux l'achève.

Tandis que Thor Larsen parlait au radio-téléphone avec le Maas Control, le Concorde emportant Adam Munro rasait les clôtures extérieures du Dulles Airport, train d'atterrissage et volets sortis, le nez haut, tel un oiseau de proie, les ailes en delta, les serres prêtes à griffer la piste.

Les passagers déconcertés, qui regardaient à travers les minuscules hublots comme des poissons rouges dans leur bocal, remarquèrent qu'il n'alla pas se ranger vers les bâtiments de l'aéroport mais dans une simple allée latérale où l'attendait une passerelle, ainsi qu'une limousine noire. Il ne coupa même pas ses moteurs.

Un unique passager, ne portant ni imperméable ni bagage à main, se leva dans une rangée proche de l'avant, sortit dès que la porte s'ouvrit et descendit rapidement la passerelle. Deux secondes plus tard, la passerelle s'éloignait, la porte était refermée et le capitaine, se confondant en excuses, annonçait le décollage immédiat pour Boston.

Adam Munro entra dans la limousine, encadré par deux anges gardiens aux larges épaules qui lui demandèrent aussitôt son passeport. Les deux agents du Service secret de la Présidence étudièrent attentivement ses papiers tandis que la voiture glissait sans bruit vers la piste où un petit hélicoptère attendait à l'abri d'un hangar, rotors en marche.

Les agents se montrèrent polis, très stricts. Ils avaient des ordres précis. Avant de laisser Munro monter à bord de l'hélicoptère, ils le fouillèrent avec soin pour s'assurer qu'il ne cachait pas d'armes. Satisfaits de leur fouille, ils l'accompagnèrent à bord et l'oiseau à hélices s'éleva dans le ciel, vers Washington, de l'autre côté du Potomac, où l'attendaient les pelouses de la Maison Blanche. Une demi-heure après avoir atterri à Dulles, Munro se posait à une centaine de mètres des fenêtres du Bureau Ovale. Il était trois heures à Washington, et l'après-midi était chaud pour la saison.

Escorté de ses deux agents, Munro traversa les pelouses vers le passage étroit dépassant le bâtiment gris des Services exécutifs (une monstruosité victorienne faite de portiques à colonnes entrecoupées de fenêtres d'une diversité de style stupéfiante) et l'aile ouest, toute blanche, beaucoup plus petite, qui forme une sorte de boîte aplatie dont la majeure partie est enfouie dans le sol.

C'est vers une petite porte du premier sous-sol que les deux agents conduisirent Munro. A l'intérieur, ils se présentèrent et présentèrent le visiteur à un policier en uniforme assis derrière un minuscule bureau. Munro ne cacha pas sa surprise : rien de commun avec la façade majestueuse de l'entrée principale donnant sur Pennsylvania Avenue — que tous les touristes connaissent et que tous les Américains chérissent.

Le policier appela quelqu'un sur le téléphone intérieur et quelques instants plus tard, une jeune secrétaire sortit d'un ascenseur. Elle conduisit les trois hommes dans un long couloir, au bout duquel ils gravirent un escalier étroit. Ils montèrent un étage et se trouvèrent au niveau du sol, dans un vestibule revêtu de moquette épaisse où un collaborateur du Président en complet trois-pièces gris anthracite, ne put dissimuler son étonnement en apercevant l'Anglais mal rasé et hirsute.

— Vous allez être reçu tout de suite, monsieur Munro, dit-il.

Il le précéda. Les deux agents du Service secret restèrent avec la jeune femme.

Munro suivit un corridor, passa devant un petit buste d'Abraham Lincoln, puis croisa deux hommes affairés se dirigeant dans l'autre sens. L'homme qui le précédait tourna à gauche et se heurta à un autre policier en uniforme, assis devant un bureau près du panneau blanc d'une porte encastrée au ras du mur. Le policier vérifia de nouveau le passeport de Munro, examina son allure extérieure d'un œil désapprobateur, glissa la main sous son bureau et appuya sur un bouton. On entendit un bourdonnement et l'homme au complet gris poussa la porte. Elle s'ouvrit, l'homme recula et invita Munro à passer devant lui. Munro avança de deux pas et se retrouva dans le Bureau Ovale.

La porte se referma derrière lui avec un déclic.

Les quatre hommes dans la pièce l'attendaient, les yeux fixés sur la porte courbe qui épousait la forme du mur derrière lui. Il reconnut le président Matthews, mais c'était un Président qu'aucun électeur n'avait jamais vu : fatigué, les yeux rougis, paraissant dix ans de plus que l'homme au sourire confiant, mûr mais en pleine forme, que l'on pouvait voir sur toutes ses affiches.

Robert Benson se leva et s'avança vers lui.

— Je suis Bob Benson, dit-il.

Il entraîna Munro vers le bureau. William Matthews se pencha en avant pour lui serrer la main. Benson présenta ensuite Munro à David Lawrence et à Stanislas Poklewski qu'il reconnut pour avoir souvent vu leurs photos dans la presse.

— C'est donc vous qui manipulez le Rossignol? dit le président Matthews en fixant l'agent britannique sans dissimuler sa curiosité.

— Depuis douze heures cela fait partie du passé, monsieur le Président, répondit Munro. Je crois que le Rossignol est tombé entre les mains du K.G.B.

— Je suis désolé, dit Matthews. Vous êtes au courant de l'ultimatum que m'a lancé Maxime Roudine dans cette affaire du pétrolier ?

Il fallait que je sache la raison de son attitude.

— Nous la connaissons désormais, dit Poklewski, mais cela ne semble pas nous avancer à grand-chose. Nous savons que Roudine est acculé, tout comme nous le sommes ici-même. L'assassinat de Youri Ivanenko par deux amateurs dans une rue de Kiev est une explication fantastique, mais nous sommes toujours dans l'impasse...

— Nous n'avons pas besoin d'expliquer à M. Munro l'importance du traité de Dublin, ni l'imminence d'une guerre au cas où Ephraïm Vichnaïev prendrait le pouvoir, dit David Lawrence. Vous avez lu tous les comptes rendus des séances du Politburo que le Rossignol vous a remis, n'est-ce pas, monsieur Munro ?

— Oui, monsieur le Ministre. Je les ai lus dans l'original russe avant de les transmettre. Je sais ce qui est en jeu, des deux côtés.

— Comment pouvons-nous sortir de cette situation ? demanda le président Matthews. Votre Premier ministre m'a demandé de vous recevoir parce que vous avez une proposition à faire, dont elle se refusait à discuter par téléphone. C'est pour cela que vous êtes venu, n'est-ce pas ?

— Oui, monsieur le Président.

Le téléphone sonna. Benson écouta pendant quelques secondes, puis raccrocha.

— L'échéance se rapproche, dit-il. Ce type sur le *Freya*, Svoboda, vient d'annoncer qu'il déversera cent mille tonnes de pétrole à la mer demain matin à neuf heures, heure européenne, c'est-à-dire à quatre heures du matin chez nous. Dans un peu plus de douze heures.

— Que suggérez-vous, monsieur Munro ? demanda le président Matthews.

— Monsieur le Président, il y a en fait deux possibilités fondamentales. Soit Michkine et Lazareff sont libérés et partent en Israël, auquel cas ils parlent à leur arrivée et détruisent Maxime Roudine et le traité de Dublin. Soit ils demeurent où ils sont et le *Freya* se détruira lui-même, ou devra être détruit, avec tout son équipage à bord.

Il ne fit pas allusion au soupçon des Anglais concernant le véritable rôle du *Moran*, mais Poklewski lança un coup d'œil insistant à Robert Benson, impassible à son habitude.

— Nous le savons, monsieur Munro, dit le Président.

— Mais ce que Maxime Roudine craint en réalité n'est pas lié à la situation géographique de Michkine et Lazareff. Ce qu'il redoute, c'est que ces deux hommes aient la possibilité de révéler au monde ce qu'ils ont fait il y a cinq mois dans cette rue de Kiev.

William Matthews soupira.

— Nous y avons songé, dit-il. Nous avons demandé au Premier ministre Golen de recevoir Michkine et Lazareff, de les garder au secret jusqu'à l'évacuation du *Freya* par les terroristes, puis de les renvoyer à Berlin, ou même de les garder dans l'isolement le plus absolu dans une prison israélienne pendant une dizaine d'années. Il a refusé. Il a dit qu'ayant juré solennellement et publiquement de souscrire aux exigences des terroristes, il ne reviendrait pas sur son serment. Et il s'en tiendra là. Je suis désolé, vous avez fait un voyage pour rien, monsieur Munro.

— Ce n'est pas du tout ce que j'avais en tête, dit Munro. Pendant le trajet, j'ai rédigé ma proposition sous forme de mémorandum sur du papier à lettres de l'avion.

Il sortit quelques feuilles de papier de sa poche intérieure et les tendit à William Matthews.

Le visage du Président des États-Unis exprima une horreur de plus en plus intense.

— C'est épouvantable, dit-il quand il eut terminé la lecture du mémorandum. Je n'ai pas le choix ou plutôt, quel que soit le choix que je fasse, des hommes vont mourir.

L'homme des services secrets britanniques lui adressa un regard dénué de sympathie. Il savait depuis longtemps que par principe, les hommes politiques ne soulèvent guère d'objection à la mort de quelques hommes, pourvu que nul ne sache publiquement qu'ils en sont responsables.

— Cela s'est déjà produit, monsieur le Président, dit-il d'un ton ferme. Et cela se produira certainement à l'avenir. A la Firme, nous appelons ça : l'Alternative du diable.

Sans un mot, le président Matthews tendit le mémorandum à Robert Benson, qui le lut rapidement.

— Ingénieux, dit-il. Cela peut marcher. Est-ce réalisable dans le peu de temps qu'il nous reste ?

— Nous avons tout ce qu'il faut, dit Munro. Le délai est bref, mais suffisant. Il faudrait que je sois à Berlin à sept heures du matin, heure locale, soit dans dix heures.

— Mais même si nous acceptons, Maxime Roudine donnera-t-il son accord? dit le Président. Sans son concours, le traité de Dublin sera perdu.

— La seule façon de savoir, c'est de le lui demander, dit Poklewski.

Il avait terminé la lecture du mémorandum et l'avait remis à David Lawrence. Après l'avoir lu, le ministre des Affaires étrangères, membre éminent de l'aristocratie bostonnienne, posa les feuilles de papier comme si elles lui souillaient les doigts.

— Je trouve cette idée écœurante et dénuée de toute humanité, dit-il. Aucun gouvernement des États-Unis ne saurait donner son adhésion à un projet aussi abject.

— Plus abject que de se voiler la face pendant que les trente marins innocents du *Freya* brûlent vifs comme des torches? demanda Munro.

Le téléphone sonna de nouveau. Lorsque Benson raccrocha, il se tourna vers le Président.

— Je crois que nous n'avons plus d'autre issue, dit-il. Le chancelier Busch vient d'annoncer à l'instant que Michkine et Lazareff seraient libérés demain matin à huit heures, heure européenne. Et cette fois-ci, il ne reviendra pas sur sa décision. Il faut que nous obtenions l'accord de Maxime Roudine.

— Essayons, puisque nous y sommes contraints, dit Matthews. Mais je ne veux pas être le seul à porter cette responsabilité. Maxime Roudine doit donner son accord formel sur le projet. Il doit être averti. Je l'appellerai personnellement.

— Monsieur le Président, dit Munro, Maxime Roudine n'a pas utilisé le téléphone rouge pour vous présenter son ultimatum. Cela signifie qu'il n'est pas sûr de la loyauté de tous les membres de son équipe, au sein même du Kremlin. Au cours de ces conflits de factions, le menu fretin lui-même change parfois de camp et transmet des renseignements secrets à l'opposition. Je crois que cette proposition doit lui être faite de personne à personne, sinon il risque de se sentir contraint de refuser.

— Il ne reste pas assez de temps pour que vous alliez à Moscou pendant la nuit. Vous ne seriez pas rentré à Berlin à l'aurore, objecta Poklewski.

— Il n'y a qu'un moyen, dit Benson. Le Blackbird stationné à la base d'Andrews pourra parcourir la distance dans ces délais.

Le président Matthews prit sa décision.

— Bob, emmenez vous-même M. Munro à Andrews. Prévenez l'équipage du Blackbird, le décollage doit avoir lieu dans une heure. Je vais appeler Maxime Roudine pour lui demander d'autoriser notre avion à pénétrer dans l'espace aérien soviétique et de recevoir M. Munro en tant que mon envoyé personnel. Rien d'autre, monsieur Munro ?

Munro sortit une feuille de papier de sa poche.

— J'aimerais que la Compagnie fasse parvenir d'urgence ce message à sir Nigel Irvine, pour qu'il puisse prendre en charge les problèmes de Londres et de Berlin.

— Ce sera fait, dit le Président. Je vous souhaite bonne chance, monsieur Munro.

18

De 21 heures à 06 heures

Lorsque l'hélicoptère s'éleva au-dessus des pelouses de la Maison Blanche, les agents des Services secrets demeurèrent au sol. Le pilote stupéfait s'aperçut que le mystérieux Anglais au complet fripé était accompagné par le directeur de la C.I.A. en personne. Tandis qu'ils prenaient de l'altitude, le Potomac se mit à scintiller sous le soleil, déjà proche de l'horizon en cette fin d'après-midi. Le pilote se dirigea vers le sud-est de la ville où se trouve la base aérienne d'Andrews.

Dans le Bureau Ovale, Stanislas Poklewski téléphonait au commandant de la base. Il lui fallut à chaque phrase invoquer les pouvoirs de commandant suprême des Forces armées que détient le président des États-Unis. Les protestations de l'officier perdirent bientôt un peu de leur vigueur. Finalement, le conseiller pour les problèmes de sécurité nationale tendit le téléphone à William Matthews.

— Oui, général, William Matthews à l'appareil, et ce sont mes ordres. Vous informerez le colonel O'Sullivan qu'il doit préparer immédiatement un plan de vol de Washington à Moscou par la route polaire directe. L'autorisation de pénétrer dans l'espace aérien soviétique lui sera communiquée par radio avant qu'il ne quitte le Groenland.

Le Président reprit l'autre ligne — le « téléphone rouge » avec lequel il essayait de parler directement à Maxime Roudine à Moscou.

A la base d'Andrews, le commandant accueillit en personne l'hélicoptère au moment où il toucha le sol. Sans la présence de Robert Benson qu'il connaissait de vue, il n'aurait probablement jamais accepté un Anglais inconnu comme passager sur le plus rapide des avions de reconnaissance du monde — d'autant que ses ordres lui

398

enjoignaient de faire décoller cet appareil à destination de Moscou. Dix ans après son premier vol, le Blackbird était toujours sur la liste secrète. Son équipement était encore trop perfectionné pour qu'il en soit autrement.

— Très bien, monsieur le Directeur, dit-il enfin. Mais je dois vous avertir que le colonel O'Sullivan est un homme de l'Arizona au caractère assez difficile.

Ce n'était que trop vrai. Tandis que l'on conduisait Adam Munro au magasin d'habillement des pilotes pour lui donner une combinaison de vol, des bottes et le casque à oxygène en forme de bocal à poissons rouges, Robert Benson allait rejoindre le colonel George T. O'Sullivan dans la salle de navigation. Le cigare coincé entre ses dents, l'aviateur consultait les cartes de l'Arctique de l'est de la Baltique. Le directeur de la C.I.A. était certainement d'un rang plus élevé que le sien, mais il n'était manifestement pas d'humeur à faire des politesses.

— Vous me demandez sérieusement de faire voler cet oiseau au-dessus du Groenland et de la Scandinavie, pour atterrir au beau milieu des Rousskis ? demanda-t-il de sa voix éraillée.

— Non, colonel, répondit Benson d'un ton calme, le président des États-Unis vous l'ordonne.

— Sans mon navigateur pour faire marcher la mécanique ? et avec je ne sais quel foutu Rosbif assis sur son siège ?

— Il se trouve que ce " foutu Rosbif " est porteur d'un message personnel du président des États-Unis au président de l'Union soviétique. Il faut que ce message arrive ce soir et il n'y a pas d'autre moyen, dit Benson.

Le colonel d'aviation le fixa pendant un instant.

— Ouais, dit-il à regret. Ce foutu message doit être foutrement important.

A cinq heures quarante, on conduisit Adam Munro au hangar abritant l'appareil. Les techniciens l'entouraient de toutes parts pour préparer le vol.

Il connaissait de réputation le Lockhed SR-71 surnommé *Blackbird* (le Merle) à cause de sa couleur noire. Il avait vu des photos de l'avion, mais jamais l'appareil lui-même. Il faisait incontestablement beaucoup d'effet. Sur l'unique roue du train avant, le cône du nez en forme de balle de fusil s'élevait légèrement vers le haut. Loin au-dessous du fuselage, des ailes minces comme des lames de couteau s'étendaient en *delta*, servant à la fois de plan de sustentation et de gouverne de queue.

Les moteurs étaient situés presque au bout des ailes, dans des cocons à bout pointu : deux turboréacteurs Pratt et Whitney JT-11-D, développant chacun plus de quinze tonnes de poussée avec leur brûleur auxiliaire injectant du carburant dans les gaz d'échappement surchauffés du brûleur principal. Au-dessus de chaque moteur s'élevaient les gouvernes latérales en forme de couteau qui permettaient de diriger l'appareil. Le corps de l'avion et ses moteurs ressemblaient en fait à trois seringues hypodermiques reliées uniquement par l'aile en *delta*.

En dehors des petites étoiles blanches cerclées de blanc indiquant sa nationalité américaine, le SR-71 était noir de la tête à la queue.

Les rampants aidèrent Munro à s'introduire dans l'espace exigu du siège arrière, et il s'enfonça de plus en plus bas jusqu'à ce que les rebords du cockpit dépassent ses oreilles. Le capot transparent se referma. Il était exactement dans la ligne du fuselage pour éviter tout effet de traînance. Munro ne pouvait voir de l'extérieur que ce qui se trouvait au-dessus de sa tête — bientôt, les étoiles.

L'homme qui aurait dû occuper ce siège comprenait certainement l'extraordinaire assortiment d'écrans radars, de systèmes de défense électronique et de commandes de caméras qui se trouvaient devant lui. Le SR-71 était essentiellement un avion-espion, conçu et équipé pour voler à des altitudes lui permettant d'échapper aux chasseurs et aux missiles — et pour photographier tout ce qui se trouvait au-dessous de lui.

Des mains bienveillantes relièrent aux systèmes de l'avion les fils et les tubes qui pendaient de sa combinaison : radio, oxygène, compensation de la pesanteur. Il vit le colonel O'Sullivan s'enfoncer dans le siège avant avec l'aisance que donne l'habitude, et se relier lui-même à ces systèmes de survie. Dès que la radio fut branchée, la voix de l'homme de l'Arizona retentit dans ses oreilles.

— Vous êtes écossais, monsieur Munro ?

— Je suis né en Écosse, oui, répondit Munro dans son casque.

— Je suis irlandais, dit la voix dans ses oreilles. Vous êtes catholique ?

— Pardon ?

— Catholique, nom de Dieu !

Munro réfléchit un instant. Il n'était pas religieux pour deux sous.

— Non, dit-il. Église d'Écosse.

Cela provoqua une réaction de dégoût manifeste.

— Seigneur!... Vingt ans de service dans l'aviation américaine et me voilà chauffeur d'un protestant écossais!

Le capot de triple perspex, capable de subir les formidables différences de pression que suppose un vol à très haute altitude, se referma sur eux. Un léger sifflement indiqua que la cabine était maintenant complètement pressurisée. Tiré par un tracteur, quelque part vers l'avant, le SR-71 émergea du hangar dans la lumière du soir.

Les moteurs démarrèrent. On n'entendit à l'intérieur qu'un sifflement léger, mais à l'extérieur, les rampants frémirent malgré leurs protège-oreilles lorsque le rugissement se répercuta entre les hangars.

Le colonel O'Sullivan obtint l'avis favorable de décollage, alors même qu'il effectuait ses vérifications de prédécollage — en apparence innombrables. Au bout de la piste principale, le Merle s'arrêta, se balança sur ses roues tandis que le colonel le mettait en ligne. Puis Munro entendit sa voix :

— Quel que soit le Dieu que vous avez l'habitude de prier, c'est le moment de commencer. Et surtout ne vous arrêtez pas...

Quelque chose comme un train en pleine vitesse heurta brusquement Munro sur toute la largeur de son dos : c'était le siège en plastique moulé dans lequel il était attaché. Il ne pouvait voir aucun bâtiment pour se rendre compte de la vitesse, uniquement le ciel bleu pâle au-dessus de sa tête. Lorsque l'appareil atteignit deux cent cinquante kilomètres à l'heure, le nez s'éleva au-dessus du tarmac; une demi-seconde plus tard, les roues principales se détachaient du sol et O'Sullivan rentrait les trains d'atterrissage dans leurs niches.

Libre de toute entrave, le SR-71 se cambra en arrière jusqu'à ce que le flux de ses réacteurs soit orienté tout droit vers la campagne du Maryland. Et il grimpa. Il grimpa presque verticalement, pénétrant en force dans le ciel comme une fusée — et n'était-il pas, en fait, une fusée ? Munro était couché sur le dos, les pieds levés vers le ciel, n'ayant conscience que de la pression continue du siège contre son épine dorsale tandis que le Blackbird jaillissait vers un ciel d'abord bleu foncé, puis violet et enfin d'un noir absolu.

Sur le siège avant, le colonel O'Sullivan naviguait lui-même : il suivait les instructions que l'ordinateur de bord imprimait sur ses voyants digitaux. Ils lui indiquaient l'altitude, la vitesse, le taux d'ascension, la trajectoire et le cap, les températures extérieure et intérieure, les températures des moteurs et des tubes de propulsion, les taux d'oxygène, et le degré de proximité du mur du son.

Quelque part en dessous d'eux, Philadelphie et New York disparurent comme des villes-jouets. Ils franchirent le mur du son en survolant le nord de l'État de New York, et ils continuèrent de grimper et d'accélérer. A vingt-cinq mille mètres (huit mille mètres plus haut que le Concorde), le colonel O'Sullivan coupa ses brûleurs auxiliaires : il était parvenu à son altitude de vol.

Bien que le soleil ne fût pas encore tout à fait couché, le ciel était d'un noir profond, car à ces altitudes, les molécules d'air réfléchissant les rayons de soleil sont si rares que l'on ne voit pas de lumière. Mais il y a encore suffisamment de molécules pour provoquer des frottements de surface sur la peau d'un avion comme le Blackbird. Lorsque l'État du Maine et la frontière canadienne glissèrent au-dessous d'eux, ils avaient adopté une vitesse de croisière rapide d'environ trois fois la vitesse du son. Sous les yeux stupéfaits de Munro, le revêtement noir du SR-71, fait de titane pur, prit une couleur rouge cerise provoquée par l'échauffement.

Dans la cabine, le système de réfrigération de l'avion maintenait ses occupants à une température agréable.

— Je peux parler ? demanda Munro.

— Ouais, dit le pilote d'une voix laconique.

— Où sommes-nous ?

— Au-dessus du golfe du Saint-Laurent, dit O'Sullivan. Vers Terre-Neuve.

— A quelle distance de Moscou ?

— Depuis la base d'Andrews, 7 813 kilomètres.

— Durée de vol ?

— Trois heures cinquante.

Munro se mit à calculer. Ils avaient décollé à six heures du soir, heure de Washington, soit onze heures du soir, heure de l'Europe. Il était alors une heure du matin à Moscou — le dimanche 3 avril. Ils se poseraient vers cinq heures du matin, heure de Moscou. Si Roudine acceptait son plan, le Blackbird gagnerait deux heures sur le soleil en le ramenant dans l'autre sens. Il aurait tout juste le temps d'arriver à Berlin-Ouest à l'aube.

Ils n'avaient pas volé plus d'une heure lorsque les dernières terres canadiennes du cap Harrison firent place, très loin au-dessous d'eux, aux eaux sauvages de l'Atlantique Nord. Ils se dirigeaient vers la pointe méridionale du Groenland, le cap Farewell.

— Monsieur le Président Roudine, je vous prie de m'écouter jusqu'au bout, dit William Matthews.

Il parlait d'une voix très calme dans un petit micro posé sur son bureau, le célèbre « téléphone rouge », qui en réalité n'est pas un téléphone du tout. L'amplificateur voisin du micro permettait aux hommes du Bureau Ovale d'entendre le murmure du traducteur chuchotant en russe près de l'oreille de Roudine.

— Maxime Andréiévitch, je crois que nous sommes tous les deux trop vieux dans ce métier, et que nous avons travaillé trop dur et trop longtemps en faveur de la paix entre nos peuples, pour nous laisser frustrer et dépouiller de cette paix par une bande d'assassins sur un pétrolier de la mer du Nord.

Il y eut un silence de quelques secondes, puis la voix rocailleuse de Roudine se fit entendre. Il parlait russe, et à côté du Président un jeune assistant des Affaires étrangères traduisait à mi-voix.

— Dans ce cas, William, mon ami, vous devez détruire le pétrolier pour éliminer l'arme du chantage. Je ne peux rien faire de plus que je n'ai fait.

Bob Benson prévint le Président d'un regard. Inutile de dire à Roudine que l'Ouest connaissait déjà la vérité sur Ivanenko.

— Je le sais bien, dit Matthews au micro. Mais je ne peux pas détruire ce pétrolier. Ce serait me détruire moi-même. Il y a peut-être une autre solution. Je vous demande du fond du cœur de recevoir l'homme que je vous envoie. Il est déjà en route vers Moscou. Sa proposition nous permettra peut-être de sortir de l'impasse, vous comme moi.

— Qui est cet Américain? demanda Roudine.

— Il n'est pas américain, c'est un Anglais, dit le président Matthews. Il se nomme Adam Munro.

Le silence dura plusieurs secondes. Finalement la voix russe reprit, de mauvaise grâce :

— Donnez à mes hommes les détails de son plan de vol — altitude, vitesse, parcours. J'ordonnerai qu'on laisse passer cet avion, et je recevrai l'homme personnellement à son arrivée. *Spakoïnyo notch*, William.

— Il vous souhaite une nuit paisible, monsieur le Président, dit le traducteur.

403

— Il plaisante ! répondit William Matthews. Donnez à ses collaborateurs le plan de vol du Blackbird et dites au Blackbird de poursuivre son chemin.

A bord du *Freya*, il était plus de minuit. Terroristes et prisonniers allaient entamer leur troisième et dernière journée. Ils ne vivraient pas un autre minuit sur le *Freya* : avant vingt-quatre heures, ou bien Michkine et Lazareff seraient en Israël, ou bien le *Freya* et tous les hommes à son bord seraient détruits.

Drake avait menacé de s'installer dans une autre cabine mais, persuadé que les fusiliers marins ne lanceraient pas d'attaque de nuit, il préféra demeurer où il se trouvait.

De l'autre côté de la grande table de la cabine de jour, Thor Larsen le fixait d'un regard dur. L'épuisement des deux hommes était presque total. Larsen, surmontant les vagues de somnolence qui voulaient le contraindre à poser sa tête sur son coude et à s'endormir, continuait son jeu solitaire : il harcelait l'Ukrainien de coups d'épingles, pour le forcer à répondre et le tenir éveillé.

Il avait découvert le moyen le plus sûr de provoquer Svoboda, le moyen le plus sûr de lui faire utiliser ses dernières réserves d'énergie nerveuse : il suffisait de faire dévier la conversation sur la question des Russes.

— Je ne crois pas à votre soulèvement populaire, monsieur Svoboda, dit-il. Je ne crois pas que les Russes s'insurgeront jamais contre leurs maîtres du Kremlin. Si mauvais, si inefficaces et si brutaux soient-ils. Il suffira que les dirigeants agitent le spectre de la menace étrangère, et le peuple n'écoutera que son patriotisme russe sans limites.

Le Norvégien eut l'impression d'être allé un peu trop loin : la main de Svoboda se resserra sur la crosse de son arme et son visage devint blême de rage.

— Maudit soit leur patriotisme russe ! cria-t-il en se levant soudain. J'en ai jusque-là d'entendre les écrivains occidentaux et les libéraux carillonner à tous les vents le prétendu merveilleux patriotisme russe.

« Qu'est-ce que c'est que ce patriotisme qui ne se nourrit que de la destruction de l'amour des autres peuples pour leur patrie ? Et mon patriotisme *à moi*, Larsen ? Et l'amour des Ukrainiens pour leur pays natal réduit à l'esclavage ? Et les Géorgiens, les Arméniens, les Lituaniens, les Estoniens, les Lettons ? N'ont-ils pas le droit, eux aussi, à être patriotes ? Faut-il que tout patriotisme soit sublimé dans un éternel amour écœurant pour la Russie ?

Il s'était avancé vers Larsen, en contournant la table, il agitait la main tenant son arme et entre chaque cri rageur, il haletait. Mais à mi-chemin de Larsen, il se domina soudain et revint s'asseoir. Il braqua le canon de son revolver vers Larsen comme on tend l'index pour donner plus de poids à ses paroles.

— Un jour, peut-être plus proche qu'on ne le pense, l'Empire russe commencera à se lézarder. Très bientôt, les Roumains vont mettre en pratique *leur* patriotisme, ainsi que les Polonais et les Tchèques. Ils seront suivis par les Allemands et les Hongrois. Et les Baltes et les Ukrainiens, les Géorgiens et les Arméniens. L'Empire russe se craquèlera et s'effondrera, comme se sont effondrés l'Empire romain et l'Empire britannique, parce qu'à la fin, l'arrogance de leurs mandarins était devenue insupportable.

« Dans vingt-quatre heures, je vais moi-même glisser le burin dans la première fente de la muraille. Et frapper un coup de masse gigantesque. Et si qui que ce soit se met en travers de mon chemin, il mourra. Vous le premier, Larsen. Vous avez intérêt à me croire.

Il abaissa son arme, et sa voix se radoucit.

— Quoi qu'il en soit, Busch a accédé à mes exigences, et cette fois-ci il ne reviendra pas en arrière. Cette fois-ci, Michkine et Lazareff arriveront vraiment en Israël.

Thor Larsen observa le jeune homme d'un œil critique. La provocation délibérée du capitaine avait failli le pousser à se servir de son arme. Mais il avait presque perdu toute concentration. Et il s'était presque avancé à portée du Norvégien. Il suffirait d'une autre fois, d'une seule tentative de plus, aux heures tristes précédant l'aurore...

Toute la nuit, des messages codés urgents avaient fait le trajet de Washington à Omaha, et de là jusqu'aux nombreuses stations de radars qui constituent les yeux et les oreilles de l'Alliance occidentale en une sorte d'anneau électronique entourant l'Union soviétique. Des yeux invisibles avaient suivi l'étoile filante que constituait le blip du Blackbird glissant, à l'est de l'Islande, vers la Scandinavie et Moscou. Prévenues, les sentinelles du ciel n'avaient pas donné l'alarme.

De l'autre côté du rideau de fer, des messages venus de Moscou alertèrent les sentinelles soviétiques de l'arrivée autorisée de l'avion américain. Aucun chasseur ne décolla pour l'intercepter. On lui dégagea un couloir aérien du golfe de Botnie jusqu'à Moscou, et le Blackbird s'en tint à son plan de vol.

Mais une base de chasse n'avait apparemment pas entendu l'avertissement. Ou bien, si elle l'avait entendu, elle n'en avait pas tenu compte. A moins que quelqu'un, au cœur du ministère de la Défense, lui ait donné des ordres secrets contremandant ceux du Kremlin.

Très haut dans l'Arctique, à l'est de Kirkenes, deux Mig-25 glissèrent doucement sur la neige et s'élancèrent vers la stratosphère sur une trajectoire d'interception. C'étaient des appareils de type 25-E, ultra-modernes, plus puissants et mieux armés que l'ancienne version des années soixante-dix, les 25-A.

Ils pouvaient atteindre en ligne 2,8 fois la vitesse du son, et leur plafond était de l'ordre de vingt mille mètres. Mais les six missiles air-air « Acrid » que chacun d'eux transportait sous ses ailes pouvaient frapper à six mille mètres plus haut. Et ils étaient en train de prendre de l'altitude à pleine puissance, brûleurs auxiliaires ouverts, bondissant de plus de trois mille mètres par minute.

Le Blackbird survolait la Finlande, en direction de Leningrad et du lac Ladoga, lorsque le colonel O'Sullivan grogna dans le téléphone :

— On a de la visite.

Munro sortit de sa rêverie. Il ne comprenait pratiquement rien à la technologie du SR-71, mais le petit écran radar devant lui lui suffit : il y avait deux petits blips s'approchant rapidement.

— Qui est-ce ? demanda-t-il.

Pendant un instant la peur lui noua l'estomac. Maxime Roudine avait donné son accord personnel. Ce n'était certainement pas lui qui avait envoyé ces avions. Mais alors, quelqu'un d'autre ?...

Sur le siège avant, le colonel O'Sullivan avait lui aussi un écran radar. Il observa pendant plusieurs secondes la vitesse à laquelle les avions se rapprochaient.

— Des Mig-25, dit-il. A dix-huit mille mètres et grimpant très vite. Ces foutus Rousskis ! Je savais bien qu'on ne peut pas leur faire confiance.

— Vous retournez vers la Suède ? demanda Munro.

— Non, répondit le colonel. Le président des États-Unis d'Amérique a dit de te cracher à Moscou, Rosbif, et c'est à Moscou que je vais te cracher.

Le colonel O'Sullivan mit ses deux brûleurs auxiliaires en route.

Munro sentit comme un coup de pied de mule au creux de ses reins lorsque la poussée s'accrut. L'aiguille du compteur Mach commença à grimper vers le trait représentant trois fois la vitesse du son, puis elle le dépassa. Sur l'écran radar, les blips parurent ralentir puis s'arrêter.

Le Blackbird releva légèrement le nez. Cherchant la moindre portance, si faible soit-elle, dans l'atmosphère raréfiée qui l'entourait, l'avion dépassa le plafond des vingt-cinq mille mètres et continua de grimper.

Derrière eux, le major Piotr Kouznetsov qui commandait la « paire » de chasseurs, poussa ses deux moteurs à réaction Toumansky jumelés à la limite de leurs performances. La technique soviétique était excellente, c'était la meilleure dont il pût disposer, mais ses deux moteurs lui donnaient cinq tonnes de poussée de moins que les réacteurs américains au-dessus de lui. De plus, l'armement externe qu'il transportait provoquait des traînances freinant son accélération.

Les deux Mig s'élevèrent pourtant jusqu'à vingt et un mille mètres, et parvinrent en limite de tir. Le major Kouznetsov arma ses six missiles et lança à son compagnon l'ordre de l'imiter.

Le Blackbird atteignait maintenant vingt-sept mille cinq cents mètres. Le radar du colonel O'Sullivan lui indiqua que ses poursuivants avaient dépassé le plafond des vingt-trois mille mètres et parvenaient presque à portée de tir. S'il s'était agi d'une poursuite en ligne droite, jamais les Mig n'auraient pu le battre en altitude et en vitesse, mais ils se trouvaient sur une trajectoire d'interception, coupant la route du Blackbird.

— Si je croyais que ce soit une escorte, dit Sullivan à Munro, je laisserais ces saligauds s'approcher plus près. Mais je n'ai jamais fait confiance aux Rousskis.

Munro était couvert de sueur sous sa combinaison thermique : à la différence du colonel, il avait lu les dossiers Rossignol...

— Ce n'est pas une escorte, dit-il. Ils ont reçu l'ordre de me tuer.

— Pas possible ! cria la voix éraillée dans ses oreilles. Ces foutus salopards ! Le président des États-Unis d'Amérique veut que tu arrives vivant à Moscou, Rosbif...

Le pilote du Blackbird mit en batterie tout son arsenal de contre-mesures. Des anneaux d'ondes de brouillage invisibles jaillirent soudain de l'avion noir lancé à pleine vitesse, et emplirent l'atmosphère sur des kilomètres à la ronde, agissant sur les radars des Mig

407

comme une pelletée de sable qu'ils recevraient dans les yeux.

Le petit écran du major Kouznetsov devint un champ de neige grouillante, comme un écran de télévision lorsqu'une lampe vient de griller. Le voyant digital indiquant sa progression vers la cible annonçait que dans quinze secondes il serait en mesure de lancer ses missiles. Lentement, les chiffres commencèrent à augmenter : la cible s'éloigna, puis se perdit, il ne savait où, là-haut dans la stratosphère glacée.

Trente secondes plus tard, les deux chasseurs virèrent sur l'aile et parurent tomber dans le ciel, vers leur base...

Des cinq aéroports qui entourent Moscou, l'un d'eux, Vnoukono II, ne reçoit jamais la visite d'étrangers. Il est réservé à l'élite du Parti, et l'armée de l'air maintient toujours en état d'alerte la flottille des avions officiels. Ce fut sur cet aéroport que le colonel O'Sullivan se posa à cinq heures du matin, heure locale. Il était en territoire russe.

Lorsque le biréacteur en train de refroidir parvint à l'aire de stationnement, il fut aussitôt entouré par un groupe d'officiers emmitouflés dans leurs manteaux épais et leurs bonnets fourrés. Il fait encore très froid à Moscou au début du mois d'avril, avant le lever du jour. L'homme de l'Arizona souleva le capot de la cabine sur ses vérins hydrauliques et lança un regard horrifié à l'équipe de rampants qui l'entourait.

— Des Rousskis, s'écria-t-il le souffle coupé. Tout autour de mon oiseau !...

Il déboucla sa ceinture et se leva.

— Hé ! Enlevez-moi de cette mécanique vos grosses mains pleines de doigts, vous m'entendez ?

Adam Munro abandonna le colonel désolé qui tentait d'empêcher l'aviation soviétique de découvrir les capuchons encastrés des vannes de remplissage des réservoirs. Deux gardes du corps du Kremlin l'accompagnèrent jusqu'à une limousine noire. Dans la voiture, il ôta sa combinaison antigravité, et remit son pantalon et sa veste, qui avaient fait le trajet roulés en boule entre ses genoux. Ils avaient l'air de sortir d'une machine à laver.

Quarante-cinq minutes plus tard, la Zil, précédée de deux motocyclistes de la police qui lui avaient dégagé la route jusqu'au cœur de Moscou, pénétra dans le Kremlin par la porte Borovitsky, contourna le Grand Palais et se dirigea vers la porte latérale du bâtiment de l'Arsenal. A six heures moins deux, Adam Munro pénétrait dans les appartements privés du dirigeant suprême de l'U.R.S.S. Il y trouva un vieil homme en robe de chambre, serrant entre ses mains un verre de lait chaud. La porte se referma derrière lui. Maxime Roudine lui indiqua une chaise.

— C'est donc vous, Adam Munro, dit-il. Quelle est cette proposition du président Matthews ?

Munro s'assit sur la chaise à dossier droit et regarda Maxime Roudine de l'autre côté du bureau. Il l'avait vu plusieurs fois dans ses fonctions de chef d'État, mais jamais d'aussi près. Le vieillard paraissait fatigué et tendu.

Il n'y avait pas d'interprète présent. Roudine ne parlait pas anglais. Munro se douta qu'en attendant son arrivée, Roudine avait fait vérifier son identité. Il devait savoir qu'il était l'un des diplomates de l'ambassade britannique et qu'il parlait russe.

— Cette proposition, monsieur le Secrétaire général, commença Munro dans un russe parfait, consiste à persuader les terroristes du superpétrolier *Freya* de quitter ce bateau sans leur avoir donné ce qu'ils désirent.

— Que tout soit bien clair, monsieur Munro : il est inutile de parler davantage de la libération de Michkine et de Lazareff.

— Certainement, monsieur. En fait, je désirais parler de Youri Ivanenko.

Roudine le fixa, impassible. Il souleva lentement sa tasse de lait et en prit une gorgée.

— Vous comprenez, monsieur, dit Munro, un des deux hommes a déjà laissé filtrer quelque chose.

Pour donner plus de force à son argumentation, il était contraint de montrer à Roudine qu'il savait, lui aussi, ce qui était arrivé à Ivanenko. Mais au cas où Valentina serait encore libre, il ne lui avouerait pas qu'il l'avait appris d'une personne travaillant au cœur du Kremlin.

— Par bonheur, poursuivit-il, il a parlé à l'un de nos hommes, et tout a été réglé.

— Vos hommes ? s'étonna Roudine. Ah oui, je crois que je devine qui sont vos hommes. Combien d'autres personnes sont-elles au courant ?

— Le directeur général de mon organisation, le Premier ministre de Grande-Bretagne, le président Matthews et trois de ses conseillers. Et nul n'a la moindre intention de jeter ce renseignement sur la place publique. Non, pas la moindre.

Roudine parut ruminer longuement ses pensées.

— Peut-on en dire autant de Michkine et Lazareff ? demanda-t-il.

— C'est là le problème, répondit Munro. Cela a toujours été le problème depuis que les terroristes, qui sont d'ailleurs des émigrés ukrainiens, ont mis le pied sur le *Freya*.

— Je l'ai dit au président Matthews, la seule issue possible est de détruire le *Freya*. Cela coûtera une poignée de vies, mais cela nous évitera bien des ennuis.

— On aurait évité bien des ennuis en abattant l'avion de ligne avec lequel les deux assassins ont pris la fuite.

Roudine lui lança un regard pénétrant par-dessous ses sourcils en broussaille.

— Ce fut une erreur, dit-il d'une voix neutre.

— Le même genre d'erreur que cette nuit ? Savez-vous que deux Mig-25 ont failli abattre l'avion qui me conduisait ici ?

Le vieux Russe redressa brusquement la tête.

— Je l'ignorais.

Pour la première fois depuis le début de la conversation, Munro le crut sincère.

— Ce que je veux dire, monsieur le Secrétaire général, poursuivit Munro, c'est que la destruction du *Freya* ne sera pas efficace. Elle ne résoudra pas le problème. Il y a trois jours, Michkine et Lazareff étaient deux détourneurs d'avions sans la moindre importance, condamnés à quinze ans de prison. Aujourd'hui, ce sont des célébrités. Tout le monde croit encore que l'on cherche à les libérer pour eux-mêmes, mais nous savons qu'il n'en est rien.

« Si le *Freya* est détruit, continua-t-il, le monde entier se demandera pourquoi il était si vital de les maintenir en prison. Jusqu'ici, personne ne comprend encore que ce qui est vital, ce n'est pas leur détention, mais leur silence. Mais une fois détruits le *Freya*, son équipage et son fret, ils n'auraient plus la moindre raison de se taire. Et, à cause de la destruction du *Freya*, le monde entier les croirait lorsqu'ils raconteraient ce qu'ils ont fait. Les maintenir simplement en prison ne servirait plus à rien.

Roudine hocha lentement la tête.

— Vous avez raison, dit-il. Les Allemands les écouteraient, ils auraient leur conférence de presse.

— Exactement, dit Munro. C'est ce qui m'a poussé à faire ma proposition.

Il exposa les grandes lignes du plan qu'il avait présenté au cours des douze heures précédentes à Mme Carpenter et au président Matthews. Le Russe ne montra ni surprise, ni horreur. Seulement de l'intérêt.

— Est-ce réalisable ? demanda-t-il enfin.

— Il le faut, répondit Munro. C'est la dernière solution. Il faut les laisser aller en Israël.

Roudine leva les yeux vers la pendule accrochée au mur. Il était six heures quarante-cinq, heure de Moscou. Dans quatorze heures il lui faudrait affronter Vichnaïev et le reste du Politburo. Cette fois-ci, on ne l'attaquerait pas de biais. Cette fois-ci, le théoricien du Parti déposerait une motion de censure dans les règles. Sa tête grise fit un signe affirmatif.

— Faites-le, monsieur Munro, dit-il. Faites-le et arrangez-vous pour que ça marche. Car si vous échouez, il n'y aura ni traité de Berlin ni *Freya*.

Il appuya sur une sonnette et la porte s'ouvrit aussitôt. Un major de la garde prétorienne du Kremlin parut dans son uniforme immaculé.

— J'ai besoin d'envoyer deux messages, dit Munro, l'un aux Américains, l'autre à mon service. Un représentant de chaque ambassade m'attend devant les murs du Kremlin.

Roudine lança les ordres au major, qui acquiesça et fit signe à Munro de le précéder. Lorsque Munro franchit le seuil, Maxime Roudine le rappela.

— Monsieur Munro ?

Munro se retourna. Le vieil homme était tel qu'il l'avait trouvé en entrant, les mains en coupe autour de son verre de lait.

— Si jamais vous cherchez un jour du travail, monsieur Munro, dit-il de sa voix la plus grave, venez me voir. Il y a toujours une place libre, ici, pour les hommes de talent.

Lorsque la Zil sortit de l'enceinte du Kremlin par la porte Borovitsky, il était sept heures du matin et le soleil commençait à jeter des reflets d'or sur le clocher de la cathédrale Saint-Basile. Deux longues voitures noires étaient garées près du trottoir. Munro descendit de la Zil et s'approcha successivement des deux voitures. Il fit passer un message au diplomate américain et un autre au diplomate britannique. Avant même qu'il se soit envolé vers Berlin, ses instructions seraient arrivées à Londres et à Washington.

A huit heures précises, le nez pointu du SR-71 s'élevait au-dessus de la piste de Vnoukovo II, puis mettait le cap à l'ouest, vers Berlin, à mille six cents kilomètres de là. Il était piloté par un colonel O'Sullivan complètement écœuré après avoir passé trois heures à surveiller une équipe de mécaniciens de l'armée de l'air soviétique qui refaisait le plein de son oiseau précieux.

— Où je vous dépose à présent ? demanda-t-il dans l'intercom. Je ne peux pas descendre à Tempelhof, vous savez. Il n'y a pas assez de place.

— Atterrissez à la base britannique de Gatow, lui dit Munro.

— D'abord les Rousskis et maintenant les Rosbifs, grogna l'homme de l'Arizona. Tant qu'à faire, pourquoi ne pas organiser une exposition publique ? On dirait que ce soir, tout le monde a le droit de jeter un œil sur cet engin...

— Si cette mission est couronnée de succès, répondit Munro, peut-être le monde n'aura-t-il plus besoin de Blackbirds.

Loin d'en être ravi, le colonel O'Sullivan jugeait que ce serait une catastrophe.

— Vous savez comment je vais me recycler, si ça arrive ? dit-il. Je me mettrai chauffeur de taxi. Je suis déjà en train de me faire la main, non ?

Très loin au-dessous d'eux, la ville de Vilna, en Lituanie, s'éloigna rapidement. Volant à une vitesse double de celle du soleil levant, ils arriveraient à Berlin à sept heures, heure locale.

Il était cinq heures et demie à bord du *Freya* (et Adam Munro était encore sur le chemin du Kremlin à l'aéroport) lorsque l'interphone de la dunette sonna dans la cabine de jour.

L'homme qui se faisait appeler Svoboda décrocha, écouta pendant un instant, puis répondit en ukrainien. A l'autre bout de la table, Thor Larsen l'observait entre ses paupières mi-closes.

L'appel avait intrigué le chef des terroristes, qui se rassit et demeura les sourcils froncés, les yeux fixés sur la table, jusqu'à ce qu'un de ses hommes vienne surveiller à sa place le commandant norvégien.

Svoboda laissa le capitaine à la garde de son subordonné masqué, toujours armé d'une mitraillette, et il monta dans la dunette. Lorsqu'il revint dix minutes plus tard, il paraissait furieux.

— Qu'y a-t-il ? demanda Larsen. Quelque chose tourne mal ?

— L'ambassadeur allemand, sur la ligne de La Haye, dit Svoboda. On dirait que les Russes refusent que tout avion ouest-allemand, officiel ou privé, utilise les couloirs aériens permettant de quitter Berlin.

— C'est logique, dit Larsen. Ils ne vont tout de même pas faciliter l'évasion des deux hommes qui ont assassiné leur pilote de ligne.

Svoboda renvoya son collègue, qui referma la porte derrière lui et remonta dans la dunette. L'Ukrainien reprit son siège.

— Les Anglais ont offert d'aider le chancelier Busch en mettant un avion de liaison de la Royal Air Force à sa disposition pour convoyer Michkine et Lazareff de Berlin à Tel-Aviv.

— J'accepterais, dit Larsen. Après tout, les Russes ne sont pas incapables de dérouter un avion allemand. Et même de l'abattre et de prétendre qu'il s'agissait d'un accident. Mais ils n'oseront jamais tirer sur un avion militaire de la R.A.F. dans l'un des couloirs aériens. Vous êtes au seuil de la victoire. N'y renoncez pas pour un détail technique. Acceptez l'offre.

Svoboda regarda le Norvégien. La fatigue faisait briller ses yeux et le manque de sommeil ralentissait ses réactions.

— Vous avez raison avoua-t-il. Ils pourraient très bien abattre un avion allemand. En fait, j'ai déjà accepté.

— Plus rien ne sert de tempêter, dit Larsen avec un sourire forcé. Buvons à votre succès.

Il y avait deux tasses à café devant lui : il les avait remplies en attendant le retour de Svoboda. Il en poussa une au milieu de la longue table. L'Ukrainien se pencha en avant pour l'atteindre. Dans une opération parfaitement au point, ce fut sa première erreur...

Thor Larsen sauta sur lui par-dessus la longueur de la table, avec toute la fureur concentrée au cours des cinquante dernières heures, déchaînée soudain en une violence digne d'un ours fou de rage.

Le partisan recula, chercha son arme, la saisit et se prépara à tirer. Le poing qui lui heurta la tempe gauche avait la puissance d'une grume de sapin du Nord. Il jaillit de sa chaise et tomba à la renverse sur le sol de la cabine.

S'il avait été moins en forme, le coup l'aurait assommé. Mais sa condition physique était parfaite et il était plus jeune que le marin. Dans sa chute, le revolver lui échappa des mains et ricocha sur le sol. Il se releva les mains vides, prêt à affronter la charge du Norvégien, et les deux hommes retombèrent sur le sol, bras et jambes mêlés, au milieu des débris de la chaise brisée et des deux tasses à café en miettes.

Larsen essayait d'utiliser son poids et sa force, l'Ukrainien sa jeunesse et sa vivacité. Ce fut lui qui triompha. Glissant entre les doigts du colosse, Svoboda se libéra et sauta vers la porte. Il faillit l'atteindre. Sa main se tendait déjà vers le loquet lorsque Larsen, bondissant du tapis, lui saisit les chevilles.

Les deux hommes se relevèrent en même temps, à un mètre l'un de l'autre, mais le Norvégien était maintenant entre Svoboda et la porte. L'Ukrainien lança soudain son pied en avant, pour un coup droit dans l'aine. Le grand Norvégien s'effondra de douleur. Mais à peine était-il à terre qu'il se jetait de nouveau vers l'homme qui avait menacé de détruire son bateau.

Svoboda devait se souvenir que la cabine était pratiquement insonorisée car il se battait en silence, avec les poings, les dents, les ongles, les pieds, entraînant son adversaire sur le tapis au milieu des meubles et de la vaisselle brisés. Quelque part derrière eux se trouvait le revolver qui pourrait mettre fin à la lutte. Et accroché à la ceinture de Svoboda, pendait l'oscillateur qui, d'un coup d'index sur le bouton rouge, pourrait mettre fin à tout.

En fait, deux minutes plus tard, le combat s'achevait. Thor Larsen dégagea une de ses mains, saisit l'Ukrainien par les cheveux et lança sa tête contre le pied de la table. Svoboda se raidit pendant une fraction de seconde, puis tout son corps sembla se ramollir. Entre les racines de ses cheveux un mince filet de sang glissa vers son front.

Épuisé, haletant, Thor Larsen se releva et fixa l'homme évanoui. Avec mille précautions il ôta l'oscillateur de la ceinture de l'Ukrainien, le prit dans sa main gauche et s'approcha de la fenêtre de tribord qui était fermée avec des écrous à oreilles. D'une main, il se mit à les dévisser. Le premier écrou se dégagea des pattes. Il passa au deuxième. Dans quelques secondes, il jetterait l'oscillateur par le hublot, au-delà des trois mètres de coursive d'acier, dans la mer du Nord.

Sur le sol, derrière lui, la main du jeune terroriste glissa sur le tapis vers le revolver abandonné. Larsen avait défait le second écrou. Il ouvrait déjà, vers l'intérieur, la fenêtre au cadre de cuivre, lorsque Svoboda se redressa douloureusement sur une épaule, contourna la table et tira.

Le tonnerre du coup de feu dans la cabine fermée fut assourdissant. Thor Larsen pivota contre le mur près de la fenêtre ouverte et regarda sa main gauche, puis Svoboda. L'Ukrainien au sol le fixait sans en croire ses yeux.

La balle avait frappé le capitaine norvégien dans la paume de sa main gauche, la main qui tenait l'oscillateur, et ses chairs étaient pleines d'échardes de plastique et de verre. Pendant dix secondes les deux hommes se regardèrent, attendant la série d'explosions sourdes qui marqueraient la fin du *Freya*.

Elles ne se produisirent pas. La balle déformable avait fait voler l'oscillateur en éclats, et la durée de l'explosion avait été trop brève pour que les vibrations atteignent le niveau nécessaire au déclenchement des détonateurs des réservoirs.

Lentement, en s'aidant de la table, l'Ukrainien se remit sur pied. Thor Larsen regarda le flot de sang qui coulait sans discontinuer de sa main brisée et se répandait sur le tapis. Puis il se tourna vers le terroriste à bout de souffle.

— J'ai gagné, monsieur Svoboda. J'ai gagné. Vous ne pouvez plus détruire mon bateau et mon équipage.

— Peut-être, capitaine Larsen, dit l'homme au revolver. Vous le savez, et je le sais. Mais eux...

Il fit un geste vers le hublot ouvert et les lumières des vaisseaux de l'O.T.A.N. scintillant au-dessus de l'eau dans les ténèbres précédant l'aurore.

— ... ils l'ignorent. Le jeu continue, capitaine Larsen. Michkine et Lazareff arriveront en Israël sains et saufs.

19

La prison de Moabit à Berlin-Ouest comprend deux parties. La partie la plus ancienne date d'avant la Seconde Guerre mondiale, mais au cours des années soixante et au début des années soixante-dix, lorsque la bande à Baader-Meinhoff provoqua une vague de terreur dans toute l'Allemagne, on construisit une nouvelle section. Édifiée avec les aciers et les bétons les plus résistants, elle est pourvue de systèmes de sécurité ultra-modernes, avec surveillance par télévision et contrôle électronique des portes et des grilles.

Le dimanche 3 avril 1983 à six heures du matin, le gouverneur de Moabit réveilla David Lazareff et Lev Michkine dans leurs cellules séparées du dernier étage.

— On va vous libérer, leur dit-il d'un ton brusque. Vous partirez pour Israël par avion ce matin. Décollage prévu à huit heures. Préparez-vous. Nous prendrons la route de l'aéroport à sept heures trente.

Dix minutes plus tard, le commandant militaire du secteur britannique téléphonait au maire-gouverneur de Berlin.

— Je suis sincèrement désolé, Herr Burgermeister, dit-il au Berlinois, mais il est hors de question de décoller de l'aéroport civil de Tegel. D'une part, nos gouvernements sont convenus que l'on utiliserait un appareil de la Royal Air Force or les installations pour refaire le plein et pour préparer notre avion sont beaucoup plus pratiques à notre base de Gatow. Ensuite, nous essayons absolument d'éviter que la presse nous envahisse et provoque des désordres, et ce sera beaucoup plus facile pour nous à Gatow. Vous auriez beaucoup plus de mal à Tegel.

Le maire-gouverneur se sentit soulagé d'un grand poids. Puisque les Anglais prenaient en charge l'ensemble de l'opération, si quelque chose tournait mal, ils en seraient responsables. Et les élections régionales étaient imminentes à Berlin également...

— Que désirez-vous de nous, général ? demanda-t-il.

— Londres m'a demandé de vous suggérer que ces deux malfaiteurs soient enfermés dans un fourgon blindé à l'intérieur de Moabit, puis conduits directement à Gatow. Vos hommes pourront nous les remettre discrètement à l'intérieur de la base. Bien entendu, nous signerons une décharge de responsabilité pour la suite.

Cette combinaison ne fit pas le bonheur de la presse. Plus de quatre cents journalistes, photographes, et caméramen campaient devant la porte de la prison de Moabit depuis que Bonn avait annoncé, la veille au soir, que la libération aurait lieu à huit heures. D'autres équipes faisaient le pied de grue à l'aéroport de Tegel, cherchant des angles de prises de vues sur les terrasses du bâtiment central, d'où leurs téléobjectifs plongeraient sur les pistes. Tous allaient être déçus.

L'avantage principal de la base britannique de Gatow, c'est qu'elle occupe l'un des sites les plus écartés et les plus isolés du périmètre emmuré de Berlin-Ouest. Elle est située sur la rive occidentale de la Havel, tout près de la frontière avec l'Allemagne de l'Est communiste qui entoure de toutes parts la ville assiégée.

A l'intérieur de la base, une certaine activité régnait depuis plusieurs heures avant l'aube. Entre trois heures et quatre heures du matin, une version Royal Air Force du jet HS 125 conçu pour les P.-D.G. de l'industrie privée, était arrivé de Grande-Bretagne. Cet appareil, que la R.A.F. a baptisé *Dominie*, était équipé de réservoirs auxiliaires augmentant suffisamment son rayon d'action pour lui permettre de voler de Berlin à Tel-Aviv en survolant Munich, Venise et Athènes sans jamais entrer dans l'espace aérien communiste. Sa vitesse de croisière de huit cents kilomètres à l'heure permettrait au Dominie d'accomplir ce trajet de trois mille cinq cents kilomètres en un peu plus de quatre heures.

Aussitôt après son atterrissage, le Dominie avait été remorqué dans un hangar discret où l'on avait assuré son entretien de routine et refait son plein.

La presse était trop acharnée à surveiller la prison de Moabit et l'aéroport de Tegel pour remarquer la silhouette noire, fine comme une aiguille, du Blackbird SR-71 : il glissa par-dessus la frontière tout au bout de la ville, puis se posa à l'insu de tous sur la piste principale de Gatow. Il était sept heures trois, et l'avion fut aussitôt remorqué, lui aussi, vers un hangar vide où une équipe de mécaniciens américains de la base de Tempelhof se hâtèrent de fermer les portes à tous les yeux inquisiteurs. Le SR-71 avait fait son travail. Un colonel O'Sullivan, soulagé de se retrouver enfin au milieu de ses compatriotes, apprit avec joie que sa nouvelle destination serait ses chers États-Unis d'Amérique.

Son passager quitta le hangar. Un jeune chef d'escadrille l'attendait près d'une Landrover ;

— Monsieur Munro ?

— Oui.

L'officier de la Royal Air Force examina ses papiers avec soin.

— Il y a deux messieurs qui vous attendent au mess, monsieur.

Si on le leur avait demandé, ces deux « messieurs » auraient pu prouver qu'ils étaient des fonctionnaires civils subalternes détachés au ministère de la Défense. Mais ni l'un ni l'autre n'aurait avoué qu'ils effectuaient des recherches spéciales dans un laboratoire très mystérieux dont les découvertes, une fois mises au point, étaient immédiatement classées *top-secret*.

Les deux hommes, impeccablement vêtus, avaient des attaché-cases sur les genoux. L'un d'eux portait des lunettes sans monture et avait toutes les qualifications requises d'un docteur en médecine — ou, en tout cas, il les avait eues jusqu'au moment où il avait faussé compagnie à l'ordre d'Hippocrate. L'autre était son assistant, un ancien infirmier.

— Vous avez ce que je vous ai fait demander ? dit Munro en les rejoignant.

Pour toute réponse, le plus âgé des deux ouvrit son attaché-case et en retira une petite boîte plate de la taille d'une boîte à cigares. Il l'ouvrit et montra à Munro ce qui se trouvait à l'intérieur, sur une couche de coton hydrophile.

— Dix heures, dit-il. Pas davantage.

— C'est juste, répondit Munro. Très juste.

Il était sept heures et demie, la matinée serait ensoleillée.

Le Nimrod du *Coastal Command* continuait de tourner à quatre mille cinq cents mètres au-dessus du *Freya*. Il observait maintenant non seulement le pétrolier, mais la nappe de pétrole répandue depuis la veille à midi. Cette tache d'huile gigantesque se déplaçait paresseusement à la surface de l'eau, encore hors de portée des bateaux-pulvérisateurs qui n'avaient pas la possibilité de s'avancer dans la zone interdite entourant le *Freya*.

Dès que le pétrole s'était déversé sur les eaux, la nappe avait dérivé doucement vers le nord-est du pétrolier, emportée par un courant de marée d'environ un nœud en direction des côtes du nord de la Hollande. Mais pendant la nuit elle s'était arrêtée, la marée s'était mise à baisser et une légère brise avait déformé la nappe en plusieurs points. A l'aurore la nappe, faisant marche arrière, avait dépassé le *Freya* et se trouvait au sud du pétrolier, à deux milles de son mouillage, dans la direction de la Hollande et de la Belgique.

Sur les bateaux-pompes et les remorqueurs de pulvérisation, tous chargés au maximum de leur capacité de concentré émulsifiant, les savants venus de Warren Springs priaient pour que la mer reste calme et le vent léger jusqu'au moment où ils pourraient passer à l'action. Un changement de vent soudain, la moindre dégradation des conditions atmosphériques, et la nappe géante se disloquerait avant de déferler, poussée par la tempête, vers les rivages de l'Europe ou de la Grande-Bretagne.

Les spécialistes météo d'Angleterre et du Continent observaient avec inquiétude l'avancée d'un front froid descendant du détroit du Danemark : les couches d'air glacé qu'il amenait mettraient fin à la vague de chaleur inhabituelle en cette saison, et déclencheraient peut-être des bourrasques de vent et de pluie. Vingt-quatre heures de gros temps suffiraient à rendre la nappe impossible à maîtriser. Les écologistes priaient pour que cette vague de froid ne provoque qu'une brume de mer.

A bord du *Freya*, à mesure que s'égrenaient les minutes précédant huit heures, la tension nerveuse augmentait. Andrew Drake, flanqué de deux hommes armés de pistolets-mitrailleurs pour empêcher toute nouvelle attaque du commandant norvégien, avait autorisé le capitaine Larsen à soigner sa main avec sa trousse de secours. Le visage crispé par la souffrance, le capitaine avait retiré de sa paume en lambeaux tous les morceaux de plastique et de verre qu'il avait pu, puis il avait bandé sa main et l'avait placée dans une écharpe improvisée, passée autour de son cou. Dans l'angle opposé de la cabine, Svoboda l'observait. Une petite bande de sparadrap protégeait la coupure de son crâne.

— Vous êtes un homme courageux, Thor Larsen, je le dis comme je le pense. Mais rien n'a changé. Je peux encore vider le bateau de tout son pétrole avec ses propres pompes, et avant même que la moitié soit à la mer, les vaisseaux de guerre autour de nous ouvriront le feu pour terminer le travail. Vous le savez... Si les Allemands reviennent une fois de plus sur leur promesse, c'est ce que je ferai à neuf heures.

A exactement sept heures trente, les journalistes attendant devant la prison de Moabit furent récompensés de leur veillée d'armes. Les doubles portes de la Klein Moabit Strasse s'ouvrirent enfin, et le nez d'un fourgon blindé aux parois aveugles apparut. Des fenêtres des appartements faisant face à la prison, les photographes prirent tous les clichés qu'ils purent, c'est-à-dire presque rien, et le flot des voitures de presse démarra à la suite du fourgon.

Au même instant, les caméramen de télévision mirent leurs caméras en marche, les radio-reporters parlèrent à perdre haleine et leurs paroles transmises en direct parvinrent dans toutes les capitales qui les avaient envoyés. Le correspondant de la BBC fit son travail comme les autres, et sa voix résonna aussitôt dans la cabine de jour du *Freya*, où Andrew Drake — l'homme à l'origine de toute l'affaire — était penché au-dessus de son transistor.

— Ils sont partis, dit-il satisfait. Nous n'avons plus longtemps à attendre. Le moment est venu de communiquer les derniers détails de la réception à Tel-Aviv.

Il monta dans la dunette. Deux hommes restèrent pour surveiller le capitaine du *Freya*. Tassé dans sa chaise devant la table, il luttait de toutes les forces qui lui restaient contre les vagues de douleur qui montaient de sa main brisée.

Le fourgon blindé, précédé de motocyclistes de la police, toutes sirènes hurlantes, franchit la clôture de grillage de quatre mètres de haut de la base britannique de Gatow. La barrière mobile retomba aussitôt sous le nez de la première voiture pleine de journalistes qui tentait de suivre le fourgon. La voiture s'arrêta dans un grincement de pneus. Les doubles grilles se refermèrent. Deux minutes plus tard la foule des journalistes et des photographes ulcérés tempêtait pour obtenir le droit d'entrer.

Gatow ne renferme pas seulement une base aérienne ; une unité de l'armée de terre y est stationnée, et le commandant de la base était un général de brigade de l'infanterie. Les hommes de faction à la grille appartenaient à la police militaire : quatre géants aux casquettes à fond rouge, la visière plantée sur l'arête du nez, impassibles, inamovibles et immunisés contre tout.

— Vous ne pouvez pas nous faire ça ! cria un photographe outragé du *Spiegel*, nous exigeons d'assister au décollage des prisonniers.

— Du calme, Fritz ! lui répondit le sergent Farrow, très à l'aise. J'ai reçu des ordres.

Les journalistes se précipitèrent vers des cabines publiques pour se plaindre à leurs rédacteurs en chef. Lesquels se plaignirent au maire-gouverneur, qui leur offrit toute sa compassion sur le ton le plus sérieux du monde, promit de contacter le commandant de la base de Gatow au plus tôt, raccrocha, s'allongea dans son fauteuil et alluma un cigare.

A l'intérieur de la base, Adam Munro avait quitté le mess et se dirigeait vers le hangar du Dominie, accompagné par le commandant de la R.A.F. responsable de l'entretien des avions.

— Il est dans quel état ? demanda Munro au sous-officier breveté qui dirigeait l'équipe de préparation au sol.

— Cinq sur cinq, monsieur, répondit le vieux mécanicien.

— Je n'en ai pas l'impression, dit Munro. Je crois que si vous regardiez de près sous le capot de l'un des moteurs, vous découvririez une défaillance électrique qui exige toute votre attention.

Le sous-officier fixa l'inconnu avec des yeux ronds, puis regarda son supérieur.

— Faites ce qu'il dit, Barker, répondit le commandant. Nous avons besoin d'un retard technique. Le Dominie ne doit pas être prêt à décoller pendant un certain temps. Mais les autorités allemandes doivent croire que c'est une panne réelle. Ouvrez les capots et mettez-vous au travail.

Cela faisait trente ans que le sous-officier breveté Barker assurait l'entretien d'avions de la Royal Air Force : les ordres d'un commandant quatre ficelles ne se discutaient pas, même s'ils venaient en fait d'un infâme pékin qui aurait dû avoir honte de la façon dont il était habillé — pour ne rien dire de sa barbe de deux jours.

Le gouverneur de la prison, Aloïs Brückner, était arrivé dans sa voiture personnelle pour assister à la remise des prisonniers aux Anglais et à leur décollage vers Israël. Lorsqu'il apprit que l'avion n'était pas encore en état, il ne dissimula pas son mécontentement et exigea de voir les choses de ses yeux.

A son arrivée au hangar du Dominie, escorté par le commandant de la R.A.F., il trouva le sous-officier breveté Barker, la tête et les épaules enfoncées dans le moteur gauche de l'appareil.

— Que se passe-t-il ? demanda-t-il exaspéré.

Barker dégagea sa tête.

— Un court-circuit quelque part, monsieur, dit-il au haut fonctionnaire. Je viens de le repérer à l'instant pendant les derniers
essais de moteur. Ça ne sera pas trop long.

— Ces hommes doivent décoller à huit heures, dans dix minutes,
dit l'Allemand. A neuf heures les terroristes du *Freya* vont jeter cent
mille tonnes de pétrole à la mer.

— Je fais de mon mieux, monsieur. Et j'irais plus vite si on
ne m'interrompait pas tout le temps, ajouta Barker entre ses
dents.

Le commandant entraîna Herr Brückner vers la porte. Il n'avait
aucune idée, lui non plus, de ce que signifiaient les ordres de
Londres, mais c'étaient des ordres, et il avait la ferme intention de
les respecter.

— Pourquoi n'irions-nous pas au mess des officiers prendre une
bonne petite tasse de thé ? proposa-t-il.

— Je n'ai pas envie d'une bonne petite tasse de thé, répondit Herr
Brückner ulcéré. J'ai envie d'un bon petit décollage vers Tel-Aviv. Il
faut que je rende compte tout de suite au maire-gouverneur.

— Dans ce cas, le mess des officiers est tout indiqué, répondit le
commandant. A propos, comme les prisonniers ne peuvent pas
décemment rester dans le fourgon plus longtemps, je les ai fait mettre dans des cellules de la police militaire, à la caserne Alexander, à
l'intérieur de la base. Ils y seront parfaitement à l'aise.

Il était huit heures moins cinq lorsque le commandant de la
R.A.F. accorda au correspondant de la B.B.C. un entretien personnel sur l'avarie technique survenue au Dominie, et sept minutes plus
tard son flash spécial d'information interrompit le bulletin de huit
heures. Le *Freya* était à l'écoute.

— Ils ont intérêt à faire vite, dit Svoboda.

Adam Munro et les deux civils entrèrent dans le quartier cellulaire de la police militaire peu après huit heures. C'était une prison
miniature, qui ne servait que pour la base, et elle contenait une
seule rangée de quatre cellules. Michkine était dans la première,
Lazareff dans la quatrième. Le plus jeune des deux civils laissa passer son supérieur et Munro dans le couloir des cellules, puis
referma la porte et s'adossa au battant.

— Interrogatoire de dernière minute, dit-il au sergent de la police
militaire furieux. Des types des services secrets.

Et il fit le geste de se boucher le nez. Le sergent haussa les
épaules et retourna à sa salle de garde.

Munro entra dans la première cellule. Lev Michkine, en vêtements civils, fumait une cigarette, assis sur le rebord de la couchette. On lui avait dit qu'il partait enfin en Israël, mais il était encore très nerveux et il ignorait à peu près tout ce qui s'était passé pendant les trois derniers jours.

Munro le regarda. C'était l'instant qu'il avait le plus redouté. Mais sans cet homme et son idée folle d'assassiner Youri Ivanenko au nom d'il ne savait quel rêve lointain, sa Valentina serait en ce moment même en train de faire ses bagages, prête à partir en Roumanie, pour la conférence du Parti, puis les vacances à la plage de Mamaïa, et le bateau qui l'aurait enlevée vers la liberté. Il revit le dos de la femme qu'il aimait franchir les portes de verre et s'éloigner dans la rue de Moscou, tandis que l'homme à l'imperméable gris se redressait et se mettait à la suivre...

— Je suis médecin, dit-il en russe. Vos amis, les Ukrainiens qui ont exigé votre libération, ont insisté pour que vous soyez médicalement en état de faire le voyage.

Michkine se leva et haussa les épaules. Il ne s'attendait pas à recevoir les quatre doigts tendus de l'homme en plein dans le plexus solaire, ni à ce qu'une petite bombe aérosol jaillisse sous son nez à l'instant où il tentait de reprendre son souffle. Il ne put s'empêcher d'inspirer les gaz qui jaillissaient de la bombe. Lorsque les vapeurs atteignirent ses poumons, ses jambes se ramollirent soudain et Munro le retint par les aisselles avant qu'il ne tombe. Il le déposa doucement sur la couchette.

— L'effet ne dure que cinq minutes, dit le civil du ministère. Ensuite, il se réveillera avec la tête lourde mais sans vomissements ni rien. Vous avez intérêt à ne pas perdre de temps.

Munro ouvrit l'attaché-case et sortit la boîte contenant la seringue hypodermique, le coton hydrophile et une petite bouteille d'éther. Il imbiba le coton d'éther et frotta une partie de l'avant-bras droit du prisonnier pour stériliser la peau. Il leva la seringue vers la lumière et la pressa jusqu'à ce que jaillisse dans l'air un mince jet de liquide, chassant les dernières bulles.

L'injection prit moins de trois secondes. Lev Michkine en subirait les effets pendant près de deux heures, plus longtemps qu'il ne le fallait, mais cette période ne pouvait être réduite.

Les deux hommes refermèrent la porte derrière eux et se rendirent dans la cellule où David Lazareff, qui n'avait rien entendu, marchait nerveusement de long en large. La bombe aérosol agit de manière aussi instantanée. Deux minutes plus tard la seconde injection était faite.

Le civil accompagnant Munro sortit une petite boîte plate de sa poche intérieure et la tendit à Munro.

— Et maintenant, je vous laisse, dit-il d'un ton neutre. J'ai fait tout ce pour quoi on me paye.

Les deux Ukrainiens ne savaient pas et ne sauraient jamais quel liquide leur avait été injecté. En fait, il s'agissait d'un mélange de deux narcotiques que les Anglais appellent *péthadène* et *hyacine* et les Américains *mépéridine* et *scopolamine*. En combinaison, ils ont des effets remarquables.

Le patient demeure éveillé, mais dans un état de somnolence légère. Et il obéit docilement aux instructions qu'on lui donne. Ils ont également pour conséquence une perte de la notion du temps, si bien qu'en reprenant sa pleine conscience au bout de deux heures ou presque, le patient a l'impression d'être simplement resté étourdi pendant quelques secondes. Enfin, ils provoquent une amnésie totale et, lorsque les effets disparaissent, le patient n'a pas le moindre souvenir de ce qui s'est passé durant l'intervalle. C'est uniquement en consultant une pendule ou une montre qu'il peut se rendre compte du temps qui s'est écoulé.

Munro revint dans la cellule de Michkine. Il aida le jeune homme à s'asseoir sur son lit, le dos contre le mur.

— Bonjour, dit-il.

— Bonjour, répondit Michkine en souriant.

Ils parlaient russe, mais Michkine ne s'en souviendrait jamais.

Munro ouvrit sa petite boîte plate et en sortit les deux moitiés adaptables d'une longue capsule en forme de torpille. Il les vissa l'une à l'autre.

— J'aimerais que vous preniez cette pilule, dit-il en tendant un verre d'eau à Michkine.

— Bien sûr, dit Michkine.

Et il l'avala sans faire la moindre difficulté.

Munro sortit de son attaché-case une pendule murale fonctionnant sur batteries et fixa un minuteur à l'arrière. Il la suspendit au mur. Les aiguilles indiquaient huit heures, mais n'étaient pas en mouvement. Il quitta Michkine toujours assis sur son lit et retourna dans la cellule de l'autre homme. Cinq minutes plus tard, son travail était terminé. Il referma sa serviette et quitta le quartier cellulaire.

— Ils doivent rester au secret jusqu'à ce que l'avion soit prêt à les embarquer, dit-il au sergent de la police militaire en traversant la salle de garde. Absolument personne ne doit leur rendre visite. Ordre du commandant de la base.

Pour la première fois, Andrew Drake parla en personne au Premier ministre des Pays-Bas, Jan Grayling. Plus tard, des experts linguistes anglais devaient déterminer que la voix enregistrée provenait d'un secteur de trente-cinq kilomètres autour de la ville anglaise de Bradford — mais à ce moment-là, c'était devenu parfaitement inutile.

— Voici les conditions à observer à l'arrivée de Michkine et de Lazareff en Israël, dit Drake. Une heure après le décollage de Berlin, le Premier ministre Golen devra s'être engagé à ce qu'elles soient satisfaites. Dans le cas contraire la libération de mes amis serait considérée comme nulle et non avenue. Premièrement : les deux hommes devront quitter l'avion à pied et à une allure normale de marche, de façon à passer devant la terrasse d'observation du principal bâtiment de l'aéroport Ben-Gourion.

« Deuxièmement : l'accès à cette terrasse sera ouvert au public. Les forces de sécurité israéliennes n'exerceront aucun contrôle d'identité et aucune surveillance visuelle du public.

« Troisièmement : s'il y a eu substitution de prisonniers ou si des sosies jouent leur rôle, je le saurai dans les heures qui suivront.

« Quatrièmement : trois heures avant l'atterrissage de l'appareil à l'aéroport Ben-Gourion, la radio israélienne publiera l'heure de son arrivée et informera que toutes les personnes désirant assister au débarquement des prisonniers seront les bienvenues. Le communiqué devra être diffusé en hébreu, en anglais, en français et en allemand. C'est tout.

— Monsieur Svoboda, se hâta de dire Jan Grayling, toutes ces exigences ont été notées et seront immédiatement transmises au gouvernement israélien. Je suis sûr qu'il acceptera. Je vous prie de ne pas couper la liaison. J'ai un message urgent à vous transmettre de la part des autorités anglaises de Berlin-Ouest.

— Parlez, lança Drake d'un ton sec.

— Les techniciens de la Royal Air Force travaillant sur l'appareil dans le hangar de la base de Gatow ont signalé une défaillance électrique grave survenue ce matin même à un moteur, pendant les essais. Je vous supplie de croire qu'il ne s'agit pas de mauvaise volonté. Ils travaillent d'arrache-pied à réparer la panne. Mais le décollage sera retardé d'une heure ou deux.

— Si c'est un sale tour que vous voulez me jouer, il coûtera à vos plages cent mille tonnes de pétrole brut, répondit Drake.

— Ce n'est pas ça du tout, s'empressa de répondre Grayling. Tous les avions sont parfois victimes des défaillances techniques. Il est tout à fait regrettable que ce soit arrivé à cet avion de la R.A.F. juste en ce moment. Mais c'est ce qui s'est passé. La panne va être réparée, on s'en occupe en cet instant même.

Drake réfléchit pendant quelques instants.

— Je veux que quatre radio-reporters de nations différentes assistent au décollage et soient en liaison directe avec leurs stations respectives. Je veux que chacun d'eux fasse en direct le reportage du décollage. Ce seront les journalistes de la Voix de l'Amérique, de la Deutsche Rundfunk, de la B.B.C. et de Radio France. Le tout en anglais et dans les cinq minutes suivant le décollage.

Jan Grayling sembla respirer beaucoup mieux.

— Je veillerai à ce que le personnel de la R.A.F. à Gatow autorise ces quatre journalistes à assister au décollage, dit-il..

— Cela vaudra mieux, dit Drake. Je retarde le déchargement du pétrole de trois heures. A midi, nous commencerons à refouler cent mille tonnes dans la mer.

Il y eut un déclic, il avait raccroché.

Le Premier ministre Benyamin Golen était à son bureau de Jérusalem ce dimanche matin. Le sabbat était terminé et c'était un jour ouvrable comme les autres. Il était dix heures passées — deux heures plus tard qu'en Europe occidentale.

A peine le Premier ministre hollandais avait-il raccroché le téléphone que le petit groupe d'agents du Mossad, qui s'était installé dans un appartement de Rotterdam, transmettait le message du *Freya* en Israël. Ils battirent de plus d'une heure la voie diplomatique.

Le conseiller personnel du Premier ministre pour les problèmes de sécurité apporta le texte du message du *Freya* à Benyamin Golen et le déposa sur son bureau sans un mot. Golen en prit rapidement connaissance.

— Que cherchent-ils au juste ? demanda-t-il.

— Ils prennent des précautions contre une éventuelle substitution de prisonniers, répondit son conseiller. C'était une solution assez tentante : maquiller deux jeunes gens pour qu'on puisse les prendre de loin pour Michkine et Lazareff.

— Mais qui va reconnaître que ce sont vraiment Michkine et Lazareff qui arriveront en Israël ?

Le conseiller haussa les épaules.

— Quelqu'un posté sur la terrasse, dit-il. Ils doivent avoir un homme ici, en Israël, capable de reconnaître les deux détenus ; et plus probablement quelqu'un que Michkine et Lazareff puissent reconnaître.

— Et après la reconnaissance ?

— Je pense que l'homme enverra un message ou un signal aux médias, et la diffusion de ce signal par la radio indiquera aux hommes du *Freya* que leurs deux amis sont bien arrivés en Israël sains et saufs. Faute de recevoir ce message, ils s'estimeront dupés et mettront leur menace à exécution.

— Un de leurs hommes ? Ici en Israël ? Cela ne me plaît pas, dit Benyamin Golen. Nous sommes tenus d'offrir asile à Michkine et Lazareff, mais c'est tout. Je veux que cette terrasse soit placée sous surveillance discrète. Si un des badauds de la terrasse reçoit un signal des deux détenus à leur arrivée, qu'on le file. On lui laisse envoyer son message, et ensuite, on l'arrête.

A bord du *Freya* la matinée s'écoula avec une lenteur d'agonie. Tous les quarts d'heure, Andrew Drake passait de la longueur d'ondes de la BBC à celle de la Voix de l'Amérique, écoutant tous les bulletins d'information en anglais. Chaque fois, le même message était diffusé : l'avion ne décollait pas et les mécaniciens s'affairaient autour du moteur en panne du Dominie.

Peu après neuf heures, les quatre radio-reporters désignés par Drake pour être les témoins du décollage pénétrèrent dans la base de Gatow. La police militaire les escorta jusqu'au mess des officiers où on leur offrit du café et des petits fours. On établit des liaisons téléphoniques directes avec leurs bureaux de Berlin, et de là, on réserva des circuits radio pour transmission dans leurs pays respectifs. Aucun d'eux n'aperçut Adam Munro, qui avait emprunté le bureau privé du commandant de la base pour parler avec Londres.

Dans l'ombre du croiseur *Argyll*, les trois patrouilleurs rapides *Coutelas*, *Sabre* et *Cimeterre* attendaient au bout de leurs filins. Sur le *Coutelas*, le major Fallon avait rassemblé son groupe de douze hommes de choc du Service spécial de la marine.

— Nous devons supposer que les autorités constituées vont laisser partir ces saligauds, leur dit-il. A un moment ou un autre, d'ici deux heures, ils décolleront de Berlin-Ouest vers Israël. Ils devraient y arriver environ quatre heures et demie plus tard. Donc, pendant la soirée ou cette nuit, si ces terroristes ont une parole, ils quitteront le *Freya*.

« Dans quelle direction fuiront-ils ? Nous ne le savons pas encore, mais probablement vers la Hollande. Il n'y a aucun bateau de ce côté-là. Quand ils seront à trois milles du *Freya*, et donc que leur petit détonateur-émetteur à faible puissance ne pourra plus mettre à feu les explosifs, des spécialistes de la Royal Navy monteront à bord du *Freya* pour désamorcer les charges. Ce n'est pas notre boulot.

« Nous, nous allons sauter sur le râble de ces salopards, et je me réserve le nommé Svoboda. Il est à moi, vous avez pigé ?

Plusieurs hommes acquiescèrent, d'autres sourirent. On les avait entraînés pour l'action, et jusqu'ici ils étaient restés sur leur faim. Leurs instincts de chasseurs allaient enfin pouvoir se donner libre cours.

— Leur vedette est beaucoup plus lente que les nôtres, reprit Fallon. Ils auront une avance de huit milles nautiques, mais je suis sûr que nous pouvons leur reprendre trois milles tous les quatre milles entre ici et la côte. Le Nimrod, là-haut, est relié à l'*Argyll*. On nous donnera toutes les indications nécessaires. Quand nous arriverons à bonne distance, nous allumerons nos projecteurs de poursuite. Nous les repérerons et nous les retirerons de la circulation. Londres dit que personne ne tient à ce qu'ils soient faits prisonniers. Ne me demandez pas pourquoi. Peut-être veulent-ils qu'ils n'aient pas l'occasion de parler, pour des raisons qui ne nous regardent pas. On nous a confié ce boulot et nous allons le faire.

A quelques milles de là, le capitaine Mike Manning comptait lui aussi les minutes. Il attendait lui aussi avec impatience le moment où, à Berlin, les mécaniciens auraient enfin terminé leur travail sur le moteur du Dominie. Les nouvelles survenues au milieu de la nuit — alors qu'il attendait, assis dans sa cabine, incapable de dormir, l'ordre de détruire à coups de canon le *Freya* et son équipage — n'avaient pas manqué de le surprendre. Sans raison apparente, le gouvernement des États-Unis avait renversé son attitude de la veille. Au lieu de s'opposer à la libération des hommes de Moabit, au lieu de songer à faire sauter le *Freya* pour empêcher cette libération, Washington ne soulevait plus aucune objection. Mais ce qu'il avait surtout ressenti, c'était un immense soulagement, des vagues de soulagement absolu, à l'idée que ses ordres meurtriers avaient été annulés. A moins que... A moins qu'à la dernière minute quelque chose tourne mal. Tant que les deux Juifs ukrainiens ne seraient pas parvenus à l'aéroport Ben-Gourion, il ne pourrait pas être vraiment sûr que ses ordres de transformer le *Freya* en bûcher funéraire faisaient désormais partie du passé.

A dix heures moins le quart, dans les cellules du sous-sol de la caserne Alexander, Michkine et Lazareff cessèrent de subir l'effet du narcotique injecté à huit heures. Presque au même instant, les pendules qu'Adam Munro avait suspendues au mur dans chaque cellule se mirent en marche. Les aiguilles commencèrent à tourner autour du cadran.

Michkine secoua la tête et se frotta les yeux. Il se sentait somnolent, et tout semblait se confondre dans sa tête. Il attribua cet état à son réveil à l'aube, au manque de sommeil, à l'excitation de la libération prochaine. Il leva les yeux vers la pendule murale. Huit heures deux. Il savait que lorsqu'il avait traversé la salle de garde avant de pénétrer dans les cellules, la pendule indiquait huit heures juste. Il s'étira, quitta la couchette et fit quelques pas. Cinq minutes plus tard, à l'autre bout du couloir, Lazareff fit à peu près la même chose.

Adam Munro entra dans le hangar où le sous-officier Barker continuait son « travail » sur le moteur de gauche du Dominie.

— Est-ce que cela avance, monsieur Barker? demanda Munro.

Le vieux technicien sortit des entrailles du moteur et lança au civil un regard excédé.

— Puis-je vous demander, monsieur, pendant combien de temps je suis censé jouer cette comédie? Ce moteur est impeccable.

Munro regarda sa montre.

— Dix heures et demie, dit-il. Dans exactement une heure, j'aimerais que vous téléphoniez à la salle de l'équipage et au mess des officiers pour signaler que l'avion est prêt à décoller.

Dans sa cellule, David Lazareff regarda la pendule murale. Il avait l'impression d'avoir fait les cent pas pendant une demi-heure, mais la pendule indiquait neuf heures. Une heure s'était donc écoulée, mais elle lui avait paru très courte. Lorsqu'on est au secret dans une cellule, le temps vous joue souvent ce genre de tours. Après tout, les pendules sont faites pour marquer l'heure juste. Ni lui ni Michkine ne s'aperçurent que leurs pendules avançaient deux fois plus vite pour rattraper les cent minutes de leur vie qui manquaient, et se synchroniser avec les pendules de l'extérieur à exactement onze heures trente.

A onze heures, le Premier ministre. Jan Grayling appela de La Haye le maire-gouverneur de Berlin-Ouest.

— Que se passe-t-il, bon Dieu, Herr Burgermeister?

— Je ne sais pas, cria le Berlinois exaspéré. Les Anglais disent qu'ils en ont presque terminé avec leur fichu moteur. Je ne comprends pas pourquoi diable ils ne prennent pas un avion de ligne des British Airways à l'aéroport civil. Cela coûterait sûrement plus cher de faire le trajet d'Israël avec seulement deux passagers à bord, mais nous paierions la différence.

— Je peux vous dire en tout cas que dans une heure les cinglés qui sont à bord du *Freya* vont déverser cent mille tonnes de pétrole à la mer, répondit Grayling. Et mon gouvernement tiendra les Anglais pour responsables.

— Je suis parfaitement d'accord avec vous, dit la voix de Berlin. Toute cette affaire est de la démence.

A onze heures trente, le sous-officier breveté Barker referma le capot du moteur et sauta à terre. Il se dirigea vers un téléphone mural et appela le mess des officiers. Le commandant de la base vint à l'appareil.

— Il est prêt, dit le technicien.

L'officier de la R.A.F. se tourna vers les hommes rassemblés autour de lui — dont le gouverneur de la prison de Moabit et les quatre journalistes en liaison téléphonique directe avec leurs bureaux.

— La panne a été réparée, dit-il. Il décollera dans quinze minutes.

Par les fenêtres du mess, ils virent la silhouette menue du biréacteur que l'on tractait hors du hangar jusqu'au terre-plein ensoleillé. Le pilote et son copilote montèrent à bord et lancèrent les deux moteurs.

Le gouverneur de la prison pénétra dans les cellules des prisonniers et leur notifia qu'ils allaient décoller. Il était onze heures trente-cinq à sa montre. Et les pendules murales indiquaient la même heure.

Sans un mot, les deux prisonniers furent escortés jusqu'à la Landrover de la police militaire, puis le gouverneur de la prison allemande les accompagna jusqu'au pied du biréacteur. Suivis par le sergent-chef de l'armée de l'air qui serait l'unique autre passager du Dominie pour son vol jusqu'à Ben-Gourion, les deux Juifs ukrainiens gravirent la petite passerelle sans un regard par-dessus l'épaule, et s'installèrent dans leurs sièges.

A onze heures quarante-cinq, le commandant Jarvis ouvrit les gaz et le Dominie s'éleva au-dessus de la piste de l'aérodrome de Gatow. Suivant les instructions de l'aiguilleur du ciel, il vira vers le couloir aérien sud, en direction de Munich, et disparut dans le bleu du ciel.

Deux minutes plus tard, les quatre radio-reporters parlaient à leur public en direct du mess des officiers de Gatow. Leurs voix apprirent au monde que quarante-huit heures après que les terroristes du *Freya* en avaient formulé la demande, Michkine et Lazareff étaient dans les airs, en route vers Israël et la liberté.

La nouvelle parvint aussitôt dans les demeures des trente officiers et marins du *Freya*. Dans trente maisons aux quatre coins des pays scandinaves, des pères et des épouses éclatèrent en sanglots, et des enfants demandèrent pourquoi maman pleurait.

Dans la flottille de remorqueurs et de bateaux-pompes formant écran à l'ouest de l'*Argyll*, on accueillit la nouvelle avec des soupirs de soulagement. Tous les savants et tous les marins savaient que jamais ils n'auraient pu venir à bout d'une nappe de cent mille tonnes de brut dérivant sur les eaux.

Au Texas, le magnat du pétrole Clint Blake apprit la nouvelle par la N.B.C. alors qu'il prenait son petit déjeuner sur sa terrasse.

— Il était grand temps ! cria-t-il.

En entendant le bulletin de la B.B.C. dans son duplex dominant Rotterdam, Harry Wennertröm laissa errer sur ses lèvres un sourire satisfait.

Dans toutes les salles de rédaction, de l'Irlande au Rideau de fer, les éditions du lundi matin de tous les quotidiens étaient en préparation. Des armadas d'écrivains racontaient toute l'histoire, chacun à sa manière, depuis la prise du *Freya* aux premières heures du vendredi, jusqu'aux dernières nouvelles de ce dimanche matin. On réservait des colonnes pour le récit de l'arrivée de Michkine et Lazareff en Israël et pour la libération du superpétrolier. On ne mettrait pas sous presse avant dix heures au soir et d'ici là, on espérait bien connaître la fin de l'aventure.

A douze heures vingt, heure européenne, l'État d'Israël accepta d'accéder aux exigences du *Freya* relatives à la réception publique permettant d'identifier Michkine et Lazareff à leur arrivée à Ben-Gourion, quatre heures plus tard.

Dans sa chambre du sixième étage de l'hôtel Avia, à cinq kilomètres de l'aéroport Ben-Gourion Miroslav Kaminsky apprit la nouvelle à la radio de l'hôtel. Il s'allongea sur le lit avec un soupir de soulagement. Arrivé en Israël le vendredi précédent en fin d'après-midi, il s'était attendu à voir ses amis partisans arriver le samedi. Mais non : il avait entendu la radio annoncer le changement d'attitude du gouvernement allemand dans la nuit du vendredi, puis, le samedi à midi, il avait appris que vingt mille tonnes de pétrole avaient été déversées dans la mer. Et il lui avait fallu rester là, à se ronger les ongles, incapable d'agir ou de prendre du repos, jusqu'à ce qu'enfin la décision de leur libération lui soit parvenue. Maintenant, pour lui aussi les heures s'égrenaient plus vite : à quatre heures et quart, heure européenne (six heures et quart, heure de Tel-Aviv) le Dominie se poserait enfin.

A bord du *Freya*, la nouvelle du décollage avait coupé court à toutes les inquiétudes de Drake. L'accord de l'État d'Israël sur les conditions de l'atterrissage n'était en fait qu'une formalité.

— Ils sont partis, dit-il à Larsen. Dans quatre heures, ils seront à Tel-Aviv et en sécurité. Quatre heures plus tard et même moins si le brouillard s'épaissit, nous quitterons le *Freya*. La marine se fera un plaisir de monter à bord pour vous libérer. On soignera votre main comme il faut et votre équipage et votre bateau vous seront rendus... Vous devriez être heureux.

Le commandant norvégien s'était enfoncé dans sa chaise. Des poches noires s'étaient creusées sous ses yeux mais il se refusait à dormir : ce serait pour le jeune homme une trop grande joie. Pour lui, tout n'était pas encore terminé. Pas tant que les charges explosives meurtrières demeuraient au fond des réservoirs, pas tant que le dernier des terroristes n'avait pas abandonné son bateau. Il savait qu'il était sur le point de s'effondrer. La douleur cuisante de sa main s'était transformée en un élancement sourd incessant qui lui martelait le bras jusqu'à l'épaule. La fatigue montait en lui comme par vagues successives qui lui faisaient tourner la tête. Mais il se refusait à fermer les yeux.

Il fixa l'Ukrainien d'un regard méprisant.

— Et Tom Keller ? demanda-t-il.

— Qui ?

— Mon officier, l'homme que vous avez tué sur le pont, vendredi.

Drake sourit.

— Tom Keller est en bas avec les autres, dit-il. Son exécution était une comédie. Un de mes hommes lui avait emprunté ses vêtements. C'étaient des balles à blanc.

Le Norvégien poussa un grognement. Drake lui lança un regard satisfait.

— Je peux me permettre d'être généreux, dit-il, parce que j'ai gagné. J'ai défié l'Europe occidentale tout entière en leur lançant une menace qu'ils ne pouvaient pas écarter, et en leur proposant un échange qu'ils ne pouvaient pas refuser. Bref, je ne leur ai laissé aucun choix. Mais vous m'avez presque battu. Oui, vous étiez à deux doigts de me battre.

« Depuis que vous avez détruit le détonateur ce matin à six heures, les commandos auraient pu attaquer ce bateau à l'instant de leur choix. Heureusement, ils ne le savaient pas. Mais ils auraient pu le deviner si vous le leur aviez signalé. Vous êtes un homme brave, Thor Larsen. Désirez-vous quelque chose ?

— Que vous foutiez le camp de mon bateau, répondit le Norvégien.

— Bientôt, très bientôt, capitaine.

Au-dessus de Venise, le commandant Jarvis déplaça légèrement les gouvernes et la flèche d'argent du Dominie s'orienta de quelques degrés plus à l'est pour longer l'Adriatique.

— Comment vont les clients ? demanda-t-il au sergent-chef à l'arrière.

— Ils sont tranquilles, ils regardent le paysage, répondit le sous-officier par-dessus son épaule.

— Tiens-les à l'œil, dit le pilote. La dernière fois qu'ils ont pris l'avion, ils ont fini par descendre le capitaine.

Le sous-officier éclata de rire.

— Je fais gaffe, promit-il.

Le copilote étala la carte sur ses genoux.

— Encore trois heures avant de se poser, dit-il.

Les émissions en direct de Gatow avaient été entendues partout dans le monde. A Moscou, le texte traduit en russe fut déposé peu après deux heures de l'après-midi, heure locale, sur la table d'un appartement privé dans le quartier des privilégiés au bout de la perspective Koutouzov, où deux hommes finissaient de déjeuner.

Le maréchal Nicolas Kérensky lut le message dactylographié et fit claquer lourdement son poing sur la table.

— Ils les ont laissés filer ! cria-t-il. Ils ont abandonné. Les Allemands et les Anglais se sont aplatis. Les deux petits Juifs sont en route pour Tel-Aviv.

Sans un mot, Ephraïm Vichnaïev prit le message que tenait son ami et le lut. Il se permit un sourire glacial.

— Ce soir, quand nous présenterons au Politburo le colonel Koukouchkine et ses preuves, Maxime Roudine sera fini, dit-il. La motion de censure passera sans difficulté, cela ne fait pas l'ombre d'un doute. A minuit, mon cher Nicolas, l'Union soviétique nous obéira. Et dans un an, toute l'Europe.

Le maréchal de l'Armée rouge versa deux larges rasades de vodka Stolichnaya. Il poussa un verre vers le théoricien du Parti et souleva le sien.

— Au triomphe de l'Armée rouge.

Vichnaïev leva son verre de vodka. Il prenait rarement de l'alcool, mais dans certaines circonstances...

— A un monde authentiquement communiste.

20

De 16 heures à 20 heures

Au sud de Haïfa, au-dessus de la Méditerranée, le petit Dominie changea de cap pour la dernière fois et commença sa descente vers la principale piste de l'aéroport Ben-Gourion près de Tel-Aviv.

Il se posa après exactement quatre heures trente de vol, à 16 h 15 heure européenne. En Israël, il était six heures et quart.

La terrasse supérieure du bâtiment principal de Ben-Gourion était bondée de curieux, assez étonnés que dans ce pays où la sécurité est devenue une obsession, on leur ait accordé libre accès à ce spectacle.

Bien que les terroristes du *Freya* aient exigé qu'aucune force de police soit présente, les « spéciaux » d'Israël étaient là. Certains portaient l'uniforme du personnel d'El Al ; d'autres vendaient des boissons fraîches, balayaient les trottoirs, ou étaient au volant de taxis. L'inspecteur Avram Hirsch attendait dans une fourgonnette de messageries de presse, mais ne s'occupait guère des liasses de journaux du soir qui étaient peut-être (ou peut-être pas) destinées au kiosque du grand hall.

Après l'atterrissage, une jeep du contrôle au sol guida l'avion de la Royal Air Force jusqu'au terre-plein bitumé faisant face au bâtiment principal. Là, un petit groupe d'officiels attendait le moment de prendre en charge les deux passagers en provenance de Berlin.

Non loin de là, un jet d'El Al était lui aussi à l'arrêt, et derrière les rideaux des hublots, deux hommes observaient à la jumelle, à travers les fentes du tissu, les visages alignés le long de la balustrade de la terrasse, au-dessus du bâtiment central. Chacun d'eux avait un talkie-walkie à portée de la main.

Quelque part dans la foule, au milieu de plusieurs centaines de personnes qui guettaient l'arrivée de l'avion, se trouvait Miroslav Kaminsky, impossible à distinguer des badauds innocents.

435

Un des officiels israéliens monta les quelques marches de la passerelle et pénétra dans le Dominie. Deux minutes plus tard, il réapparut, suivi de David Lazareff et de Lev Michkine. Sur la terrasse, deux jeunes têtes brûlées de la *Jewish Defense League* déroulèrent à la hâte une banderole qu'ils avaient dissimulée sous leur veste, et la brandirent au-dessus de leurs têtes. Elle portait simplement « Bienvenue », en hébreu. Ils se mirent aussitôt à applaudir, mais plusieurs voix autour d'eux leur intimèrent de faire silence.

Précédés par le groupe des officiels et suivis par deux gendarmes en uniforme, Michkine et Lazareff s'avancèrent vers le bâtiment central, les yeux tournés vers la foule de la terrasse. Plusieurs spectateurs agitèrent la main ; la plupart les regardèrent en silence.

A l'intérieur de l'avion de ligne, les hommes de la police spéciale regardaient de tous leurs yeux, essayant de saisir au vol la personne de la balustrade à qui les réfugiés adresseraient un signe de reconnaissance.

Ce fut Lev Michkine qui aperçut Kaminsky le premier. Il murmura quelques mots du coin des lèvres — en ukrainien. Sa phrase fut aussitôt enregistrée par un micro-canon braqué sur les deux hommes depuis une camionnette de fret stationnée à cent mètres de là. L'homme qui braquait le micro ultra-directionnel ne perçut pas la phrase, mais son ami, dans la camionnette pleine à craquer de matériel électronique, l'entendit nettement dans ses écouteurs. Si on lui avait confié ce travail, c'était parce qu'il parlait couramment l'ukrainien. Il murmura aussitôt dans son talkie-walkie :

— Michkine vient de faire une remarque, à Lazareff. Il a dit, je cite : " Il est là, près du bout, avec la cravate bleue. " Fin de citation.

A l'intérieur de l'avion d'El Al, les deux hommes dirigèrent leurs jumelles vers le bout de la terrasse. Entre eux et le bâtiment central, le groupe d'officiels continuait son défilé solennel devant les badauds.

Michkine avait détourné les yeux aussitôt après avoir repéré son ami ukrainien. Lazareff parcourut du regard la ligne des visages au-dessus de sa tête, repéra Miroslav Kaminsky et cligna des paupières. Kaminsky n'avait besoin d'aucun autre signal. Il n'y avait pas eu substitution de prisonniers.

— Je l'ai ! dit l'un des hommes derrière les rideaux de l'avion de ligne.

Et il commença à parler dans le micro de son émetteur portatif.

— Taille moyenne, trente ans environ, cheveux bruns, yeux bruns, pantalon gris, veste de tweed, cravate bleue. Le septième ou le huitième à partir du bout de la terrasse, du côté de la tour de contrôle.

Michkine et Lazareff disparurent dans le bâtiment. Le spectacle était terminé et, sur le toit, la foule commença à se disperser. Tout le monde se hâta vers l'escalier conduisant au hall principal. Au bas de l'escalier, un homme au cheveux gris balayait des mégots dans une pelle à cendres. Lorsque la foule le dépassa, il repéra un homme en veste de tweed et en cravate bleue. Il était encore en train de balayer lorsque l'homme traversa le hall.

Le balayeur s'approcha de son chariot de nettoyage et en sortit une petite boîte noire.

— Le suspect se dirige vers la sortie, porte 5, murmura-t-il.

A l'extérieur du bâtiment, Avram Hirsch saisit un paquet de journaux du soir à l'arrière de la fourgonnette, et les lança sur un chariot que tenait l'un de ses collègues. L'homme à la cravate bleue passa à quelques mètres de lui, sans regarder à gauche ni à droite, se dirigea vers une voiture de location en stationnement, et se mit au volant.

L'inspecteur Hirsch claqua les portes arrière de sa fourgonnette, ouvrit la portière du passager et se jeta sur le siège.

— La Volkswagen Golf, là-bas, dans le parking, dit-il au conducteur du véhicule, le sergent Bentsour.

Et lorsque la voiture de location quitta le parc de stationnement en direction de la sortie principale de l'aéroport, la fourgonnette de messageries était à deux cents mètres derrière elle.

Dix minutes plus tard, Avram Hirsch avertit les autres voitures de police qui le suivaient :

— Le suspect entre dans le parking de l'hôtel Avia.

Miroslav Kaminsky avait la clé de sa chambre dans sa poche. Il passa rapidement devant la réception et prit l'ascenseur jusqu'au sixième étage. Assis sur le bord du lit, il décrocha et demanda une ligne extérieure. On la lui passa et il commença à composer un numéro.

— Il a simplement demandé une ligne extérieure, dit la standardiste à l'inspecteur Hirsch près d'elle.

— Pouvez-vous savoir quel numéro il appelle ?

— Non, c'est automatique pour les appels locaux.

— Zut ! Viens...

Il entraîna Bentsour vers l'ascenseur.

Dans le bureau de la B.B.C. à Jérusalem, on décrocha à la troisième sonnerie.

— Vous parlez anglais ? demanda Kaminsky.

— Oui, bien entendu, répondit la secrétaire israélienne à l'autre bout du fil.

— Alors écoutez-moi bien, dit Kaminsky. Parce que je ne le dirai pas deux fois. Si l'on veut que le superpétrolier *Freya* soit libéré sans aucun mal, le premier communiqué des informations de six heures, heure européenne, de B.B.C. International devra inclure les mots : " aucune alternative ". Si les mots " aucune alternative " ne sont pas mentionnés dans le premier communiqué de l'émission, le bateau sera détruit. Vous m'avez bien entendu ?

Le silence se prolongea pendant plusieurs secondes, tandis que la jeune secrétaire du correspondant de la B.B.C. à Jérusalem griffonnait rapidement sur son bloc.

— Oui, je crois. Qui est à l'appareil ? demanda-t-elle.

A l'hôtel Avia, deux hommes rejoignirent Avram Hirsch devant la porte de la chambre. L'un d'eux tenait un fusil de chasse à canon court. Tous les deux étaient encore vêtus de l'uniforme du personnel de l'aéroport. Hirsch n'avait pas quitté, lui non plus, son uniforme de livreur de journaux : pantalon vert, blouson vert et casquette verte. Il écouta à la porte jusqu'à l'instant où il entendit le déclic du téléphone que Kaminsky raccrochait. Aussitôt, il se redressa, sortit son revolver d'ordonnance et fit un signe de tête à l'homme au fusil.

L'homme visa attentivement la serrure de la porte et d'un seul coup fit sauter toute la ferraille hors du panneau de bois. Avram Hirsch passa en courant devant lui, fit trois enjambées dans la pièce, tomba accroupi, l'arme tendue à deux mains devant ses yeux, braquée tout droit sur la cible. Il cria à l'occupant de la pièce de ne pas bouger.

Hirsch était un *sabra*, né en Israël vingt-quatre ans plus tôt, fils de deux immigrants qui avaient survécu aux camps de la mort du Troisième Reich. Autour de lui, dans son enfance, on ne parlait que le yiddish et le russe, car son père et sa mère étaient des Juifs russes.

Il supposa que l'homme devant lui était russe, et il n'avait aucune raison d'imaginer autre chose.

— *Stoï!...*, cria-t-il, et sa voix résonna entre les murs de la petite chambre.

Miroslav Kaminsky était debout près du lit, l'annuaire du téléphone à la main. Lorsque la porte avait sauté, il avait laissé tomber l'annuaire qui s'était refermé : personne ne saurait à quelle page il était ouvert, ni quel numéro il avait appelé.

Puis lorsque le cri retentit, il cessa soudain d'avoir sous les yeux une chambre d'hôtel des environs de Tel-Aviv... Il vit une petite ferme au pied des Carpates, et il entendit les cris des hommes en uniforme vert se rapprochant de la cachette de son groupe. Il fixa Avram Hirsch, sa casquette verte à visière et son uniforme, et il se mit à reculer vers la porte-fenêtre ouverte.

Il les entendait se rapprocher à travers les buissons en riant sans fin...

— *Stoï!... Stoï!... Stoï!...*

Et il n'y avait rien d'autre à faire que courir, courir comme un renard avec la meute à ses trousses, par la porte de derrière de la ferme, vers le couvert des sous-bois.

Et il courut... Il courut à reculons par la porte-fenêtre ouverte, sur le minuscule balcon. Puis il sentit la balustrade du garde-fou qui le frappait au creux des reins, et il bascula. Lorsqu'il heurta le béton du parc de stationnement, quinze mètres plus bas, il se brisa la colonne vertébrale, le pelvis et le crâne.

Penché au-dessus de la balustrade, Avram Hirsch regarda le cadavre écartelé.

— Pourquoi a-t-il fait ça, nom de Dieu? demanda le sergent Bentsour.

L'avion de service qui avait amené les deux spécialistes anglais à Gatow la veille au soir devait repartir vers Londres peu après le décollage du Dominie pour Tel-Aviv. Adam Munro décida d'en profiter, et son sauf-conduit officiel lui permit de se faire débarquer à Amsterdam au passage.

Il avait également demandé que l'hélicoptère Wessex de l'*Argyll* soit à Schiphol pour le prendre. Il était quatre heures et demie lorsque le Wessex regagna l'arrière-pont du croiseur lance-missiles. L'officier qui accueillit Munro à bord gratifia sa tenue d'un regard ouvertement désapprobateur, mais le conduisit au capitaine Preston.

L'officier de la Royal Navy ne savait rien de son hôte, sinon qu'il appartenait au Foreign Office et qu'il s'était rendu à Berlin pour organiser le départ des deux Juifs ukrainiens en Israël.

— Un brin de toilette? proposa-t-il.

— Avec plaisir, répondit Munro. Pas de nouvelles du Dominie?

— Il s'est posé à Ben-Gourion il y a un quart d'heure, répondit le capitaine Preston. Je vais demander au steward de donner un coup de fer à votre complet, et je suis sûr que nous pourrons trouver une chemise à votre encolure.

— J'aimerais autant un bon chandail bien épais, dit Munro. Il commence à faire rudement frais par ici.

— Oui, et cela risque de nous poser un petit problème, dit le capitaine Preston. Un front d'air froid descend de Norvège et il risque d'y avoir de la brume de mer ce soir.

Quand la brume de mer survint, peu après cinq heures, c'était en fait une énorme lame déferlante de brouillard qui dérivait du nord à mesure que l'air froid, repoussant la vague de chaleur, entrait en contact avec la terre et la mer chaudes.

Lavé, briqué, rasé, vêtu d'un gros chandail blanc de marin et de pantalons de drap noir empruntés, Munro rejoignit le capitaine Preston dans la dunette. Le brouillard s'épaississait.

Preston jura entre ses dents.

— Ces terroristes ont l'air d'avoir toutes les chances de leur côté, dit-il.

A cinq heures et demie, le brouillard avait effacé à l'horizon la silhouette du *Freya*. Les navires de guerre ne se voyaient plus, sauf sur leurs radars. Sur son radar également, le Nimrod qui tournait encore dans le ciel clair à quatre mille cinq cents mètres au-dessus d'eux, les voyait tous et voyait le *Freya*, mais la mer elle-même avait disparu sous une couverture d'ouate grise. Peu après cinq heures, à la renverse du courant de marée, la nappe de pétrole se remit à dériver lentement vers le nord-est, quelque part entre le *Freya* et les côtes hollandaises.

Le correspondant de la B.B.C. à Jérusalem avait une longue expérience de la capitale israélienne et il possédait de nombreuses « relations bien placées ». Dès que sa secrétaire lui transmit le message qu'elle avait noté, il appela l'un de ses amis des services de sécurité.

— C'est le message, dit-il, et je vais l'envoyer à Londres tout de suite. Mais je n'ai aucun indice sur la personne qui l'a téléphoné.

Il entendit, à l'autre bout du fil, un petit rire étouffé.

— Envoie le message, lui dit l'homme de la sécurité. Quant au type du téléphone, nous sommes au courant. Merci quand même.

Il était un peu plus de quatre heures et demie lorsque la B.B.C. annonça que Michkine et Lazareff avaient atterri à Ben-Gourion.

A bord du *Freya*, Andrew Drake s'enfonça dans sa chaise avec un hurlement de joie.

— C'est gagné! cria-t-il à Thor Larsen. Ils sont en Israël!

Larsen hocha lentement la tête. Il essayait de chasser de son esprit la douleur horrible de sa main blessée.

— Félicitations, dit-il d'un ton ironique. Et maintenant, vous allez pouvoir déguerpir de mon bateau et aller au diable.

L'interphone de la dunette se mit à sonner. Après quelques répliques brèves en ukrainien, Larsen entendit un cri de joie à l'autre bout du fil.

— Plus tôt que vous ne le pensez, dit Drake. La vigie de la super-structure signale qu'une nappe de brouillard épais se dirige vers nous. Avec un peu de chance, nous n'aurons même pas besoin d'attendre la tombée de la nuit : le brouillard sera plus efficace encore que l'obscurité pour ce qu'il nous reste à faire. Mais à notre départ, je serai obligé de vous attacher au pied de la table. Une paire de menottes fera l'affaire. La Royal Navy viendra vous libérer très vite.

A cinq heures, la radio transmit un communiqué de Tel-Aviv annonçant que les exigences des terroristes du *Freya* concernant l'arrivée de Michkine et de Lazareff à l'aéroport Ben-Gourion avaient été satisfaites, mais que toutefois le gouvernement israélien garderait les deux hommes en prison jusqu'à ce que le *Freya* soit évacué sans dommages. Au cas où il ne le serait pas, le gouvernement israélien considérerait ses engagements à l'égard des terroristes comme nuls et non avenus, et remettrait Michkine et Lazareff aux autorités allemandes.

Dans la cabine de jour du *Freya*, Drake éclata de rire.

— Inutile d'y songer, dit-il à Larsen. Je me moque de ce qui peut m'arriver maintenant. Dans vingt-quatre heures, ces deux hommes tiendront une conférence de presse internationale. Et à ce moment-là, capitaine Larsen, à ce moment-là, la bombe qui explosera fera dans les murs du Kremlin la plus grande brèche qui ait jamais été percée.

Larsen regarda à travers les fenêtres le brouillard qui s'épaississait.

— Les commandos risquent de profiter de ce brouillard pour attaquer le *Freya*, dit-il. Vos lumières ne serviront plus à rien. Dans

441

quelques minutes, vous ne pourrez plus voir les bulles des hommes-grenouilles sous l'eau.

— Ça n'a plus aucune importance, dit Drake. Rien n'a plus d'importance maintenant. Michkine et Lazareff vont avoir la possibilité de parler. Tout le reste ne compte pas. C'est pour cela que l'opération a été montée. Et vraiment, cela en valait la peine.

Une voiture de police avait conduit les deux Juifs ukrainiens de l'aéroport Ben-Gourion au commissariat central de Tel-Aviv où on les avait enfermés dans des cellules séparées. Le Premier ministre Golen était prêt à respecter ses engagements dans l'échange des deux hommes contre la sécurité du *Freya*, de son équipage et son fret. Mais il n'avait pas l'intention de permettre au pseudo-Svoboda de le duper.

Pour Michkine et Lazareff, c'était la troisième cellule de la journée, mais ils savaient que ce serait la dernière. Lorsqu'ils se séparèrent dans le corridor, Michkine fit un clin d'œil à son ami.

— Ce n'est pas " l'année prochaine à Jérusalem ", lui dit-il en ukrainien. C'est demain matin.

Dans un des bureaux des étages supérieurs, le commissaire divisionnaire fit demander au médecin de la police de procéder à l'examen médical de routine qui accompagne chaque écrou. Le docteur promit de venir sur-le-champ. Il était sept heures trente à Tel-Aviv.

Les derniers quarts d'heure avant six heures s'étirèrent avec une lenteur désespérante à bord du *Freya*. Dans la cabine de jour, Drake avait réglé son poste sur B.B.C. International et attendait avec impatience le bulletin d'informations de dix-huit heures.

Pendant ce temps, Azamat Krim et trois de ses compagnons se laissaient glisser le long d'une corde accrochée au bastingage du pétrolier et sautaient dans la vedette rapide de pêche qui dansait depuis deux jours et demi le long du bordage. Ils ouvrirent les dalots et se mirent à effectuer les préparatifs pour le départ du groupe.

A six heures, le carillon de Big Ben retentit sur les ondes, et le journal parlé commença.

— Ici B.B.C. International. Il est dix-huit heures à Londres et Peter Chalmers vous présente l'actualité...

Une autre voix prit la parole. Elle résonna dans la salle de quart de l'*Argyll* où le capitaine Preston et la plupart de ses officiers s'étaient rassemblés autour du récepteur. Le capitaine Mike Manning, à bord du *Moran*, était lui aussi à l'écoute. Et l'on écoutait aussi la même émission, 10 Downing Street, à La Haye, à Washington, à Paris, à Bruxelles, à Bonn et à Jérusalem; A bord du *Freya*, Andrew Drake, immobile, fixait la radio sans la voir.

— A Jérusalem aujourd'hui, le Premier ministre Benyamin Golen a déclaré qu'à la suite de l'arrivée de Berlin-Ouest des deux prisonniers David Lazareff et Lev Michkine, il ne lui restait aucune alternative : il se voyait contraint d'exécuter son engagement de libérer les deux hommes, à la condition toutefois que le superpétrolier *Freya* soit évacué avec son équipage indemne...

— Aucune alternative, cria Drake. C'est le message. Miroslav a réussi.

— A réussi quoi? demanda Larsen.

— Il les a reconnus. C'est bien eux. Il n'y a pas eu de substitution.

Il bondit de son siège et poussa un profond soupir.

— C'est terminé, capitaine Larsen. Nous partons, vous êtes content, non?

Le coffre personnel de Larsen contenait une paire de menottes et des clés, au cas où l'on serait obligé d'arrêter quelqu'un à bord. Il arrive que certains marins aient des crises de démence. Drake fit passer l'un des anneaux autour du poignet droit de Larsen et le referma. Il plaça l'autre anneau autour d'un des pieds de la table vissée au sol. Sur le seuil de la cabine, Drake s'arrêta pour déposer les clés des menottes sur une étagère.

— Adieu, capitaine Larsen. Vous ne me croirez peut-être pas, mais je regrette sincèrement d'avoir dû déverser ce pétrole à la mer. Jamais je ne l'aurais fait si ces imbéciles n'avaient pas essayé de jouer au plus fin. Je suis désolé pour votre main, mais cela aussi aurait pu être évité. Nous n'aurons plus l'occasion de nous revoir. Alors, adieu...

Il ferma la porte à clé derrière lui et descendit en courant les trois étages le séparant du pont A. Puis il rejoignit ses hommes rassemblés sur l'arrière-pont. Il tenait à la main son émetteur-récepteur portatif.

— Tout est prêt? demanda-t-il à Azamat Krim.

— Autant qu'on peut l'être, répondit le Tatar de Crimée.

— Tout est en ordre? demanda-t-il à l'Ukrainien d'Amérique spécialiste des bateaux de plaisance.

L'homme hocha la tête.

— Tout marche.

— D'accord. A six heures quarante-cinq, Azamat donne un coup de sirène et la vedette s'en va en même temps que le premier groupe. Azamat et moi partirons dix minutes plus tard. Dès que vous accostez en Hollande, vous vous dispersez. C'est chacun pour soi.

Il regarda par-dessus bord. Près de la vedette de pêche, deux canots pneumatiques rapides Zodiac se balançaient dans le brouillard. On les avait sortis de la vedette et gonflés au cours de l'heure précédente. L'un était un modèle de quatre mètres vingt-cinq, capable d'embarquer cinq hommes. Dans le second, de trois mètres, deux hommes tiendraient à l'aise. Avec leurs hors-bords de quarante chevaux, ils fileraient trente-cinq nœuds par mer calme.

— Ils ne vont pas tarder, maintenant, dit le major Simon Fallon, debout à l'avant du *Coutelas*.

Les trois patrouilleurs rapides, depuis longtemps invisibles du *Freya*, s'étaient dégagés du bordage de l'*Argyll* et attendaient maintenant près de sa poupe, le nez tourné vers l'endroit où le pétrolier se trouvait, à cinq milles plus loin dans la brume.

Les douze fusiliers marins du S.B.S. s'étaient séparés : quatre par bateau. Ils étaient tous armés de pistolets-mitrailleurs, de grenades à main et de poignards. L'un des bateaux, le *Sabre*, avait également à son bord quatre spécialistes artificiers de la Royal Navy. C'est ce bateau qui se dirigerait droit sur le *Freya* pour libérer l'équipage et désamorcer les charges, dès que le Nimrod signalerait l'arrivée de la vedette des terroristes à plus de trois milles du super-pétrolier. Le *Coutelas* et le *Cimeterre* se lanceraient à la poursuite des terroristes et les pourchasseraient avant qu'ils ne se perdent dans le labyrinthe d'îles et de chenaux qui constitue la côte hollandaise au sud de la Meuse.

Le major Fallon, à bord du *Coutelas*, dirigerait le groupe de poursuite. Près de lui, à son plus grand déplaisir, se tenait l'homme du Foreign Office, le nommé Adam Munro.

— Ne restez pas dans mes jambes quand nous nous rapprocherons d'eux, dit Fallon. Nous savons qu'ils ont des pistolets-mitrailleurs et des revolvers, et ils ont peut-être autre chose. Personnellement je ne comprends pas pourquoi vous avez insisté pour venir.

— Disons que je m'intéresse personnellement à ces salopards, dit Munro. Et en particulier à ce M. Svoboda.

— Moi aussi, grogna Fallon. Et Svoboda m'appartient.

A bord du *Moran*, Mike Manning avait écouté l'annonce de l'arrivée de Michkine et Lazareff en Israël avec autant de soulagement qu'Andrew Drake lui-même. Pour lui, comme pour Thor Larsen, c'était la fin d'un cauchemar. Il ne serait plus question désormais de canonner le *Freya*. Son seul regret, c'était que seuls les patrouilleurs rapides de la marine anglaise aient été chargés de la poursuite des terroristes lorsqu'ils tenteraient leur sortie. Pour Manning, le supplice qu'il avait vécu depuis trente-six heures s'était mué en colère.

— J'aimerais bien avoir ce Svoboda devant moi, dit-il à son officier artilleur Olsen. Je lui tordrais le cou avec plaisir.

De même que sur l'*Argyll*, le *Brunner*, le *Breda* et le *Montcalm*, les radars du *Moran* balayaient l'océan, épiant l'instant où la vedette s'éloignerait du *Freya*. Six heures et quart, et encore aucun signe.

Dans sa tourelle, le canon avant du *Moran*, toujours chargé, s'écarta du *Freya* et se braqua vers la mer libre, à trois milles vers le sud.

A vingt heures dix, heure d'Israël, Lev Michkine allait et venait dans sa cellule sous les rues de Tel-Aviv lorsqu'il sentit soudain une douleur dans sa poitrine. Il eut l'impression qu'un bloc de pierre surgissait en lui et se mettait à grossir de plus en plus vite. Il ouvrit la bouche pour hurler, mais l'air lui manqua. Il bascula en avant, la tête la première et mourut sur le sol de la cellule.

Il y avait un agent israélien de faction en permanence devant la porte de la cellule, avec l'ordre de jeter un coup d'œil à l'intérieur toutes les deux ou trois minutes. Moins de soixante secondes après la mort de Michkine, son œil était contre le judas. Ce qu'il vit lui fit pousser un cri d'alarme et il se hâta de glisser la clé dans la serrure. Son collègue en faction devant la porte de Lazareff accourut à son cri. Ils pénétrèrent pratiquement en même temps dans la cellule de Michkine et ils se penchèrent au-dessus du corps.

— Il est mort, murmura l'un des hommes.

L'autre se précipita dans le corridor et déclencha la sonnerie d'alarme. Puis ils coururent tous les deux vers la cellule de Lazareff.

Le second prisonnier, sur son lit, étreignait ses flancs comme pour arracher la douleur qui lui brisait le corps.

— Qu'est-ce qu'il y a? cria l'un des gardiens.

Mais il parlait en hébreu et Lazareff ne le comprit pas. Le mourant balbutia quatre mots russes. Les deux agents les entendirent très distinctement et les répétèrent à leurs supérieurs qui les firent traduire :

— Chef... du ... K.G.B... mort.

Ce fut tout ce qu'il dit. Ses lèvres cessèrent de bouger. Il était allongé sur le flanc et ses yeux aveugles fixaient les uniformes bleus devant lui.

La sonnerie attira aussitôt le commissaire divisionnaire, une douzaine d'autres agents du poste de police et le médecin qui prenait un café dans le bureau du divisionnaire.

Le docteur procéda aussitôt à un examen sommaire, vérifiant la bouche, la gorge et les yeux des deux hommes, tâtant leur pouls et écoutant leur cœur. Quand il eut terminé, il quitta la seconde cellule, entraînant dans le corridor le divisionnaire extrêmement inquiet.

— Que s'est-il passé? lui demanda le policier.

— Je ferai bien entendu l'autopsie, dit le docteur, à moins qu'on ne me retire l'affaire des mains. Mais ce qui s'est passé ne fait à mes yeux aucun doute: ils ont été empoisonnés. Voilà ce qui s'est passé.

— Mais ils n'ont rien mangé, protesta le divisionnaire. Ils n'ont rien bu. On allait justement leur descendre leur dîner. Peut-être qu'à l'aéroport?... Ou dans l'avion?...

— Non, dit le docteur. Un poison à action lente n'aurait pas été aussi foudroyant et n'aurait pas agi en même temps sur les deux hommes. Les métabolismes varient beaucoup trop d'un individu à l'autre. Chacun d'eux a pris, de lui-même ou contraint, une dose massive de poison instantané — vraisemblablement du cyanure de potassium — cinq à dix secondes avant de mourir.

— Ce n'est pas possible, cria le commissaire divisionnaire. Mes hommes sont restés en permanence devant les cellules. Les deux prisonniers ont été complètement fouillés avant leur écrou : la bouche, l'anus, tout. Ils n'avaient pas de capsules de poison. Et d'ailleurs pourquoi auraient-ils tenté de se suicider? Ils venaient tout juste d'atteindre leur but.

— Je ne sais pas, dit le docteur, mais ils sont morts tous les deux quelques secondes après que le poison les a frappés.

— Je téléphone tout de suite au bureau du Premier ministre, dit le commissaire divisionnaire d'une voix sombre.

Le conseiller personnel du Premier ministre Golen pour les problèmes de sécurité, comme presque tout le monde en Israël, était un ancien soldat. Mais cet homme — que tous ceux qui gravitent autour de la Knesseth appelaient simplement « Barak » — n'avait jamais été un soldat ordinaire. Il avait débuté dans les divisions aéroportées, sous les ordres du commandant para Raphaël Eytan, le légendaire Rafoul. Plus tard, il s'était fait muter dans l'unité d'élite 101 du général Arik Sharon. Il avait le grade de major lorsqu'une balle dans la rotule, au cours d'un raid au petit matin dans un îlot palestinien de Beyrouth, avait mis fin à cet épisode de sa carrière.

Dès lors, il s'était spécialisé dans le côté plus technique des opérations de sécurité. Sachant très bien comment il aurait procédé pour assassiner le Premier ministre d'Israël, il était le mieux à même de le protéger. Ce fut lui qui reçut l'appel de Tel-Aviv, et il pénétra aussitôt dans le bureau où Benyamin Golen travaillait encore malgré l'heure tardive.

— A l'intérieur même de la cellule ? répéta le Premier ministre stupéfait. Ils se sont donc empoisonnés eux-mêmes ?

— Je ne crois pas, répondit Barak. Ils avaient de bonnes raisons de vouloir vivre.

— Alors ils ont été tués par quelqu'un ?

— C'est ce qu'il semble, monsieur le Premier ministre.

— Mais qui pouvait désirer leur mort ?

— Le K.G.B. bien entendu. L'un d'eux a murmuré quelque chose à propos du K.G.B., en russe. Il semble avoir dit que le chef du K.G.B. voulait leur mort.

« Seulement voilà, ils n'ont pas été un seul instant entre les mains du K.G.B. Il y a douze heures, ils se trouvaient à la prison de Moabit. Ensuite, pendant huit heures aux mains des Anglais. Puis deux heures avec nous. Depuis qu'ils sont ici, ils n'ont rien ingéré : ni nourriture, ni boisson, rien. Comment donc ont-ils pu prendre un poison agissant de façon instantanée ?

Barak se gratta la joue, puis son regard s'éclaira peu à peu.

— Il y a un moyen, dit-il enfin. Une '' capsule à retardement ''.

Il prit une feuille de papier et dessina un croquis.

— On peut concevoir et fabriquer une capsule comme celle-ci, dit-

447

il. Elle a deux moitiés ; l'une d'elle est filetée de façon à se visser sur l'autre moitié juste avant qu'on l'avale.

Le Premier ministre, les yeux fixés sur le croquis sentit sa colère monter.

— Continuez, dit-il.

— L'une des moitiés de la capsule est en une sorte de céramique, résistante aux réactions acides du suc gastrique de l'homme ainsi qu'aux effets de l'acide, beaucoup plus puissant, qu'elle contient. Et assez solide pour ne pas être brisée par les muscles de la gorge au moment où on l'avale.

« L'autre moitié est faite d'un composé plastique assez dur pour résister aux sucs digestifs, mais non à l'acide de la première demi-capsule. Le cyanure est dans cette seconde moitié. Entre les deux, il y a une membrane de cuivre. Dès que les deux moitiés sont vissées ensemble, l'acide commence à brûler l'opercule de cuivre. Puis la capsule est avalée. Plusieurs heures plus tard — en fonction de l'épaisseur du cuivre — l'acide perce la membrane. C'est le même principe que certains détonateurs à retardement fonctionnant à l'acide.

« Quand l'acide a percé la membrane de cuivre, il dissout rapidement la paroi plastique de la seconde moitié, et le cyanure se répand dans le corps. Je crois que l'on peut prolonger le retard jusqu'à dix heures. A ce moment-là, la capsule avalée serait arrivée au bout du tube digestif. Dès que le poison est libéré, le sang l'absorbe et le transporte au cœur.

Ce n'était pas la première fois que Barak assistait à une colère de son Premier ministre. Mais jamais il ne l'avait vu blême et tremblant de rage.

— Ils m'ont envoyé deux hommes avec des boulettes empoisonnées dans le ventre ! dit-il, les dents serrées. Deux bombes à retardement ambulantes, amorcées de façon qu'ils meurent entre nos mains, c'est ça ? Jamais Israël ne sera tenu responsable de cette action infâme. Publiez la nouvelle de leur mort tout de suite, vous m'entendez, tout de suite ! Et dites qu'un examen pathologique est en cours à cette minute même. C'est un ordre.

— Si les terroristes n'ont pas encore quitté le *Freya*, avança Barak, cette nouvelle risque de les faire changer d'avis.

— Les hommes responsables de l'empoisonnement de Michkine et Lazareff n'avaient qu'à y songer, lança Benyamin Golen. Mais s'il y a le moindre retard dans l'annonce de la nouvelle, on tiendra Israël pour responsable. Et cela, je ne le tolérerai pas.

Le brouillard déferlait du nord. A chaque instant, il était plus dense, plus profond. Il recouvrait la mer de la côte de l'East Anglia jusqu'à l'île de Walcheren en Zélande. Il ensevelissait la flottille des bateaux pulvérisateurs en attente à l'ouest des navires de guerre — et les navires de guerre eux-mêmes. Il tourbillonnait autour du *Coutelas*, du *Sabre* et du *Cimeterre*, dont les moteurs bourdonnaient doucement près de la poupe de l'*Argyll*, piaffant d'impatience avant de se jeter sur les traces de leur proie. Il isolait totalement le plus grand pétrolier du monde, immobile entre les vaisseaux de guerre et la côte hollandaise.

A six heures quarante-cinq, tous les terroristes sauf deux montèrent dans le plus grand des canots pneumatiques. De là, l'un deux (l'Américain-Ukrainien) sauta à bord de la vedette de pêche avec laquelle ils étaient arrivés, et regarda vers le haut.

Du bastingage, Andrew Drake lui fit un signe. l'homme tira le démarreur et le moteur se mit à tourner. Il orienta la proue de la vedette plein ouest et fixa la barre avec une corde pour qu'elle garde le même cap. Le terroriste augmenta progressivement la puissance du moteur, sans embrayer l'hélice.

De l'autre côté de l'eau, des oreilles attentives — humaines et électroniques — avaient déjà perçu le son du moteur. D'un vaisseau de guerre à l'autre, les ordres et les questions urgentes fusèrent, ainsi que de l'*Argyll* au Nimrod tournoyant au-dessus du brouillard. Mais le radar de l'avion-espion ne décelait aucun mouvement sur l'eau.

Drake donna un ordre rapide dans son talkie-walkie et sur la dunette, Azamat Krim appuya sur le bouton de la sirène du *Freya*.

Le rugissement des ondes sonores emplit tout l'espace, lorsque la sirène fit éclater enfin le silence des eaux calmes sous la brume.

Dans la dunette de l'*Argyll*, le capitaine Preston ne put retenir un sourire ironique.

— Ils essaient de masquer le bruit du moteur de la vedette, dit-il. Peu importe, nous la verrons sur le radar dès qu'elle quittera le bordage du *Freya*.

Quelques secondes plus tard, le terroriste sur la vedette poussa le levier de marche en position « avant » et le petit bateau, moteur à plein régime, s'écarta brusquement de la poupe du *Freya*. Le terroriste s'accrocha à la corde qui pendait près de lui, souleva les jambes et laissa le bateau vide bondir vers le large. Deux secondes plus tard la vedette avait disparu dans la brume. Elle fonçait droit sur les vaisseaux de guerre, à l'ouest.

Le terroriste se balança un instant au bout de la corde puis se laissa retomber doucement dans le canot pneumatique où ses quatre compagnons l'attendaient. L'un d'eux tira sur la corde du hors-bord. Le moteur toussa, puis rugit. Sans un geste, les cinq hommes agrippèrent les poignées de sécurité et l'homme à la barre accéléra doucement. Le pneumatique plongea son moteur dans l'eau, se dégagea de la proue du *Freya*, souleva son nez aplati très haut, et glissa sur l'eau calme vers les Pays-Bas.

L'opérateur radar du Nimrod repéra instantanément la coque d'acier de la vedette de pêche. Mais le canot de caoutchouc ne renvoya aucun faisceau.

— La vedette est partie, dit-il à l'*Argyll* au-dessous de lui. Nom de Dieu, elle vient droit sur vous.

Le capitaine Preston regarda l'écran radar de son poste de commandement.

— Je les vois, dit-il.

Lentement, le blip de la vedette se séparait de la grosse tache blanche représentant le *Freya*.

— Vous avez raison, Nimrod. Elle fonce droit sur nous. Qu'est-ce qu'ils tentent de faire, bon Dieu ?

A pleine puissance, et complètement vide, la vedette de pêche filait quinze nœuds. Dans vingt minutes elle serait au milieu des navires de guerre, traverserait leur ligne et parviendrait au milieu de la flottille des bateaux-pompes.

— Ils se figurent qu'ils vont passer sans mal à travers la ligne des croiseurs, puis se perdre au milieu de la flottille à la faveur du brouillard, suggéra le premier lieutenant auprès de Preston. Est-ce que nous envoyons le *Coutelas* pour l'intercepter ?

— Je ne vais pas risquer la vie de bons matelots pour rien, si impatient que soit le major Fallon de mener son combat personnel, répondit Preston. Ces salopards ont déjà abattu un marin sur le *Freya*, et les ordres de l'Amirauté sont sans ambiguïté : utiliser les canons.

Les hommes de l'*Argyll* étaient parfaitement rodés pour la manœuvre. On demanda par courtoisie aux quatre autres navires de guerre de ne pas ouvrir le feu et de laisser faire le croiseur anglais. Ses canons de cinq pouces, à l'avant et l'arrière du bateau, se tournèrent sans bruit vers la cible et ouvrirent le feu.

Même à trois milles, la cible était petite. Elle survécut à la première salve, mais autour de la vedette, la mer jaillit en trombes d'eau ascendantes aux points de chute des obus. Aucun des marins de l'*Argyll*, aucun des fusiliers accroupis dans les trois patrouilleurs rapides, ne profita du spectacle. Tout ce qui se passait au milieu du brouillard était invisible : seul le radar put apercevoir l'impact de chaque obus et la cible — qui se cabrait puis plongeait dans les eaux soudain en furie. Mais le radar ne dit pas à ses maîtres que personne ne tenait sa barre, et qu'aucun homme n'était blotti, terrifié, dans sa cabine.

Andrew Drake et Azamat Krim venaient de s'installer dans leur pneumatique à deux places et ils attendaient, silencieux, le long du bordage du *Freya*. Drake tenait le filin qui pendait du bastingage. Ils entendirent tous les deux, assourdi par le brouillard, le premier coup de canon de l'*Argyll*. Drake fit un signe de tête à Krim, qui lança le moteur hors-bord. Drake lâcha la corde et le pneumatique s'envola à la surface de l'eau, léger comme une plume, ricochant de plus en plus loin à mesure qu'il prenait de la vitesse. Le rugissement de la sirène du *Freya* suffisait à masquer le bruit du moteur.

Krim regarda sa boussole-bracelet étanche à son poignet gauche, et modifia son cap de quelques degrés vers le sud. Il avait estimé à quarante-cinq minutes la traversée du *Freya* jusqu'au dédale d'îles du côté de Noord Beveland et Zuid Beveland.

A sept heures moins cinq, le sixième obus de l'*Argyll* frappa de plein fouet la vedette de pêche. L'explosion fit éclater le bateau, qui s'éleva un instant hors de l'eau. La poupe retomba par-dessus la proue, le réservoir de carburant sauta et la coque d'acier démantelée coula à pic comme une pierre.

— Impact direct, il a disparu, signala l'officier artilleur depuis les fonds de l'*Argyll*, d'où il observait le duel inégal sur son écran radar.

Le blip n'existait plus. La ligne claire de balayage continuait inlassablement de tourner, mais ne montrait que le *Freya*, à cinq milles. Dans la dunette, les quatre officiers supérieurs observaient le même spectacle, et le silence se prolongea quelques instants. C'était, pour certains, la première fois que leur bateau avait réellement tué quelqu'un.

— Envoyons le *Sabre*, dit le capitaine Preston d'une voix calme. On peut aborder le *Freya* maintenant, et le libérer.

Dans la pénombre du fuselage, l'opérateur radar du Nimrod s'avança pour mieux voir son écran. Il distinguait tous les vaisseaux de guerre, tous les bateaux-pompes et, plus à l'est, le *Freya*. Mais quelque part au-delà du *Freya*, dissimulé aux navires de guerre par la masse du pétrolier, un grain de poussière minuscule semblait s'éloigner vers le sud-est. Il était si petit que, s'il n'avait pas bougé, il ne l'aurait sûrement pas remarqué. Il n'était pas plus gros que l'écho renvoyé par une boîte en fer-blanc de taille moyenne. Mais c'était le couvercle métallique du moteur hors-bord d'un canot pneumatique : les boîtes en fer blanc ne glissent pas sur l'eau à la vitesse de trente nœuds.

— Nimrod à *Argyll*... Nimrod à *Argyll*...

Dans la dunette du croiseur lance-missiles les officiers écoutèrent, consternés, le message de l'avion. L'un d'eux se précipita sur la passerelle extérieure pour crier l'information aux marins de Portland, qui attendaient dans leurs patrouilleurs.

Deux secondes plus tard, le *Coutelas* et le *Cimeterre* s'élançaient, tandis que le grondement de leurs moteurs diesel jumelés semblait faire vibrer la brume autour d'eux. L'embrun jaillit en gerbes blanches de part et d'autre de leur étrave, leurs nez se dressèrent de plus en plus haut, leurs poupes s'enfouirent dans le sillage — et les hélices de bronze se mirent à baratter l'eau écumante.

— Les maudits salopards ! cria le major Fallon au commandant du *Coutelas* qu'il avait rejoint dans la minuscule timonerie. A quelle vitesse pouvons-nous marcher ?

— Sur une eau comme ça ? Plus de quarante nœuds, répliqua le commandant.

Ce n'est pas assez, songea Munro. Il s'agrippait à deux mains à une épontille tandis que le bateau faisait des sauts de mouton dans le brouillard comme un cheval de rodéo. Le *Freya* était à cinq milles, le pneumatique des terroristes à cinq milles au-delà. Même avec une vitesse supérieure de dix nœuds, il faudrait une heure pour rattraper le canot transportant Svoboda vers les chenaux de Hollande où il pourrait se perdre. Or il y serait en quarante minutes, peut-être moins.

Le *Coutelas* et le *Cimeterre* naviguaient en aveugles, le brouillard qu'ils déchiraient au passage se refermait aussitôt derrière eux. Si le secteur n'avait pas été complètement vide de bateaux, avancer à une telle vitesse avec une visibilité nulle aurait été de la démence. Dans la timonerie des deux patrouilleurs, les commandants écoutaient en permanence les indications du Nimrod transmises par l'*Argyll*: leur propre position et la position du second patrouilleur rapide, la position du *Freya* devant eux dans le brouillard, la position du *Sabre* (qui, sur leur gauche, se dirigeait vers le *Freya* à moins grande vitesse), et la trajectoire et la vitesse du point mouvant qui représentait tous les espoirs de fuite de Svoboda.

A l'est du *Freya*, le pneumatique avec lequel Andrew Drake et Azamat Krim tentaient de s'échapper semblait avoir de la chance. Sous le brouillard la mer était encore plus calme, la surface absolument plane de l'eau leur permettait d'accroître leur vitesse. La majeure partie de leur canot planait au-dessus de la mer, seul l'arbre du moteur s'enfonçait profondément sous les eaux. Drake aperçut pendant un instant, estompées par la brume, les dernières ondes du sillage tracé par ses compagnons dix minutes plus tôt. Il était étrange, se dit-il, que les traces restent si longtemps à la surface de l'eau.

Dans la dunette du *Moran*, au sud du *Freya*, le capitaine Mike Manning étudiait lui aussi son écran radar. Il voyait l'*Argyll* au nord-ouest par rapport à lui et le *Freya* à quelques degrés à l'est du franc nord.

Entre eux, il pouvait suivre les points lumineux du *Coutelas* et du *Cimeterre* qui gagnaient du terrain. Et, loin à l'est, le minuscule blip du canot pneumatique rapide, si petit qu'il se perdait presque dans la granulation laiteuse de l'écran. Mais il était là. Manning étudia la distance qui séparait encore des fugitifs, les chasseurs lancés à leur poursuite.

— Ils ne les rattraperont pas, dit-il.

Et il donna un ordre à son officier artilleur. Le canon de cinq pouces de la proue du *Moran* se mit à tourner lentement vers la droite, à la recherche d'une cible perdue quelque part dans la brume.

Un marin apparut aux côtés du capitaine Preston, penché sur l'écran radar de l'*Argyll*, absorbé par la poursuite qui se déroulait dans la brume. Ses canons, il le savait, étaient impuissants : le *Freya* se trouvait presque exactement entre lui et la cible, tirer serait prendre un trop grand risque. Surtout, la masse du *Freya* masquait la cible aux yeux de son radar, et ce dernier ne pourrait donc pas fournir aux canons des indications de pointage correctes.

— Veuillez m'excuser, commandant, dit le marin.

— Qu'est-ce qu'il y a ?

— Nous venons de l'apprendre à la radio, commandant. Les deux hommes que l'on a conduits en Israël aujourd'hui, commandant. Ils sont morts. Morts dans leurs cellules.

— Morts ? répéta Preston sans en croire ses oreilles. Toute cette connerie pour rien !... Je me demande qui a pu faire ça, bon Dieu !

N'oubliez pas de le signaler à ce type du Foreign Office quand il reviendra. Ça devrait l'intéresser.

Pour Andrew Drake, la mer était encore au calme plat — une véritable mer d'huile, lisse et plate comme on le voit rarement en mer du Nord. Il était à peu près à mi-chemin de la côte hollandaise lorsque le moteur du hors-bord toussa pour la première fois. Il toussa une deuxième fois quelques secondes plus tard, puis à plusieurs reprises. La puissance diminua, le canot ralentit.

Azamat Krim se hâta de relancer le moteur. Il cracha, toussa de nouveau, puis se remit à tourner avec un son plus rauque.

— Il a chauffé, cria-t-il à Drake.

— C'est impossible, répondit Drake. Il peut tourner à pleine puissance pendant plus d'une heure.

Krim se pencha sur le côté du bateau et plongea la main dans l'eau. Il regarda sa paume et la montra à Drake. Des filets de pétrole brut poisseux, brunâtres, glissaient le long de son avant-bras.

— Ça bloque le circuit de refroidissement, dit Krim.

— On dirait qu'ils ralentissent, signala l'opérateur radar du Nimrod à l'*Argyll*, qui transmit aussitôt le message au *Coutelas*.

— Vite, cria le major Fallon, on peut encore rattraper ces salopards.

L'écart se mit à diminuer beaucoup plus vite. Le pneumatique était tombé au-dessous de dix nœuds. Ce qu'ignoraient Fallon et le jeune commandant à la barre du *Coutelas*, c'est qu'ils fonçaient vers le bord d'un immense lac de pétrole étalé à la surface de l'océan. Et que leur proie, dont le moteur chauffait dangereusement, traversait la nappe en son centre.

Dix secondes plus tard, le moteur d'Azamat Krim s'arrêta définitivement. Le silence autour d'eux était étrange, fantastique. Très loin dans le brouillard, le grondement des moteurs du *Coutelas* et du *Cimeterre* devint audible.

Krim joignit ses deux mains pour prendre une poignée de liquide à la surface de la mer, et la tendit à Drake.

— C'est notre pétrole, Andrew. C'est le pétrole que nous avons versé. Nous sommes en plein milieu.

— Ils se sont arrêtés, dit le commandant du *Coutelas* à Fallon. L'*Argyll* dit qu'ils se sont arrêtés. Dieu sait pourquoi.

— Nous les tenons, cria Fallon avec le sourire aux lèvres.

Et il saisit son pistolet-mitrailleur Ingram.

A bord du destroyer américain *Moran*, l'officier artilleur Chuck Olsen rendit compte à Manning :

— Nous avons la direction et la distance.

— Ouvrez le feu, dit Manning d'une voix calme.

A sept milles au sud du *Coutelas*, le canon de la proue du *Moran* se mit à tirer à grand fracas sa séquence rythmée d'obus. Le commandant du *Coutelas* n'entendit pas les coups de feu, mais ils n'échappèrent pas à l'*Argyll* — qui lui ordonna aussitôt de ralentir. Le patrouilleur se dirigeait tout droit vers le secteur où la minuscule tache lumineuse sur les écrans radar venait de s'arrêter, et le *Moran* avait ouvert le feu vers la même zone. Le commandant du *Coutelas* coupa les gaz de ses deux moteurs, le patrouilleur ralentit et son nez s'abaissa tandis qu'il glissait sur son erre.

— Mais qu'est-ce que vous faites, bon Dieu ? cria le major Fallon. Ils sont peut-être à moins d'un mille...

La réponse vint du ciel. Quelque part au-dessus d'eux, à un mille de leur étrave, on entendit soudain comme le bruit d'un train lancé en pleine vitesse : le premier obus du *Moran* atteignait son but.

Les trois obus perforants de semi-blindage s'enfoncèrent tout droit dans l'eau en soulevant des gerbes d'écume, manquant le canot pneumatique d'une centaine de mètres.

Les obus au magnésium avaient des détonateurs de proximité. Ils explosèrent en un feu d'artifice aveuglant à quelques mètres au-dessus de la mer, et de gros grêlons de magnésium incandescent se mirent à pleuvoir sur une vaste surface.

Les hommes du *Coutelas* se turent : devant eux le brouillard s'illumina soudain. A quatre encâblures par tribord, le *Cimeterre* s'était lui aussi mis en panne, à l'extrême limite de la nappe.

Le magnésium tomba sur le pétrole brut, élevant aussitôt sa température bien au-delà de son seuil d'inflammabilité. Les braises de ce métal léger n'étaient pas assez lourdes pour pénétrer à l'intérieur de la nappe : elles flottèrent à la surface du pétrole jusqu'à la fin de leur combustion.

Sous les yeux des matelots et des fusiliers marins des deux patrouilleurs, la mer prit feu... Une plaine gigantesque commença à s'embraser sur des milles et des milles en tous sens. Rouge sombre d'abord, puis de plus en plus claire, de plus en plus chaude.

Cela ne dura que quinze secondes. Toute la mer était en flammes. Plus de la moitié des vingt mille tonnes de la nappe prit feu et se consuma. En quelques secondes, la température monta jusqu'à cinq mille degrés centigrades. La chaleur fantastique du foyer étouffa le brouillard sur plusieurs milles de distance en moins de huit secondes. Les flammes blanches montaient jusqu'à près de deux mètres au-dessus de la surface des eaux.

Dans un silence absolu, les hommes des patrouilleurs regardèrent l'enfer se déchaîner, à moins de cent mètres de leurs bateaux. Certains durent se protéger le visage de la chaleur dévorante.

Vers le centre de l'incendie, on n'entendit qu'une seule explosion, comme si un réservoir d'essence avait sauté. Partout ailleurs le pétrole se consumait sans bruit, en flammes chatoyantes et éphémères.

Venu du cœur du foyer, se répercutant sur les eaux, un cri humain parvint jusqu'aux oreilles des marins.

— *Chtche ne vmerla Ukraïna...*

Puis il mourut. Les flammes s'apaisèrent, voletèrent, puis s'éteignirent. Le brouillard se resserra.

— Qu'est-ce que cela peut bien vouloir dire ? murmura le commandant du *Coutelas*.

Le major Fallon haussa les épaules.

— Ne me demandez pas ça à moi. C'est un de ces patois étrangers.

Derrière eux, Adam Munro fixait au loin les dernières lueurs vacillantes des flammes en train de mourir.

— On pourrait le traduire : " L'Ukraine revivra. "

Épilogue

Il était vingt heures en Europe occidentale, mais déjà vingt-deux heures à Moscou, et le Politburo était en séance depuis une heure.

Ephraïm Vichnaïev et ses fidèles commençaient à perdre patience. Le théoricien du Parti savait qu'il était assez fort, inutile donc de perdre encore du temps. Il se leva, avec un sourire de mauvais présage.

— Camarades, cette discussion générale est très intéressante mais elle ne débouche sur rien. J'ai demandé cette séance extraordinaire du Praesidium du Soviet suprême dans un but bien précis : savoir si le Praesidium continue d'accorder sa confiance en notre dirigeant émérite, le camarade secrétaire général Maxime Roudine.

« Nous connaissons tous depuis longtemps les arguments pour et contre le traité de Dublin, les envois de céréales que les États-Unis ont promis de nous faire et le prix — à mon sens anormalement élevé — que l'on nous demande de payer en échange.

« Enfin, nous avons appris le départ en Israël des deux meurtriers Michkine et Lazareff, des hommes dont vous avez eu ici même la preuve incontestable qu'ils sont les auteurs de l'assassinat de notre regretté camarade Youri Ivanenko. Ma motion est la suivante : le Praesidium du Soviet suprême ne peut plus accorder sa confiance au camarade Roudine pour continuer de diriger les affaires de notre grande nation. Camarade Secrétaire général, je demande un vote sur cette motion.

Il se rassit. Le silence se prolongea. Pour tous les protagonistes, et plus encore pour les collaborateurs subalternes présents à la séance, la chute d'un géant du Kremlin était un moment terrifiant.

— Sont en faveur de cette motion ?... demanda Maxime Roudine.

Ephraïm Vichnaïev leva la main. Le maréchal Nicolas Kérensky l'imita. Vitautas le Lituanien fit de même. Il y eut plusieurs secondes d'arrêt, puis Mukhamed le Tadjik leva la main à son tour.

Le téléphone sonna. Roudine décrocha, écouta, puis reposa le combiné.

— Je ne devrais évidemment pas interrompre un vote, dit-il d'une voix paisible, mais la nouvelle que l'on vient de me communiquer me paraît d'un extrême intérêt.

« Il y a deux heures, Michkine et Lazareff sont morts subitement dans des cellules du commissariat central de Tel-Aviv. Un de leurs amis a trouvé également la mort dans la même ville en tombant du balcon de sa chambre d'hôtel. Il y a une heure, les terroristes qui avaient pris le *Freya* dans la mer du Nord pour contraindre les autorités allemandes à libérer ces hommes sont morts au cours de l'incendie de la nappe de pétrole qu'ils avaient répandue sur la mer. Aucun d'eux n'a parlé. Et aucun d'eux ne parlera plus jamais.

« Nous étions, je crois, en train de recueillir les voix en faveur de la résolution du camarade Vichnaïev...

Tous les regards se détournèrent, pour se fixer sur le tapis de table.

— Sont contre la motion?... murmura Roudine.

Vassili Pétrov et Dmitri Rykov levèrent la main; Chavadzé le Géorgien, Chouchkine et Stépanov les imitèrent.

Pétryanov qui votait auparavant avec la faction Vichnaïev regarda les mains levées, sentit d'où venait le vent, et leva le bras à son tour.

— Puis-je, dit Komarov de l'Agriculture, exprimer tout le plaisir personnel que j'éprouve à pouvoir voter, avec la confiance la plus totale, en faveur de notre secrétaire général?

Il leva la main.

Roudine lui sourit. « Espèce de limace, pensa-t-il, je t'écraserai moi-même dans ton potager! »

— Avec mon propre vote, la motion est repoussée par huit voix contre quatre, dit Roudine. Y a-t-il d'autres questions à traiter?

Il n'y en avait pas.

Douze heures plus tard, le capitaine Thor Larsen avait enfin repris son poste sur la passerelle du *Freya* et scrutait la mer autour de son bateau.

La nuit avait été fertile en événements. Les fusiliers marins britanniques avaient découvert et libéré Larsen douze heures plus tôt, alors qu'il était sur le point de perdre connaissance. Les experts artificiers et démineurs de la Royal Navy étaient descendus avec précaution dans les réservoirs du superpétrolier pour retirer les détonateurs de la dynamite. Ils avaient ensuite remonté les charges sur le pont du bateau, puis ils les avaient embarquées.

Des mains amies avaient dévissé les écrous-manivelles de la porte derrière laquelle l'équipage était resté emprisonné pendant soixante-quatre heures. Les marins libérés avaient dansé de joie. Toute la nuit, ils avaient téléphoné à leurs parents et à leurs épouses.

Un médecin de la marine avait forcé Thor Larsen à s'allonger sur sa couchette pour soigner sa blessure au mieux, « avec les moyens du bord ».

— Il faudra qu'un chirurgien passe par là, avait dit le docteur au Norvégien. Nous veillerons que tout soit prêt pour le moment où vous arriverez à Rotterdam en hélicoptère, d'accord ?

— Non, avait répondu Larsen à peine conscient. J'irai à Rotterdam, mais à bord du *Freya*.

Le docteur avait nettoyé et séché la main cassée, l'avait désinfectée soigneusement, puis avait injecté de la morphine au marin, pour soulager la douleur. Thor Larsen s'était endormi avant qu'il ait terminé.

D'un bout à l'autre de la nuit, des hélicoptères avaient atterri et décollé de la plage avant du *Freya*, amenant Harry Wennerström sur son bateau, ainsi que l'équipage qui procéderait à la mise à quai. Le spécialiste des pompes avait sorti ses fusibles de secours et remis en état ses pompes de fret. On avait refermé toutes les vannes et transvasé du pétrole dans le réservoir vide pour rétablir l'équilibre du bateau.

Tandis que le capitaine Larsen dormait, son second et ses lieutenants avaient examiné le *Freya* centimètre par centimètre, de la proue à la poupe. Le chef mécanicien avait vérifié ses précieux moteurs et testé tous les appareils pour s'assurer qu'ils n'avaient subi aucun dommage.

Dans l'obscurité, les bateaux-pompes avaient commencé à pulvériser leur concentré émulsifiant liquide sur la zone où la nappe noire souillait encore la surface de l'eau. Une bonne partie du pétrole avait brûlé au cours de l'unique et très bref embrasement provoqué par les obus au magnésium du capitaine Manning.

Thor Larsen s'était éveillé peu de temps avant l'aurore. Le chef steward l'avait aimablement aidé à enfiler ses vêtements : il avait tenu à porter l'uniforme de gala d'un capitaine de la Nordia Line. Avec précaution, il avait fait glisser sa main bandée dans la manche quatre fois cerclée d'or, puis il l'avait remise dans l'écharpe qui pendait de son cou.

A huit heures du matin, il était dans la dunette aux côtés de son second et de son premier lieutenant. Les deux pilotes du Maas Control étaient déjà là — et le plus âgé avait apporté sa petite « boîte brune » qui l'aiderait à diriger le bateau.

A la grande surprise de Thor Larsen, la mer, — au nord, au sud et à l'est — était parsemée de bateaux. Il y avait là des chalutiers des estuaires de la Humber et de la Schelde, des pêcheurs de Lorient et de Saint-Malo, d'Ostende et de la côte du Kent.

Des navires marchands battant plus de dix pavillons différents se mêlaient aux vaisseaux de guerre des cinq pays de l'O.T.A.N. — et tout le monde était en panne, à partir de trois milles, et au-delà.

A huit heures deux, les hélices géantes du *Freya* se mirent à tourner, l'énorme câble d'ancre remonta du fond de l'océan dans un vacarme de ferraille. Sous la poupe, un maelström d'eau blanche apparut.

Dans le ciel, quatre avions équipés de caméras de télévision décrivaient des cercles pour montrer au monde entier la Déesse des Mers reprenant sa marche solennelle.

Dès que le sillage s'élargit derrière lui et que le casque de Viking, emblème de la compagnie, se mit à claquer en haut de son mât d'honneur, une immense clameur retentit sur la mer du Nord.

De petites sirènes aiguës comme des sifflets de métal, des rugissements, des grondements, des hurlements graves ou stridents, ricochèrent longuement sur les eaux tandis qu'une centaine de capitaines, à bord de leurs bateaux — qu'ils soient minuscules ou gigantesques, sans défense ou redoutables — offraient au *Freya* le traditionnel salut du marin.

Thor Larsen regarda la mer encombrée autour de lui, puis l'avenue vide conduisant vers l'euro-balise numéro un. Il se tourna vers le pilote néerlandais qui attendait ses ordres.

— Je vous prie de mettre le cap vers Rotterdam.

Le dimanche 10 avril, dans la salle Saint-Patrick du château de Dublin, deux hommes s'avancèrent vers la grande table de chêne que l'on avait installée là à cette occasion, et s'installèrent à leur place.

Du Balcon des Ménestrels, des caméras de télévision étaient braquées entre les colonnes de lumière blanche inondant la table. Leurs images seraient diffusées dans le monde entier.

Dmitri Rykov apposa lentement sa signature au nom de l'Union soviétique sur les deux exemplaires du traité de Dublin, puis fit passer les deux textes reliés en maroquin rouge à David Lawrence qui signa à son tour pour le compte des États-Unis.

Quelques heures plus tard, les premiers bateaux de céréales qui attendaient déjà au large de Mourmansk et de Leningrad, de Sébastopol et d'Odessa, se dirigèrent vers leurs môles de déchargement.

Une semaine plus tard, les premières unités de combat stationnées le long du rideau de fer commencèrent à charger leur matériel pour organiser leur repli.

Le jeudi 14, la séance ordinaire du Politburo dans le bâtiment de l'Arsenal du Kremlin fut en réalité assez peu ordinaire.

Le dernier homme qui entra dans la pièce, après avoir été retardé à l'extérieur par un major de la Garde du Kremlin, était Ephraïm Vichnaïev.

En franchissant le seuil, il remarqua que les visages des onze autres membres étaient tournés vers lui. Roudine siégeait à sa place habituelle, au bout de la table en forme de T, au centre de la petite barre. De chaque côté de la grande barre, il y avait cinq fauteuils. Tous occupés. Une seule place restait vacante : celle du bout de la grande barre. En face de Roudine.

Impassible, Ephraïm s'avança lentement vers le Fauteuil pénal. Ce devait être sa dernière apparition au sein du Politburo.

Le 18 avril, un petit caboteur roulait sur la houle de la mer Noire, à dix milles des côtes roumaines. Quelques minutes avant deux heures du matin, une chaloupe rapide quitta le caboteur et se dirigea vers la terre. A trois milles elle s'arrêta. Un des hommes à bord prit une torche puissante, l'orienta vers les sables invisibles de la plage, au nord de Mamaïa, et envoya un signal. Trois coups longs, trois coups courts. Il n'y eut aucune réponse venant de la plage. L'homme répéta son signal par quatre fois. Toujours sans succès.

La chaloupe fit demi-tour et revint vers le caboteur. Une heure plus tard, elle était remontée sur le pont et un message partait vers Londres.

De Londres, un autre message, codé, prit aussitôt le chemin de l'ambassade britannique à Moscou.

« Regrets. Rossignol absent au rendez-vous. Suggérons reveniez à Londres. »

Le 25 avril, dans le Palais des Congrès du Kremlin se tint l'assemblée plénière du Comité central du Parti communiste d'Union soviétique. Les délégués venaient de l'ensemble de l'Union et certains avaient parcouru des milliers de kilomètres.

Du podium dressé sous l'immense effigie de Lénine, Maxime Roudine leur fit son discours d'adieu.

Il commença par exposer à tous la crise que leur pays avait dû affronter douze mois plus tôt. La façon dont il dépeignit la disette et la perspective de famine était à faire dresser les cheveux sur la tête. Puis il décrivit la manœuvre diplomatique magistrale du Politburo, qui avait permis à Dmitri Rykov de rencontrer les Américains à Dublin et d'obtenir d'eux des livraisons de céréales d'une ampleur sans précédent, ainsi que l'importation de techniques de pointe et d'ordinateurs — le tout à un prix minimal. Il ne fit pas la moindre allusion aux concessions sur le plan militaire. L'ovation qu'il reçut se prolongea pendant dix minutes.

Passant aussitôt à la question de la paix mondiale, il rappela que la paix était constamment mise en danger par les ambitions territoriales impérialistes de l'Ouest capitaliste, aidé parfois par certains ennemis sévissant au sein même de l'Union soviétique.

C'était aller trop loin ; tout le monde était consterné. Mais, ajouta-t-il en levant l'index en signe d'avertissement, ceux qui complotaient en secret avec les Impérialistes avaient été découverts et extirpés, grâce à l'éternelle vigilance de l'infatigable Youri Ivanenko, qui était mort une semaine plus tôt dans sa clinique, après une lutte exemplaire contre la maladie de cœur qui le terrassait.

A l'annonce de cette mort, la salle retentit de cris d'horreur et de compassion pour le camarade disparu, qui les avait tous sauvés. Roudine leva la main pour imposer le silence.

Mais, leur dit-il, Ivanenko avait été assisté avant sa crise cardiaque d'octobre dernier, puis remplacé dès le début de sa maladie, par son compagnon d'armes d'une fidélité à toute épreuve, Vassili Pétrov, qui avait achevé sa mission, permettant à l'Union soviétique de demeurer le premier défenseur de la paix dans le monde... Il y eut une ovation pour Vassili Pétrov.

Comme les conspirations de la faction militariste, à la fois au-dehors et en Union soviétique même, avaient été mises au jour et anéanties, poursuivit Roudine, l'U.R.S.S., dans sa recherche ininterrompue de la détente et de la paix, avait eu la possibilité pour la première fois depuis des années, de réduire ses programmes de fabrication d'armes. Une plus grande proportion de l'effort national pourrait donc être orientée vers la production de biens de consommation et l'amélioration des conditions de vie — et cela grâce à la vigilance du Politburo, qui avait su démasquer la faction antipaix et la dénoncer pour ce qu'elle était.

Les applaudissements se prolongèrent, cette fois encore, pendant une dizaine de minutes.

Maxime Roudine attendit jusqu'à ce que les bravos soient presque apaisés, puis leva la main pour y mettre un terme. Quand il reprit la parole, sa voix avait baissé d'un ton.

Quant à lui, dit-il, il avait fait ce qu'il avait pu, mais l'heure de la retraite avait maintenant sonné.

Un silence stupéfait accueillit ses paroles.

Pendant longtemps, trop longtemps peut-être, il avait consacré toutes ses forces aux charges de l'État, portant sur ses épaules les fardeaux les plus lourds, et cela avait ruiné son énergie et sa santé.

Sur le podium, la fatigue semblait voûter son échine.

— Non, non..., crièrent quelques voix.

— Je suis un vieil homme, poursuivit-il. Qu'est-ce que je désire ? Rien de plus que tous les autres vieillards : m'asseoir au coin du feu par les longues soirées d'hiver et jouer avec mes petits-enfants...

Dans la tribune des diplomates, le chef de la chancellerie britannique murmura à son ambassadeur :

— Il y va un peu fort, non ? Il a fait tuer plus de gens que je n'ai pris de dîners chauds dans ma vie.

L'ambassadeur souleva un sourcil et répondit sur le même ton.

— Estimez-vous heureux. Si nous étions en Amérique il aurait fait monter ses satanés petits-enfants sur le podium.

Le moment était donc venu, conclut Roudine, que tous ses amis et ses camarades apprennent que les médecins ne lui donnaient plus que quelques mois à vivre. Avec la permission de l'assemblée, il se déchargerait des fardeaux de sa charge et passerait le peu de temps qui lui restait à vivre dans la campagne russe qu'il aimait tant, avec sa famille qu'il chérissait plus que la prunelle de ses yeux.

Plusieurs femmes déléguées pleuraient à chaudes larmes.

Une dernière question restait en suspens, dit Roudine. Il désirait se retirer dans cinq jours, le dernier jour du mois. Le lendemain matin, 1ᵉʳ mai, un homme nouveau devrait prendre place en haut du Mausolée de Lénine pour recevoir l'hommage du grand défilé. Qui serait cet homme ?

Il faudrait que ce soit un homme plein de jeunesse, d'ardeur et de sagesse ; un homme d'un patriotisme sans limite ; un homme qui ait fait ses preuves dans les plus hautes instances du pays, sans être pour autant courbé par les ans. Un tel homme, clama Roudine, les peuples des quinze Républiques socialistes soviétiques avaient la chance de l'avoir — en la personne de Vassili Pétrov.

Vassili Pétrov fut élu par acclamations à la succession de Roudine. La foule aurait fait taire les partisans d'autres candidats s'ils avaient osé élevé la voix. Ils s'en gardèrent bien.

Après le dénouement de la prise d'otages, sir Nigel Irvine tenait pour souhaitable qu'Adam Munro demeure à Londres, ou en tout cas qu'il ne reparte pas à Moscou. Mais Munro avait sollicité du Premier ministre en personne l'autorisation de tenter une dernière chance de découvrir si son agent, le Rossignol, était encore en vie. Étant donné le rôle qu'il avait joué dans la résolution de la crise, sa requête lui fut accordée.

Depuis son entretien avec Maxime Roudine, le 3 avril avant l'aube, il était manifeste que sa couverture avait perdu toute efficacité, et qu'il ne pouvait plus assumer ses fonctions secrètes à Moscou.

L'ambassadeur et le chef de la chancellerie ne virent pas son retour d'un bon œil, c'est le moins qu'on puisse dire, et nul ne s'étonna de voir son nom exclu de toutes les invitations diplomatiques, tandis qu'aucun représentant du ministère soviétique du Commerce extérieur n'acceptait de le recevoir. Il se mit à traîner comme un invité indésirable qu'on délaisse, espérant contre tout espoir que Valentina le contacterait d'une manière ou d'une autre pour lui faire savoir dans quelle situation elle se trouvait.

Un jour, il essaya de téléphoner à son numéro personnel. Il n'obtint pas de réponse. Peut-être était-elle sortie, mais il n'osa pas prendre le risque de la rappeler. Après la chute de la faction Vichnaïev, on lui signifia qu'il ne lui restait plus que jusqu'à la fin du mois. Ensuite, il serait rappelé à Londres et sa démission du Service serait acceptée avec reconnaissance.

Le discours d'adieu de Maxime Roudine avait provoqué une animation fébrile dans les missions diplomatiques. Chacun informait son gouvernement du départ de Roudine et préparait des notes confidentielles sur son successeur Vassili Pétrov. Munro fut également exclu de ce tourbillon d'activité.

La surprise n'en fut que plus grande quand on sut que les trois invitations remises à l'ambassade d'Angleterre pour la réception officielle d'adieux, le 30 avril au soir dans le salon Saint-Georges du Grand Palais du Kremlin, portaient les noms de l'ambassadeur, du chef de la chancellerie et d'Adam Munro. Le ministère soviétique des Affaires étrangères avait même, au cours d'une communication téléphonique avec l'ambassade, laissé entendre en confidence que l'on comptait absolument sur la venue de M. Munro.

La réception d'adieux de Maxime Roudine fut une soirée magnifique. Plus de cent membres de l'élite de l'Union soviétique se mêlèrent aux diplomates étrangers du monde socialiste, de l'Ouest et du tiers monde, quatre fois plus nombreux qu'eux. Des délégations fraternelles de partis communistes extérieurs au bloc soviétique étaient également présentes, souvent assez mal à l'aise au milieu des tenues de soirée et des grands uniformes bardés de décorations et de médailles. On aurait pu croire à l'abdication d'un tsar et non à celle du dirigeant d'un monde sans classes, d'un paradis des travailleurs.

Les étrangers se mêlaient à leurs hôtes russes sous les trois cents lampes des six lustres étincelants, échangeant commérages et félicitations dans les niches dédiées aux grands héros de guerres tsaristes et aux autres Chevaliers de Saint-Georges. Maxime Roudine allait de groupe en groupe comme un vieux lion, acceptant comme si ce n'était que son dû les applaudissements et les vœux des représentants de cent cinquante pays.

Munro le suivit des yeux de loin, mais il n'était pas sur la liste des personnes qui lui seraient présentées personnellement, et il aurait eu mauvaise grâce de s'avancer vers le secrétaire général. Longtemps avant minuit, alléguant une lassitude bien naturelle, Roudine s'excusa et laissa Pétrov et les autres membres du Politburo s'occuper de ses hôtes.

Vingt minutes plus tard, Adam Munro sentit une main se poser sur son bras. Derrière lui se trouvait un major portant l'uniforme immaculé de la garde prétorienne du Kremlin. Impassible comme toujours, le major lui parla en russe :

— Monsieur Munro, je vous prie de m'accompagner.

Le ton de sa voix excluait toute discussion. Munro ne fut pas surpris outre mesure : manifestement c'était par erreur qu'il se trouvait sur la liste des invitations. Quelqu'un l'avait reconnu et on lui demandait de partir.

Mais le major dépassa les portes principales sans les franchir, pénétra dans le salon octogonal de Saint-Vladimir, monta un escalier de bois défendu par une grille de bronze, puis sortit dans la nuit tiède, sous le plafond d'étoiles de la place du Sauveur.

L'homme marchait d'un pas sûr, parfaitement à l'aise dans des corridors et des passages que personne n'a jamais l'occasion de voir, mais qu'il semblait très bien connaître.

Toujours à sa suite, Munro traversa la place et pénétra dans le palais Terem. Des gardes silencieux étaient en faction devant les portes : chacune d'elles s'ouvrit à l'approche du major et se referma après le passage de Munro. Ils traversèrent la Chambre Antérieure, puis la Chambre de la Croix. Tout au fond, le major s'arrêta devant une porte et frappa. On entendit à l'intérieur un ordre bourru. Le major ouvrit la porte, s'effaça et fit signe à Munro d'entrer.

La troisième chambre du palais Terem — surnommé le palais des Chambres — est la Salle du Trône, le saint des saints des anciens tsars, la pièce la plus inaccessible du Kremlin. Avec son décor de rouges, d'ors et de mosaïques, avec son parquet de marqueterie et son épais tapis grenat, elle est d'une luxuriance étonnante — plus petite et plus chaude que la plupart des autres pièces. C'était là que les tsars travaillaient et recevaient des messagers dans une intimité absolue. Maxime Roudine était debout près de la Fenêtre de la Pétition, regardant la nuit. A l'entrée de Munro, il se retourna.

— Alors monsieur Munro, vous allez nous quitter, à ce qu'on m'a dit ?

Vingt-sept jours plus tôt, Munro l'avait vu en robe de chambre, serrant entre ses mains un verre de lait, dans ses appartements personnels de l'Arsenal. Maintenant, il était vêtu d'un complet gris anthracite magnifiquement coupé — presque certainement dans Savile Row à Londres — portant à sa boutonnière gauche l'ordre de Lénine et l'ordre du Héros de l'Union soviétique. Dans cette tenue, la Salle du Trône lui convenait mieux.

— Oui, monsieur le Président, répondit Munro.

Maxime Roudine regarda sa montre.

— Dans dix minutes : monsieur l'ex-Président, fit-il observer. A minuit, je me retire officiellement. Je suppose que vous allez vous retirer vous aussi ?

« Le vieux renard sait très bien que ma couverture est fichue depuis le soir où je l'ai rencontré, songea Munro. Et que je suis obligé de me " retirer " comme il dit. »

— Oui, monsieur le Président. Je rentre à Londres demain, pour démissionner.

Roudine ne s'approcha pas de lui, ne lui tendit pas la main. Il demeura debout près du mur opposé, juste à l'endroit où les tsars se tenaient autrefois, dans la pièce qui représentait la clé de voûte de l'Empire russe. Il hocha la tête.

— Dans ce cas, je vous fais mes adieux, monsieur Munro.

Il appuya sur une petite sonnerie en onyx posée sur la table, et derrière Munro la porte s'ouvrit.

— Adieu, monsieur, dit Munro.

Il était déjà en train de se retourner lorsque Roudine parla de nouveau.

— Dites-moi, monsieur Munro, que pensez-vous de notre place Rouge ?

Munro se figea, déconcerté. C'était une question étrange pour un homme qui faisait ses adieux. Munro réfléchit et répondit prudemment.

— C'est très impressionnant.

— Impressionnant, oui, répéta Roudine comme s'il soupesait ce mot. Peut-être moins élégant que votre Berkeley Square, mais parfois, ici aussi, on peut entendre un rossignol chanter.

Munro demeura aussi immobile que les saints des fresques du plafond. Son estomac se souleva. Ils l'avaient arrêtée, et incapable de résister, elle leur avait tout dit, même le nom de code et l'allusion à la vieille chanson du rossignol de Berkeley Square.

— Allez-vous l'exécuter ? demanda-t-il à mi-voix.

Roudine parut sincèrement surpris.

— L'exécuter ? Pourquoi l'exécuter ?

Ainsi donc, pour la femme qu'il aimait, ce seraient les camps de travail, la mort vivante. Et il s'en était fallu de si peu pour qu'il l'épouse dans son Écosse natale !

— Qu'allez-vous lui faire ?

Le vieux Russe haussa les sourcils. Sa surprise était feinte.

— Lui faire ? Mais rien du tout. C'est une femme loyale, une patriote. Elle est aussi très attachée à vous, jeune homme. Ce n'est pas de l'amour, vous comprenez, mais un attachement profond...

— Non, je ne comprends pas, dit Munro. Comment le savez-vous ?

— Elle m'a demandé de vous le dire, répondit Roudine. Elle ne veut pas devenir une femme d'intérieur à Édimbourg. Elle ne veut pas être Mme Munro. Elle ne peut pas accepter de vous revoir — jamais. Mais elle ne veut pas que vous vous fassiez de souci pour elle, que vous ayez peur pour elle. Elle est heureuse, privilégiée et honorée au sein de son peuple. Elle m'a demandé de vous dire de ne pas vous tourmenter.

La vérité qui se faisait jour dans l'esprit de Munro était étourdissante. Presque aussi terrible que ses inquiétudes pour le sort de Valentina. Son incrédulité fit place à la certitude, et il leva les yeux vers Roudine.

— Ainsi, elle était à vous, dit-il d'une voix sourde. Elle a été à vous tout le temps. Depuis la première prise de contact dans les bois, juste après la tentative de Vichnaïev pour faire approuver la guerre en Europe. Elle travaillait pour vous...

Le vieux renard du Kremlin haussa les épaules.

— Monsieur Munro, grogna-t-il, que pouvais-je faire d'autre pour envoyer des messages au président Matthews en ayant la certitude absolue qu'ils seraient pris pour argent comptant?

Le major impassible aux yeux froids le tira par la manche. Il était déjà à l'extérieur de la Salle du Trône et la porte s'était refermée derrière lui. Cinq minutes plus tard, on le faisait sortir par une petite porte donnant sur la place Rouge. Les maréchaux du défilé du 1er mai répétaient leurs rôles. Au-dessus de sa tête l'horloge sonna minuit.

Il tourna à gauche vers l'Hôtel National pour trouver un taxi. Cent mètres plus loin, juste en face du Mausolée de Lénine, à la grande surprise d'un agent de la milice outragé, il éclata de rire.

**Achevé d'imprimer
en novembre mil neuf cent soixante-dix-neuf
sur les presses de l'Imprimerie Gagné Ltée
Louiseville - Montréal.**

*Dépôt légal: 4e trimestre 1979
Bibliothèque nationale du Canada
Bibliothèque nationale du Québec*

Imprimé au Canada